U0121995

乱序便携版

# 雅思词汇
## 词根+联想
## 记忆法

俞敏洪 / 编著

浙江教育出版社·杭州

**图书在版编目(CIP)数据**

雅思词汇词根+联想记忆法 : 乱序便携版 / 俞敏洪
编著. -- 杭州 : 浙江教育出版社，2022.5（2023.5重印）
ISBN 978-7-5722-3239-8

Ⅰ．①雅… Ⅱ．①俞… Ⅲ．①IELTS－词汇－记忆术
－自学参考资料 Ⅳ．①H313

中国版本图书馆CIP数据核字(2022)第043975号

## 雅思词汇词根+联想记忆法 乱序便携版

YASI CIHUI CIGEN+LIANXIANG JIYI FA LUAN XU BIANXIE BAN

俞敏洪　编著

| | |
|---|---|
| 责任编辑 | 赵清刚 |
| 美术编辑 | 韩　波 |
| 责任校对 | 马立改 |
| 责任印务 | 时小娟 |
| 封面设计 | 申海风 |
| 出版发行 | 浙江教育出版社 |
| | 地址：杭州市天目山路40号 |
| | 邮编：310013 |
| | 电话：（0571）85170300－80928 |
| | 邮箱：dywh@xdf.cn |
| 印　　刷 | 大厂回族自治县彩虹印刷有限公司 |
| 开　　本 | 787mm×1092mm　1/32 |
| 成品尺寸 | 125mm×185mm |
| 印　　张 | 12.5 |
| 字　　数 | 307 000 |
| 版　　次 | 2022年5月第1版 |
| 印　　次 | 2023年5月第7次印刷 |
| 标准书号 | ISBN 978-7-5722-3239-8 |
| 定　　价 | 40.00元 |

词汇的积累需要平时点滴的努力，同时一本好的词汇书也是必备的。《雅思词汇词根＋联想记忆法 乱序版》（以下简称"雅思乱序版"）出版后，因其词汇量大、记忆方法实用有趣、乱序编排等特点而广受考生欢迎。但也有很多考生提到，这本书太厚，开本大，不便于携带，使得随时随地学习单词的想法难以实现。因此，我们特地推出了这本《雅思词汇词根＋联想记忆法 乱序便携版》（以下简称"雅思乱序便携版"），希望能为考生的学习提供更多的便利。

本书的主要特色如下：

**"雅思乱序版"瘦身，随时随地记忆单词**

"雅思乱序便携版"保留了"雅思乱序版"中收录的所有核心单词，沿袭了其实用的"词根＋联想"记忆法，保留了常用搭配、部分同／反义词和派生词。因此，本书是"雅思乱序版"的浓缩精华版，以口袋书的形式帮助考生充分利用零散时间进行复习，提高备考效率。

**收词全面，涵盖考试重点词汇**

本书以历次雅思考试为依据，精心选取 3500 多个核心单词，并给出一些重点词汇的同／反义词和派生词，共收录约6000 个常用单词，基本涵盖雅思考试所有重点词汇。

**"词根＋联想"，记忆障碍一扫而光**

如果缺少科学的记忆方法，记忆单词会是一个枯燥乏味的过程。实践证明，"词根＋联想"记忆法能够在很大程度上提升单词记忆的趣味性和考生背单词的成就感。

词根记忆法通过归纳常用词根，使考生可以举一反三，短时间内记忆海量单词。

联想记忆法主要利用单词的拆分、形近词、同音词、情景联想等有趣的方式，激发考生的想象力，帮助考生强化记忆。

发音记忆法则利用英文单词与中文的谐音，帮助考生巧妙记忆单词。

"词根＋联想"记忆法把考生从记忆单词的枯燥劳役中解放出来，有助于考生克服背诵单词的畏惧心理，提高学习效率。

### 标记听说词汇，攻克听说难关

对大部分中国考生而言，雅思听力、口语是最大的障碍。因此，本书将雅思听力、口语中常见的单词用＊标出，便于考生在备考听说时更加有的放矢。

作为"雅思乱序版"的姊妹篇，本书保留了其精华，考生可以在认真学习"雅思乱序版"的基础上，将本书作为有效补充。在复习的初级阶段通过本书"过单词"，熟悉雅思考试中的常考词汇；待具备一定的词汇量后，利用"雅思乱序版"进一步全面巩固学习，通过例句深化理解与记忆，熟悉真实考试的难度，同时通过其丰富的派生词、同／反义词等，全面拓展词汇量；在冲刺阶段再利用本书快速巩固单词。

广大考生长期的支持和宝贵的建议促成了本书的完成，同时要特别感谢汇智博纳的编辑们，是他们的努力工作使得本书能够及时与大家见面。衷心希望本书能够帮助考生们克服词汇难关，最终收获精彩！

编者

# 目录

Word List 01.............................. 1

Word List 02.............................. 8

Word List 03.............................. 16

Word List 04.............................. 24

Word List 05.............................. 32

Word List 06.............................. 40

Word List 07.............................. 48

Word List 08.............................. 56

Word List 09.............................. 64

Word List 10.............................. 71

Word List 11.............................. 79

Word List 12.............................. 86

Word List 13.............................. 93

Word List 14.............................. 101

Word List 15.............................. 108

Word List 16.............................. 115

Word List 17.............................. 122

Word List 18.............................. 129

Word List 19.............................. 135

Word List 20.............................. 142

Word List 21.............................. 149

Word List 22.............................. 156

Word List 23.............................. 162

Word List 24.............................. 169

Word List 25.............................. 175

Word List 26.............................. 181

Word List 27.............................. 188

Word List 28.............................. 195

Word List 29......................... 202

Word List 30......................... 209

Word List 31......................... 215

Word List 32......................... 222

Word List 33......................... 229

Word List 34......................... 235

Word List 35......................... 243

Word List 36......................... 250

Word List 37......................... 257

Word List 38......................... 264

Word List 39......................... 270

Word List 40......................... 277

Word List 41......................... 284

Word List 42......................... 291

Word List 43......................... 298

Word List 44......................... 306

Word List 45......................... 313

Word List 46......................... 319

Word List 47......................... 327

Word List 48......................... 334

Word List 49......................... 342

Word List 50......................... 349

索引......................... 357

附录......................... 389

# Word List 01

音频

| | |
|---|---|
| **delve** | [delv] *v.* 钻研；探索，探究 |
| | 记 联想记忆：埋在书架(shelves)里整天钻研(delve) |
| **exact*** | [ɪgˈzækt] *adj.* 精确的；准确的 |
| | 记 词根记忆：ex(出)+act(做)→做出精确的结果→精确的；准确的 |
| | 派 exactly (*adv.* 正确地；完全地) |
| **elicit** | [ɪˈlɪsɪt] *v.* 引出，诱出 |
| | 记 词根记忆：e(出)+lic(诱骗)+it→诱骗到外面来→诱出，引出 |
| | 搭 elicit no response 没有得到回应 |
| **traditional*** | [trəˈdɪʃənl] *adj.* 传统的，惯例的；口传的，传说的 |
| | 搭 traditional view 传统观点；traditional belief 传统信条；traditional industry 传统工业；traditional method 传统方法 |
| **lack*** | [læk] *n./v.* 缺乏，不足，没有 |
| | 搭 lack of 缺乏，没有；lack (for) nothing 什么都不缺 |
| **regent** | [ˈriːdʒənt] *n.* 摄政者(代国王统治者) |
| | 记 词根记忆：reg(国王)+ent(表人)→摄政者 |
| **burgeon*** | [ˈbɜːdʒən] *vi.* 迅速成长；发展 |
| | 记 词根记忆：burg(=bud，花蕾)+eon→像花蕾一样成长→迅速成长 |
| **argue*** | [ˈɑːgjuː] *v.* 争论；说服 |
| | 记 发音记忆："阿Q"→阿Q喜欢和人争论→争论 |
| | 搭 argue sb. into/out of doing 说服某人做/不做某事；argue for 赞成，要求；argue about 议论…；argue over 辩论/争论… |
| | 派 arguably (*adv.* 可论证地，可辩解地) |
| **barely*** | [ˈbeəli] *adv.* 仅仅，几乎不；赤裸裸地，无遮蔽地 |
| **hierarchy** | [ˈhaɪərɑːki] *n.* 领导层；层次，等级 |

| | |
|---|---|
| **guidance\*** | ['gaɪdns] *n.* 指引，指导 |
| | 记 联想记忆：guid(e)(指引，指导)+ance(表名词)→指引，指导 |
| | 搭 guidance system 向导系统 |
| **easy-going\*** | [ˌiːzi ˈɡəʊɪŋ] *adj.* 脾气随和的，心平气和的；随便的 |
| **electrical\*** | [ɪˈlektrɪkl] *adj.* 电的；电学的；有关电的 |
| | 搭 electrical fault 电气故障 |
| **electronic\*** | [ɪˌlekˈtrɒnɪk] *adj.* 电子的 |
| | 记 来自 electric (*adj.* 电的) |
| **philosophy** | [fəˈlɒsəfi] *n.* 哲学；哲理 |
| | 记 词根记忆：philo(爱)+soph(智慧)+y(表名词)→爱智慧的学问→哲学；哲理 |
| | 派 philosopher (*n.* 哲学家，哲人) |
| **chronic** | [ˈkrɒnɪk] *adj.* (疾病)慢性的；积习难改的 |
| | 记 词根记忆：chron(时间)+ic(…的)→长时间的→(疾病)慢性的 |
| | 搭 chronic problem 长期的问题；chronic disease 慢性疾病；chronic war 持久战 |
| | 同 inveterate (*adj.* 根深蒂固的；成癖的) |
| **desirable** | [dɪˈzaɪərəbl] *adj.* 值得拥有的；合意的；可取的，有利的 |
| | 记 来自 desire (*v.* 渴望) |
| **consortium\*** | [kənˈsɔːtɪəm] *n.* 集团；财团；社团，协会 |
| | 记 联想记忆：consort(陪伴，结交)+ium→结交组成团体→社团，协会 |
| **buckle** | [ˈbʌkl] *v.* 扣紧；(使)变形；弯曲 *n.* 皮带扣环 |
| | 记 联想记忆：扣紧(buckle)雄鹿(buck)，防止挣脱 |
| **curry** | [ˈkʌri] *n.* 咖喱；咖喱饭菜 *vt.* 把(肉、蔬菜等)做成咖喱食品；梳刷(马毛等) |
| | 搭 curry powder 咖喱粉 |
| **subliminal** | [ˌsʌbˈlɪmɪnl] *adj.* 下意识的，潜意识的 |
| | 记 词根记忆：sub(下)+limin(=limen，最小限度的神经刺激)+al(…的)→下意识的，潜意识的 |

| | |
|---|---|
| **chamber*** | ['tʃeɪmbə(r)] *n.* 室；洞穴；(枪)膛 |
| **frequent*** | ['friːkwənt] *adj.* 频繁的；常见的；常用的<br>记 词根记忆：frequ(频繁，频率)+ent(具有…性质的)→频繁的；常见的<br>派 frequently (*adv.* 常常，频繁地) |
| **prosperous*** | ['prɒspərəs] *adj.* 繁荣的，兴旺的；成功的<br>搭 a prosperous city 一座繁华的都市 |
| **purpose*** | ['pɜːpəs] *n.* 目的，意图；用途，效果 *v.* 打算，企图；决心<br>搭 on purpose 故意地，有意地 |
| **variety*** | [vəˈraɪəti] *n.* 品种，种类；变化，多样化<br>记 词根记忆：vari(变化)+ety(表状态)→有很多变化→品种；变化<br>搭 a variety of 许多 |
| **immigration*** | [ˌɪmɪˈɡreɪʃn] *n.* 外来的移民；移居(入境)<br>记 词根记忆：im(向内)+migr(迁移)+ation(表行为)→向内迁移→移居(入境)<br>搭 immigration application 移民申请 |
| **natural*** | ['nætʃrəl] *adj.* 正常的；普通的；自然的；自然界的，天然的；天赋的；固有的<br>搭 natural disaster 自然灾害 |
| **bet*** | [bet] *v.* 赌，打赌 *n.* 打赌，赌注<br>搭 bet on 打赌，赌博；bet with sb. 和某人打赌 |
| **consumer** | [kənˈsjuːmə(r)] *n.* 消费者；用户<br>派 consumerism (*n.* 消费主义) |
| **physician** | [fɪˈzɪʃn] *n.* 内科医生，医师<br>记 词根记忆：physic(医学)+ian(表人)→医师 |
| **equal** | ['iːkwəl] *adj.* 相等的；能胜任的 *vt.* 比得上<br>派 equality (*n.* 同等，平等)；equally (*adv.* 平等地，相等地) |
| **resort*** | [rɪˈzɔːt] *n.* 求助；诉诸；(度假)胜地 *vi.* 求助；诉诸<br>记 联想记忆：报告(report)上级，紧急求助(resort) |

3

**leadership\*** ['liːdəʃɪp] *n.* 领导，领导层；领导能力

🔤 联想记忆：leader(领导者)+ship(表身份)→领导，领导层

**equity\*** ['ekwəti] *n.* 公平，公正

🔤 词根记忆：equi(相等)+ty(表状态)→等价交换→公平，公正

**excavate\*** ['ekskəveɪt] *v.* 挖掘，开凿；(科学家或考古学家)发掘，挖出(古物等)

🔤 词根记忆：ex(出)+cav(洞)+ate(使…)→挖出洞→挖掘，开凿

**nuclear\*** ['njuːklɪə(r)] *adj.* 核能的，原子能的

🔤 联想记忆：nu+clear(清除)→清除核危机→核能的

**mutual** ['mjuːtʃuəl] *adj.* 相互的；共同的

🔤 词根记忆：mut(改变)+ual(有…性质的)→穷则思变，共同发展→相互的；共同的

🔤 mutual understanding 相互理解；the principle of equality and mutual benefit 平等互惠的原则

**density** ['densəti] *n.* 密集；浓度，密度

🔤 population density 人口密度；the density of settlement 居住密度

**massive** ['mæsɪv] *adj.* 大而重的，厚实的，粗大的；大量的，大规模的

**congratulate** [kən'grætʃəleɪt] *vt.* 祝贺

🔤 词根记忆：con(共同)+grat(令人高兴的)+ulate→同喜同贺→祝贺

**companion** [kəm'pænɪən] *n.* 共事者；同伴，伙伴

🔤 词根记忆：com(共同)+pan(面包)+ion→共享面包的人→共事者；同伴，伙伴

**rig** [rɪg] *vt.* 操纵，垄断 *n.* 船桅(或船帆)的装置；成套器械

🔤 联想记忆：挖(dig)个洞把器械(rig)藏起来

**input\*** ['ɪnpʊt] *n.* 投入，输入 *vt.* 把…输入计算机

🔤 来自词组put in (投入；输入)

**merely\*** ['mɪəli] *adv.* 仅仅，只不过

4

**impart** [ɪm'pɑːt] *vt.* 给予，赋予；传授；告知，透露

搭 impart knowledge 传授知识

**forfeit\*** ['fɔːfɪt] *v.* (因犯规等而)丧失，失去 *n.* 罚款；代价

记 联想记忆：for(因为)+feit(看作词根fect，做)→因为做错事，所以被处罚→罚款

**counteract** [ˌkaʊntər'ækt] *v.* 抵消；对抗；中和

记 联想记忆：counter(相反)+act(动作)→做相反的动作→抵消

**ventilation** [ˌventɪ'leɪʃn] *n.* 空气流通；通风设备，通风方法

记 来自ventilate (*vt.* 使通风)

搭 rooms with good ventilation 通风良好的房间；ventilation system 通风系统

**intermediate\*** [ˌɪntə'miːdiət] *adj.* 中间的，中级的 *n.* 中间物

记 词根记忆：inter(在…之间)+medi(中间)+ate(具有…的)→中间的

**eternal** [ɪ'tɜːnl] *adj.* 永恒的

记 联想记忆：外部(external)世界是永恒的(eternal)诱惑

同 endless (*adj.* 无止境的)；everlasting (*adj.* 永恒的，持久的)；permanent (*adj.* 永久的，持久的)

反 momentary (*adj.* 瞬间的，刹那的)；temporary (*adj.* 暂时的)

**invasion\*** [ɪn'veɪʒn] *n.* 入侵，侵略

记 词根记忆：in(进入)+vas(走)+ion(表动作)→走进来→入侵，侵略

**nevertheless** [ˌnevəðə'les] *adv.* 尽管如此；然而，不过

**celebrate\*** ['selɪbreɪt] *v.* 赞扬，歌颂；庆祝

派 celebration (*n.* 庆祝，庆典)

**inspiring\*** [ɪn'spaɪərɪŋ] *adj.* 鼓舞(或激励)人心的；启发灵感的

记 词根记忆：in(使…)+spir(呼吸)+ing(令人…的)→使呼吸的→鼓舞人心的

搭 an inspiring story 一个激励人心的故事

| | |
|---|---|
| **attendance*** | [ə'tendəns] *n.* 到场，出席；出勤；伺候，照料<br>**记** 来自attend (*v.* 出席；照顾，护理)<br>**搭** take attendance 点名；attendance record 考勤记录 |
| **optional*** | ['ɒpʃənl] *adj.* 可选择的，非强制的，随意的；选修的<br>**记** 联想记忆：option(选择)+al→可选择的<br>**搭** an optional course 一门选修课<br>**派** option (*n.* 选择；选择权) |
| **heal** | [hiːl] *v.* 治愈，康复；调停 |
| **enable*** | [ɪ'neɪbl] *vt.* 使能够，使成为可能<br>**记** 词根记忆：en(使…)+able(能够的)→使能够，使成为可能<br>**搭** enable sb. to do sth. 使…能够做… |
| **dismantle*** | [dɪs'mæntl] *vt.* 拆除；废除，取消<br>**记** 联想记忆：dis(去掉)+mantle(覆盖)→拆除；废除 |
| **wage** | [weɪdʒ] *n.* 工资；[常pl.] 报酬 |
| **landscape** | ['lændskeɪp] *n.* 风景，景色 *vt.* 对…作景观美化，美化(自然环境等) |
| **emotion*** | [ɪ'məʊʃn] *n.* 感情；情绪<br>**记** 词根记忆：e(出)+mot(动)+ion(表状态)→心里释放出的东西→感情；情绪 |
| **commonwealth** | ['kɒmənwelθ] *n.* 联邦；联合体；(the Common-wealth)英联邦<br>**记** 组合词：common(共同的)+wealth(财富)→共创财富→联合体 |
| **newsletter*** | ['njuːzletə(r)] *n.* 时事通讯，业务通讯<br>**记** 组合词：news(消息，新闻)+letter(文字)→时事通讯 |
| **periodical*** | [ˌpɪəri'ɒdɪkl] *n.* 期刊，杂志 *adj.* 周期的，定期的<br>**记** 来自period (*n.* 时期，周期)<br>**派** periodically (*adv.* 周期地；定期地，按时地)<br>**同** journal (*n.* 定期刊物，杂志)；magazine (*n.* 杂志，期刊) |
| **receptionist*** | [rɪ'sepʃənɪst] *n.* 接待员 |

| | |
|---|---|
| **security\*** | [sɪˈkjʊərəti] *n.* 安全，保障；抵押品；[pl.] 证券<br>记 来自secure (*v.* 保护，使安全；获得)<br>搭 security check 安全检查；job security 工作保障 |
| **clip** | [klɪp] *n.* (弹簧)夹子；回形针；别针；弹夹；修剪；剪报；电影(或电视)片段 *v.* (用夹子、回形针等)夹住，扣住；剪，修剪<br>搭 clip on 用夹子夹住<br>同 clutch (*v.* 抓住) |
| **apace\*** | [əˈpeɪs] *adv.* 快速地，急速地 |
| **yield** | [jiːld] *n.* 产量 *v.* 出产(作物)；产生(收益、效益等)；放弃，屈服<br>搭 yield up 放纵；yield to 向…屈服；boost crop yield 提高作物产量 |
| **fair\*** | [feə(r)] *adj.* 公平的；合理的 *adv.* 公正地；公平合理地 *n.* 商品交易会；展销会<br>派 unfair (*adj.* 不公平的) |

音频

# *Word List 02*

| | |
|---|---|
| **grunt** | [grʌnt] *v.* (人通常因为愤怒或疼痛而)发出哼声，嘟囔着说，咕哝 |
| **regional\*** | ['riːdʒənl] *adj.* 局部范围的；地方(性)的，区域性的；全地区的，整个地区的<br>搭 regional accent 地方口音 |
| **secure\*** | [sɪˈkjʊə(r)] *v.* 得到某物，获得；防护，保卫 *adj.* 安全的；可靠的，放心的<br>记 联想记忆：se(看作see，看)+cure(治愈)→亲眼看到治愈，确定其是安全的→安全的；可靠的<br>搭 be secure from interruption 不受打扰<br>派 securely (*adv.* 安全地；安心地)；security (*n.* 安全，保障)；securable (*adj.* 可得到的) |
| **preserve** | [prɪˈzɜːv] *vt.* 保护；维持；保存，保藏；贮存；保鲜<br>记 词根记忆：pre(预先)+serv(保持)+e→预先保留→维持；保存<br>搭 preserve one's eyesight 保护视力<br>派 preservative (*n.* 防腐剂) |
| **reject** | [rɪˈdʒekt] *vt.* 拒绝 [ˈriːdʒekt] *n.* 被拒货品，不合格品<br>记 词根记忆：re(回)+ject(扔)→扔回来→拒绝 |
| **code** | [kəʊd] *n.* 密码；代码 *vt.* 把…编码<br>搭 error code 错误代码；break a code 破译密码 |
| **seek** | [siːk] *v.* 寻找；探索；追求 |
| **item\*** | [ˈaɪtəm] *n.* 条款，项目；(新闻等)一则；一件商品(或物品)<br>搭 single item 单件物品 |
| **effort\*** | [ˈefət] *n.* 努力，艰难的尝试；努力的结果，成就<br>搭 make an/every effort 努力，尽力 |
| **point\*** | [pɔɪnt] *n.* 尖，尖端；点，小数点；条款，细目；分数，得分；要点，观点 *v.* 指，指向；表明；瞄准 |

搭 come to the point 说到要点，扼要地说；on the point of 即将…的时候；point out 指出

派 pointed (*adj.* 有尖的；犀利的)；pointer (*n.* 提示；指针)

**review\*** [rɪ'vjuː] *vt.* 回顾；复习；评论 *n.* 回顾；评论

记 联想记忆：re(重新，再)+view(看)→回顾；复习

派 reviewer (*n.* 评论家)

**fabrication\*** [ˌfæbrɪ'keɪʃn] *n.* 虚构的事情；构造物；制作；组装

搭 metal fabrication 金属预制件

**series\*** ['sɪriːz] *n.* 一系列，连续；丛书

记 联想记忆：电视剧可用TV serial或TV series表示

搭 a series of 一系列，一连串

**variation\*** [ˌveəri'eɪʃn] *n.* 变化，变动；变种，变异；变更；变奏

记 词根记忆：vari(变化)+ation(表状态)→变化，变动；变异

**margin\*** ['mɑːdʒɪn] *n.* 差额；页边空白；边缘；余地；幅度；利润 *v.* 加旁注于；给…加上边

记 联想记忆：mar(看作mark，记号)+gin→记号常标记于书页空白处→页边空白

搭 by a small margin 以极小优势

**distraction\*** [dɪ'strækʃn] *n.* 分散注意力的事；使人分心的事；娱乐，消遣

**complicate\*** ['kɒmplɪkeɪt] *vt.* 使变复杂

记 词根记忆：com(表加强)+plic(重叠)+ate(使…)→一再重叠→使变复杂

搭 complicate matters 使事情复杂化；complicate the business 使生意难做

**tram\*** [træm] *n.* 有轨电车，电车轨道 *v.* 乘电车

搭 tram tour 有轨电车游览

**maturity\*** [mə'tʃʊərəti] *n.* 成熟；完善，完备，准备就绪；到期(应付款)

搭 at maturity 成熟；full maturity 完全成熟

**download\*** [ˌdaʊn'ləʊd] *v.* 下载

| **refer\*** | [rɪ'fɜː(r)] v. 参考，查阅，查询；提到，谈及；引用；提交，上呈 |
| | 🔑 词根记忆：re(一再)+fer(带来)→一再带来→提到，谈及 |
| | 🔎 refer to 参考，查阅；涉及，提到；refer to...as 把…称作，把…当作 |
| **interview\*** | ['ɪntəvjuː] v./n. 接见，会见；采访；面试 |
| | 🔑 联想记忆：inter(相互)+view(看)→相互观察→面试 |
| | 🔎 personal interview 私人会晤；have an interview with sb. 会见某人；job interview 求职面试；group interview 集体面试 |
| **extent\*** | [ɪk'stent] n. 范围；面积；广度，长度；程度 |
| | 🔑 词根记忆：ex(出)+tent(伸展)→伸展出的距离→范围；长度 |
| | 🔎 to some extent 在某种程度上 |
| **stint** | [stɪnt] n. 定量；限额 |
| | 🔑 联想记忆：定量(stint)支取染发剂(tint) |
| **evacuate** | [ɪ'vækjueɪt] v. 疏散；撤离 |
| | 🔑 词根记忆：e(出)+vacu(空)+ate(使…)→空出去→疏散；撤离 |
| | 🔀 evacuation (n. 撤退，撤离) |
| | 🟰 remove (vt. 移动；开除)；depart (v. 离开) |
| **embankment\*** | [ɪm'bæŋkmənt] n. 筑堤；堤岸，路基 |
| | 🔑 联想记忆：em(使…)+bank(岸)+ment→使有堤岸→筑堤 |
| **squash** | [skwɒʃ] n. 软式墙网球，壁球 v. 压碎，挤压；挤进，塞入；镇住，镇压；制止 |
| | 🔑 联想记忆：squ(看作squeeze，挤)+ash(灰)→挤成灰→挤压 |
| **federation** | [ˌfedə'reɪʃn] n. 联邦；同盟 |
| | 🔑 来自federal (adj. 联邦的) |
| **surge\*** | [sɜːdʒ] v. (人群等)蜂拥而出；波动，涌动 n. (感情等的)洋溢；猛增 |

記 联想记忆：s+urge(急迫的)→水流湍急→波动，涌动；洋溢

同 throng (v. 成群地移动，拥塞)；gush (v. 涌出)；rise (n./v. 上升，增加)

**physical*** ['fɪzɪkl] adj. 身体的，肉体的；物理的，物理学的；物质的，有形的 n. 体检

搭 physical examination 体检；physical endurance 身体的忍耐力；physical exercise 体育锻炼

**justify** ['dʒʌstɪfaɪ] vt. 证明…为正当的；为…辩护

記 词根记忆：just(正确)+ify(使…)→证明…为正当的；为…辩护

**cooperation*** [kəʊ,ɒpə'reɪʃn] n. 合作，协作；配合

**score*** [skɔ:(r)] v. 得分，记分；给(试卷等)打分，评分；刻痕于，画线于；获胜，成功 n. 得分，分数；乐谱；抓痕，划痕；二十

記 联想记忆：分，分(score)，考试的核心(core)

搭 low score 低分

**persuade*** [pə'sweɪd] v. 说服，劝说；使相信

搭 persuade sb. to do sth. 劝说某人做…；persuade sb. into/out of sth. 劝说某人做/不做…

**migration*** [maɪ'greɪʃn] n. 迁徙；移居；移民

記 来自migrate (v. 迁移)

搭 language migration 语言迁移

**overweight*** [,əʊvə'weɪt] adj. 超重的，过重的

搭 overweight baggage 超重行李

**stamp** [stæmp] v. 跺(脚)，重踏；在…上盖(印章或图案等) n. 邮票，印花；印，图章；标志，印记；跺脚，顿足

搭 stamp tax 印花税；stamp collecting 集邮；commemorative stamp 纪念邮票；visa stamp 签证章

**whistle** ['wɪsl] v. 吹口哨 n. 口哨；呼啸而过

記 联想记忆：w+hist(嘘)+le→嘘的一声→吹口哨

**detective** [dɪ'tektɪv] n. 侦探 adj. 侦探的

**occupy** ['ɒkjupaɪ] *vt.* 占用，占领；使忙碌于

记 联想记忆：发生(occur)了大事，敌人占领(occupy)了该市

**ceremony** ['serəməni] *n.* 典礼；仪式

记 联想记忆：cere(蜡)+mony(看作money，钱)→为办典礼花钱去买蜡→典礼

**diagnose** ['daɪəgnəʊz] *v.* 诊断；判断

记 词根记忆：dia(穿过)+gnos(知道)+e→穿过(表象)从而知道(病情)→诊断；判断

**denote\*** [dɪ'nəʊt] *v.* 表示；指示；意味着

记 词根记忆：de(表加强)+not(标记)+e→做标记→表示；指示

同 signify (*v.* 表示，意味)；indicate (*v.* 指出；显示)；mean (*v.* 意味，用意)

**chink\*** [tʃɪŋk] *n.* 裂缝，裂口；一缕光；叮当声 *v.* (使)发出叮当声

记 联想记忆：chin(看作china，瓷器)+k(口)→瓷器有缺口→裂口

**iris\*** ['aɪrɪs] *n.* (pl. irises或irides) 虹；(眼球的)虹膜

记 本身为词根，意为"彩虹；虹膜"

**resource\*** [rɪ'sɔːs] *n.* [pl.] 资源，财力；应付办法，谋略；应变之才

记 联想记忆：re(再，又)+source(源泉)→可再用的源泉→资源

搭 human resources 人力资源；productive resources 生产资料；teaching resources 教学资源；resource management 资源管理

**entire\*** [ɪn'taɪə(r)] *adj.* 全部的，整个的

记 词根记忆：en(进入…之中)+tir(拉)+e→拉进去，不留在外的→全部的，整个的

派 entirely (*adv.* 完全地，一概地)

**epitomise\*** [ɪ'pɪtəmaɪz] *vt.* 集中体现；概括

记 词根记忆：epi(在…后面)+tom(切割)+ise(使…)→在书后面切割出要点→概括

| | |
|---|---|
| **summit** | ['sʌmɪt] *n.* (山等的)最高点，峰顶 |
| **ensure** | [ɪn'ʃʊə(r)] *vt.* 确保，保证；担保；赋予<br>记 联想记忆：en(使…)+sure(确定的)→使确定→确保，保证 |
| **odour** | ['əʊdə(r)] *n.* 气味 |
| **accurate** | ['ækjərət] *adj.* 正确无误的；精确的<br>派 accuracy (*n.* 正确度；精确性)；inaccurate (*adj.* 错误的，不准确的) |
| **superior** | [suː'pɪəriə(r)] *adj.* 上级的，(在职位、地位等方面) 较高的；优于…的，较…多的；优良的，卓越的；有优越感的 *n.* 上级，长官<br>记 词根记忆：super(上)+ior→上级的<br>搭 superior to 比…好的，超过…的 |
| **tender** | ['tendə(r)] *adj.* 嫩的；脆弱的；温柔的<br>记 联想记忆：婴儿太脆弱(tender)，需悉心照料(tend) |
| **willing** | ['wɪlɪŋ] *adj.* 愿意的，乐意的<br>派 willingness (*n.* 自发；愿意) |
| **perform\*** | [pə'fɔːm] *v.* 履行，执行；完成；表演，演出；(机器) 运作<br>记 联想记忆：per(每)+form(形式)→表演是各种艺术形式的综合→表演，演出<br>搭 perform on 演奏<br>派 outperform (*v.* 做得比…好) |
| **seep** | [siːp] *vi.* 漏出，渗漏<br>记 联想记忆：深(deep)层渗漏(seep) |
| **delinquency\*** | [dɪ'lɪŋkwənsi] *n.* 失职；行为不良<br>记 来自delinquent (*adj.* 有违法倾向的)<br>搭 juvenile delinquency 青少年犯罪 |
| **deliberate** | [dɪ'lɪbərət] *adj.* 故意的；深思熟虑的；从容不迫的<br>[dɪ'lɪbəreɪt] *v.* 深思熟虑<br>记 词根记忆：de(表加强)+liber(考虑)+ate(具有…的)→多加考虑的→深思熟虑的<br>同 ponder (*v.* 沉思，考虑)<br>反 hasty (*adj.* 匆忙的，草率的) |

| **implication** | [ˌɪmplɪˈkeɪʃn] *n.* 含意；暗示，暗指；卷入，牵连；影响，作用 |
| --- | --- |
| | 记 词根记忆：im(使…)+plic(重叠)+ation(表状态)→使(意义)重叠→含意；暗示 |
| | 搭 political implication 政治含意 |
| | 同 involvement (*n.* 包含；连累) |
| **opponent\*** | [əˈpəʊnənt] *n.* 敌手，对手；反对者 *adj.* 对立的，对抗的 |
| | 记 词根记忆：op(反)+pon(放)+ent(表人)→放在反面→对手，敌手 |
| **sponsor\*** | [ˈspɒnsə(r)] *n.* 发起者，赞助人，主办者；主顾 *vt.* 发起，主办；赞助，资助；惠顾 |
| | 记 联想记忆：spons(看作spoon，勺子)+or(表人)→揭勺而起者→发起者 |
| **decisive** | [dɪˈsaɪsɪv] *adj.* 决定性的；果断的 |
| | 记 来自decide (*v.* 决定) |
| **substantial\*** | [səbˈstænʃl] *adj.* 可观的，大量的；坚固的，结实的；实质的；大体上的 |
| | 记 词根记忆：sub(下)+stant(站)+ial(…的)→站在下面的→实质的 |
| | 派 substantially (*adv.* 充分地；可观地；实质上) |
| **questionnaire** | [ˌkwestʃəˈneə(r)] *n.* 调查问卷 |
| | 同 questionary (*n.* 调查表，问卷) |
| **viewpoint** | [ˈvjuːpɔɪnt] *n.* 观点，看法 |
| | 记 组合词：view(见解)+point(点)→观点 |
| **routine\*** | [ruːˈtiːn] *n.* 例行公事；惯例 *adj.* 例行的；常规的 |
| **nurture** | [ˈnɜːtʃə(r)] *vt.* 培养；滋养 *n.* 营养品 |
| | 记 联想记忆：大自然(nature)滋养(nurture)着万物 |
| | 同 nourish (*vt.* 养育，喂养)；cultivate (*vt.* 培育；培养)；foster (*v.* 养育；培养) |
| **slight\*** | [slaɪt] *adj.* 轻微的，不足道的；纤细的，瘦弱的 *vt./n.* 轻视，藐视，轻蔑 |
| | 记 联想记忆：s+light(轻的)→轻微的 |

搭 a slight girl 一个苗条的女孩

派 slightly (*adv.* 些微地)

**genetic*** [dʒə'netɪk] *adj.* 遗传的；基因的 *n.* [-s] 遗传学

记 联想记忆：gene(基因)+tic→基因的→遗传的

搭 genetic code 遗传密码；genetic engineering 基因工程；genetic makeup 基因组成

派 genetical (*adj.* 遗传的；起源的)

同 hereditary (*adj.* 遗传的)；inherited (*adj.* 遗传的)；congenital (*adj.* 先天的，天生的)

**similarly** ['sɪmələli] *adv.* 同样地，类似地

音频

# *Word List 03*

**juggle**　['dʒʌgl] *v.* (吃力地)同时应付(几份工作、多项活动等)

搭 juggle sth. (with sth. ) 尽力同时应付(两项或更多的重要工作或活动)

**leak\***　[liːk] *n.* 漏洞；泄露 *v.* (使)漏，(使)渗出

记 联想记忆：湖(lake)面上的船漏出(leak)很多油

**literature**　['lɪtrətʃə(r)] *n.* 文学(作品)；文献

记 词根记忆：liter(文字)+ature(与行为有关之物)→文学(作品)；文献

**suffer\***　['sʌfə(r)] *v.* 遭受，忍受；忍耐；容许；患病；受损失

记 词根记忆：suf(下)+fer(带来)→带到下面→遭受，忍受；忍耐

**impede\***　[ɪmˈpiːd] *vt.* 阻碍，妨碍

记 词根记忆：im(进入)+ped(脚)+e→把脚放进去→阻碍，妨碍

**spring\***　[sprɪŋ] *n.* 春天，春季；弹簧，发条；弹性，弹力；(源)泉；跳跃 *v.* 跳跃；涌现，突然出现；突然提出(或说出)

记 联想记忆：sp+ring(铃声)→泉水叮咚似铃声→泉

搭 spring up 跳起来

**biological**　[ˌbaɪə'lɒdʒɪkl] *adj.* 生物的；生物学的，有关生物学的

**deduce**　[dɪ'djuːs] *v.* 演绎，推断

记 词根记忆：de(向下)+duc(引导)+e→向下引出→演绎，推断

**doctorate\***　['dɒktərət] *n.* 博士学位

**absolute\***　['æbsəluːt] *adj.* 完的，绝对的，纯粹的

记 词根记忆：ab(表加强)+solut(松开)+e→完全松开→完全的，绝对的，纯粹的

搭 absolute trust 绝对信任；absolute zero 绝对零度

| **theoretical*** | [ˌθɪə'retɪkl] *adj.* 理论(上)的 |
| | 搭 theoretical background 理论背景 |
| | 派 theoretically (*adv.* 理论上) |
| **internship*** | ['ɪntɜːnʃɪp] *n.* 实习生身份；实习医师；(学生或毕业生的)实习期 |
| **slender*** | ['slendə(r)] *adj.* 修长的，细长的，苗条的；微小的，微薄的 |
| | 记 联想记忆：并非所有女孩子都得性格温柔(tender)身材纤细(slender) |
| | 派 slenderness (*n.* 苗条，纤细) |
| **respondent*** | [rɪ'spɒndənt] *n.* 回答者，响应者；调查对象；被告 |
| **surroundings** | [sə'raʊndɪŋz] *n.* 周围的事物，环境 |
| | 搭 working surroundings 工作环境 |
| **couple*** | ['kʌpl] *n.* (一)对，(一)双；夫妇 *v.* 连接，联合，结合；结婚 |
| | 搭 a couple of 两个；几个 |
| **voluntary*** | ['vɒləntri] *adj.* 自愿的，志愿的 |
| | 记 词根记忆：volunt(意愿)+ary(…的)→出于自身意愿的→自愿的 |
| | 派 voluntarily (*adv.* 自愿地，自动地，主动地) |
| **submarine** | [ˌsʌbmə'riːn] *n.* 潜水艇 *adj.* 水底的，海底的 |
| | 记 联想记忆：sub(下)+marine(海洋的；船舶的)→在海底航行的→潜水艇 |
| | 搭 submarine cable 海底电缆 |
| | 同 underwater (*adj.* 水面下的)；submerged (*adj.* 在水下的) |
| **commercial*** | [kə'mɜːʃl] *adj.* 商业的，贸易的 *n.* 商业广告 |
| | 记 联想记忆：commerc(e)(商业)+ial(…的)→商业的 |
| | 搭 commercial intercourse 贸易往来；commercial venture 商业投资；commercial television 商业电视台；commercial centre 商业中心 |
| **notion** | ['nəʊʃn] *n.* 概念，观念；想法 |
| | 记 词根记忆：not(知道)+ion(表状态)→观念；想法 |

**lavatory** ['lævətri] *n.* 盥洗室，厕所

记 词根记忆：lav(洗)+atory(表地点)→盥洗室

**niche** [niːʃ] *adj.* (产品)针对特定小群体的 *n.* 合宜的小环境

记 联想记忆：nice(好)中间加h→比nice还多一点，更好更合适→合宜的小环境

**fold** [fəʊld] *v.* 折叠 *n.* 皱；折

**instrument** ['ɪnstrəmənt] *n.* 仪器；仪表；手段；工具；乐器

搭 strategic instrument 战略工具；measuring instrument 测量工具；musical instrument 乐器

**simplify** ['sɪmplɪfaɪ] *vt.* 使简化

**irritation*** [ˌɪrɪ'teɪʃn] *n.* 激怒，恼怒；刺激物，恼人的事

记 来自irritate (*vt.* 激怒；刺激)

**compulsory** [kəm'pʌlsəri] *adj.* 义务的；必须做的，强制性的；(课程)必修的

记 词根记忆：com(共同)+puls(推)+ory(…的)→共同推进的→义务的；必修的

搭 compulsory education 义务教育；compulsory subject 必修课

同 mandatory (*adj.* 命令的，强制的)；enforced (*adj.* 强迫的)

**expense*** [ɪk'spens] *n.* 花费，开支；消费，消耗；代价，损失

记 词根记忆：ex(出)+pens(花费)+e→花费；消费

搭 at the expense of 以…为代价

派 expensive (*adj.* 昂贵的，花钱多的)

**muddle*** ['mʌdl] *n.* 一团糟，凌乱，混乱；(头脑)糊涂，困惑 *vt.* 将…弄成一团糟；使困惑，使糊涂；混淆

记 联想记忆：mud(泥)+dle→把泥弄得到处都是→混乱

**originate*** [ə'rɪdʒɪneɪt] *v.* 起源，发生；首创，创造

记 联想记忆：origin(起源，产生)+ate(表动词)→起源，发生

搭 originate in/from 起源于，由…引起/产生

派 origination (*n.* 起源)；originator (*n.* 发起者，发明人)；originative (*adj.* 有创作力的)

| | |
|---|---|
| **induce\*** | [ɪn'djuːs] *vt.* 引诱，劝使；引起，导致；感应 |
| | 🔑 词根记忆：in(进入)+duc(引导)+e→引进去→引诱；引起 |
| | 🔍 induce sb. to do sth. 引诱某人做某事 |
| | 📌 inducement (*n.* 引诱；劝诱)；inducible (*adj.* 可诱导的，可诱发的) |
| **exchange** | [ɪks'tʃeɪndʒ] *v.* 交换，调换；交易；兑换，汇兑；交流；谈话，争论 *n.* 交换，调换；交易(所)兑换(率)；交流 |
| | 🔍 in exchange for 交换；stock exchange 证券交易(所)；part exchange 部分抵价交易；exchange rate 汇率 |
| **atomic** | [ə'tɒmɪk] *adj.* 原子(能)的 |
| **disharmony** | [ˌdɪs'hɑːməni] *n.* 不一致；不和谐 |
| | 🔑 联想记忆：dis(不)+harmony(一致，协调)→不一致；不和谐 |
| **cosset\*** | ['kɒsɪt] *vt.* 宠爱，溺爱 *n.* 宠儿 |
| | 🔑 联想记忆：cos(看作cost，花费)+set(固定)→每天固定花一大笔钱为某人买礼物→宠爱，溺爱 |
| **unique\*** | [ju'niːk] *adj.* 唯一的，独一无二的；极不寻常的 |
| | 🔑 词根记忆：uni(单一)+que(有…特点的)→唯一的 |
| | 🔍 unique style 独特的风格；unique copy 珍本，孤本 |
| **disagree\*** | [ˌdɪsə'griː] *v.* 不同意；不一致 |
| | 🔑 联想记忆：dis(不)+agree(同意；一致)→不同意；不一致 |
| | 🔍 disagree with sb./sth. 不同意，不一致；disagree about/on sth. 对…持不同看法 |
| | 📌 disagreement (*n.* 争执，不和) |
| **silt\*** | [sɪlt] *n.* 淤泥 *v.* (使)淤塞 |
| | 🔑 联想记忆：坐(sit)于淤泥(silt)而不染 |
| **inclusive\*** | [ɪn'kluːsɪv] *adj.* 包括一切费用在内的；所有数目(或首尾日期)包括在内的；包容广阔的 |
| | 🔑 词根记忆：in(向内)+clus(关闭)+ive(有…性质的)→向内关闭的→包括一切费用在内的；包容广阔的 |

搭 fully inclusive 完全包括在内的

派 inclusively (*adv.* 全部); include (*v.* 包含，包括)

**reservation\*** [ˌrezəˈveɪʃn] *n.* 保留意见，存疑；预定，预订

记 来自reserve (*vt.* 保留)

搭 an airline reservation 预订航班；make a reservation 预订；confirm a reservation 确认预订；cancel one's reservation 取消预订

**transcript\*** [ˈtrænskrɪpt] *n.* 抄本，副本；文字记录

**include\*** [ɪnˈkluːd] *v.* 包括，包含；计入

记 词根记忆：in(进入)+clud(关闭)+e→关进来→包括，包含

搭 be included in 被包括在…里面

反 exclude (*v.* 把…排除在外)

**reasonable\*** [ˈriːznəbl] *adj.* 合情理的，有道理的；通情达理的；适度的

记 联想记忆：reason(道理)+able(能…的)→能讲理的→通情达理的

搭 at reasonable prices 以公道的价格

派 unreasonable (*adj.* 不合理的)

**abode\*** [əˈbəʊd] *n.* 房屋，家，住所

搭 right of abode 居住权；fixed abode 固定住所；permanent abode 永久住所

**gadget\*** [ˈgædʒɪt] *n.* 小巧的器械，精巧的装置；小玩意

记 联想记忆：gad(尖头棒)+get(得到)→好不容易得到的尖头棒是他钟爱的小玩意→小玩意

搭 kitchen gadgets 厨房小用具

派 gadgetry (*n.* 小器具，小装置)

**emergency\*** [ɪˈmɜːdʒənsi] *n.* 紧急情况，突发事件

记 联想记忆：emerge(出现)+(e)ncy→突然出现→紧急情况，突发事件

搭 emergency funding 应急基金；emergency contact person 紧急联系人；emergency shelter 应急避难所

| | |
|---|---|
| **legacy*** | ['legəsi] *n.* 遗产；遗赠 |
| | 记 词根记忆：leg(收集)+acy(表名词)→去世前收集的东西→遗产 |
| **leisure*** | ['leʒə(r)] *n.* 空闲时间；悠闲；休闲 |
| **overlap** | [,əʊvə'læp] *v.* (使)部分重叠，交叠 |
| | 记 联想记忆：over(在…上)+lap(大腿)→把一条腿放在另一条腿上→(使)部分重叠 |
| **counterpart*** | ['kaʊntəpɑːt] *n.* 与对方地位相当的人；配对物；副本 |
| | 记 组合词：counter(相反)+part(部分)→配对物 |
| **tune** | [tjuːn] *vt.* 调音；调节，调整 *n.* 调子；和谐 |
| | 记 联想记忆：转动(turn)旋钮调音(tune) |
| **strike** | [straɪk] *v.* 打，击；碰撞，撞击 *n.* 罢工 |
| **ambiguous** | [æm'bɪgjuəs] *adj.* 含糊其辞的；不明确的，模棱两可的 |
| | 记 词根记忆：amb(周围)+ig(走)+uous(有…性质的)→在周围走动的→模棱两可的 |
| **represent*** | [,reprɪ'zent] *vt.* 代表；表示；表现 |
| | 记 联想记忆：re+present(出席)→代表出席→代表 |
| | 派 representative (*adj.* 有代表性的 *n.* 代表) |
| **vanish*** | ['vænɪʃ] *vi.* 突然消失；不复存在，消逝 |
| | 记 词根记忆：van(空)+ish(使…)→使…变空白→不复存在 |
| **mechanism** | ['mekənɪzəm] *n.* 机械装置；机制，机理；办法 |
| **dispute*** | [dɪ'spjuːt] *n.* 争论，争端，争吵 *v.* 对…表示异议；争论，争吵 |
| | 记 词根记忆：dis(不)+put(认为)+e→认为不是→争论，争吵 |
| | 搭 in dispute 在争论中，未决的；beyond dispute 毫无争议，不容争辩；dispute over 就…争论；dispute with 与…争论/争执 |
| **standard*** | ['stændəd] *n.* 标准 *adj.* 标准的 |
| | 搭 standard of education 教育标准；better standard of living 更高的生活水平；up to standard 合格 |

| | |
|---|---|
| **typical*** | ['tɪpɪkl] *adj.* 典型的 |
| | 🔣 联想记忆：typ(e)(典型)+ical(…的)→典型的 |
| | 🔣 typically (*adv.* 典型地) |
| **strengthen** | ['streŋθn] *vt.* 加强，巩固 |
| | 🔣 联想记忆：strength(力量)+en(使…)→(使)有力量→加强，巩固 |
| **workaholic*** | [ˌwɜːkə'hɒlɪk] *n.* 工作狂 |
| | 🔣 联想记忆：work(工作)+aholic(着迷于…的，上瘾的)→工作狂 |
| **unaware*** | [ˌʌnə'weə(r)] *adj.* 未意识到的 |
| | 🔣 联想记忆：un(不，没有)+aware(意识到的)→未意识到的 |
| **erosion** | [ɪ'rəʊʒn] *n.* 腐蚀；磨损 |
| | 🔣 soil erosion 土壤侵蚀；coastal erosion 海岸侵蚀 |
| | 🔣 corrosion (*n.* 侵蚀，腐蚀)；deterioration (*n.* 退化，恶化) |
| **exclusively** | [ɪk'skluːsɪvli] *adv.* 专有地，专门地 |
| **pronounceable** | [prə'naʊnsəbl] *adj.* (声音)发得出的；(词)可发音的 |
| | 🔣 联想记忆：pronounce(发音)+able(能…的)→(词)可发音的 |
| **ion*** | ['aɪən] *n.* 离子 |
| | 🔣 ionizer (*n.* 负离子发生器) |
| **bare*** | [beə(r)] *adj.* 赤裸的；光秃秃的；空的 |
| **intercept** | [ˌɪntə'sept] *v.* 拦截，截住 |
| | 🔣 词根记忆：inter(在…中间)+cept(拿)→中途拿下→拦截 |
| **hose*** | [həʊz] *n.* 软管 *vt.* 用软管淋 |
| | 🔣 联想记忆：要想玫瑰花(rose)开，需用软管(hose)来浇水 |
| **internal** | [ɪn'tɜːnl] *adj.* 内部的；国内的 |
| | 🔣 internal organ 内脏；internal clock 生物钟；internal trade 国内贸易 |

| cruise | [kruːz] *v.* 乘船游览；(出租车、船等)缓慢巡行 *n.* 乘船游览，巡游；航行 |
|--------|------|
| illusion | [ɪˈluːʒn] *n.* 幻想中的事物，错误的观念；错觉，幻觉，假象<br>**记** 联想记忆：il(不，无)+lus(看作lust，光)+ion(表名词)→看到根本没有的光→幻觉，假象<br>**同** mirage (*n.* 幻景，幻想) |
| shave | [ʃeɪv] *n./v.* 修面<br>**记** 联想记忆：不要在阴暗处(shade)修面(shave) |

音频

# *Word List 04*

| | |
|---|---|
| **pierce** | [pɪəs] *v.* 刺穿，刺透，刺破 |
| | 记 联想记忆：r从一片(piece)中穿过→刺穿 |
| **incredible** | [ɪnˈkredəbl] *adj.* 不可信的；难以置信的 |
| | 记 词根记忆：in(不)+cred(相信)+ible(能…的)→不可信的；难以置信的 |
| **vertebrate\*** | [ˈvɜːtɪbrət] *n.* 脊椎动物 *adj.* 有脊椎的 |
| | 记 来自vertebra (*n.* 脊椎骨) |
| | 搭 vertebrate animal 脊椎动物 |
| **industrious** | [ɪnˈdʌstriəs] *adj.* 勤奋的，勤勉的，勤劳的 |
| **intestine** | [ɪnˈtestɪn] *n.* 【解】肠 |
| | 记 联想记忆：in(向内)+test(检查)+ine→对身体内部进行检查→肠 |
| **outpost** | [ˈaʊtpəʊst] *n.* 前哨(站)；偏远村落 |
| | 记 组合词：out(外面的)+post(柱；岗位)→靠外的岗位→前哨(站) |
| **general\*** | [ˈdʒenrəl] *adj.* 一般的，普通的；全体的，普遍的；大体的，概括的；首席的 *n.* 将军 |
| | 记 词根记忆：gener(产生)+al(…的)→产生一切的→普遍的 |
| | 搭 in general 通常，一般而言；general science 大众科学 |
| | 派 generalization (*n.* 归纳，概括) |
| **bother\*** | [ˈbɒðə(r)] *v.* 打扰，烦扰；烦恼，操心 *n.* 麻烦，烦扰 |
| | 搭 bother sb. about/with sth. 用…打扰…；bother to do sth. 费心做某事 |
| **consignment** | [kənˈsaɪnmənt] *n.* 交付，委托；投递，发送；所托运的货物 |
| | 搭 on consignment 以寄售方式 |
| **administrator** | [ədˈmɪnɪstreɪtə(r)] *n.* 管理者，管理人员；行政人员 |

**convention***   [kən'venʃn] *n.* 大会，会议；惯例，常规，习俗；公约，协定

🔢 词根记忆：con(共同)+vent(来)+ion(表状态)→大家共同来到一起→大会，会议

🔍 social conventions 社会习俗

📑 conventional (*adj.* 习惯的，常规的；符合习俗的)

**organic***   [ɔː'ɡænɪk] *adj.* 器官的；有机的；有机体的；组织的

🔍 organic being 有机体；organic food 有机食品；organic fiber 有机纤维

**trapeze***   [trə'piːz] *n.* 高空秋千；吊架

🔢 联想记忆：trap(陷阱)+eze(看作eye，眼睛)→乱吊秋千，陷阱无眼→高空秋千

**intersection**   [ˌɪntə'sekʃn] *n.* 道路交叉口，十字路口

🔢 词根记忆：inter(在…之间)+sect(切)+ion(表物)→从中间切开→道路交叉口，十字路口

🔄 crossroad (*n.* 十字路口)

**concept***   ['kɒnsept] *n.* 概念，观念；设想

🔢 词根记忆：con(表加强)+cept(拿)→牢牢拿住的→概念

**cardiovascular**   [ˌkɑːdiəʊ'væskjələ(r)] *adj.* 心血管的

🔍 cardiovascular disease 心血管疾病

**humble***   ['hʌmbl] *adj.* 谦逊的，谦虚的；地位(或身份)低下的，卑贱的；简陋的，低劣的 *vt.* 使谦恭；使卑下；贬低

🔢 词根记忆：hum(地)+ble→接近地面的→谦逊的；卑贱的

🔍 a man of humble origin 一个出身寒微的人

**lecture***   ['lektʃə(r)] *n.* 演讲，讲课

🔢 词根记忆：lect(讲)+ure→演讲，讲课

📑 lecturer (*n.* 讲师)

**counter***   ['kaʊntə(r)] *n.* 柜台 *adv.* 相反

🔢 联想记忆：与count (*v.* 计算)一起记

🔍 under the counter (商品销售)秘密地，非法地

**brass\*** [brɑːs] *n.* 黄铜；黄铜器；铜管乐器

记 联想记忆：敲击黄铜器(brass)，声音低沉(bass)

搭 brass band 军乐队；as bold as brass 大模大样地，粗鲁无礼地

**fauna\*** ['fɔːnə] *n.* (某地区或某时期的)所有动物；动物区系

记 来自Faunus(潘纳斯，罗马神话中的动物之神)

搭 land and marine faunas 陆地和海洋动物区系

**expel** [ɪk'spel] *vt.* 把…开除；驱逐

记 词根记忆：ex(出)+pel(推)→推出去→驱逐

**equator** [ɪ'kweɪtə(r)] *n.* (地球)赤道

记 联想记忆：equa(看作equal，相等的)+tor→几乎把地球等分的线→赤道

**divisional\*** [dɪ'vɪʒənl] *adj.* 部门的

**invest\*** [ɪn'vest] *v.* 投资；投入(时间、精力等)；授予，赋予

搭 invest in the stock market 投资股票市场

派 investment (*n.* 投资，投入)；investor (*n.* 投资者)

**essay** ['eseɪ] *n.* (作为课程作业的)短文，文章；评论文

**dedicate** ['dedɪkeɪt] *vt.* 致力于，献身于；把(书、戏剧等作品)献给…

搭 dedicate oneself to 献身于

同 devote (*vt.* 投入于，献身于)

**astrology** [ə'strɒlədʒi] *n.* 占星学；占星术

记 词根记忆：astro(星星)+logy(…学)→占星学

**attain** [ə'teɪn] *vt.* 达到；获得；完成

记 词根记忆：at(表加强)+tain(拿住)→稳稳拿住→达到；获得；完成

**ambition\*** [æm'bɪʃn] *n.* 雄心，抱负；野心

记 词根记忆：amb(周围)+it(行走)+ion(表名词)→在周围走动→野心

搭 fulfill one's ambition 实现抱负

**range\*** [reɪndʒ] *n.* 范围，领域；系列；(山)脉；射程 *v.* (在一定范围内)变化，变动；排列

搭 a wide range of 一系列

派 ranger (*n.* 护林员)

| | |
|---|---|
| **ultimate*** | [ˈʌltɪmət] *adj.* 最后的，最终的；根本的 *n.* 最好(或先进、伟大等)的事物；最终的事实 |
| | 🔖 词根记忆：ultim(最后)+ate(有…性质的)→最后的，最终的 |
| | 🔗 the ultimate authority 最高当局；the ultimate principle 基本原理；in ultimate 到最后，结果 |
| | 🔀 ultimately (*adv.* 最后，终于) |
| **counsellor*** | [ˈkaʊnsələ(r)] *n.* 顾问，辅导顾问 |
| **flap** | [flæp] *v.* 拍打；(翅膀)拍动 *n.* 薄片；振动；激动 |
| | 🔖 联想记忆：f(看作fly，飞)+lap(拍打)→拍动 |
| | 🔗 flap wings 振动翅膀；get in a flap over sth. 因某事而激动/不安 |
| | 🔁 agitation (*n.* 骚动，不安)；commotion (*n.* 骚动，动乱)；flutter (*v.* 振翼；飘动) |
| **wastage*** | [ˈweɪstɪdʒ] *n.* 消耗量；损耗；(雇员的)减员 |
| | 🔖 联想记忆：wast(e)(浪费，消耗)+age(表集体名词)→消耗量；损耗 |
| **dub** | [dʌb] *v.* 把…称为，给…起绰号 |
| **device*** | [dɪˈvaɪs] *n.* 装置，设备，仪表；方法；设计；手段，策略 |
| | 🔖 词根记忆：de(向下)+vic(看)+e→用于向下观看的(东西)→装置 |
| | 🔗 marketing device 营销手段 |
| **regulate** | [ˈreɡjuleɪt] *v.* 管制，控制；调节，校准；调整 |
| | 🔖 词根记忆：reg(国王)+ul+ate(做)→国王做的主要工作就是管制→管制 |
| | 🔗 regulate the traffic 管制交通 |
| | 🔀 regulation (*n.* 规章；管理) |
| **mould*** | [məʊld] *n.* 霉，霉菌；模型，铸模；(人的)性格，气质 *v.* 用模子制作，浇铸；使形成，把…塑造成 |
| | 🔗 mould one's character 塑造性格 |
| **potential*** | [pəˈtenʃl] *adj.* 潜在的；可能的 *n.* 潜力，潜能 |
| | 🔖 词根记忆：pot(能力)+ent+ial(具有…的)→潜在的；可能的；潜能 |

27

| | |
|---|---|
| | 搭 potential customer/client 潜在顾客/客户；potential threat 潜在威胁；potential ability 潜能 |
| **discretion** | [dɪ'skreʃn] n. 判断力；谨慎，审慎；明智 |
| | 记 来自discreet (adj. 小心的，谨慎的) |
| | 搭 act at one's discretion 自行决断；with discretion 慎重地，审慎地 |
| **ambitious*** | [æm'bɪʃəs] adj. 有抱负的，有雄心的，有野心的 |
| | 记 词根记忆：amb(周围)+it(行走)+ious(多…的)→四处多走动的→有野心的 |
| **brief** | [briːf] adj. 短时间的，短暂的；简短的，简洁的 n. 概要，摘要 vt. 向…介绍基本情况，为…提供资讯 |
| | 搭 in brief 简单地说，简言之 |
| **clamour** | ['klæmə(r)] v. 大声(或吵闹)地抱怨，大声地要求 n. 喧闹声 |
| | 记 词根记忆：clam(叫喊)+our→吵闹，喧哗 |
| | 参 proclamation (n. 宣言)；reclamation (n. 回收；开垦) |
| **substitute** | ['sʌbstɪtjuːt] v. 代替，替换 n. 代替者，代替物 |
| | 搭 substitute for 代替 |
| **striking** | ['straɪkɪŋ] adj. 显著的，引人注目的 |
| **pirate** | ['paɪrət] n. 侵犯版权者；海盗 vt. 盗用，盗版 |
| | 记 联想记忆：和private (adj. 私人的；秘密的)一起记 |
| **attest** | [ə'test] v. 表明；证明；证实 |
| | 记 词根记忆：at+test(证据)→用证据证明→证明，证实 |
| **minimise** | ['mɪnɪmaɪz] vt. 使减到最低限度；最小化 |
| | 记 词根记忆：minim(小量)+ise(使…)→最小化 |
| **imaginative** | [ɪ'mædʒɪnətɪv] adj. 富有想象力的；创新的 |
| | 记 来自imagine (v. 想象) |
| **profit*** | ['prɒfɪt] n. 利润；益处 v. 有利于；获益 |
| | 搭 net profit 纯利润 |
| | 派 profitable (adj. 有利润的；有益的) |
| **decrepit*** | [dɪ'krepɪt] adj. 破旧的；衰老的 |
| | 记 词根记忆：de(表加强)+crepit(爆裂)→破裂不堪→破 |

旧的

派 decrepitude (*n.* 衰老，老朽；破旧)

| | |
|---|---|
| **ignorant** | ['ɪgnərənt] *adj.* 无知的；愚昧的<br><br>同 stupid (*adj.* 愚蠢的，迟钝的) |
| **mastery\*** | ['mɑːstəri] *n.* 精通，熟练；控制<br><br>记 联想记忆：master(精通)+y→精通，熟练 |
| **forecast\*** | ['fɔːkɑːst] *n./vt.* 预报；预测；预想<br><br>记 联想记忆：fore(前面)+cast(扔)→预先扔下→预报；预测；预想<br><br>搭 weather forecast 天气预报 |
| **precision\*** | [prɪ'sɪʒn] *n.* 准确，精确；精确度<br><br>搭 precision instruments 精密仪器 |
| **representative** | [ˌreprɪ'zentətɪv] *n.* 代表，代理人 *adj.* 典型的，有代表性的<br><br>搭 sales representative 销售代表 |
| **quote\*** | [kwəʊt] *n.* 引文，引语；估价，报价；[pl.] 引号<br>*v.* 引用，引述，引证；提出，提供；报价<br><br>记 词根记忆：quot(数目)+e→引用，引述<br><br>搭 quote from 引用自…<br><br>派 quotation (*n.* 引文；报价) |
| **comparative\*** | [kəm'pærətɪv] *adj.* 比较的；相当的<br><br>记 词根记忆：com(共同)+par(相等)+ative(有…性质的)→差不多的→相当的<br><br>搭 comparative advantage 相对优势；comparative validity 相对合法性<br><br>派 comparatively (*adv.* 相对地；相当地) |
| **recruit\*** | [rɪ'kruːt] *v.* 招募(新兵)，招收(新成员)；复原，恢复；补充 *n.* 新兵，新成员，新会员<br><br>记 词根记忆：re(一再)+cruit(=cres，成长)→一再使成长壮大→招收(新成员)<br><br>搭 recruit method 招聘方法<br><br>派 recruitment (*n.* 招聘；吸收新成员)；recruiter (*n.* 征兵人员；为学校招生的人) |

| | |
|---|---|
| **gloss*** | [glɒs] *n.* 光泽，色泽；虚假的外表，假象；注解<br>*v.* 使具有光泽；发光，发亮；掩饰；曲解；作注释<br>📖 可能来自glow (*v.* 闪光)；注意不要和gross (*adj.* 总的，粗略的)相混 |
| **committee*** | [kə'mɪti] *n.* 委员会，全体委员<br>📖 词根记忆：com(共同)+mitt(=mit，送)+ee(表人)→共同发送指令的人→委员会<br>📎 subcommittee〔*n.* (大委员会内的)小组委员会〕 |
| **exile*** | ['eksaɪl] *vt.* 放逐，流放，使流亡 *n.* 流放，流亡；被流放者，背井离乡者，流犯<br>📖 联想记忆：ex(出)+il(看作sil，跳跃)+e→跳出去→放逐，流放<br>📦 in exile 流放中；drive sb. into exile 流放某人<br>📕 expel (*vt.* 驱逐，开除)；banish (*vt.* 流放，驱逐) |
| **reverse*** | [rɪ'vɜːs] *n.* 相反，颠倒；背面，后面 *adj.* 相反的；倒转的，颠倒的 *v.* 颠倒，(使)倒退；使反转<br>📖 词根记忆：re(相反)+vers(转)+e→反转→颠倒<br>📦 in reverse 顺序相反，反向；in reverse order 以颠倒的次序<br>📎 reversal (*n.* 颠倒，倒转)；reversible (*adj.* 可反转的，可逆的)<br>📕 revoke (*vt.* 撤销，撤回)；invert (*vt.* 使颠倒；使转化)；converse (*n.* 相反的事物 *adj.* 相反的，颠倒的) |
| **finance*** | ['faɪnæns] *vt.* 为…提供资金 *n.* 财政，金融；[常pl.] 财务情况<br>📖 词根记忆：fin(结束)+ance(表状况)→财务情况<br>📦 college of finance and economics 财经学院<br>📎 financial (*adj.* 财政的，金融的)；financially (*adv.* 财政上，金融上) |
| **resign** | [rɪ'zaɪn] *v.* 辞职；辞去；放弃<br>📖 联想记忆：re(回)+sign(签名)→要回签名→辞职<br>📎 resignation (*n.* 辞职) |

| | |
|---|---|
| **preparation** | [ˌprepəˈreɪʃn] *n.* 准备(工作)，预备；(医药、化妆品的)制剂 |
| **thrive*** | [θraɪv] *vi.* 兴旺，繁荣<br>**记** 联想记忆：th+rive(r)(河)→古时有河的地方大多是文明的发源地→兴旺，繁荣 |
| **judgment** | [ˈdʒʌdʒmənt] *n.* 意见；审判；判断(力) |
| **outward** | [ˈaʊtwəd] *adj.* 外面的；外表的，表面的；向外的；外出的 |
| **consequently** | [ˈkɒnsɪkwəntli] *adv.* 因此，因而 |
| **entertain*** | [ˌentəˈteɪn] *v.* (使)欢乐，(使)娱乐；招待<br>**记** 词根记忆：enter(进入)+tain(拿住)→拿着东西进入→招待<br>**搭** entertain sb. with sth. 以…娱乐某人；以…招待某人<br>**派** entertainment (*n.* 娱乐；招待) |
| **withstand** | [wɪðˈstænd] *vt.* 抵挡；经受住<br>**记** 联想记忆：with(与…在一起)+stand(站)→武警官兵手拉手站在一起抵挡洪流→抵挡 |
| **anthropologist** | [ˌænθrəˈpɒlədʒɪst] *n.* 人类学家<br>**记** 词根记忆：anthrop(人类)+olog(y)(…学)+ist(表人)→研究人类学的人→人类学家 |
| **comb*** | [kəʊm] *n.* 梳子；蜂巢；(鸡等的)肉冠，冠状物<br>*v.* 梳理；搜寻，彻底搜查<br>**搭** comb through sth. for sth. 彻底搜寻 |
| **suitably*** | [ˈsuːtəbli] *adv.* 合适地，适宜地，相称地 |

音频

# *Word List 05*

| | |
|---|---|
| **pinpoint** | ['pɪnpɔɪnt] v. 准确地说出，描述(事实真相) |
| | 🔖 组合词：pin(钉，针)+point(点，尖端)→精准定位 |
| **pulley** | ['pʊli] n. 滑轮；滑车 |
| | 🔖 联想记忆：pull(拉)+ey→滑轮；滑车 |
| **privilege** | ['prɪvəlɪdʒ] n. 特权，优惠，特许 vt. 给予特权，特别优待 |
| | 🔖 词根记忆：privi(=priv，单个)+leg(法律)+e→法律上的独享权利→特权 |
| | 📎 privileged (adj. 有特权的) |
| **infrastructure** | ['ɪnfrəstrʌktʃə(r)] n. 基础结构，基础设施 |
| | 🔖 词根记忆：infra(下)+struct(建造)+ure(行为有关的物)→建在下面的结构→基础结构 |
| **allocate\*** | ['æləkeɪt] vt. 分配；分派 |
| | 🔖 词根记忆：al(表加强)+loc(地方)+ate(做)→不断往地方送→分配；分派 |
| | 📎 allocation (n. 分配；安置) |
| **qualification\*** | [ˌkwɒlɪfɪ'keɪʃn] n. 资格，合格；技能；限定，条件；合格证；学历 |
| | 🔖 来自qualify (v. 合格，具备资格) |
| | 🔎 qualification test 资格考试 |
| **expand\*** | [ɪk'spænd] v. (使)膨胀，(使)扩张；张开，展开；详述 |
| | 🔖 词根记忆：ex(向外)+pand(展开)→向外展开→(使)膨胀，(使)扩张 |
| | 🔎 expand one's horizon 拓宽视野 |
| | 📎 expanding (adj. 扩大的)；expansion (n. 扩张，膨胀)；expanse (n. 宽广空间) |
| **trap\*** | [træp] n. 陷阱，圈套，诡计 vt. 诱捕，诱骗，使中圈套；使陷入困境，使受限制 |
| | 🔎 fall into a trap 陷入圈套；debt trap 负债困境 |

| intern* | [ɪn'tɜːn] vt. 拘禁，软禁 ['ɪntɜːn] n. 实习生；实习医生 |
| --- | --- |
| | 记 联想记忆：与internal (adj. 内部的)一起记 |
| repaint* | [riː'peɪnt] v. 重新油漆，重画 |
| | 搭 repaint the wall 重新刷墙 |
| specialist* | ['speʃəlɪst] n. 专家；专科医生 |
| | 记 联想记忆：special(专门的)+ist(从事某职业的人)→ 专家 |
| | 搭 specialist knowledge 专业知识 |
| | 派 special (adj. 特别的；专门的；附加的，额外的)；specialized (adj. 专门的；专业的；专科的) |
| migratory* | ['maɪɡrətri] adj. 迁徙的，移居的；流动的，游牧的 |
| | 记 词根记忆：migr(迁移)+atory(有…性质的)→迁徙的；流动的 |
| | 搭 migratory bird 候鸟 |
| inlet | ['ɪnlet] n. 入口；进(水)口；水湾 |
| | 记 联想记忆：in(进入)+let(让)→让…进入的地方→入口 |
| nutrition* | [njuː'trɪʃn] n. 营养；营养学 |
| | 记 词根记忆：nutri(滋养)+tion→营养；营养学 |
| | 搭 food nutrition 食品营养；good nutrition 营养丰富；nutrition science 营养学 |
| | 派 nutritional (adj. 营养的)；nutritionist (n. 营养学家)；nutritionally (adv. 在营养上)；nutritious (adj. 有营养成分的，营养的)；malnutrition (n. 营养不良) |
| | 同 nourishment (n. 营养；营养品)；sustenance (n. 食物，营养物) |
| censor* | ['sensə(r)] vt. 审查，检查(书报) n. 审查员 |
| | 记 词根记忆：cens(审查)+or(表人)→审查员 |
| | 派 censorship (n. 审查制度) |
| widespread | ['waɪdspred] adj. 分布广的；普遍的，广泛的 |
| | 记 组合词：wide(宽广的)+spread(传播，分布)→分布广的 |
| | 搭 widespread vegetables 广泛种植的蔬菜 |

| | |
|---|---|
| **hazard** | [ˈhæzəd] *n.* 危险，冒险 *v.* 尝试着做(或提出)；冒…风险 |
| | 记 发音记忆："害死的"→危险 |
| | 搭 safety/health hazard 安全/健康隐患 |
| | 派 hazardous (*adj.* 危险的，冒险的) |
| **rear\*** | [rɪə(r)] *adj.* 后方的，后部的；背后的 *n.* 后部，尾部 *v.* 饲养，抚养；种植 |
| | 搭 at/in the rear of 在…的后面；rear sb. on sth. (用…)喂养 |
| **shareholder** | [ˈʃeəhəʊldə(r)] *n.* 股票持有人；股东 |
| | 记 组合词：share(分享；股票)+holder(持有者)→股票持有人 |
| **bid** | [bɪd] *n./v.* 出价；投标 |
| | 记 发音记忆："必得"→抱着必得的态度出价→出价；投标 |
| **alight\*** | [əˈlaɪt] *adj.* 燃烧着的 *vi.* 降落，飞落；从(公共汽车等)下来 |
| | 记 联想记忆：a+light(点燃)→燃烧着的 |
| | 搭 set alight 使…燃烧；alight on/upon (偶然)想到，注意到 |
| **credit\*** | [ˈkredɪt] *vt.* 把钱存入(账户)；把…归于 *n.* 信用贷款，赊欠；贷方；信任，相信；荣誉，名望；学分 |
| | 记 词根记忆：cred(相信)+it→信任，相信 |
| | 搭 payment by credit card 信用卡支付；give...credit for... 因…而称赞…；credit limit 信贷限额 |
| | 派 discredit (*vt.* 使丧失信誉，使怀疑) |
| **shrewd** | [ʃruːd] *adj.* 机灵的；精明的 |
| | 记 发音记忆："熟的"→对某事很熟，因此反应灵敏→机灵的 |
| | 搭 a shrewd businessman 一个精明的商人 |
| | 同 smart (*adj.* 聪明的)；keen (*adj.* 敏锐的，聪明的) |
| | 反 dull (*adj.* 迟钝的) |

**desert\*** ['dezət] *n.* 沙漠；荒地 *adj.* 沙漠的；荒凉的
['dɪ'zɜːt] *v.* 舍弃
🔑 词根记忆：de(否定)+sert(加入)→不加入→舍弃

**conclude\*** [kən'kluːd] *v.* 推断出；作结论
🔑 词根记忆：con(表加强)+clud(关闭)+e→强行关闭→推断出；作结论
🔍 conclude with 以…作结论；to conclude 最后

**explosive\*** [ɪk'spləʊsɪv] *n.* 爆炸物，炸药 *adj.* 爆炸的，爆发的；使人冲动的
🔍 explosive device 引爆装置

**inherent** [ɪn'herənt] *adj.* 内在的，固有的
🔑 词根记忆：in(向内)+her(黏附)+ent(具有…性质的)→骨子里带来的→固有的
🔗 natural (*adj.* 天生的，本能的)；inborn (*adj.* 天生的)；innate (*adj.* 与生俱来的)

**world-wide** ['wɜːld waɪd] *adj.* 遍及全球的 *adv.* 遍及全球地

**grope** [grəʊp] *v.* (暗中)摸索
🔑 联想记忆：g+rope(绳子)→抓住绳子向前走→(暗中)摸索

**lever** ['liːvə(r)] *vt.* (用杠杆)撬动 *n.* 杠杆；施压手段
🔑 词根记忆：lev(举起)+er(表物)→举起(重物)的物→杠杆
🔗 tool (*n.* 工具，手段)；means (*n.* 方法，手段，工具)

**ethical\*** ['eθɪkl] *adj.* (有关)道德的；伦理的
🔍 ethical standards 道德标准；ethical problems 道德问题

**improvement\*** [ɪm'pruːvmənt] *n.* 改进，进步；改进措施；改进处
🔍 improvement in 在…方面有改进/好转

**vacant\*** ['veɪkənt] *adj.* 未占用的，空的
🔑 词根记忆：vac(空)+ant(…的)→未占用的
🔍 vacant position 空缺职位；vacant seat 空位；vacant expression 茫然的表情
🔀 vacancy (*n.* 空处；空缺)；vacate〔*vt.* 腾出，空出；离(职)，退(位)〕

| **truant*** | ['truːənt] *vi.* 逃避责任；旷课 *n.* 逃学者；逃避者 |
| **scandal*** | ['skændl] *n.* 丑事，丑闻；恶意诽谤；流言蜚语；反感，愤慨 |
| | 🧠 联想记忆：scan(扫描)+dal→扫描时事，揭露丑闻→丑事，丑闻 |
| | 🔍 financial scandal 财政丑闻 |
| | 📎 scandalize〔*vt.* 使愤慨或震惊〕；scandalous (*adj.* 出丑的，可耻的；诽谤的) |
| **latent*** | ['leɪtnt] *adj.* 潜在的，潜伏的，不易察觉的 |
| | 🧠 联想记忆：lat(看作late，后面的)+ent(具有…性质的)→后面的→潜在的，潜伏的 |
| | 🔍 latent capital 潜在资本；latent infection 潜伏性传染病；latent period 潜伏期 |
| **tenant*** | ['tenənt] *n.* 承租人；房客；佃户 |
| | 🧠 联想记忆：ten(十)+ant(蚂蚁)→十只蚂蚁来住店，虽小也是客→房客 |
| | 📖 lodger (*n.* 投宿者)；leaseholder (*n.* 承租人) |
| **psychiatric*** | [ˌsaɪki'ætrɪk] *adj.* 精神病的；治疗精神病的 |
| **bolster*** | ['bəʊlstə(r)] *vt.* 支持，支撑；改善 *n.* 垫枕 |
| **immigrant*** | ['ɪmɪɡrənt] *n.* 移民；侨民 |
| | 🧠 词根记忆：im(向内)+migr(迁移)+ant(表人)→向内迁移的人→移民；侨民 |
| **sequence*** | ['siːkwəns] *n.* 一系列，一连串；顺序，次序 |
| | 🧠 词根记忆：sequ(跟随)+ence(表状态)→顺序，次序 |
| **ecosystem*** | ['iːkəʊsɪstəm] *n.* 生态系统 |
| | 🧠 词根记忆：eco(生态)+system(系统)→生态系统 |
| | 🔍 balanced ecosystem 平衡的生态系统 |
| **concern*** | [kən'sɜːn] *vt.* 涉及；使关心；使担忧 *n.* 关心；关注 |
| | 🧠 词根记忆：con(表加强)+cern(搞清)→需要搞清楚→关心；关注 |
| | 🔍 as far as...be concerned 就…来说；be concerned with 涉及，有关；concern with/about 关心… |

**派** concerned (*adj.* 担心的，忧虑的；关注的，感兴趣的)；concerning (*prep.* 关于，涉及)

**transfer\*** [træns'fɜː(r)] *v.* 搬，转移；调动，转学；转让，过户；转车，换乘 ['trænsfɜː(r)] *n.* 转移；调动；转车，换乘

**记** 词根记忆：trans(转移)+fer(带来)→转移；调动

**搭** transfer property to sb. 把财产转让给某人；transfer from...to... 从…转换成…；bank transfer 银行转账

**派** transference (*n.* 转移；转让)；transferable (*adj.* 可转移的)

**exotic** [ɪɡ'zɒtɪk] *adj.* 外来的；奇异的；醒目的，吸引人的

**搭** exotic experience 异国体验

**同** foreign (*adj.* 外国的，外来的)

**反** native (*adj.* 本国的，本地的)；indigenous (*adj.* 本土的)

**evaporate\*** [ɪ'væpəreɪt] *v.* (使)蒸发；消失；不复存在

**记** 词根记忆：e(出)+vapor(蒸汽)+ate(使…)→使蒸汽出去→蒸发

**派** evaporation (*n.* 蒸发；消失)

**同** vanish (*vi.* 消失)；vaporize〔*v.* (使)蒸发〕

**destiny** ['destəni] *n.* 命运，定数

**派** destined (*adj.* 命中注定的)

**hide** [haɪd] *v.* (躲)藏 *n.* 皮革，兽皮

**former\*** ['fɔːmə(r)] *adj.* 以前的 *n.* 前者

**记** 联想记忆：form(形成)+er(表人或物)→已形成的东西→前者

**派** formerly (*adv.* 从前，以前)

**awful\*** ['ɔːfl] *adj.* 糟糕的

**sore** [sɔː(r)] *adj.* 痛的；恼火的；剧烈的 *n.* 疮

**virtually** ['vɜːtʃuəli] *adv.* 几乎，差不多；实际上，事实上

**tangibly\*** ['tændʒəbli] *adv.* 可触摸地；可感知地；有形地

**记** 词根记忆：tang(接触)+ibl(=ible，可…的)+y→可触摸地

| | |
|---|---|
| **windscreen** | ['wɪndskriːn] *n.* 挡风玻璃，风挡 |
| | 记 组合词：wind(风)+screen(屏，遮蔽物)→挡风玻璃 |
| **decent** | ['diːsnt] *adj.* 大方的，体面的，像样的；正派的，合乎礼仪的 |
| **alluvial\*** | [ə'luːviəl] *adj.* 【地】冲积的，淤积的 |
| | 搭 alluvial gold 冲积砂金 |
| **slum\*** | [slʌm] *n.* 贫民窟，贫民区 |
| **distill** | [dɪ'stɪl] *v.* 蒸馏；提取 |
| **economical** | [ˌiːkə'nɒmɪkl] *adj.* 节约的；经济的 |
| | 派 economically (*adv.* 节约地；经济上) |
| **medication\*** | [ˌmedɪ'keɪʃn] *n.* 药；药物 |
| | 记 词根记忆：med(治疗)+ication→药；药物 |
| | 搭 be on medication for sth. 因…而吃药 |
| **target\*** | ['tɑːgɪt] *n.* 目标；对象，靶子 *vt.* 对准，面向 |
| | 记 联想记忆：tar(音似：它)+get(得到)→我的目标是得到它→目标 |
| | 搭 target sth. at/on sb./sth. 把…作为…的目标 |
| **independent\*** | [ˌɪndɪ'pendənt] *adj.* 独立的，自主的，不受约束的；私营的 *n.* 中立派，无党派议员 |
| | 搭 be independent of 独立于，不受…约束 |
| | 派 independently (*adv.* 独立地) |
| **radius\*** | ['reɪdiəs] *n.* 半径；周围，范围 |
| | 记 词根记忆：radi(光线)+us→半径就像是从同一点散发出的许多光线→半径 |
| | 搭 with a twenty-meter radius 半径是20米 |
| | 同 range (*n.* 幅度，范围)；parameter (*n.* [常pl.] 界限，范围) |
| **fossil** | ['fɒsl] *n.* 化石；老顽固 |
| **shade** | [ʃeɪd] *n.* 阴凉处；(灯)罩；暗部；色度；细微差别 *vt.* 遮蔽，遮光；把…涂暗 |
| **wean\*** | [wiːn] *vt.* 使断奶；使戒掉 |
| **comprise** | [kəm'praɪz] *vt.* 包含；由…组成 |
| | 记 词根记忆：com(表加强)+pris(抓)+e→(包括)抓住的 |

东西→包含

搭 be comprised in 归入…

**stable\*** ['steɪbl] *adj.* 稳定的，稳固的；沉稳的

记 联想记忆：那张破旧的桌子(table)居然很稳(stable)

**disappointing** [ˌdɪsə'pɔɪntɪŋ] *adj.* 令人失望的

记 来自disappoint (*v.* 失望)

派 disappointment (*n.* 失望)

**delta** ['deltə] *n.* 三角洲；希腊字母表的第四个字母

搭 the Nile Delta 尼罗河三角洲

**urban** ['ɜːbən] *adj.* 都市的；住在都市的

搭 urban area 城市地区；urban resident 城市居民

派 urbanisation (*n.* 都市化)

**compliment\*** ['kɒmplɪmənt] *n.* 赞美；[pl.] 问候，祝贺

记 词根记忆：com(共同)+pli(装满)+ment(表行为)→一起满足某人的愿望→赞美

**execution** [ˌeksɪ'kjuːʃn] *n.* 执行，实施；处决

记 来自execute (*v.* 执行)

派 executioner (*n.* 行刑者)

音频

# *Word List 06*

**reign**　[reɪn] *n.* (某君主的)统治时期 *v.* 统治；当政
记 联想记忆：和foreign(*adj.* 外国的)一起记
搭 reign over 统治

**heritage**　['herɪtɪdʒ] *n.* 遗产；传统
记 词根记忆：herit(继承)+age(表集体名词)→遗产
搭 cultural heritage 文化遗产
同 legacy (*n.* 遗产，遗留之物，遗赠物)；inheritance (*n.* 遗产，继承物；遗赠)

**appropriate***　[ə'prəʊpriət] *adj.* 合适的，适当的
[ə'prəʊprieɪt] *vt.* 占有，挪用；拨出(款项)
记 词根记忆：ap(表加强)+propri(拥有)+ate(使…)→强行拥有(公物)→占有，挪用
搭 be appropriate to 适于

**annual***　['ænjuəl] *adj.* 每年的，年度的 *n.* 年刊，年鉴；一年生植物
记 词根记忆：annu(年)+al(…的)→每年的，年度的
搭 annual report 年度报告
派 annually (*adv.* 一年一次，每年)

**depict**　[dɪ'pɪkt] *vt.* 描绘，描述
记 词根记忆：de(表加强)+pict(描绘)→描绘，描述
派 depiction (*n.* 描绘，描述)
同 describe (*v.* 描写，描述)

**literacy***　['lɪtərəsi] *n.* 有文化；有教养；识字，读写能力
记 词根记忆：liter(文字)+acy(表状态)→有文化
派 illiteracy (*n.* 文盲)

**calculate**　['kælkjuleɪt] *v.* 计算，推算；估计，推测；计划，打算
记 词根记忆：calcul(计算)+ate→计算；推测
搭 be calculated to do sth. 旨在做某事，故意做某事；calculated crime 有预谋的犯罪

**luxury\*** [ˈlʌkʃəri] *n.* 豪华(品)；奢侈(品) *adj.* 奢华的

记 词根记忆：lux(明亮的)+ury→光彩的→奢侈(品)；奢华的

搭 live in luxury / lead a life of luxury 过奢侈的生活

派 luxuriant (*adj.* 繁茂的；肥沃的)

**purchase\*** [ˈpɜːtʃəs] *vt.* 买，购买 *n.* 购买的物品

记 联想记忆：pur+chase(追逐)→为得到紧俏的商品而竞相追逐→购买

搭 purchase from 从…处购买

派 purchaser (*n.* 购买者，采购人)

**constant\*** [ˈkɒnstənt] *adj.* 经常的，不断的；坚定的，永恒的，忠实的；持续的，不变的 *n.* 常数，恒量

记 词根记忆：con(表加强)+stant(站)→一直站着→坚定的，永恒的，忠实的

搭 constant temperature 恒温；constant speed 恒定速度；constant value 不变价值

派 constantly (*adv.* 不变地；不断地)；constancy (*n.* 恒定不变)

**dormancy\*** [ˈdɔːmənsi] *n.* 休眠；催眠状态；冬眠；隐匿

记 词根记忆：dorm(睡)+ancy(表状态)→休眠；催眠状态；冬眠

**particular\*** [pəˈtɪkjələ(r)] *adj.* 特殊的，特别的；特定的，个别的；详细的 *n.* 详情，细目，细节

记 词根记忆：part(部分)+icular(属于…的)→只属于部分的→特别的

搭 in particular 特别，尤其

派 particularity (*n.* 特性；特殊性)；particularly (*adv.* 特别，尤其)

**subscription\*** [səbˈskrɪpʃn] *n.* 订阅，订购；订阅费，订购款；捐赠，捐助；签字，签署；会员费(或服务费)

**pitch\*** [pɪtʃ] *v.* 投掷；颠簸；为…定音高 *n.* 沥青；场地；程度；最高点；音高

搭 football/rugby pitch 足球/橄榄球场地；on the pitch 在场上比赛；off the pitch 在场下

派 pitcher (n. 投球手；大水壶)

**entitle** [ɪn'taɪtl] vt. 给…权利(或资格)；给(书、文章等)题名；给…以称号

记 联想记忆：en(使…)+title(题目，标题)→使有题目或标题→给(书、文章等)题名

搭 be entitled to 有权…，有资格…

**shutter*** ['ʃʌtə(r)] n. 百叶窗；(照相机的)快门

记 来自shut (v. 关闭)

**demolish*** [dɪ'mɒlɪʃ] vt. 破坏；拆除；驳倒(论点等)，推翻

记 词根记忆：de(表相反)+mol(堆)+ish(使…)→使不成堆→破坏；拆除

**durable** ['djʊərəbl] n. 耐用品 adj. 持久的；耐用的

记 词根记忆：dur(持久)+able(可…的)→耐用的

搭 durable peace 持久的和平

派 durability (n. 耐久性；耐用性)

**cope*** [kəʊp] vi. (成功地)应付；(妥善地)处理

搭 cope with 处理；应付

**circulation** [ˌsɜːkjə'leɪʃn] n. (体液的)循环，(水、空气的)流通；流传，传播；发行，发行量

记 来自circulate (v. 循环，流通)

同 flow (n. 流动)

**tradition*** [trə'dɪʃn] n. 传统；惯例

派 traditional (adj. 传统的；惯例的)；traditionally (adv. 传统地；惯例地)

**benefit*** ['benɪfɪt] v. 使受益；有益于，得益于 n. 益处，好处；恩惠；救济金，保险金，津贴

记 词根记忆：bene(好)+fit(做)→益处，好处

搭 benefit from/by 从…得益，受益于；material benefit 物质利益；for the benefit of 为了…的利益(或好处)；social benefits 社会效益

| | |
|---|---|
| **decay*** | [dɪ'keɪ] n. 腐烂，腐朽；衰败(或衰退)状态 v. 腐烂，腐朽；衰败，衰退 |
| | 记 联想记忆：骗(decoy)人变坏(decay) |
| | 搭 dental decay 龋齿 |
| **distribution*** | [ˌdɪstrɪ'bjuːʃn] n. 分发，分配；配给物；散布，分布 |
| | 搭 distribution channel 分配渠道 |
| **defect** | ['diːfekt] n. 缺点，不足之处 [dɪ'fekt] vi. 叛变 |
| | 记 词根记忆：de(变坏)+fect(做)→做坏了→缺点，不足之处 |
| | 派 defective (adj. 有缺点的；不完全的) |
| **oppose** | [ə'pəʊz] v. 反对，反抗 |
| | 记 词根记忆：op(逆)+pos(放)+e→反着放→反对 |
| | 搭 be opposed to 反对… |
| **statistics*** | [stə'tɪstɪks] n. 统计数字，统计资料；统计学 |
| **stuffy*** | ['stʌfi] adj. 不透气的，(空气)不新鲜的，不通风的；乏味的 |
| | 记 联想记忆：stuff(塞满)+y→塞得满满当当的，很闷→不透气的 |
| **approximately** | [ə'prɒksɪmətli] adv. 近似，大约 |
| **excusable*** | [ɪk'skjuːzəbl] adj. 可原谅的；可谅解的；可容许的 |
| | 记 来自excuse (n./vt. 原谅) |
| | 搭 an excusable mistake 一个可原谅的错误 |
| **propose*** | [prə'pəʊz] v. 提议，建议；提名，推荐；打算；(向某人)求婚 |
| | 记 词根记忆：pro(在前)+pos(放)+e→在前面放出→行动之前指出→建议，提议 |
| | 派 proposal (n. 提案；建议) |
| **ornament*** | ['ɔːnəmənt] n. 装饰；装饰物 ['ɔːnəment] vt. 装饰，修饰，美化 |
| | 记 词根记忆：orna(=orn，装饰)+ment(表具体物)→装饰物 |
| | 搭 for ornament 以作装饰；be ornamented with sth. 用…装饰 |
| | 派 ornamental (adj. 装饰性的，装饰用的) |

| | |
|---|---|
| **energetic*** | [ˌenə'dʒetɪk] *adj.* 有力的，精力旺盛的；积极的<br>记 来自energy (*n.* 精神，活力)<br>搭 an energetic person 一个精力旺盛的人 |
| **atmospheric*** | [ˌætməs'ferɪk] *adj.* 大气的，空气的；大气层的；大气所引起的<br>搭 atmospheric pressure 大气压力；atmospheric conditions 大气状况 |
| **cooperative*** | [kəʊ'ɒpərətɪv] *adj.* 合作的，协作的 *n.* 合作社<br>搭 cooperative enterprise 合作企业；make a cooperative effort 共同努力<br>派 uncooperative (*adj.* 不愿合作的，不配合的)；cooperate (*vi.* 合作，配合)；cooperation (*n.* 合作) |
| **corrode*** | [kə'rəʊd] *v.* 腐蚀；侵蚀<br>记 词根记忆：cor(表加强)+rod(咬)+e→不断侵咬，使其腐坏→腐蚀；侵蚀 |
| **honour** | ['ɒnə(r)] *n.* 光荣；尊敬 *vt.* 向…表示敬意；信守，执行(承诺) |
| **dislodge** | [dɪs'lɒdʒ] *v.* (将某物)强行去除，取出；逐出，驱逐 |
| **soluble** | ['sɒljəbl] *adj.* 可溶的；可解决的<br>记 词根记忆：solu(松开)+ble(=ible，可…的)→可松解的→可溶的；可解决的<br>搭 soluble material 可溶性物质<br>同 resoluble (*adj.* 可解决的；可分解的)<br>反 unsolvable (*adj.* 不能溶解的；无法解决的) |
| **administration** | [ədˌmɪnɪ'streɪʃn] *n.* 管理(部门)；行政(机关)<br>记 联想记忆：ad+ministr(看作minister，部长)+ation→部长的工作→管理；行政 |
| **environment*** | [ɪn'vaɪrənmənt] *n.* 周围状况；环境<br>搭 working/learning environment 工作/学习环境；political environment 政治环境<br>派 environmental (*adj.* 环境的) |
| **licence** | ['laɪsns] *n.* 许可(证)，执照 *vt.* 批准，准许<br>搭 driving licence 驾驶执照 |

| | |
|---|---|
| **underline\*** | [ˌʌndə'laɪn] *vt.* 画线于…之下；强调 |
| | 🔢 组合词：under(在…下)+line(画线)→在…下面画线→画线于…之下；强调 |
| **activate\*** | ['æktɪveɪt] *vt.* 激活；使活动，使活化 |
| | 🔢 词根记忆：act(做)+iv+ate(使…)→使活跃→激活 |
| | 派 activator (*n.* 催化剂) |
| **major\*** | ['meɪdʒə(r)] *adj.* 主要的；主修的 *n.* 专业(学生) *vi.* 主修，专攻 |
| | 🔢 词根记忆：maj(大)+or→较大的→主要的 |
| **specific** | [spə'sɪfɪk] *adj.* 特定的；明确的 |
| | 派 specifically (*adv.* 特定地；明确地) |
| **objective\*** | [əb'dʒektɪv] *n.* 目标，目的 *adj.* 客观的 |
| | 搭 strategic objective 战略目标；objective reality 客观事实 |
| **concentrate\*** | ['kɒnsntreɪt] *v.* 全神贯注，全力以赴；集中，聚集；浓缩 *n.* 浓缩物，浓缩液 |
| | 🔢 词根记忆：con(表加强)+centr(中心)+ate(使…)→使…成为中心→集中，聚集 |
| | 搭 concentrate on 集中精力于，全神贯注于 |
| | 派 concentration (*n.* 集中，聚集) |
| **conflict\*** | ['kɒnflɪkt] *n.* 冲突，抵触 [kən'flɪkt] *vi.* 冲突，抵触 |
| | 🔢 词根记忆：con(共同)+flict(打击)→两边打斗→冲突，抵触 |
| | 搭 come into conflict with sb. 与某人起冲突 |
| **antidote\*** | ['æntidəʊt] *n.* 解毒药；矫正方法 |
| | 🔢 词根记忆：anti(抗)+dote(=dose，药剂)→抗(毒)药→解毒药 |
| | 搭 antidote to …的解毒剂 |
| **discover\*** | [dɪ'skʌvə(r)] *vt.* 发现，找到；发觉 |
| | 派 discovery (*n.* 发现) |
| **necessarily\*** | [ˌnesə'serəli] *adv.* 必要地；必然地 |
| **turret** | ['tʌrət] *n.* 塔楼，角楼 |
| **continent** | ['kɒntɪnənt] *n.* 大陆，陆地；洲 |
| | 派 continental (*adj.* 欧洲大陆的 *n.* 欧洲人) |

**elastic**　[ɪ'læstɪk] *adj.* 有弹性的；灵活的 *n.* 松紧带

记 联想记忆：e(出)+last(延长)+ic(…的)→可延长的→有弹性的；灵活的

**enhance**　[ɪn'hɑːns] *vt.* 提高，增强，增进

搭 enhance one's reputation 提高声誉；enhance confidence 增强信心；enhance the ability 提高能力

**demonstration**　[ˌdemən'streɪʃn] *n.* 论证，证明；示范；显示，表露；示威游行

记 词根记忆：de(表加强)+monstr(显示)+ation(表行为)→论证；显示

**interrupt\***　[ˌɪntə'rʌpt] *v.* 中断，中止；阻碍；打断，打扰

记 词根记忆：inter(在…之间)+rupt(断裂)→在中间断裂→中断，中止；打断，打扰

搭 interrupt the work 打扰工作

派 interruption (*n.* 打扰，打断)

**redundant\***　[rɪ'dʌndənt] *adj.* (因人员过剩而)被解雇的；多余的，过剩的；累赘的，冗长的

记 词根记忆：red(=re，回)+und(波动)+ant(…的)→回流的→多余的，过剩的；累赘的

派 redundancy (*n.* 裁员；过多，过剩)

同 superfluous (*adj.* 多余的，过剩的)；excessive (*adj.* 过多的；过分的)

反 indispensable (*adj.* 不可或缺的)；scanty (*adj.* 不够的，贫乏的)

**mishandle\***　[ˌmɪs'hændl] *vt.* 粗暴地对待；错误地处理，胡乱操作

搭 mishandled baggage 错运行李

**amend**　[ə'mend] *v.* 修改，修订

记 词根记忆：a(表加强)+mend(修理)→修正

**suppression\***　[sə'preʃn] *n.* 镇压，压制，抑制；扑灭

记 来自suppress (*vt.* 镇压，抑制)

搭 fire suppression system 灭火系统

**mainly\***　['meɪnli] *adv.* 大体上，主要地

| **property** | [ˈprɒpəti] *n.* 财产，所有物；性质，特性；房产，地产 |
| --- | --- |
| | 记 联想记忆：proper(固有的)+ty(表物)→固有物→财产，所有物 |
| | 搭 intellectual property 知识产权；assignment of property 产权转让；lost property 失物招领 |
| **naked** | [ˈneɪkɪd] *adj.* 裸体的；裸露的，无遮蔽的 |
| **feature*** | [ˈfiːtʃə(r)] *n.* 特征，特色；[pl.] 面貌，相貌；特写；故事片 *v.* 以…为特色；由…主演；占重要地位 |
| | 记 联想记忆：我的未来(future)由我主演(feature) |
| | 搭 distinguishing feature 显著特色 |
| **lens*** | [lenz] *n.* 透镜；镜片；镜头 |
| | 记 联想记忆：借(lend)你透镜(lens)用用 |
| **coordinator*** | [kəʊˈɔːdɪneɪtə(r)] *n.* 协调者 |
| | 记 来自coordinate (*v.* 调整；整理) |
| **nourish** | [ˈnʌrɪʃ] *vt.* 养育，滋养；培养(情绪、观点等) |
| | 派 nourishing (*adj.* 有营养的) |
| | 同 nurture (*vt.* 抚养，教养)；foster (*v.* 培养，培育) |
| **crisp** | [krɪsp] *adj.* 脆的；利落的 *n.* [pl.] 油炸土豆片 |
| | 记 发音记忆：该词的发音就像咬薯片的声音 |
| **guilty*** | [ˈgɪlti] *adj.* 内疚的；有罪的 |
| | 搭 be guilty of doing sth. 因做某事而内疚；因做某事而获罪 |

# *Word List 07*

| | |
|---|---|
| **smuggle** | ['smʌgl] *v.* 走私；(常指非法)偷运<br>🧠 联想记忆：不断进行反对走私(smuggle)的斗争(struggle) |
| **flourish*** | ['flʌrɪʃ] *v.* 繁荣；茂盛；兴旺；健康幸福 *n.* (为引起注意的)夸张动作；修饰<br>🧠 词根记忆：flour(花)+ish(使…)→像花一样绽放→繁荣；茂盛<br>🔍 with a flourish 兴旺；in full flourish 盛极一时 |
| **reserve*** | [rɪ'zɜːv] *vt.* 预订，预约；保留；储备 *n.* 储备(量)；自然保护区<br>🧠 词根记忆：re(一再)+serv(保持)+e→预订；保留<br>🔍 reservation (*n.* 预订；保留) |
| **dimensional** | [daɪ'menʃənl] *adj.* …度空间的，…维的<br>🔍 three-dimensional image 三维图像 |
| **gravel** | ['grævl] *n.* 沙砾，砾石<br>🧠 词根记忆：grav(重)+el(表物)→沙砾 |
| **insulation*** | [ˌɪnsju'leɪʃn] *n.* 隔绝，隔绝状态；绝缘(材料)，隔热，隔音<br>🔍 insulation layer 绝缘层；acoustic insulation 隔音；thermal insulation 隔热 |
| **improvise** | ['ɪmprəvaɪz] *v.* 临时做；即兴做<br>🧠 词根记忆：im(不)+pro(在…前面)+vis(看)+e→没有预先看过→即兴创作<br>🔍 improvisation (*n.* 即席创作；即兴作品) |
| **hesitation*** | [ˌhezɪ'teɪʃn] *n.* 犹豫，踌躇<br>🔍 without hesitation 毫不犹豫；have no hesitation in doing sth. 做某事时没有犹豫 |
| **undermine*** | [ˌʌndə'maɪn] *vt.* 削弱，破坏<br>🧠 组合词：under(下面)+mine(挖)→在下面挖→破坏 |

48

搭 undermine one's position 削弱某人的地位

派 underminer (n. 暗中破坏者)

同 weaken〔v. 削弱；(使)变弱〕

反 strengthen (vt. 加强，巩固)；intensify (v. 增强)；reinforce (vt. 加强，加固)

| | |
|---|---|
| **eliminate** | [ɪ'lɪmɪneɪt] vt. 消灭，消除；淘汰<br><br>记 词根记忆：e(出)+limin(限制)+ate(使…)→消除对事物的限制→消灭，消除<br><br>搭 eliminate poverty 消除贫困 |
| **exclude** | [ɪk'skluːd] vt. 把…排斥在外；将(某物)排除，不包括<br><br>记 词根记忆：ex(外)+clud(关闭)+e→关在外面→把…排斥在外<br><br>搭 exclude sth. from sth. 把…排除在…之外 |
| **laundry\*** | ['lɔːndri] n. 洗衣房；待洗衣服<br><br>记 词根记忆：lau(洗)+nd+ry(表地点)→洗衣房<br><br>搭 do the laundry 洗衣 |
| **apparently\*** | [ə'pærəntli] adv. 显然；看来，似乎 |
| **gelatin** | ['dʒelətɪn] n. 明胶 |
| **stimulate** | ['stɪmjuleɪt] vt. 刺激；使兴奋；激发，激励 |
| **fuel** | ['fjuːəl] n. 燃料 v. 给…加燃料<br><br>搭 solid fuel 固体燃料；nuclear fuel 核燃料；add fuel to the fire/flame 火上浇油 |
| **operational** | [ˌɒpə'reɪʃənl] adj. 运转的；操作的；运营的，业务的<br><br>记 来自operate (v. 操作；运转) |
| **image** | ['ɪmɪdʒ] n. 形象；印象；图像 |
| **distribute** | [dɪ'strɪbjuːt] vt. 分发，分配，分送；散布，分布；分类，分区<br><br>记 词根记忆：dis(分开)+tribut(给予)+e→分开给予→分发，分送<br><br>搭 distribute equally 平均分配；distribute expenses 分配经费<br><br>派 distribution (n. 分配；分布) |

**intend** [ɪn'tend] v. 想要，打算

記 词根记忆：in(使…)+tend(伸展)→使(想法)伸展→想要，打算

派 unintended (adj. 无意的；没有计划的)

**empirical*** [ɪm'pɪrɪkl] adj. 以实验(或经验)为依据的；经验主义的

反 theoretical (adj. 理论的)

**probation*** [prə'beɪʃn] n. 缓刑(制)；(对人的)试用；试用期

記 词根记忆：prob(证明)+ation(表行为)→证明是否可以胜任→试用期

派 probationary (adj. 试用的，实习中的)

**depression*** [dɪ'preʃn] n. 忧愁，消沉；低气压；不景气，萧条期；抑郁症

記 来自depress (vt. 使消沉，使沮丧)

搭 the Great Depression 大萧条时期

**proximity*** [prɒk'sɪməti] n. 接近，邻近；亲近

記 词根记忆：proxim(接近)+ity(表状况)→接近，邻近；亲近

搭 proximity to 邻近；in close proximity 非常接近

同 vicinity (n. 邻近，附近)

反 distance (n. 远离，远隔)

**attention*** [ə'tenʃn] n. 注意(力)，留心；立正

記 词根记忆：at(表加强)+tent(伸展)+ion(表状态)→(听得)伸长了脖子→注意(力)

搭 attract/draw (one's) attention to 吸引注意力，令(某人)注意某事物；divert attention from 转移注意力

**factual*** ['fæktʃuəl] adj. 事实的；真实的，确凿的

記 联想记忆：fact(事实)+ual→事实的；真实的

**acclaim*** [ə'kleɪm] vt. 向…欢呼，为…喝彩 n. 称赞；欢迎

記 词根记忆：ac(表加强)+claim(呼喊)→一再呼喊→向…欢呼，为…喝彩

搭 receive great acclaim 备受赞扬

派 acclaimed (adj. 受欢呼的，受称赞的)

| **carry\*** | ['kæri] v. 运送，搬运；携带；传送，传播 |
| --- | --- |
| | 搭 carry off 夺去；carry on 继续下去，坚持下去；carry out 贯彻，实现；carry...through 成功完成，顺利实现 |
| **devastate\*** | ['devəsteɪt] vt. 破坏，毁坏；使震惊，使极为悲痛 |
| | 记 词根记忆：de(表加强)+vast(广阔的)+ate(使…)→使大面积摧毁→破坏 |
| | 搭 be devastated by 被…破坏 |
| **response\*** | [rɪ'spɒns] n. 回答，答复；反应，响应 |
| | 记 词根记忆：re(一再)+spons(承诺)+e→回答；反应 |
| | 搭 response for... 对…负责，是造成…的原因；in response to 答复，响应 |
| | 派 responsive (adj. 反应积极的) |
| **dull\*** | [dʌl] adj. 乏味的；阴沉的 |
| | 记 联想记忆：和充实的(full)相反的是乏味的(dull) |
| **basis\*** | ['beɪsɪs] n. 基础；根据；原则；方式 |
| | 搭 on the basis of 根据…，在…的基础上 |
| **tropical\*** | ['trɒpɪkl] adj. 热带的；炎热的 |
| | 记 词根记忆：trop(转)+ical(…的)→热得令人晕头转向→热带的；炎热的 |
| | 搭 tropical condition 热带环境；tropical rainforest 热带雨林 |
| **rumour** | ['ruːmə(r)] n. 谣传，谣言 |
| | 记 发音记忆："辱骂"→谣言往往比辱骂更伤人→谣传，谣言 |
| **endeavour\*** | [ɪn'devə(r)] n./vi. 努力，尽力；尝试 |
| | 记 联想记忆：end(尽头)+eav(看作eager，热情)+our(我们的)→用尽了我们的热情→努力，尽力 |
| | 搭 endeavour to do sth. 努力做某事 |
| **address\*** | [ə'dres] vt. 致函，写姓名地址；向…讲话，演说；设法解决，处理，对付 n. 地址；致辞 |
| | 搭 address a letter 给信写上地址 |
| **payment\*** | ['peɪmənt] n. 支付；支付的款项 |

**superb** [suː'pɜːb] *adj.* 极好的；高质量的

搭 superb advertisements 精彩的广告

**intention** [ɪn'tenʃn] *n.* 意图，目的

记 词根记忆：in(向内)+tent(伸展)+ion→向内伸展→意图，目的

**demonstrate\*** ['demənstreɪt] *v.* 论证，证实；演示，说明；举行示威游行(或集会)

记 词根记忆：de(表加强)+monstr(显示)+ate→加强显示→论证；说明

搭 demonstrate one's ability 显示自己的能力

派 demonstration (*n.* 示范，表演)

同 display (*v.* 展览；显示)；illustrate (*vt.* 举例说明，阐明)；show (*v.* 说明，显示)

**agenda\*** [ə'dʒendə] *n.* 议程；议程表

记 词根记忆：ag(做)+enda(表名词复数)→做的事情→议程

**illuminate** [ɪ'luːmɪneɪt] *vt.* 照亮；阐明，解释；启发

记 词根记忆：il(进入)+lumin(光)+ate(使…)→进入光明→照亮；启发

同 illustrate (*v.* 举例说明，阐明)；demonstrate (*v.* 说明；证实)

**slim** [slɪm] *adj.* 苗条的；薄的 *vi.* 变苗条

记 联想记忆：手机的sim卡通常很薄(slim)

同 slender (*adj.* 苗条的，纤细的)

**warrant\*** ['wɒrənt] *v.* 保证；证明…正当 *n.* 授权；许可证

**optimism** ['ɒptɪmɪzəm] *n.* 乐观；乐观主义

记 词根记忆：optim(最好)+ism(…主义)→乐观主义

反 pessimism (*n.* 悲观；悲观主义)

**rank** [ræŋk] *v.* 排列；分等 *n.* 等级；军衔

记 联想记忆：银行(bank)拥有来自不同社会阶层(rank)的客户

**dimension** [daɪ'menʃn] *n.* 尺寸，(长、宽、厚、深)度；维度；规模；方面；[pl.] 面积

記 词根记忆：di(分开)+mens(测量)+ion(表状态)→测量→尺寸；面积

派 dimensional (*adj.* 空间的)

**avail** [ə'veɪl] *vt.* 有帮助，有益，有用 *n.* 效用；利益

記 词根记忆：a(表加强)+vail(价值)→对…有价值→有帮助，有益

**block** [blɒk] *n.* 一排房屋，街区；阻塞；大块木料(或石料、金属) *vt.* 阻塞，拦阻；封锁

搭 office blocks 办公大楼；block of flats 公寓楼

派 blockage (*n.* 障碍物)

**administrative** [əd'mɪnɪstrətɪv] *adj.* 管理的，行政的

**frustrating\*** [frʌ'streɪtɪŋ] *adj.* 令人泄气的，使人沮丧的

**resistant\*** [rɪ'zɪstənt] *adj.* 抵抗的；有抵抗力的

搭 be resistant to 对…有抵抗力；acid resistant 抗酸的

派 quake-resistant (*adj.* 抗震的)；wind-resistant (*adj.* 挡风的)

**overdue\*** [ˌəʊvə'djuː] *adj.* 过期未付的；逾期的；过度的，过火的；迟到的，延误的

記 组合词：over(超过)+due(预期的)→超过期限的→逾期的

**impressive\*** [ɪm'presɪv] *adj.* 给人深刻印象的，令人敬佩的

記 来自impress (*vt.* 给…以深刻印象)

搭 the most impressive place 给人印象最深的地方

派 impressively (*adv.* 令人难忘地)

**analysis\*** [ə'næləsɪs] *n.* 分析，分解

記 词根记忆：ana(在旁边)+lys(分解)+is(表情况)→向两旁分开→分析，分解

搭 self analysis 自我分析；intelligence analysis 情报分析

**verdict\*** ['vɜːdɪkt] *n.* 裁定；定论；判断；意见

記 词根记忆：ver(真实)+dict(说)→说出事实→裁定；判断

搭 reach a verdict 作出裁定

同 opinion (*n.* 主张，判断)；judgment (*n.* 判断；看法)

**refresher\*** [rɪ'freʃə(r)] *n.* 提神物；补习课程

搭 refresher course 进修课程

**blaze** [bleɪz] *v.* 熊熊燃烧；发(强)光；迸发 *n.* 火焰

记 联想记忆：复仇的火焰(blaze)烧得正旺，人们谴责(blame)不断

**misjudge\*** [ˌmɪs'dʒʌdʒ] *vt.* 判断错误

记 联想记忆：mis(错)+judge(判断)→判断错误

**pregnant** ['pregnənt] *adj.* 怀孕的，妊娠的；充满的

记 词根记忆：pre(前)+gn(=gen，出生)+ant(…的)→在出生之前的→怀孕的

搭 get pregnant 怀孕

**unyielding\*** [ʌn'jiːldɪŋ] *adj.* 顽强的；不能弯曲的，坚固的

记 联想记忆：un(不)+yielding(屈从的，易弯曲的)→顽强的；坚固的

**exterior** [ɪk'stɪəriə(r)] *adj.* 外部的，外表的 *n.* 外部，外表

记 联想记忆：金玉其外(exterior)，败絮其中(interior)

搭 exterior policy 对外政策

**approve\*** [ə'pruːv] *v.* 赞成；批准，同意

记 联想记忆：ap+prove(证实)→经过证实才能批准→批准，同意

搭 approve of 同意…

**client\*** ['klaɪənt] *n.* 委托人；顾客，客户

**vernacular\*** [və'nækjələ(r)] *n.* 方言；土语；(建筑的)民间风格

记 发音记忆："我奶哭了"→离乡多年，我奶奶一听到熟悉的乡音就激动地哭了→方言

搭 vernacular dwellings 民居

**compare\*** [kəm'peə(r)] *v.* 比较；对比

记 词根记忆：com(共同)+par(相等)+e→放在一起看看是否相等→对比

搭 compare to 比喻成…；compare with 与…比较

派 comparable (*adj.* 可比较的)；comparison (*n.* 比较，对比)

| | |
|---|---|
| **transparent** | [træns'pærənt] *adj.* 透明的，清澈的；显而易见的；易懂的<br>记 联想记忆：trans(越过)+parent(双亲)→父母之间没有什么可隐瞒的→透明的<br>派 transparency (*n.* 透明性，透明) |
| **deputy** | ['depjuti] *n.* 代理人；代表<br>记 联想记忆：de+puty(看作duty，责任)→应负责任的人→代理人 |
| **fraud\*** | [frɔːd] *n.* 诈骗罪；欺诈；骗子；伪劣品，冒牌货<br>搭 soccer fraud 假球，黑哨 |
| **bind** | [baɪnd] *v.* 捆绑，系；约束；凝结<br>记 发音记忆："绑的"→捆绑 |
| **fragrance** | ['freɪɡrəns] *n.* 芳香，香味；香水<br>记 联想记忆：frag(打碎)+rance(看作France，法国)→从法国买回来的香水瓶被打碎，芳香四溢→芳香；香水<br>同 scent (*n.* 香味，香气)；perfume (*n.* 香味；香水)<br>反 stink (*n.* 臭味，恶臭)；stench (*n.* 臭气，恶臭) |
| **acute** | [ə'kjuːt] *adj.* 灵敏的；剧烈的，猛烈的 |

音频

# *Word List 08*

| | |
|---|---|
| **ubiquitous** | [juː'bɪkwɪtəs] *adj.* 普遍存在的，似乎无处不在的<br>🔢 词根记忆：ubi(=where)+qu(=any)+itous→<br>anywhere→普遍存在的 |
| **formulate** | ['fɔːmjuleɪt] *vt.* 系统阐述，明确表达；构想出(计划、<br>方法等)，规划(制度等)<br>🔢 词根记忆：form(形式)+ul+ate(使…)→使具备形式<br>→系统阐述 |
| **collate\*** | [kə'leɪt] *vt.* 对照；核对；整理(文件、书页等)<br>🔢 词根记忆：col(共同)+lat(放)+e→放到一起看→对<br>照；核对 |
| **infer** | [ɪn'fɜː(r)] *v.* 推断，猜想<br>🔢 词根记忆：in(进入)+fer(带来)→带进(意义)→推断，<br>猜想 |
| **fiction\*** | ['fɪkʃn] *n.* 小说<br>🔍 science fiction 科幻小说 |
| **ability\*** | [ə'bɪləti] *n.* 能力；本领；才能<br>🔍 have the ability to do sth. 有做…的能力 |
| **sector** | ['sektə(r)] *n.* 部分，部门；区域，地带；扇形；行业 |
| **creep\*** | [kriːp] *vi.* 悄悄移动；缓慢行进；爬行<br>🔢 联想记忆：兔子偷懒睡觉(sleep)时乌龟继续缓慢行<br>进(creep)<br>🔍 creep in/into 悄悄混进，开始发生；creep out of 从<br>某地悄悄出来<br>🔍 creeping (*adj.* 逐渐发生的) |
| **casual\*** | ['kæʒuəl] *adj.* 偶然的，碰巧的，不经意的；临时的，<br>非正式的<br>🔢 联想记忆：平常(usual)时候可以穿非正式的(casual)<br>服装 |

🔁 casual meeting 邂逅；casual worker 临时工；casual clothes 便装

📝 casualness (n. 偶然性)

| | |
|---|---|
| **interpretation** | [ɪn,tɜːprɪ'teɪʃn] n. 口译；解释，诠释；(表演、演奏的)艺术处理 |
| **trimester\*** | [traɪ'mestə(r)] n. (怀孕期的)三个月；学期 |
| **consensus\*** | [kən'sensəs] n. 共识；(意见)一致 |

📝 词根记忆：con(共同)+sens(感觉)+us→感觉相同→共识

🔁 value consensus 价值共识

📗 unanimity (n. 全体一致)

| | |
|---|---|
| **redevelopment** | [,riːdɪ'veləpmənt] n. 重新规划；重新建设 |

🔁 downtown redevelopment 市区重建；economic redevelopment 经济重建

| | |
|---|---|
| **auditorium\*** | [,ɔːdɪ'tɔːriəm] n. 礼堂；观众席 |

📝 词根记忆：audit(听)+orium(表场所)→听(讲座等)的地方→礼堂

🔁 school auditorium 学校礼堂

| | |
|---|---|
| **condition\*** | [kən'dɪʃn] n. 状况，状态；[pl.] 环境，形势；条件，前提 vt. 训练；使适应，使习惯于；对…有重要影响 |

🔁 indoor conditions 室内环境；out of condition 情况不好；on (the) condition that 以…为条件

| | |
|---|---|
| **narrator\*** | [nə'reɪtə(r)] n. 讲述者，叙述者 |
| **furnish\*** | ['fɜːnɪʃ] vt. 布置，为…配备家具；供应，提供；装备 |

📝 联想记忆：fur(皮毛)+nish→供应皮毛→提供

🔁 furnish sth. with sth. 用…布置…

📗 unfurnished (adj. 无家具的)

| | |
|---|---|
| **stabilise** | ['steɪbəlaɪz] v. (使)稳定，(使)稳固 |

📝 来自stable (adj. 稳定的)

📗 stability〔n. 稳定(性)；稳固(性)〕

| | |
|---|---|
| **incoming\*** | ['ɪnkʌmɪŋ] adj. 进来的 n. [pl.] 收入 |
| **alignment** | [ə'laɪnmənt] n. 排成直线；(国家、团体间的)结盟 |

📝 联想记忆：a+lign(看作line，线)+ment→排成直线

| | |
|---|---|
| **boot\*** | [buːt] *n.* (长筒)靴子；(汽车后部的)行李箱 <br> 記 联想记忆：足(foot)蹬长靴(boot) |
| **acid\*** | [ˈæsɪd] *n.* 酸 *adj.* 酸的；尖刻的 |
| **booming\*** | [ˈbuːmɪŋ] *adj.* 发展迅速的；激增的 <br> 記 来自boom (*n./vi.* 繁荣) |
| **definite\*** | [ˈdefɪnət] *adj.* 明确的，肯定的；清楚的 <br> 記 词根记忆：de+fin(范围)+ite(有…性质的)→划定界限的→明确的，肯定的 |
| **deem** | [diːm] *vt.* 认为，视为，相信 <br> 記 联想记忆：和seem (*v.* 似乎)一起记 <br> 同 assume (*vt.* 假定，设想)；consider (*v.* 认为)；believe (*v.* 认为，想) |
| **reorient\*** | [riˈɔːrient] *vt.* 重新定方位；重新定位；使适应 <br> 記 联想记忆：re(重新)+orient(确定方向)→重新定位 |
| **reckon\*** | [ˈrekən] *v.* 认为，估计；测算，测量；料想，指望 <br> 記 词根记忆：reck(注意，留心)+on→估计；测算 <br> 擂 reckon in 把…算在内；reckon without 未把…考虑在内 |
| **tutorial\*** | [tjuːˈtɔːriəl] *n.* 大学导师的辅导课；指南 *adj.* 家庭教师的，辅导教师的，大学导师的；辅导的，指导的 |
| **reference\*** | [ˈrefrəns] *n.* 参考，参考书目；提及，涉及；征询；证明书(或人)；介绍(人) <br> 記 来自refer (*v.* 提及) <br> 擂 with/in reference to 关于；reference source 参考源；reference letter 推荐信 |
| **sledge\*** | [sledʒ] *n.* 雪橇 *vi.* 乘雪橇 |
| **exaggerate\*** | [ɪgˈzædʒəreɪt] *v.* 夸大，夸张 <br> 記 词根记忆：ex(表加强)+agger(堆积)+ate(使…)→越堆越高→夸大，夸张 <br> 派 exaggeration (*n.* 夸张)；exaggerated (*adj.* 夸张的；故作姿态的) |
| **restriction\*** | [rɪˈstrɪkʃn] *n.* 限制，约束 <br> 擂 speed restriction 速度限制；impose restriction on 对…进行限制 |

58

| | |
|---|---|
| **abandon** | [ə'bændən] *vt.* 放弃，遗弃<br>记 联想记忆：a+band(乐队)+on→乐队解散，放弃演出→放弃<br>派 abandonment (*n.* 放弃，遗弃) |
| **terrify\*** | ['terɪfaɪ] *vt.* 使恐怖，使惊吓 |
| **priority** | [praɪ'ɒrəti] *n.* 优先(权)，重点；优先考虑的事<br>搭 give priority to 给…优先权，优先考虑；time priority 时间先后顺序 |
| **habitat\*** | ['hæbɪtæt] *n.* 栖息地，住处<br>记 词根记忆：habit(居住)+at→居住的地方→栖息地，住处<br>搭 natural habitat 自然保护区 |
| **encourage\*** | [ɪn'kʌrɪdʒ] *v.* 鼓励；促进，激发<br>记 联想记忆：en(使…)+courage(精神)→使有精神→鼓励<br>搭 encourage sb. to do sth. 鼓励某人做某事 |
| **celebrity\*** | [sə'lebrəti] *n.* 名声；知名人士 |
| **significance\*** | [sɪg'nɪfɪkəns] *n.* 重要性，意义<br>派 significant (*adj.* 重要的，有意义的)；significantly (*adv.* 重大地；明显地) |
| **magnetic** | [mæg'netɪk] *adj.* 磁的，有磁性的；有吸引力的<br>搭 magnetic field 磁场 |
| **slippery** | ['slɪpəri] *adj.* 滑的，滑溜的；狡猾的；棘手的<br>记 联想记忆：slipp(=slip，滑)+ery→滑的 |
| **graphic** | ['græfɪk] *adj.* 文字的；生动的，形象的；绘画的，图表的<br>记 词根记忆：graph(画)+ic(…的)→绘画的，图表的<br>同 lifelike (*adj.* 逼真的，栩栩如生的)；vivid (*adj.* 逼真的)；pictorial (*adj.* 绘画的；用图片表示的)<br>反 vague (*adj.* 含糊的，模糊的)；obscure (*adj.* 模糊的；费解的) |
| **provided\*** | [prə'vaɪdɪd] *conj.* 倘若，只要，假如 |

| | |
|---|---|
| **examine*** | [ɪɡ'zæmɪn] *vt.* 检查；调查，研究；测验 |
| | 派 examiner (*n.* 检查员；考官)；examination (*n.* 考试；检查) |
| **opportunity** | [ˌɒpə'tjuːnəti] *n.* 机会，时机 |
| | 记 联想记忆：opportun(e)(合适的，适当的)+ity→合适的时机→机会，时机 |
| | 搭 take the opportunity to do sth./of doing sth. 趁机做…，借机做… |
| **distinguish** | [dɪ'stɪŋɡwɪʃ] *v.* 区别，辨别；辨认出；使杰出 |
| | 记 词根记忆：di(分开)+sting(刺)+uish→将刺挑出来→区别，辨别 |
| | 搭 distinguish between 辨别，弄清；distinguish...from... 把…与…区别开 |
| | 同 discern (*v.* 洞悉，辨别)；dignify (*vt.* 使有尊严，使高贵) |
| **blanket*** | ['blæŋkɪt] *n.* 毯子；厚的覆盖物 |
| | 记 联想记忆：blank(空的)+et(放在词尾表小物件)→毯子铺在一小块空地上→毯子 |
| **arrogance** | ['ærəɡəns] *n.* 傲慢，自大 |
| | 记 词根记忆：ar(表加强)+rog(要求)+ance(表状态)→一再地要求→傲慢，自大 |
| **era*** | ['ɪərə] *n.* 纪元；时代 |
| | 记 联想记忆：反过来拼写are(是) |
| **stimulus** | ['stɪmjələs] *n.* 刺激(物)；促进(因素) |
| | 记 词根记忆：stimul(刺激)+us→刺激(物)，促进(因素) |
| **roam*** | [rəʊm] *v.* 随便走，漫游，徜徉；漫谈 *n.* 漫步；徘徊 |
| | 记 联想记忆：晚饭后，他在院子的狭小空间(room)里漫步(roam) |
| | 搭 roam over/around/about 闲逛，徘徊 |
| **comparison*** | [kəm'pærɪsn] *n.* 比较，对比，对照；比喻，比拟 |
| | 记 词根记忆：com(共同)+par(相等)+ison→放在一起看看是否相等→比较，对比 |

搭 by comparison 比较起来；make a comparison 进行对比；fair comparison 公平比较

**publicity\*** [pʌb'lɪsəti] n. 宣传，宣扬；公众的注意，名声

记 联想记忆：产品可凭借其独特性(peculiarity)，不用宣传(publicity)也能大为流行(popularity)

搭 seek publicity 想出风头

派 public (adj. 公众的；公共的；公开的 n. 公众，民众)；publicly (adv. 公然地；舆论上地)；publicize〔vt. 宣传(尤指通过广告)〕

**depend\*** [dɪ'pend] vi. 依靠，依赖；信赖，相信；决定于，视…而定

记 词根记忆：de(表加强)+pend(悬挂)→挂在…上面→依靠，依赖

搭 depend on/upon 取决于

派 dependable (adj. 可信赖的)；dependence (n. 依赖)；dependent (adj. 依赖的；取决于…的)

**composition\*** [ˌkɒmpə'zɪʃn] n. 作品；写作，作曲；构成，成分

搭 composition of …的组成

**architecture\*** ['ɑːkɪtektʃə(r)] n. 建筑学；建筑设计，建筑风格；【计】体系结构

派 architectural (adj. 建筑的)

**hurdle\*** ['hɜːdl] n. 障碍；跳栏 v. 越过障碍

**teamwork\*** ['tiːmwɜːk] n. 协力合作，团队合作；配合

**damp** [dæmp] adj. 潮湿的 n. 潮湿，湿气 vt. 使潮湿；减弱，抑制

记 联想记忆：dam(水坝)+p→水坝上很潮湿→潮湿的

搭 damp course 防潮层

**staff** [stɑːf] n. 全体职员；(军队的)全体参谋人员；棍棒 vt. 为…配备人员；任职于

记 联想记忆：与stuff (n. 材料)一起记

搭 office staff 办公室文员；teaching staff 教职员工

**symbol\*** ['sɪmbl] *n.* 象征；符号

派 symbolic (*adj.* 象征的；符号的)

**apt** [æpt] *adj.* 易于…的；适宜的；敏捷的

记 本身为词根，意为"适应；能力"

**homogeneous** [ˌhɒmə'dʒiːniəs] *adj.* 同种类的；由相同(或同类型)事物(或人)组成的

记 词根记忆：homo(同类的)+gen(种族)+eous(有…性质的)→同种类的

搭 homogeneous light 单色光，均匀光

同 identical (*adj.* 相同的，相等的)；kindred (*adj.* 同类的，类似的)；uniform (*adj.* 相同的，一致的)

反 heterogeneous (*adj.* 异类的，不同的)；dissimilar (*adj.* 不同的，相异的)

**conserve** [kən'sɜːv] *vt.* 保护；保存，储存；节约

记 词根记忆：con(表加强)+serv(保持)+e→保持住→保存，储存；节约

派 conservative (*adj.* 保守的)

**spasm** ['spæzəm] *n.* 痉挛；抽搐；(活动、情感等的)突发，阵发

记 联想记忆：掉入深坑(chasm)突发痉挛(spasm)

搭 muscle spasm 肌肉痉挛

**invisible** [ɪn'vɪzəbl] *adj.* 看不见的，无形的

记 词根记忆：in(不)+vis(看)+ible(可…的)→看不见的，无形的

**devote\*** [dɪ'vəut] *vt.* 将…奉献给；致力(于)

记 联想记忆：de+vote(投票)→把票全投给那个候选者→将…奉献给

搭 devote oneself to 专注于…；devote sth. to sth. 把…用于…

派 devotion (*n.* 奉献；忠诚)

**illustrate** ['ɪləstreɪt] *v.* (用示例、图画等)说明，解释；给…作插图说明

记 词根记忆：il(进入)+lustr(光)+ate→进入光明→阐明

搭 illustrate the point 举例说明要点

派 illustrator (*n.* 插图画家)

**terrace** ['terəs] *n.* 一层梯田；一排并列的房子；阳台

记 词根记忆：terr(土地)+ace(表实物名词)→一层梯田；一排并列的房子

**dynamic\*** [daɪ'næmɪk] *adj.* 动力的；活跃的，充满活力的，精力充沛的

记 词根记忆：dynam(力量)+ic(…的)→力量的→动力的；活跃的

同 active (*adj.* 积极的，活动的，活跃的)

反 static (*adj.* 静态的，静止的)

**throughout\*** [θruː'aʊt] *prep./adv.* 各处，遍及；在整个…期间

**smart\*** [smɑːt] *adj.* 漂亮的；时髦的；高明的

**criticise** ['krɪtɪsaɪz] *v.* 批评，非难，责备；评论

**hunch** [hʌntʃ] *v.* 弓背，弯腰，耸肩

派 hunched (*adj.* 缩头弓身的)

**hinterland\*** ['hɪntəlænd] *n.* 内地，腹地，内陆

记 组合词：hinter(=hinder，后面的)+land(土地)→内地，腹地，内陆

音频

# *Word List 09*

| | |
|---|---|
| **traverse** | [trə'vɜːs] *v.* 穿越；穿过<br>记 词根记忆：tra(穿过)+vers(转)+e→穿越；穿过 |
| **positive\*** | ['pɒzətɪv] *adj.* 明确的；肯定的；积极的；正数的<br>记 词根记忆：posit(放)+ive(…的)→放在那里的→明确的；肯定的<br>搭 positive role 积极作用；positive example 正面的榜样；positive number 正数 |
| **assistant\*** | [ə'sɪstənt] *adj.* 助理的；副的 *n.* 助理 |
| **obligation** | [ˌɒblɪ'geɪʃn] *n.* 义务，职责，责任<br>记 词根记忆：ob(表加强)+lig(捆绑)+ation(表状态)→用力捆绑→义务，职责 |
| **liberty\*** | ['lɪbəti] *n.* 自由，自由权；许可，准许；[常pl.] 过于随便，放肆<br>搭 at liberty to do sth. 有权做… |
| **pesticide\*** | ['pestɪsaɪd] *n.* 杀虫剂，农药<br>记 词根记忆：pesti(=pest，害虫)+cid(杀)+e→杀害虫的东西→杀虫剂 |
| **poll\*** | [pəʊl] *n.* 民意测验；政治选举，大选 *v.* 对…进行民意测验；获得…选票<br>记 联想记忆：大选(poll)费用(toll)上涨幅度惊人<br>搭 public opinion poll 民意调查；conduct a poll on 对…进行调查<br>派 polling (*n.* 投票) |
| **refundable\*** | [rɪ'fʌndəbl] *adj.* 可退还的，可归还的，可偿还的 |
| **homesick\*** | ['həʊmsɪk] *adj.* 想家的，思乡的<br>记 组合词：home(家)+sick(病的)→想家想到生病→思乡的 |
| **compassionate** | [kəm'pæʃənət] *adj.* 有同情心的，表示怜悯的<br>搭 compassionate attitude 热诚的态度 |

| | |
|---|---|
| **orientate\*** | [ˈɔːriənteɪt] *vt.* 使适应，使熟悉情况(或环境等)；给…定位，给…定向；使朝向；转至特定方向(=orient) |
| **insight** | [ˈɪnsaɪt] *n.* 洞察力，深刻的了解；顿悟<br>🔑 联想记忆：in(向内)+sight(眼光)→眼光向内深入→洞察力<br>🔗 insightful (*adj.* 富有洞察力的) |
| **resist\*** | [rɪˈzɪst] *v.* 抵抗；抗(病等)；耐(热等)<br>🔑 词根记忆：re(相反)+sist(站立)→站在对立面→抵抗<br>🔗 resistance (*n.* 抵抗；阻力)；resistant (*adj.* 抵抗的；耐…的) |
| **glide** | [glaɪd] *vi./n.* 滑行，滑翔<br>🔑 联想记忆：和slide (*n./v.* 滑动)一起记<br>🟰 slide (*n./v.* 滑动，下滑)；slip (*v.* 滑倒；溜走) |
| **casualty** | [ˈkæʒuəlti] *n.* 伤亡(人员)，伤亡者；损失的东西；伤亡事故<br>🔑 词根记忆：cas(降临)+ual+ty(表情况)→(突然)降临→伤亡事故<br>🟰 victim (*n.* 受害人) |
| **belief\*** | [bɪˈliːf] *n.* 信仰，信条；相信 |
| **concentration** | [ˌkɒnsnˈtreɪʃn] *n.* 集中；专心，专注；浓缩；浓度 |
| **tug** | [tʌg] *v.* 用力拖(或拉)<br>🔑 发音记忆："探戈"→跳探戈时脚步拖拉要有力→用力拖(或拉) |
| **proceed\*** | [prəˈsiːd] *vi.* 进行；前进；继续<br>🔑 词根记忆：pro(向前)+ceed(行走)→进行；前进 |
| **status** | [ˈsteɪtəs] *n.* 地位；身份；状况<br>🔑 联想记忆：stat(看作state，声明)+us(我们)→声明我们是谁→身份<br>🔖 marital status 婚姻状况 |
| **document\*** | [ˈdɒkjumənt] *n.* 公文，文件，证件 *vt.* 用文件(或文献等)证明；记载 |
| **hostile\*** | [ˈhɒstaɪl] *adj.* 敌方的；不友善的；不利的<br>🔑 联想记忆：host(主人)+ile→鸿门宴的主人→不友善的；敌方的 |

| **intervene** | [ˌɪntəˈviːn] vi. 干涉，干扰；介于其间 |
| --- | --- |
| | 记 词根记忆：inter(在…之间)+ven(来)+e→来到中间→干涉，干扰 |
| | 同 interfere (vi. 介入，干涉，干扰)；interpose (vt. 置于…之间，介入) |
| **promote\*** | [prəˈməʊt] vt. 促进；提升；促销 |
| | 记 词根记忆：pro(向前)+mot(动)+e→向前推动→促进 |
| | 搭 promote mutual understanding 促进相互理解；promote cultural communication 增进文化交流 |
| **bump\*** | [bʌmp] v. 碰，撞；颠簸着前进 n. 碰撞；隆起物 |
| | 记 发音记忆：该词的发音类似物体碰撞的声音 |
| | 搭 bump against/into 碰到；bump along/down 颠簸着前进 |
| **reunion\*** | [ˌriːˈjuːniən] n. 重聚，团聚；(久别后的)聚会，联谊 |
| | 记 联想记忆：re(再，又)+union(联合，结合)→重聚，团聚 |
| | 搭 annual reunion 年度聚会；family reunion 家庭聚会 |
| **digestive\*** | [daɪˈdʒestɪv] adj. 消化的；和消化有关的 |
| | 记 词根记忆：di(分开)+gest(带来)+ive(有…性质的)→带下去→消化的 |
| | 搭 digestive tract 消化道 |
| **homestay\*** | [ˈhəʊmsteɪ] n. 在当地居民家居住的时期，家庭寄宿 |
| | 搭 homestay family 寄宿家庭 |
| **commit\*** | [kəˈmɪt] vt. 把…交托给，提交；犯(错误)，干(坏事) |
| | 记 词根记忆：com(共同)+mit(送)→送交→把…交托给，提交 |
| | 搭 commit crimes 犯罪；commit suicide 自杀 |
| | 派 committed (adj. 尽心尽力的；忠诚的；坚信的)；commitment (n. 承诺，保证；献身；承担义务) |
| **practically** | [ˈpræktɪkli] adv. 几乎，简直；实际上 |
| **acrobat\*** | [ˈækrəbæt] n. 特技演员；杂技演员 |
| | 记 词根记忆：acro(高点)+bat(打)→在高处表演打斗→杂技演员 |

| | |
|---|---|
| **revenue\*** | ['revənju:] *n.* (尤指大宗的)收入；税收 |
| | 🔢 词根记忆：re(回)+ven(来)+ue→回来的东西→收入 |
| | 🔍 anticipated revenue 预期收入；financial revenue 财政收入；tax revenue 税收 |
| **nickel** | ['nɪkl] *n.* 镍；(美国和加拿大的)五分镍币 |
| | 🔢 发音记忆："你抠"→连五分钱都舍不得给→五分镍币 |
| **limp\*** | [lɪmp] *adj.* 软的；无力的 |
| | 🔢 联想记忆：和limb (*n.* 肢；翼)一起记 |
| **spit** | [spɪt] *v.* 吐唾沫(或痰)；喷出 *n.* 唾液，唾沫 |
| | 🔢 联想记忆：s+pit(坑)→往坑里吐痰→吐痰 |
| | 🔍 spit out 吐出 |
| **irregularity\*** | [ɪˌreɡjə'lærəti] *n.* 不规则，无规律 |
| **breeze** | [bri:z] *n.* 微风，和风 |
| | 🔢 联想记忆：和风(breeze)吹化了冰冻(freeze)的河流 |
| **avenue** | ['ævənju:] *n.* 林荫道，大街；方法，途径 |
| **magnify** | ['mæɡnɪfaɪ] *vt.* 放大，扩大 |
| | 🔢 词根记忆：magn(大)+ify(使…)→使…变大→放大，扩大 |
| **hive\*** | [haɪv] *n.* 蜂房，蜂箱；蜂房内的蜂群；闹市，忙碌之地 *v.* (使)入蜂箱；群居 |
| | 🔢 联想记忆：生活(live)忙，建蜂房(hive) |
| **oxide** | ['ɒksaɪd] *n.* 氧化物 |
| **foremost** | ['fɔ:məʊst] *adj.* 最好的；最重要的 |
| | 🔢 组合词：fore(前面)+most(最)→放在最前面的→最重要的 |
| **procedure** | [prə'si:dʒə(r)] *n.* 程序，手续；过程 |
| | 🔢 联想记忆：proce(e)d(前进)+ure→程序；过程 |
| | 🔍 regular procedure 正规手续 |
| **assemble\*** | [ə'sembl] *v.* 集合；装配 |
| | 🔢 词根记忆：as(表加强)+sembl(相类似)+e→不断集合类似的东西→集合 |
| | 📑 assembly (*n.* 集会；组装) |

| | |
|---|---|
| **plagiarism\*** | ['pleɪdʒərɪzəm] *n.* (文章、学说等的)剽窃，抄袭；剽窃物 |
| | 派 plagiarise (*v.* 剽窃，抄袭) |
| **gallop\*** | ['gæləp] *v./n.* 奔驰，飞跑，飞驰 |
| | 记 联想记忆：汽车加了一加仑(gallon)油，然后飞驰(gallop)而去 |
| | 搭 at a gallop 以最快速度，急速地 |
| **pledge\*** | [pledʒ] *v.* 正式承诺；发誓，保证；抵押，典当 *n.* 誓约，保证；抵押 |
| | 记 联想记忆：pled(看作plead，恳求)+ge(音似：哥)→哥哥发誓要改邪归正，恳求大家的饶恕→发誓 |
| | 搭 fulfill one's pledge 履行诺言；make/give a pledge to do sth. 保证做某事 |
| **effective\*** | [ɪ'fektɪv] *adj.* 有效的，生效的；给人深刻印象的，显著的 |
| | 记 来自effect (*n.* 影响；效果) |
| | 搭 effective measure 有效措施；effective remedy 有效药物 |
| | 派 ineffective (*adj.* 无效的)；effectiveness (*n.* 效力)；effectively (*adv.* 有效地) |
| **appreciate\*** | [ə'priːʃieɪt] *v.* 赏识，鉴赏；感激；涨价，增值 |
| | 记 词根记忆：ap(表加强)+preci(价值)+ate(做)→一再指出价值→赏识，鉴赏 |
| | 搭 appreciate doing sth. 对…表示感激 |
| | 派 appreciation (*n.* 欣赏；体谅；感激)；appreciative (*adj.* 感谢的；赞赏的)；appreciable (*adj.* 值得重视的；可感知的) |
| **deny\*** | [dɪ'naɪ] *v.* 否认，否定；拒绝 |
| | 记 发音记忆："抵赖"→否认 |
| | 搭 deny oneself 节制，戒绝，摒弃；deny doing sth. 否认做过某事；deny a charge 否认控告 |
| **union\*** | ['juːniən] *n.* 协会，工会，同盟；联合，合并 |
| | 记 词根记忆：uni(一个)+on(表物)→使人都朝着同一个 |

方向走→协会，同盟

🔍 the European Union 欧洲联盟；labour union 工会

**responsibility\*** [rɪˌspɒnsə'bɪləti] *n.* 责任，责任心；职责，任务

📝 来自responsible (*adj.* 应负责的，有责任的)

🔍 perform one's responsibility 履行或行使职责

**conform** [kən'fɔːm] *vi.* 遵守，服从；适应，顺应；相一致，相符合

📝 词根记忆：con(共同)+form(形式)→共同的形式→相一致

🔍 conform to the customs of society 遵从社会习俗；conform with the regulations 遵守规章制度

📖 adapt (*v.* 适应)

**handy\*** ['hændi] *adj.* 方便的；手边的；手巧的

**notify** ['nəʊtɪfaɪ] *vt.* 通知，报告

📝 词根记忆：not(知道)+ify(使…)→使人知道→通知，报告

**splendid** ['splendɪd] *adj.* 壮观的，壮丽的，极好的；堂皇的，豪华的；灿烂的，辉煌的

📝 词根记忆：splend(发光)+id(具有…性质的)→让人眼前一亮的→壮观的

🔍 splendid scene 壮观的场面

**direction** [də'rekʃn] *n.* 方向；趋势，动向；[pl.]用法说明；指导

**execute** ['eksɪkjuːt] *vt.* 将…处死；实施，执行

📝 词根记忆：ex(表加强)+ecut(追踪)+e→加强追踪→实施，执行

📑 executive (*adj.* 执行的；行政的 *n.* 主管领导)

**witness** ['wɪtnəs] *n.* 证据；目击者 *v.* 目击；为…作证

**elbow** ['elbəʊ] *n.* 肘；(衣服的)肘部

📝 联想记忆：力在肘(elbow)，弓(bow)在手

**limited\*** ['lɪmɪtɪd] *adj.* 有限的

**vessel\*** ['vesl] *n.* 〈总称〉船只；容器；血管

**private\*** ['praɪvət] *adj.* 私人的；私下的；私立的

📝 词根记忆：priv(单个)+ate(有…性质的)→私人的

| | |
|---|---|
| **stereo** | ['steriəʊ] *adj.* 立体声的 *n.* 立体声(装置) |
| | 记 本身为词根，意为"三维的，立体的" |
| | 搭 personal stereos 随身听 |
| **soak** | [səʊk] *v.* 浸泡 |
| | 记 联想记忆：在肥皂(soap)水中浸泡(soak) |
| **stout\*** | [staʊt] *adj.* 发胖的，肥胖的；强壮的；结实的，牢固的；顽强的，坚毅的 |
| | 记 联想记忆：st(=stand，站)+out(出来)→歹徒行凶，壮小伙站出来→强壮的 |
| | 搭 stout wind 暴风；a stout ship 一艘牢固的船 |
| **greasy\*** | ['griːsi] *adj.* 多脂的；油滑的 |
| | 记 联想记忆：greas(e)(油脂)+y(…的)→多脂的 |
| **boast\*** | [bəʊst] *n./v.* 自夸；夸耀 |
| | 记 联想记忆：北京的烤鸭(roast duck)值得夸耀(boast) |
| **swift** | [swɪft] *adj.* 快的，敏捷的，迅速的 |

# Word List 10

音频

| | |
|---|---|
| **mitigate** | ['mɪtɪɡeɪt] *vt.* 使缓和；减轻(危害等)<br>🔒 词根记忆：miti(小，轻)+gate(做)→轻拿轻放→减轻损失→减轻 |
| **ignorance** | ['ɪɡnərəns] *n.* 无知，愚昧；不知道<br>🔒 词根记忆：i(=im，不)+gnor(知道)+ance(表状态)→什么都不知道→无知<br>🔍 ignorance about 在…方面的无知 |
| **aesthetic** | [iːsˈθetɪk] *adj.* 美学的；审美的<br>🔒 词根记忆：aesthet(感觉)+ic(…的)→美感的→美学的；审美的 |
| **screen\*** | [skriːn] *n.* 屏幕，银幕；遮蔽；屏风，帘；筛子 *vt.* 掩蔽；包庇；筛选；放映(电影)，播放(电视节目) |
| **absent\*** | ['æbsənt] *adj.* 缺席的，不在场的；心不在焉的<br>🔒 词根记忆：abs(相反的)+ent(存在)→不存在→不在场的 |
| **scrape** | [skreɪp] *v./n.* 刮，擦<br>🔒 联想记忆：scrap(碎屑)+e→碎屑是被刮下来的→刮 |
| **promotion\*** | [prəˈməʊʃn] *n.* 提升；晋级；促进，增进；发起，发扬；宣传，推销 |
| **recreation\*** | [ˌriːkriˈeɪʃn] *n.* 娱乐，消遣<br>🔒 词根记忆：re(一再)+cre(做)+ation(表结果)→一再做(放松活动)→娱乐，消遣<br>🔍 recreation area 娱乐休闲区域；open-air/outdoor recreation 户外娱乐活动<br>🅿 recreational (*adj.* 消遣的，娱乐的)；recreate〔*v.* (使)得到休养；(使)得到娱乐〕 |
| **specialise\*** | ['speʃəlaɪz] *v.* 专门研究，专攻；专用于，使适应特殊目的<br>🔒 来自special (*adj.* 特殊的，专门的) |

71

📇 specialised equipment 专用设备

📑 specialisation (*n.* 专门化，特殊化)

**magnificent\*** [mæg'nɪfɪsnt] *adj.* 壮丽的，宏伟的，华丽的；高尚的

📝 词根记忆：magni(大)+fic(做)+ent(有…性质的)→做得很大的→宏伟的，壮丽的

📇 magnificent performance 出色表演

📑 magnificently (*adv.* 壮观地；宏伟地)

**spasmodic** [spæz'mɒdɪk] *adj.* 痉挛的；间歇性的

📝 联想记忆：spasm(痉挛，一阵发作)+odic→痉挛的

**fund** [fʌnd] *n.* 基金，专款；储备，蕴藏；[pl.] 存款，资金 *vt.* 为…提供资金，给…拨款

📇 raise funds 筹集资金；additional/extra fund 额外款项；mutual fund 互助基金

**perceive** [pə'siːv] *vt.* 感知，察觉；认识到，理解

📝 词根记忆：per(贯穿)+ceive(拿)→全部拿住→感知，察觉

📙 comprehend (*v.* 领会，理解)

**manufacturer** [ˌmænju'fæktʃərə(r)] *n.* 制造商，制造厂，生产者

📝 词根记忆：manu(手)+fact(做)+ur+er(表人)→用手做事的人→生产者

**specification** [ˌspesɪfɪ'keɪʃn] *n.* [常pl.] 规格，规范；明确说明；(产品等的)说明书

📝 联想记忆：specific(详细的)+ation→详细的说明→说明书

📇 the specification of a microwave oven 微波炉使用说明书

📙 clause (*n.* 条款)；instruction (*n.* 指示；用法说明)

**schedule\*** ['ʃedjuːl] *vt.* 安排；列入，收进(清单等) *n.* 时刻表；清单；工作计划；日程安排

📝 发音记忆："筛斗"→古代用筛漏计时→时刻表

📇 ahead of schedule 提前；train/flight schedule 火车/航班时刻表；on schedule 按时，准时；behind schedule 落后于计划进度，晚于规定时间，晚点

**arrangement\*** [əˈreɪndʒmənt] *n.* 安排；商定；[常pl.] 准备工作

搭 course arrangement 课程安排；seat arrangement 座位安排

**destruction\*** [dɪˈstrʌkʃn] *n.* 破坏，毁灭，摧毁

记 词根记忆：de(否定)+struct(建造)+ion(表动作)→不建造→破坏

搭 environmental destruction 环境破坏

同 ruin (*n.* 毁灭；崩溃)

反 establishment (*n.* 确立，制定)；construction (*n.* 建造，构筑)

**extinguisher** [ɪkˈstɪŋgwɪʃə(r)] *n.* 灭火器；灭火者

记 来自extinguish (*vt.* 熄灭；消灭)

**assume\*** [əˈsjuːm] *vt.* 假定，设想；承担(责任)，就(职)

记 词根记忆：as(表加强)+sum(拿)+e→拿住→承担(责任)

搭 assume an obligation 承担义务

**proportion** [prəˈpɔːʃn] *n.* 比例；部分；相称

记 联想记忆：pro+portion(部分)→比例；部分

搭 in proportion (to) (与…)成比例；out of proportion to sth. 与某物不成比例；proportion of …的比例；take a small proportion 占少量比例

**forth\*** [fɔːθ] *adv.* 离去，外出；向前；向某处

搭 call forth 使产生，引起；bring forth 提出；set forth 阐明，陈述；and so forth 等等；back and forth 来回地，反复地

**referee\*** [ˌrefəˈriː] *v.* 裁判；仲裁，调停 *n.* 裁判(员)；仲裁人，调停人；证明人，介绍人

记 联想记忆：refer(查阅，咨询)+ee(表人)→有问题时能够咨询的人→调停人；裁判

搭 the referee of a game 一项运动的裁判

**forgo\*** [fɔːˈgəʊ] *vt.* 放弃，抛弃；作罢

记 联想记忆：for(往，向)+go(走)→走向他处，放弃目前所在地→放弃

| | |
|---|---|
| **assistantship** | [əˈsɪstənˌʃɪp] *n.* (由研究生担任的)助教职务;(大学)研究生助教奖学金 |
| **conversation\*** | [ˌkɒnvəˈseɪʃn] *n.* 会话,谈话 |
| | 记 来自 converse (*vi.* 交谈,会话) |
| | 派 conversational (*adj.* 适于交谈的) |
| **recommendation** | [ˌrekəmenˈdeɪʃn] *n.* 推荐,推荐信;劝告,建议 |
| | 搭 letter of recommendation 推荐信 |
| **offset** | [ˈɒfset] *vt.* 抵消,补偿,弥补 |
| | 记 来自词组 set off (抵消) |
| **siesta\*** | [siˈestə] *n.* 午睡,午休 |
| **humanity** | [hjuːˈmænəti] *n.* 人类;人性;人道,仁慈;[pl.] 人文学科 |
| | 派 humanitarian (*adj.* 博爱的;人道主义的) |
| | 同 humankind (*n.* 〈总称〉人类) |
| **intact** | [ɪnˈtækt] *adj.* 完整无缺的;完好无损的 |
| | 记 词根记忆:in(不)+tact(接触)→未经触动的→完整无缺的 |
| | 同 undamaged (*adj.* 未损坏的,未毁坏的);sound (*adj.* 健全的,完好的) |
| | 反 broken (*adj.* 破碎的);shattered (*adj.* 破碎的,遭受极大打击的) |
| **stripe\*** | [straɪp] *n.* 条纹 |
| | 记 联想记忆:和 strip (*n.* 条,带)一起记 |
| **mechanical\*** | [məˈkænɪkl] *adj.* 机械的,机械制造的;呆板的;习惯性的;体力的 |
| | 搭 mechanical labour 体力劳动 |
| **junction** | [ˈdʒʌŋkʃn] *n.* 连接;联结点;交叉路口 |
| | 记 词根记忆:junct(连接)+ion→连接 |
| **detect\*** | [dɪˈtekt] *vt.* 发现,察觉;侦查,探测 |
| | 记 词根记忆:de(去掉)+tect(盖子)→去掉盖子→发现,察觉 |
| | 派 undetected (*adj.* 未被发现的) |

**detour** ['diːtʊə(r)] n. 弯路，便道 v. 迂回，绕道

记 词根记忆：de(离开)+tour(转)→转着走→迂回

**arthritis\*** [ɑːˈθraɪtɪs] n. 关节炎

记 词根记忆：arthr(关节)+itis(炎症)→关节炎

**justice** ['dʒʌstɪs] n. 正义，公正；司法

记 词根记忆：just(正义的)+ice(表性质)→正义，公正

**barrier\*** ['bæriə(r)] n. 栅栏；关卡，检票口；障碍；屏障

记 联想记忆：bar(长条，棒)+rier→栅栏

搭 language barrier 语言障碍；trade barrier 贸易壁垒

**replace\*** [rɪˈpleɪs] vt. 代替，取代；更换；把…放回原处

记 联想记忆：re(重新)+place(位置)→重新定位→代替；更换

派 replacement (n. 代替；更换；归还)

**diploma** [dɪˈpləʊmə] n. 毕业文凭(或证书)；资格证书

记 联想记忆：做外交官(diplomat)需要资格证书(diploma)

**cosmic\*** ['kɒzmɪk] adj. 宇宙的

记 词根记忆：cosm(宇宙)+ic(…的)→宇宙的

搭 cosmic dust 宇宙尘埃

**extendable\*** [ɪkˈstendəbl] adj. 可延伸的，可展开的，可扩张的

搭 extendable rod 拉杆

**abundance\*** [əˈbʌndəns] n. 大量，丰富，充足，充裕

记 来自abundant (adj. 丰富的，充裕的)

搭 in abundance 丰富

同 profusion (n. 丰富)；affluence (n. 富足)

反 scarcity (n. 缺乏，不足)；deficiency (n. 缺少)

**supervisor\*** [ˈsuːpəvaɪzə(r)] n. 监督人，管理人，指导者；主管

**jumble\*** ['dʒʌmbl] n. 混杂，掺杂；供义卖的旧杂货 vt. 混杂，掺杂

记 联想记忆：jum(看作jump，跳)+ble→上蹿下跳，群魔乱舞→混杂

搭 a jumble of 杂乱的一堆…；jumble sale 旧杂物义卖；jumble sth. together/up 使乱堆，使杂乱

| **amaze** | [ə'meɪz] *vt.* 使惊奇，使惊愕 |
|---|---|
| **equip*** | [ɪ'kwɪp] *vt.* 装备，配备；使有能力，使有准备 |
| | 🔍 be equipped with 配备有，装备有 |
| | 🔊 equipment (*n.* 装备) |
| **permanent*** | ['pɜːmənənt] *adj.* 永久的，持久的 |
| | 📝 词根记忆：per(贯穿)+man(逗留)+ent(具有…性质的)→始终留在那里→永久的，持久的 |
| | 🔍 permanent address 永久住址 |
| | 🔊 permanency (*n.* 永存)；permanently (*adv.* 永久地) |
| **embed*** | [ɪm'bed] *vt.* 把…嵌入(或埋入、插入)，扎牢；使深留脑中 |
| | 📝 联想记忆：em(进入…中)+bed(床)→把…放入床中→把…嵌入 |
| | 🔍 be embedded in 植根于 |
| | 🔊 embedment (*n.* 嵌入) |
| | 🔄 wedge (*vt.* 楔入，楔进)；fix (*vt.* 使固定) |
| **orientation*** | [ˌɔːriən'teɪʃn] *n.* 定位；方向，方位；情况介绍；培训，训练 |
| | 📝 来自orient (*vt.* 确定方向) |
| | 🔍 orientation meeting 情况说明会；orientation course 新生训练，上岗培训课 |
| **deprive** | [dɪ'praɪv] *vt.* 剥夺；使丧失 |
| | 📝 词根记忆：de(去掉)+priv(单个)+e→从个人身边拿掉→使丧失 |
| | 🔍 deprive sb. of sth. 剥夺某人的某物 |
| | 🔄 remove (*vt.* 去除；解除) |
| **dividend** | ['dɪvɪdend] *n.* 红利，股息；回报，效益；被除数 |
| **preference** | ['prefrəns] *n.* 喜爱；偏爱的事物(或人)；优先 |
| | 📝 联想记忆：prefer(更喜欢)+ence(表名词)→偏爱的事物 |
| **contract*** | ['kɒntrækt] *n.* 契约，合同 [kən'trækt] *v.* 缩小；签约 |
| | 🔊 subcontract (*v.* 分包，转包) |

76

| | |
|---|---|
| **uneasy** | [ʌnˈiːzi] *adj.* 心神不安的；担心的 |
| | 🔖 联想记忆：un(不)+easy(安心的)→不安心的→心神不安的 |
| **automatically** | [ˌɔːtəˈmætɪkli] *adv.* 自动地；无意识地 |
| **female** | [ˈfiːmeɪl] *adj.* 女(性)的；雌的 *n.* 女子 |
| | 🔖 联想记忆：fe(音似：非)+male(男子)→非男子→女子 |
| **asset** | [ˈæset] *n.* 资产，财产；优点 |
| **athlete** | [ˈæθliːt] *n.* 运动员；擅长运动的人 |
| | 🔖 professional athlete 职业运动员 |
| | 🔖 athletic (*adj.* 运动的；运动员的) |
| **clarity** | [ˈklærəti] *n.* 清楚；清晰的思维(或理解)能力 |
| | 🔖 词根记忆：clar(清楚的)+ity(表性质)→清楚 |
| **swap*** | [swɒp] *v./n.* 交换 |
| | 🔖 exchange (*vt./n.* 交换)；trade (*v.* 交换) |
| **sophisticated** | [səˈfɪstɪkeɪtɪd] *adj.* 老于世故的，老练的；精密的，尖端的，先进的；复杂的；高雅的，有教养的 |
| | 🔖 a sophisticated columnist 一名老练的专栏作家 |
| | 🔖 sophistication (*n.* 精致；复杂) |
| | 🔖 experienced (*adj.* 经验丰富的，熟练的)；proficient (*adj.* 精通的，熟练的)；complicated (*adj.* 复杂的) |
| | 🔖 unsophisticated (*adj.* 不懂世故的；单纯的) |
| **bulk*** | [bʌlk] *n.* 大量；大批 |
| | 🔖 联想记忆：公牛(bull)总是大批(bulk)地行动 |
| **calibre*** | [ˈkælɪbə(r)] *n.* 质量；才干，能力；口径 |
| **machinery*** | [məˈʃiːnəri] *n.* 〈总称〉机械；机构；体系，系统 |
| | 🔖 联想记忆：machine(机器)+ry(表集合名词)→机械 |
| | 🔖 industrial machinery 工业机械 |
| **intimate** | [ˈɪntɪmət] *adj.* 亲密的；私人的，个人的 *n.* 至交，密友 |
| | [ˈɪntɪmeɪt] *vt.* 暗示，提示，透露 |
| | 🔖 词根记忆：intim(内心的)+ate(有…性质的)→密切的 |
| | 🔖 be intimate with sb. 与某人关系亲密 |

| **restrict\*** | [rɪ'strɪkt] *vt.* 限制，约束 |
| | 记 联想记忆：re+strict(严格的)→对人非常严格→限制，约束 |
| **harsh** | [hɑːʃ] *adj.* 严厉的，严酷的；粗糙的；刻薄的；(天气或环境)恶劣的；刺耳的，刺目的 |
| | 记 联想记忆：har(看作hard，坚硬的)+sh→态度强硬的→严厉的 |
| | 搭 harsh measures 严厉的措施；harsh climate 恶劣的气候 |
| **parliament** | ['pɑːləmənt] *n.* 议会，国会 |
| | 记 联想记忆：parlia(看作parle，谈判)+ment→谈判的地方→议会 |
| **remind\*** | [rɪ'maɪnd] *vt.* 提醒，使想起；使发生联想 |
| | 记 联想记忆：re(又，再)+mind(注意)→使再次注意→提醒 |
| | 搭 remind sb. of sth. 提醒，使某人想起某事 |

# *Word List 11*

音频

| | |
|---|---|
| **deviate** | ['diːvieɪt] *v.* 背离；偏离；违背<br>记 词根记忆：de(偏离)+vi(道路)+ate(使)→使偏离道路→(使)偏离<br>搭 deviate from 背离，偏离<br>派 deviation (*n.* 偏向；偏差，误差) |
| **aquarium\*** | [ə'kweəriəm] *n.* 鱼缸；水族馆<br>记 词根记忆：aqu(水)+arium(表场所)→水族馆 |
| **cell\*** | [sel] *n.* 细胞；小房间；电池<br>搭 blood cell 血细胞<br>派 cellular (*adj.* 细胞的) |
| **dweller\*** | ['dwelə(r)] *n.* 居住者，居民 |
| **declare** | [dɪ'kleə(r)] *v.* 正式宣布，声明；断言<br>记 词根记忆：de(表加强)+clar(清楚的)+e→说清楚→正式宣布，声明<br>派 declaration (*n.* 宣告，宣言) |
| **graduate\*** | ['grædʒuət] *n.* (尤指大学)毕业生；研究生<br>['grædʒueɪt] *v.* (使)毕业；获得学位<br>搭 graduate school 研究生院；college graduates 大学毕业生；graduate from 从…毕业 |
| **predict\*** | [prɪ'dɪkt] *v.* 预言；预告<br>记 词根记忆：pre(前)+dict(说)→预言 |
| **headquarters** | [ˌhed'kwɔːtəz] *n.* 总部，总公司；大本营；司令部<br>记 组合词：head(头)+quarters(部分)→总部，总公司 |
| **coverage** | ['kʌvərɪdʒ] *n.* 新闻报道；覆盖范围<br>记 联想记忆：cover(覆盖)+age(表集体名词)→覆盖范围<br>同 scope (*n.* 范围) |
| **enforce** | [ɪn'fɔːs] *vt.* 实施，执行；强制，迫使<br>记 联想记忆：en(使…)+force(强迫)→强制，迫使 |

搭 enforce laws 执法

派 enforcement (*n.* 实施，执行)

**specialty** ['speʃəlti] *n.* 特产；特长

记 来自 special (*adj.* 专门的)

**intrinsic\*** [ɪn'trɪnsɪk] *adj.* 固有的，内在的；本质的

搭 intrinsic nature 本质

派 intrinsically (*adv.* 内在地)

同 inherent (*adj.* 内在的，固有的)；essential (*adj.* 本质的)；innate (*adj.* 天生的，固有的)

反 extrinsic (*adj.* 外来的；外在的)；external (*adj.* 外面的；外来的)

**cheat\*** [tʃiːt] *v.* 欺骗；作弊 *n.* 欺骗；骗子

**medical\*** ['medɪkl] *adj.* 医学的，医疗的；内科的

搭 medical centre 医疗中心；medical science 医学；medical service 医疗服务；family medical history 家族病史

**stick\*** [stɪk] *v.* 刺，戳；黏贴，黏住；卡住，陷住

搭 be stuck on 被…迷住，特别喜欢；get stuck 上当，受骗；被困住

**realistic\*** [ˌriːə'lɪstɪk] *adj.* 现实(主义)的，实际的；恰如其分的；逼真的

记 来自 real (*adj.* 真的，真实的)

派 unrealistic (*adj.* 不切实际的)；realistically (*adv.* 实事求是地；栩栩如生地)

**indifferent\*** [ɪn'dɪfrənt] *adj.* 冷漠的，不关心的

搭 be indifferent to 对…漠不关心

**retailer\*** ['riːteɪlə(r)] *n.* 零售商人；复述者，传播者

**turnover** ['tɜːnəʊvə(r)] *n.* 营业额；人事变动率；货物周转率

记 来自词组 turn over (营业额达到；翻转；交换)

同 shift (*n.* 移动，移位；轮班)

**brand** [brænd] *n.* 商标；品牌 *vt.* 铭刻，给…打上烙印；丑化

搭 name brand 名牌；leading brand 驰名品牌

**accompany** [əˈkʌmpəni] vt. 陪伴；伴随，与…同时发生；伴奏

记 联想记忆：ac(表加强)+company(同伴；陪伴)→陪伴；伴随

搭 accompany training 陪练

**mention\*** [ˈmenʃn] n./v. 提及，说起

搭 not to mention 更不用说；更不必说

**level\*** [ˈlevl] n. 水平面，水平线；高度，水平；等级 adj. 平的，水平的；同高度的，同等程度的；平稳的；冷静的 v. (使)变平坦

搭 at the level of 在…水平上

**lateral\*** [ˈlætərəl] adj. 侧面的，旁边的

记 词根记忆：later(侧面)+al(…的)→侧面的

派 lateralize (vt. 把…移到一侧)

**dense** [dens] adj. 密集的；浓厚的

记 联想记忆：在雨中，感觉(sense)雨丝很密集(dense)

**flash** [flæʃ] v. 闪光，闪耀 n. 闪烁；闪光灯

搭 a flash of lightning 一道闪电；a flash in the pan 昙花一现的人物，一时的成功

派 flashlight (n. 闪光信号灯；手电筒)

**snack** [snæk] n. 快餐，小吃；点心

搭 snack bar 小吃店，快餐店

**marvellous\*** [ˈmɑːvələs] adj. 令人惊奇的；奇特的，非凡的；奇迹般的，不可思议的；绝妙的

记 发音记忆："马虎了事"→凡事马虎了事就不可能取得非凡的成就→非凡的

**export\*** [ɪkˈspɔːt] v. 出口；输出，传播 [ˈekspɔːt] n. 出口；输出；出口商品

记 词根记忆：ex(出)+port(运)→把东西运出去→出口

搭 export rebates 出口退税；export finance 出口信贷；export restriction 出口限制

**tribute\*** [ˈtrɪbjuːt] n. 贡品；颂词，称赞；(表示敬意的)礼物

记 词根记忆：tribut(给予)+e→给予(皇室)的东西→贡品

同 compliment (n. 称赞，恭维)；praise (n. 赞扬)

| | |
|---|---|
| **sanitary*** | ['sænətri] *adj.* 清洁的；保健的，卫生的 |
| | 记 词根记忆：sanit(健康的)+ary(…的)→健康的→清洁的；保健的 |
| | 搭 sanitary facility 卫生设施；sanitary condition 卫生条件 |
| **submit*** | [səb'mɪt] *v.* 屈从；提交 |
| | 记 词根记忆：sub(下)+mit(放出)→放在下面→屈从；提交 |
| | 搭 submit to 递交；屈服 |
| **archive*** | ['ɑːkaɪv] *n.* 档案；档案室 *vt.* 存档 |
| **anecdotal*** | [ˌænɪk'dəutl] *adj.* 传闻的，逸闻趣事的 |
| **shorthand** | ['ʃɔːthænd] *n.* 速记法；速记 |
| | 记 联想记忆：short(短的)+hand(手)→人手短缺时，也不影响记录的速度→速记 |
| **exceptional** | [ɪk'sepʃənl] *adj.* 例外的；异常的 |
| | 记 来自except (*prep.* 除…之外) |
| | 同 extraordinary (*adj.* 非凡的，特别的)；outstanding (*adj.* 突出的)；unusual (*adj.* 不平常的) |
| | 反 ordinary (*adj.* 平常的，普通的)；common (*adj.* 普通的) |
| **rude** | [ruːd] *adj.* 粗鲁的；粗糙的 |
| | 记 词根记忆：rud(粗糙的)+e→粗鲁的；粗糙的 |
| **resume** | [rɪ'zjuːm] *v.* (中断后)重新开始，继续恢复 |
| | 记 词根记忆：re(重新)+sum(拿)+e→重新拿起→重新开始 |
| **primitive** | ['prɪmətɪv] *adj.* 原始的，上古的；简单的，粗糙的 *n.* 原始人；原始事物 |
| | 记 词根记忆：prim(第一)+itive(…的)→第一时间的→原始的 |
| | 搭 primitive society 原始社会；primitive measuring method 原始的测量方法 |
| **craft*** | [krɑːft] *n.* 工艺，手艺；船；航空器 |
| | 记 联想记忆：c+raft(筏)→筏也就是船→船 |

| | |
|---|---|
| **hire** | [ˈhaɪə(r)] *v./n.* 租用；雇用 |
| **goggles\*** | [ˈgɒglz] *n.* 护目镜；风镜；游泳镜 |
| **thereby\*** | [ˌðeə'baɪ] *adv.* 因此，从而 |
| **stake\*** | [steɪk] *n.* 桩；火刑柱；利害关系；股份；赌金 *vt.* 以…打赌；拿…冒险 |
| | 记 联想记忆：s+take(带来)→带来赌金→赌金 |
| | 搭 at stake 在危险中；处于成败关头 |
| **barge\*** | [bɑːdʒ] *n.* 驳船 *v.* 猛撞；闯 |
| | 记 发音记忆："八只"→八只驳船→驳船 |
| | 搭 barge in 闯入；barge into 与…相撞 |
| **aerobics** | [eə'rəʊbɪks] *n.* 有氧运动 |
| | 记 词根记忆：aero(空气)+b+ics(…活动)→有氧运动 |
| **shrub** | [ʃrʌb] *n.* 灌木 |
| | 记 联想记忆：sh+rub(擦伤)→灌木擦伤皮肤→灌木 |
| | 搭 shrub layer 灌木层 |
| | 同 bush (*n.* 矮树丛)；scrub (*n.* 灌木) |
| **slat** | [slæt] *n.* (家具、栅栏等上的)板条，窄条 |
| | 记 联想记忆：和slate (*n.* 板岩，石板)一起记 |
| **legal\*** | [ˈliːgl] *adj.* 法律的；合法的 |
| | 记 词根记忆：leg(法律)+al(…的)→法律的；合法的 |
| **cinematography** | [ˌsɪnəmə'tɒgrəfi] *n.* 电影摄制艺术；电影制作方法 |
| **contribute** | [kən'trɪbjuːt] *v.* 捐赠，捐助；起作用，影响 |
| | 记 词根记忆：con(共同)+tribut(给予)+e→共同给出→捐赠，捐助 |
| | 搭 contribute to 有助于；contributing factor 起作用的因素 |
| | 派 contribution (*n.* 贡献)；contributor (*n.* 促成因素)；contributory (*adj.* 促成的) |
| **imagination** | [ɪˌmædʒɪ'neɪʃn] *n.* 想象(力)；想象出来的事物 |
| **bronchitis\*** | [brɒŋ'kaɪtɪs] *n.* 【医】支气管炎 |
| | 记 词根记忆：bronch(支气管)+itis(炎症)→支气管炎 |
| **exacerbate\*** | [ɪg'zæsəbeɪt] *vt.* 使恶化，使加剧 |
| | 记 词根记忆：ex(使…)+acerb(酸)+ate(使…)→使变酸→使恶化 |

| | |
|---|---|
| **intrusion*** | [ɪn'truːʒn] *n.* 闯入；打搅；侵扰 |
| | 🗒 词根记忆：in(进入)+trus(冲)+ion(表动作)→冲进去 →闯入 |
| **cancel*** | ['kænsl] *v.* 取消，废除；抵消，对消；删去，划掉 |
| | 🔎 cancel out 抵消 |
| **cork** | [kɔːk] *n.* 软木塞 *vt.* 用软木塞塞住 |
| **data*** | ['deɪtə] *n.* 数据；资料 |
| | 🗒 联想记忆：数据(data)每日(date)更新 |
| **insufficient*** | [ˌɪnsə'fɪʃnt] *adj.* 不足的，不够的 |
| | 🗒 联想记忆：in(不)+sufficient(充分的)→不足的 |
| | 🔎 insufficient for 不够做…；不能胜任… |
| **grocery*** | ['grəʊsəri] *n.* 杂货店；食品，杂货 |
| **humid*** | ['hjuːmɪd] *adj.* 湿的，潮湿的，湿润的，多潮气的 |
| | 🗒 词根记忆：hum(湿)+id(…的)→潮湿的，湿润的 |
| | 🔎 humid air 潮湿的空气；humid atmosphere 潮湿的 大气；humid climate 湿润的气候 |
| **relation*** | [rɪ'leɪʃn] *n.* 关系，联系；亲属，亲戚 |
| | 🔎 in/with relation to 关系到；have no relation to 与… 没有关系；diplomatic relations 外交关系 |
| **confuse*** | [kən'fjuːz] *vt.* 使混乱，混淆；使迷惑，使糊涂 |
| | 🗒 词根记忆：con(共同)+fus(流)+e→流到一起，混合 →混淆；使迷惑 |
| | 🔎 confuse...with 把…和…混淆，把…和…混为一谈 |
| | 📲 confusion (*n.* 混淆)；confused (*adj.* 困惑的) |
| **correspondence** | [ˌkɒrə'spɒndəns] *n.* 通信，信件；符合，一致；对应 |
| | 🔎 keep correspondence with sb. 与某人保持通信； commercial correspondence 商业信函 |
| **allocation*** | [ˌæs lə'keɪʃn] *n.* 配给，分配，安置；配给量 |
| | 🗒 来自allocate (*vt.* 分派) |
| **entertainment** | [ˌentə'teɪnmənt] *n.* 招待，款待；娱乐(业)；供消遣的 事物 |
| | 🗒 来自entertain (*v.* 娱乐；招待) |
| | 🔎 entertainment industry 娱乐产业 |

| conquer* | ['kɒŋkə(r)] vt. 征服，占领；克服，破除(坏习惯等) |
| | 记 词根记忆：con(表加强)+quer(获得)→征服 |
| | 搭 conquer your fear 战胜你的恐惧 |
| | 派 conqueror (n. 征服者)；conquest (n. 攻取，征服，克服) |
| decoration* | [ˌdekəˈreɪʃn] n. 装饰，装潢；装饰品 |
| | 搭 for decoration 用来装饰 |
| reward | [rɪˈwɔːd] n. 奖赏；报酬 vt. 酬谢；奖励 |
| | 记 联想记忆：re+ward(看作word，话语)→领导再次发话，要给予他奖赏→奖赏 |
| larva* | [ˈlɑːvə] n. [pl. larvae] 幼虫，幼体 |
| offspring | [ˈɒfsprɪŋ] n. 子女，后代；产物 |
| | 记 联想记忆：off(出来)+spring(春天)→春天出生的→子女，后代 |
| occasional | [əˈkeɪʒənl] adj. 偶尔的，间或发生的 |
| crater | [ˈkreɪtə(r)] n. 火山口；(撞击或爆炸形成的)坑 |

音频

# *Word List 12*

| | |
|---|---|
| **congregate** | ['kɒŋgrɪgeɪt] *v.* 聚集，集合 |
| | 记 词根记忆：con(共同)+greg(集，群)+ate→汇集到一起→聚集 |
| **ensue** | [ɪn'sjuː] *vi.* 继而发生；接着发生 |
| | 记 联想记忆：确定(ensure)了的事情就会继而发生(ensue) |
| **instruct** | [ɪn'strʌkt] *vt.* 教导；指示，命令 |
| | 记 词根记忆：in(使…)+struct(建立)→使(知识)建立→教导；指示 |
| **declaration** | [ˌdeklə'reɪʃn] *n.* 宣布；宣言，声明(书) |
| | 记 来自declare (*v.* 宣布) |
| **flexibility** | [ˌfleksə'bɪləti] *n.* 柔韧性，弹性；灵活性；适应性 |
| | 搭 flexibility of mind 头脑的灵活性 |
| **native\*** | ['neɪtɪv] *adj.* 当地的；出生地的 *n.* 本地人，本国人 |
| **significant\*** | [sɪg'nɪfɪkənt] *adj.* 有意义的；重大的，重要的 |
| | 记 来自signify (*v.* 有重要性)；sign(标记)+ify(使…)→重点部分标上记号→有重要性 |
| | 派 significantly (*adv.* 显著地)；insignificant (*adj.* 不重要的)；significance (*n.* 意义，含义；重要性，重大) |
| **loyalty\*** | ['lɔɪəlti] *n.* 忠诚，忠心 |
| | 搭 national loyalty 对国家的忠诚 |
| **conditioner\*** | [kən'dɪʃənə(r)] *n.* 护发素，护发剂；调节物；调节器，调节装置 |
| | 搭 soil conditioner 土壤调节剂；air conditioner 空调 |
| **reduce\*** | [rɪ'djuːs] *v.* 减少，缩小；简化 |
| **controversy\*** | ['kɒntrəvɜːsi] *n.* 争论，辩论，论战 |
| | 记 词根记忆：contro(相反)+vers(转)+y→因反对而转向另一方→争论，辩论 |
| | 派 controversial (*adj.* 有争议的) |

**service***  ['sɜːvɪs] *n.* 服务，帮助；公共设施，公用事业；维修，保养；行政部门，服务机构 *vt.* 维修，保养

搭 door-to-door service 上门服务；service charge 服务费用；interlibrary service 图书馆馆际服务

**dwell**  [dwel] *vi.* 居住，栖身

派 dwelling (*n.* 住宅，寓所)

**sensation**  [sen'seɪʃn] *n.* (感官的)感觉能力；感觉，知觉；轰动，引起轰动的事件(或人物)

记 词根记忆：sens(感觉)+ation(表状态)→感觉，知觉

搭 cause a great sensation 引起很大轰动

**scrap***  [skræp] *n.* 碎屑 *vt.* 废弃；抛弃

记 联想记忆：刮(scrape)下许多碎屑(scrap)

同 debris (*n.* 碎片，残骸)；abandon (*vt.* 放弃；遗弃)

**anxious***  ['æŋkʃəs] *adj.* 渴望的；忧虑的

**recipient**  [rɪ'sɪpiənt] *n.* 接受者

记 词根记忆：re(相反)+cip(拿)+ient→不主动拿→(被动的)接受者

同 receiver (*n.* 接收器；接受者)

**identical***  [aɪ'dentɪkl] *adj.* 完全相同的，同一的

同 alike (*adj.* 相似的)；duplicate (*adj.* 完全相同的)

反 dissimilar (*adj.* 不同的，相异的)；distinct (*adj.* 有区别的，不同的)

**rival**  ['raɪvl] *n.* 竞争者，竞争对手；可与匹敌的人(或物) *adj.* 竞争的，对抗的 *vt.* 与…竞争；与…匹敌，比得上；竞争，对抗

记 联想记忆：对手(rival)隔河(river)相望，分外眼红

派 rivalry (*n.* 竞争；竞赛；较量)

**tropospheric***  [ˌtrɒpə'sferɪk] *adj.* 对流层的

搭 tropospheric ozone 对流层臭氧

**attraction**  [ə'trækʃn] *n.* 爱慕，吸引；吸引力；具有吸引力的事(或人)；向往的地方

搭 tourist attraction 旅游胜地

**earthwork***  ['ɜːθwɜːk] *n.* 【建】土方工程；土木工事

**surround** [səˈraʊnd] *vt.* 围绕；包围

记 联想记忆：sur+round(圆)→在圆的外边→围绕

搭 be surrounded by sth. 被…围绕

**impression*** [ɪmˈpreʃn] *n.* 印象，感想；印记，压痕

记 联想记忆：impress(印，盖印)+ion→印象；印记

搭 first impression 第一印象

**horrify*** [ˈhɒrɪfaɪ] *vt.* 使恐惧，使惊骇；使震惊；使感到厌恶

记 词根记忆：horr(害怕)+ify(使…)→使恐惧，使惊骇

**introduction*** [ˌɪntrəˈdʌkʃn] *n.* 介绍；传入，引进；导言，绪论

记 词根记忆：intro(向内)+duc(引导)+tion→介绍；传入，引进

**compact*** [kəmˈpækt] *adj.* 紧密的，结实的；简明的；小巧的；紧凑的 *vt.* 使紧凑，压缩

记 词根记忆：com(表加强)+pact(系紧)→紧密的

搭 compact car 小型客车；compact narration 简明的叙述

派 compaction (*n.* 压紧，紧束的状态)；compactness (*n.* 紧密)

**enquire*** [ɪnˈkwaɪə(r)] *v.* 打听，询问；查问，调查

记 词根记忆：en(使…)+quir(寻求)+e→询问；查问

派 enquiry (*n.* 打听，询问；调查)

**memorandum** [ˌmeməˈrændəm] *n.* 备忘录；简报

记 词根记忆：memor(记忆)+andum→辅助记忆的东西→备忘录

**rectangular** [rekˈtæŋɡjələ(r)] *adj.* 长方形的，矩形的

记 词根记忆：rect(直的)+angul(角)+ar→所有内角都为直角的平行四边形→长方形的

**kidney** [ˈkɪdni] *n.* 肾，肾脏

**standpoint** [ˈstændpɔɪnt] *n.* 立场；观点

记 组合词：stand(站立)+point(观点)→立场；观点

**curative*** [ˈkjʊərətɪv] *adj.* 有疗效的；能治疗的

记 词根记忆：cur(关心)+ative(有…倾向的)→有疗效的

| | |
|---|---|
| **predominantly** | [prɪ'dɒmɪnəntli] adv. 主要地；重要地；显著地 |
| | 记 联想记忆：pre(前)+dominant(统治的)+ly(表副词)→在前面统治→重要地 |
| **clutch** | [klʌtʃ] n. 离合器；[常pl.] 控制 v. 企图抓；抓紧 |
| | 记 联想记忆：和catch (v. 抓住)一起记 |
| **combine\*** | [kəm'baɪn] v. 联合，结合 |
| | 记 词根记忆：com(共同)+bi(生命)+ne→联合，结合 |
| | 搭 combine...with... 把…和…结合起来 |
| | 派 combination (n. 结合) |
| **chart\*** | [tʃɑːt] n. 图，图表；海图 vt. 记录；用图表表示；制图 |
| | 搭 bar chart 条形图；flow chart 流程图 |
| **asthma\*** | ['æsmə] n. 哮喘症 |
| **signature** | ['sɪgnətʃə(r)] n. 签名，签字；签署 |
| | 记 词根记忆：signa(=sign，记号)+ture(表行为)→在文件上做记号→签名 |
| **occasion\*** | [ə'keɪʒn] n. 时刻；场合；重大活动，盛会；时机，机会；起因，理由 vt. 引起，惹起 |
| | 记 词根记忆：oc(表加强)+cas(降临)+ion(表动作)→引起 |
| **invaluable** | [ɪn'væljuəbl] adj. 极有用的；极宝贵的 |
| | 记 联想记忆：in(无)+valuable(有价值的)→极宝贵的 |
| | 反 valueless (adj. 没有价值的) |
| **recover\*** | [rɪ'kʌvə(r)] v. 重新获得，重新得到；使复原，康复；收回，挽回 |
| | 记 联想记忆：re(再，又)+cover(包括)→重新获得 |
| | 搭 recover oneself 使自己振作；recover from 从…中恢复 |
| | 派 recovery (n. 恢复；康复；失而复得) |
| **moderation\*** | [ˌmɒdə'reɪʃn] n. 温和，中庸；适度，合理 |
| | 记 词根记忆：moder(=mod，风度)+ation(表状态)→做事有风度→适度 |
| | 搭 in moderation 节制 |
| **documentation** | [ˌdɒkjumen'teɪʃn] n. 证明文件；文件记载，文献资料 |

| | |
|---|---|
| **critical\*** | ['krɪtɪkl] *adj.* 批评的，评论的；危急的，紧要的；临界的；挑剔的；严重的；极重要的<br>**记** 词根记忆：crit(判断)+ical(…的)→作出判断的→评论的<br>**搭** critical thought 批判性思维；critical point 临界点；critical period 危险期<br>**派** uncritical (*adj.* 不加批判的)；critically (*adv.* 危急地；批判地) |
| **vocational\*** | [vəʊ'keɪʃənl] *adj.* 职业的；业务的<br>**记** 来自vocation (*n.* 职业) |
| **summary\*** | ['sʌməri] *n.* 摘要，概要 *adj.* 概括的，简略的<br>**记** 词根记忆：summ(加)+ary(表物)→内容总括→摘要，概要<br>**搭** in summary 总之，概括地说<br>**派** summarise (*v.* 概括，总结)；summarization (*n.* 摘要，概要) |
| **remove\*** | [rɪ'muːv] *vt.* 排除，消除；搬迁，移动；开除，解除 *n.* 距离，间距<br>**记** 联想记忆：re+move(移动)→排除<br>**搭** be far removed from sth. 和…差别很大<br>**派** remover (*n.* 清除剂；搬家工人，搬家公司) |
| **bound\*** | [baʊnd] *adj.* 负有义务的；一定的，必然的 |
| **trinket\*** | ['trɪŋkɪt] *n.* 小装饰品；不值钱的珠宝 |
| **expire\*** | [ɪk'spaɪə(r)] *v.* 期满；终止<br>**派** expiry (*n.* 期满；终结)<br>**同** run out (到期，失效) |
| **accessible** | [ək'sesəbl] *adj.* (物品)能接近的；(地方)能达到的；易使用的；易得到的 |
| **turbine\*** | ['tɜːbaɪn] *n.* 涡轮机，汽轮机<br>**记** 词根记忆：turb(搅动)+ine(表名词)→涡轮机 |
| **backbone\*** | ['bækbəʊn] *n.* 脊椎；骨干；支柱 |
| **attribute** | [ə'trɪbjuːt] *vt.* 把…归因于 ['ætrɪbjuːt] *n.* 属性；品质<br>**记** 词根记忆：at(表加强)+tribut(给予)+e→把…归因于 |

搭 attribute to 归结于，归功于，因为

同 ascribe (vt. 归因于，归咎于)

| | |
|---|---|
| **magnitude** | ['mægnɪtjuːd] *n.* 广大，巨大；重要，重要性；星体的亮度 |
| | 记 词根记忆：magn(大)+itude(表状态)→广大，巨大 |
| **compatible** | [kəm'pætəbl] *adj.* 兼容的；合得来的 |
| | 记 词根记忆：com(共同)+pat(走)+ible(可…的)→可一起走的→兼容的；合得来的 |
| | 搭 be compatible with 与…相适应/不矛盾 |
| **entrepreneur** | [ˌɒntrəprə'nɜː(r)] *n.* 企业家；承包人 |
| | 记 词根记忆：entre(在…之中)+pren(抓住)+eur(表人)→抓住商机的人→企业家 |
| **proposal** | [prə'pəʊzl] *n.* 提议，建议；求婚 |
| | 记 来自propose (v. 提议，建议) |
| **coach\*** | [kəʊtʃ] *n.* 教练；指导；长途汽车 *vt.* 训练；辅导 |
| **tramp\*** | [træmp] *v.* 跋涉；踩踏 *n.* 长途跋涉 |
| **fatal\*** | ['feɪtl] *adj.* 致命的；重大的；命中注定的；灾难性的；导致失败的 |
| | 记 来自fate (n. 命运) |
| | 搭 a fatal accident 一场致命的事故 |
| **currency** | ['kʌrənsi] *n.* 通货，货币；通用，流行 |
| | 搭 paper currency 纸币 |
| **disapprove\*** | [ˌdɪsə'pruːv] *v.* 不赞成，反对 |
| | 记 联想记忆：dis(不)+approve(赞成)→不赞成 |
| **complain\*** | [kəm'pleɪn] *v.* 抱怨；投诉 |
| | 记 联想记忆：com+plain(平淡的)→不要抱怨生活的平淡→抱怨 |
| | 搭 complain about 抱怨… |
| **audacious\*** | [ɔː'deɪʃəs] *adj.* 大胆的；有冒险精神的；鲁莽的；厚颜无耻的 |
| | 记 词根记忆：aud(增加)+acious(有…性质的)→让胆量增加的→大胆的 |
| | 搭 audacious spirit 冒险精神 |

**disrupt**　[dɪs'rʌpt] *vt.* 使中断；扰乱

記 词根记忆：dis(表加强)+rupt(断裂)→裂开→使中断

派 disruption (*n.* 扰乱；中断)；disruptive (*adj.* 破坏性的，引起混乱的)

**inflation**　[ɪn'fleɪʃn] *n.* 通货膨胀；充气

記 词根记忆：in(进入)+flat(吹)+ion(表状态)→吹气→通货膨胀；充气

# *Word List 13*

音频

| | |
|---|---|
| **reinstate** | [ˌriːɪnˈsteɪt] *vt.* 恢复(法律、制度或规则) |
| **statement\*** | [ˈsteɪtmənt] *n.* 陈述；声明；报表；结算单<br>记 来自state (*vt.* 声明) |
| **amount\*** | [əˈmaʊnt] *n.* 金额，钱数；数量，数额 *vi.* 合计<br>搭 amount of 许多；amount to 总计… |
| **given\*** | [ˈɡɪvn] *adj.* 规定的，特定的；假设的 |
| **advanced\*** | [ədˈvɑːnst] *adj.* 先进的 |
| **milestone** | [ˈmaɪlstəʊn] *n.* 里程碑；转折点<br>记 组合词：mile(英里)+stone(石头)→标记英里数的石头→里程碑 |
| **crank\*** | [kræŋk] *n.* 曲柄，曲轴 *vt.* 用曲柄转动某物 |
| **lexicographer** | [ˌleksɪˈkɒɡrəfə(r)] *n.* 词典编纂者<br>记 词根记忆：lexico(=lexic，词汇)+graph(写)+er(表人)→写词典的人→词典编纂者<br>派 lexicographical (*adj.* 词典编纂的) |
| **bunch** | [bʌntʃ] *n.* 群，伙；束，串，捆 *v.* 集中，挤在一起；使成一束(或一群等)<br>搭 a bunch of 一些 |
| **costume** | [ˈkɒstjuːm] *n.* 戏装；(特定场合穿的)成套服装<br>记 联想记忆：cost(花费)+u(你)+me(我)→你我都免不了花钱买服装→成套服装 |
| **scare** | [skeə(r)] *n.* 惊恐，恐慌 *v.* 吓，使害怕；受惊吓，感到害怕 |
| **manipulate** | [məˈnɪpjuleɪt] *vt.* 应付，处理；操纵，控制；影响<br>记 词根记忆：mani(手)+pul(拉)+ate(表动词)→用手拉→操纵<br>同 handle (*v.* 操作，操纵)；maneuver (*v.* 操纵) |
| **juvenile** | [ˈdʒuːvənaɪl] *adj.* 少年的，少年特有的；幼稚的，不成熟的 *n.* 未成年人，少年 |

93

|  |  |
|---|---|
|  | 记 词根记忆：juven(年轻)+ile(属于…的)→少年的；幼稚的 |
|  | 同 childish (*adj.* 幼稚的)；immature (*adj.* 不成熟的)；youngster (*n.* 少年，年轻人)；teenager (*n.* 青少年) |
| **phenomenon** | [fə'nɒmɪnən] *n.* 现象，迹象；非凡的人(或事物) |
|  | 记 词根记忆：phen(显示)+omen(预兆)+on→显示预兆的→迹象 |
| **freight** | [freɪt] *n.* 货物 *vt.* 运送(货物)；货运 |
| **vulnerable*** | ['vʌlnərəbl] *adj.* 易受攻击的，易受伤的 |
|  | 记 词根记忆：vuln(受伤)+er+able(具有…性质的)→易受伤的 |
|  | 搭 be vulnerable to 易受…伤害；vulnerable group 弱势群体 |
|  | 派 vulnerability (*n.* 易受攻击；弱点)；vulnerably (*adv.* 易受伤害地；易受攻击地) |
|  | 同 assailable (*adj.* 可攻击的，易攻击的) |
|  | 反 strong (*adj.* 强壮的，强大的；坚固的)；tough (*adj.* 强硬的；坚韧的) |
| **steam*** | [stiːm] *n.* 蒸汽，水蒸气 *v.* 发出蒸汽；(火车、轮船)行驶；用蒸汽开动 |
|  | 搭 steam engine 蒸汽机 |
| **valuable*** | ['væljuəbl] *adj.* 贵重的，有价值的 *n.* 贵重物品，财宝 |
|  | 搭 valuable belongings 贵重的财产 |
| **presumably*** | [prɪ'zjuːməbli] *adv.* 很可能，大概 |
|  | 记 来自presumable (*adj.* 可能的) |
|  | 派 presume〔*v.* 假定(某事)是事实，推测〕 |
| **sanctuary*** | ['sæŋktʃuəri] *n.* 圣堂，圣殿，圣坛；圣地；庇护所，避难所；禁猎区，动物保护区 |
|  | 记 词根记忆：sanctu(=sanct，神圣)+ary(表场所)→神圣的场所→圣堂 |
|  | 搭 bird sanctuary 鸟类保护区；wildlife sanctuary 野生动植物保护区 |
| **request*** | [rɪ'kwest] *n./vt.* 要求；请求 |
|  | 记 联想记忆：re(一再)+quest(寻求)→请求；要求 |

**dash** [dæʃ] v. 飞奔，猛冲；猛掷；使破灭，使沮丧 n. 飞奔，猛冲；破折号；精力，干劲

记 联想记忆：d+ash(灰尘)→群马飞奔而过，扬起漫天灰尘→飞奔

**treatment\*** ['triːtmənt] n. 治疗；对待；处理

记 来自treat (vt. 对待；治疗)

**coarse\*** [kɔːs] adj. 粗的；粗糙的；粗劣的

记 联想记忆：coar(看作coal，煤炭)+se→煤炭是很粗糙的→粗糙的

**insecure\*** [ˌɪnsɪ'kjʊə(r)] adj. 不安全的，不可靠的

记 联想记忆：in(不)+secure(安全的)→不安全的

搭 an insecure investment 一笔不可靠的投资

派 insecurity (n. 不安全，不安全感)

**linen** ['lɪnɪn] n. 亚麻织品；亚麻布

记 联想记忆：line(绳)+n→亚麻编的绳→亚麻织品

**inspiration** [ˌɪnspə'reɪʃn] n. 启示，灵感；鼓舞人心的人(或事)，激励

记 词根记忆：in(向内)+spir(呼吸)+ation(表状态)→吸气→鼓气→鼓舞人心的人(或事)

派 inspirational (adj. 鼓舞人心的；启发灵感的)

**generous** ['dʒenərəs] adj. 慷慨的；大量的

记 词根记忆：gener(产生)+ous(…的)→产生很多的→大量的

搭 a generous gift 一份慷慨的礼物

**cultivate** ['kʌltɪveɪt] vt. 种植；培养

记 词根记忆：cult(培养)+iv+ate(使…)→培养

**campaign\*** [kæm'peɪn] vi. 参加活动；作战 n. 战役；活动

搭 launch a campaign 发起活动；campaign funds 竞选经费

**disorder\*** [dɪs'ɔːdə(r)] n. 混乱；失调，紊乱，疾病

记 联想记忆：dis(不)+order(顺序)→无序→混乱

派 disorderly (adj. 混乱的，无秩序的)

**spot** [spɒt] vt. 认出，发现；看见，注意到 n. 地点，处所；斑点，污点；少量

95

搭 on the spot 当场，在现场；hot spot 热点；scenic spot 景点

**outcome** ['aʊtkʌm] *n.* 结果，成果；后果；结局；出口，输出量

记 来自词组come out (出来)

**cautious** ['kɔːʃəs] *adj.* 十分小心的，谨慎的

记 词根记忆：cau(小心)+tious(有…性质的)→谨慎的

**aggravate\*** ['ægrəveɪt] *vt.* 恶化，加重，加剧

记 词根记忆：ag(表加强)+grav(重)+ate(使…)→使更重→加重，恶化

搭 aggravate poverty 加重贫困

派 aggravation (*n.* 恶化，激怒；恼人的事物)

同 burden (*vt.* 使担负)；increase (*v.* 增加)

反 decrease (*v.* 减少)；lessen (*v.* 减少，减轻)

**deception\*** [dɪ'sepʃn] *n.* 欺骗；诡计

记 词根记忆：de(非)+cept(拿)+ion→不拿来→欺骗

搭 intentional deception 故意的欺骗行为

**sharpen\*** ['ʃɑːpən] *v.* 削尖，磨快；使敏锐；提高，改善

记 联想记忆：sharp(锋利的)+en(使…)→使变锋利的→削尖；使敏锐

搭 sharpen pencils 削铅笔

**practical\*** ['præktɪkl] *adj.* 实际的，实用的；实践的，应用的

记 来自practice (*v./n.* 实践)

搭 practical experience 实践经验；practical value 实用价值；practical material 实用材料

**pliable\*** ['plaɪəbl] *adj.* (指人或思想)容易受影响的；顺从的；易弯的，柔韧的

记 词根记忆：pli(折叠)+able(能…的)→能折叠的→柔韧的

**disposal\*** [dɪ'spəʊzl] *n.* 处理，处置；布置，安排

记 来自dispose (*v.* 处理，处置)

搭 waste disposal 废物处理；at one's disposal 任某人处理，供某人支配

| | |
|---|---|
| **subsidiary** | [səb'sɪdiəri] *n.* 子公司；附属机构；支流 *adj.* 次要的；辅助的，附设的<br><br>记 词根记忆：sub(下)+sid(坐)+iary→坐在下面的→次要的；辅助的<br><br>搭 subsidiary unit 从属单位；subsidiary company 分公司<br><br>同 subordinate (*adj.* 次要的；下属的)；affiliate (*n.* 分支机构)；branch (*n.* 分支，分部) |
| **pattern** | ['pætn] *n.* 样式；模式 *vt.* 构成图案；使形成，促成 |
| **terrain** | [tə'reɪn] *n.* 地形，地势<br><br>记 词根记忆：terr(土地)+ain(表物)→地形，地势<br><br>同 landform (*n.* 地形) |
| **kneel** | [niːl] *vi.* 跪 |
| **overwhelm** | [,əʊvə'welm] *vt.* 征服；淹没<br><br>记 组合词：over(在⋯上)+whelm(淹没，压倒)→征服<br><br>派 overwhelming (*adj.* 势不可挡的，压倒性的) |
| **contempt** | [kən'tempt] *n.* 轻视，鄙视，不尊重；蔑视<br><br>记 词根记忆：con(表加强)+tempt(蔑视)→轻视<br><br>同 disdain (*n.* 轻蔑) |
| **recognize** | ['rekəgnaɪz] *vt.* 认出；承认，认可<br><br>记 词根记忆：re(再)+cogn(知道)+ize(使⋯)→再次知道→认出；承认<br><br>搭 be recognized as 被认为是⋯ |
| **badge** | [bædʒ] *n.* 徽章；标记；象征<br><br>同 token (*n.* 象征；记号)；mark (*n.* 标志，记号) |
| **economic\*** | [,iːkə'nɒmɪk] *adj.* 经济的；经济上的，经济学的<br><br>搭 economic climate 经济形势，经济气候 |
| **feeble** | ['fiːbl] *adj.* 虚弱的；无效的<br><br>记 联想记忆：fee(费用)+ble→需要花钱看病→虚弱的 |
| **virtue\*** | ['vɜːtʃuː] *n.* 美德；优点<br><br>搭 by/in virtue of 凭借，依靠<br><br>派 virtuous (*adj.* 品行端正的，有道德的) |

**suburb** | ['sʌbɜːb] *n.* 郊区
記 词根记忆：sub(接近)+urb(城市)→郊区

**pulverise** | ['pʌlvəraɪz] *vt.* 碾磨成粉，粉碎
記 词根记忆：pulver(灰尘)+ise(使…)→使成灰尘→粉碎

**fertilise\*** | ['fɜːtəlaɪz] *vt.* 使肥沃，使多产；施肥于；使受精
記 词根记忆：fert(=fer, 带来)+ilise→带来果实→使肥沃，使多产
搭 fertilised eggs 受精卵；cross-fertilise 异花受精

**ration\*** | ['ræʃn] *n.* 配给量，定量 *vt.* 配给，定量供应
記 联想记忆：rat(老鼠)+ion→老鼠在开会，讨论口粮问题→定量
搭 the weekly meat ration 每周的食肉量；be on ration 定量

**attractive\*** | [ə'træktɪv] *adj.* 吸引的，有吸引力的；引起注意的
搭 an attractive offer 一份有吸引力的工作；attractive personality 有魅力的个性
派 attractively (*adv.* 有吸引力地)；attractiveness (*n.* 魅力，吸引力)；unattractive (*adj.* 不引人注意的)

**conquest\*** | ['kɒŋkwest] *n.* 征服；战利品
搭 military conquest 军事征服

**sophisticate\*** | [sə'fɪstɪkət] *n.* 久经世故的人；精通者

**snap\*** | [snæp] *v.* 咔嚓折断，啪地绷断；(啪的一声)打开(或关上)；咬；厉声说话，怒声责斥 *n.* 咔嚓声 *adj.* 突然的，匆忙的
記 联想记忆：s+nap(小睡)→上课小睡时被老师抓住了，遭到了训斥→怒声责斥
搭 snap out 厉声说出；snap up 迅速抓住；抢购

**express\*** | [ɪk'spres] *vt.* 表达，表示 *adj.* 特快的，快速的；明确的 *n.* 快车，快运，快递
記 联想记忆：ex(出)+press(挤压)→挤出心里话→表达，表示
派 expression (*n.* 表达，表述)；expressive (*adj.* 表现的，有表现力的)

**identifiable\*** [aɪˌdentɪˈfaɪəbl] *adj.* 可辨认的，可识别的；可确定的

记 来自identify (*v.* 确认，认出)

搭 identifiable characteristics 可识别的特征

**nominal\*** [ˈnɒmɪnl] *adj.* 名义上的；(金额、租金等)微不足道的；象征性的

记 词根记忆：nomin(名称)+al(…的)→名义上的

搭 nominal head 名义上的领导；nominal assets 名义资产

派 nominally (*adv.* 有名无实地，名义上地)

同 titular (*adj.* 有名无实的，名义上的)；minor (*adj.* 较小的，较少的)

反 actual (*adj.* 实际的)；genuine (*adj.* 真正的)

**acquire\*** [əˈkwaɪə(r)] *vt.* 取得，获得

记 词根记忆：ac(表加强)+quir(获得)+e→获得，取得

**register** [ˈredʒɪstə(r)] *n.* 注册，登记；登记表 *v.* 注册，登记

记 词根记忆：re(重新)+gister(带来)→再次带来(新来的学生)→登记

搭 registered capital 注册资本；register a trademark 注册一个商标；register for 登记参加，报名参加；registered mail 挂号信

**extremely\*** [ɪkˈstriːmli] *adv.* 极端地；非常地

**rot** [rɒt] *n.* 腐烂 *v.* (使)腐烂

**ambulance** [ˈæmbjələns] *n.* 救护车；野战医院

记 词根记忆：ambul(行走)+ance(表状态)→到处流动的车→救护车

**miserable** [ˈmɪzrəbl] *adj.* 悲惨的，痛苦的；令人难受的

记 词根记忆：miser(可怜的)+able(能…的)→悲惨的

搭 as miserable as sin 非常悲惨的；miserable failure 可悲的失败

**continuous** [kənˈtɪnjuəs] *adj.* 连续的，不断的

记 来自continue (*v.* 持续)

搭 continuous flow 持续气流

派 continuously (*adv.* 不断地，连续地)

**crack** [kræk] *n.* 裂缝，缝隙；爆裂声 *v.* (使)破裂；(使)发出爆裂声；重击；崩溃，瓦解

搭 crack up (身体或精神等)崩溃；crack down on 镇压

**ripe** [raɪp] *adj.* (水果或庄稼)成熟的；时机成熟的

记 联想记忆：稻熟(ripe)米(rice)香

派 ripen (*v.* 使成熟；成熟)

**vet\*** [vet] *vt.* 审查，仔细检查 *n.* 兽医

同 screen (*vt./n.* 审查，检查)

# Word List 14

音频

| | |
|---|---|
| **resonate** | ['rezəneɪt] *v.* 引起共鸣；共振 |
| | 🔖 词根记忆：re(回)+son(声音)+ate(使…)→使产生回声→使共鸣 |
| **divide\*** | [dɪ'vaɪd] *v.* 分开，分隔；分配，分享；除(以) *n.* 分歧，差异；分界线，分水岭 |
| | 🔖 divide into 分成；divide sth. from sth. 把某物和某物分开 |
| **gross** | [grəʊs] *adj.* 总的；毛的 |
| | 🔖 Gross Domestic Product (GDP) 国内生产总值；Gross National Product (GNP) 国民生产总值 |
| **cloakroom** | ['kləʊkruːm] *n.* 衣帽间；〈英〉洗手间 |
| | 🔖 组合词：cloak(披风)+room(房间)→衣帽间 |
| **refusal** | [rɪ'fjuːzl] *n.* 拒绝 |
| | 🔖 来自refuse (*v.* 拒绝) |
| **coupon** | ['kuːpɒn] *n.* 优惠券；票证；配给券；参赛表，订货单 |
| | 🔖 联想记忆：co(共同)+upon(在…上)→商家联合在节假日打折的基础上还发放优惠券→优惠券 |
| **tome\*** | [təʊm] *n.* 册，大部头书；(有学术价值的)巨著 |
| | 🔖 联想记忆：大部头书(tome)都放在家里(home) |
| **toxin\*** | ['tɒksɪn] *n.* 毒素，毒质 |
| | 🔖 词根记忆：tox(毒)+in(…素)→毒素，毒质 |
| **simultaneously** | [ˌsɪml'teɪniəsli] *adv.* 同时地 |
| | 🔖 词根记忆：simult(一样)+aneous(有…特征的)+ly(…地)→同时地 |
| **ridiculous** | [rɪ'dɪkjələs] *adj.* 荒谬的；可笑的 |
| | 🔖 词根记忆：rid(笑)+icul+ous(…的)→可笑的 |
| **chip\*** | [tʃɪp] *n.* 碎片；芯片；瑕疵 *v.* 削(或凿)下(屑片或碎片) |
| | 🔖 联想记忆：大家对炸薯片(fried chips)一定不陌生 |
| **polish\*** | ['pɒlɪʃ] *v.* 磨光，擦亮；使优美，润饰；改进 *n.* 擦光剂，上光蜡 |

101

記 词根记忆：pol(光滑)+ish(使…)→磨光，擦亮

搭 polish one's English 补习英语；polish furniture 抛光家具

派 polished (adj. 磨光的，擦亮的)

| | |
|---|---|
| **wonder\*** | ['wʌndə(r)] v. 诧异，奇怪；纳闷，想知道 n. 惊奇，惊异；奇迹，奇事 |

搭 no wonder 难怪，怪不得

| | |
|---|---|
| **scholarship\*** | ['skɒləʃɪp] n. 奖学金；学问，学识 |
| **familiarise\*** | [fə'mɪliəraɪz] vt. 使熟悉，使通晓；使家喻户晓 |

記 来自familiar (adj. 熟悉的)

搭 familiarise yourself with sth. 使自己熟悉某事物

| | |
|---|---|
| **expectancy\*** | [ɪk'spektənsi] n. 期待，期望；预期数额(如寿命等) |

搭 life expectancy 平均寿命

| | |
|---|---|
| **blueprint\*** | ['bluːprɪnt] n. 蓝图；方案 |

記 组合词：blue(蓝)+print(印刷的图)→蓝图

| | |
|---|---|
| **interplay\*** | ['ɪntəpleɪ] vi./n. 相互作用，相互影响 |

記 联想记忆：inter(在…之间)+play(担任角色)→相互作用

| | |
|---|---|
| **convenient\*** | [kən'viːniənt] adj. 方便的，便利的；适宜的 |

記 发音记忆："肯为你的"→肯为你提供方便的→方便的

搭 be convenient for... 对…来说方便；be convenient to do 方便做…

| | |
|---|---|
| **genuine\*** | ['dʒenjuɪn] adj. 真正的；真实的 |

記 词根记忆：gen(出生)+uine→生来就有的→真正的

| | |
|---|---|
| **attentive\*** | [ə'tentɪv] adj. 注意的，专心的；关心的，体贴的；留意的 |
| **observation\*** | [ˌɒbzə'veɪʃn] n. 观察，观测；监视；评述，评论 |
| **personal\*** | ['pɜːsənl] adj. 个人的，私人的；亲自的，本人的；身体的，人身的 |

搭 personal loan 个人贷款；personal item 个人物品；personal information 个人信息

派 personalize (*vt.* 使人性化，个人化)；personally (*adv.* 个人地)

**vitality\*** [vaɪ'tæləti] *n.* 生命力，活力

记 词根记忆：vit(生命)+al+ity(具备某种性质)→生命力，活力

搭 be full of vitality 充满活力；exceptional vitality 精力旺盛

**requirement\*** [rɪ'kwaɪəmənt] *n.* 需要，需求，要求；需要的东西；必要条件

记 来自require (*v.* 需要，要求)

**advisable\*** [əd'vaɪzəbl] *adj.* 可取的，适当的；明智的

记 联想记忆：advis(e)(建议，劝告)+able(能…的)→能够听取别人的劝告的→明智的

**bankrupt** ['bæŋkrʌpt] *adj.* 破产的

记 联想记忆：bank(银行)+rupt(打破)→银行里的账户被打破→破产的

**deplete\*** [dɪ'pliːt] *vt.* 倒空；使枯竭；消耗

记 词根记忆：de(非)+plet(填满)+e→不满→倒空；(使)枯竭

派 depletion (*n.* 消耗；枯竭)

**influence\*** ['ɪnfluəns] *vt.* 影响 *n.* 影响力；产生影响力的人

**fantasy** ['fæntəsi] *n.* 想象

**tragic** ['trædʒɪk] *adj.* 悲惨的；悲剧(性)的

记 联想记忆：t+rag(破旧衣服)+ic(…的)→穿破旧衣服的→悲惨的

**splint\*** [splɪnt] *n.* 细木梗；【医】(用于固定受伤肢体的)夹板 *vt.* 用夹板夹

记 联想记忆：sp+lint(棉绒)→用棉绒和夹板把病人受伤的腿包扎好→夹板

**foam** [fəʊm] *n.* 泡沫；泡沫材料 *vi.* 起泡沫

记 联想记忆：肥皂(soap)产生了很多泡沫(foam)

**occupation** [ˌɒkju'peɪʃn] *n.* 占领；职业；消遣

搭 regular occupation 固定职业

**format\*** ['fɔːmæt] vt. 使格式化 n. 安排，计划；版式；格式

记 联想记忆：form(形式)+at→固定形式→版式；格式

派 formation (n. 构成)；formative (adj. 形成的)

**bachelor** ['bætʃələ(r)] n. 学士；单身汉

搭 bachelor's degree 学士学位；Bachelor of Arts 文学学士；Bachelor of Science 理学学士

**appointment\*** [ə'pɔɪntmənt] n. 约会

搭 make an appointment 约会

**slope** [sləʊp] n. 斜坡；倾斜 vi. 倾斜

记 联想记忆：slo(看作slow，慢的)+pe→慢慢地走下斜坡→斜坡

**complex\*** ['kɒmpleks] n. 综合体，集合体；建筑群；情结 adj. 合成的，综合的；复杂的，难懂的

记 词根记忆：com(表加强)+plex(重叠)→复杂的

搭 inferiority complex 自卑感，自卑情结

同 complicated (adj. 复杂的，难解的)；intricate (adj. 复杂的，错综的)；involved (adj. 棘手的)；knotty (adj. 棘手的，困难多的)

反 simple (adj. 简单的，简易的)

**overhead\*** ['əʊvəhed] n. 天花板；营运费用 [ˌəʊvə'hed] adv. 在空中；在头顶上；在高处 adj. 在头顶上的；高架的

记 组合词：over(在…之上)+head(头)→在头顶上，在高处

搭 overhead projector 高射投影仪

**prerequisite\*** [ˌpriː'rekwəzɪt] n. 先决条件，前提；必备条件 adj. 必备的

**population\*** [ˌpɒpju'leɪʃn] n. 人口；(统称)某领域的生物；族群

搭 population explosion 人口爆炸；population control 人口控制

**prey\*** [preɪ] n. 猎物，捕获物；牺牲品，战利品 vi. 捕食；折磨，使烦恼；掠夺

记 联想记忆：兔子天天祈祷(pray)不要成为狼的猎物(prey)

搭 prey on insects 捕食昆虫为生

同 quarry (*n.* 猎物); victim (*n.* 受害者，牺牲品); afflict (*vt.* 使苦恼，折磨); bother (*v.* 打扰，麻烦)

| | |
|---|---|
| **catalogue*** | ['kætəlɒg] *n.* 目录；系列 *vt.* 编目录；记载 |
| **assessment*** | [ə'sesmənt] *n.* 判定，评定；看法，评价 |
| | 搭 research assessment 研究评估；assessment method 评估方法 |
| **suggest*** | [sə'dʒest] *v.* 建议，提出；暗示 |
| **screw** | [skruː] *v.* 用螺丝钉固定 *n.* 螺丝(钉) |
| | 记 联想记忆：s+crew(一群人)→一群工人在流水线上生产螺丝钉→螺丝(钉) |
| **enlighten** | [ɪn'laɪtn] *vt.* 启发；开导；阐明 |
| | 记 词根记忆：en(进入⋯之中)+light(光)+en→进入光明→启发；开导 |
| **textile*** | ['tekstaɪl] *n.* 纺织品 |
| | 记 联想记忆：text(编织)+ile→编织出的物品→纺织品 |
| **account*** | [ə'kaʊnt] *v.* 说明，解释；(在数量、比例方面)占；导致 *n.* 账目，账户；叙述，说明 |
| | 记 联想记忆：ac(表加强)+count(数)→账目需要一数再数→账目 |
| | 搭 take...into account 考虑⋯；account for 解释，说明(原因等)，(数量等)占；on account of 因为，由于；give sb. an account of 给某人说明或解释(理由)；not on any account 绝对不 |
| **tutor*** | ['tjuːtə(r)] *v.* (给⋯)当家庭教师 *n.* 导师；家庭教师 |
| | 派 tutorial (*n.* 指南 *adj.* 大学导师的) |
| **hesitate** | ['hezɪteɪt] *vi.* 犹豫；不情愿 |
| | 记 词根记忆：hes(黏附)+itate→脚像被黏住了一样→犹豫；不情愿 |
| | 派 hesitation (*n.* 犹豫) |
| **topsoil*** | ['tɒpsɔɪl] *n.* 表层土 |
| | 记 组合词：top(顶部)+soil(土壤)→表层土 |
| **background*** | ['bækgraʊnd] *n.* 出身背景，经历；(事件或情况的)背景 |

記 组合词：back(背面的)+ground(范围)→背景

搭 educational/cultural/family background 教育/文化/家庭背景；theoretical background 理论背景；background music 背景音乐

| | |
|---|---|
| **impossible\*** | [ɪm'pɒsəbl] *adj.* 不可能的，办不到的 |

記 联想记忆：电影《碟中谍》就是 *Mission Impossible*

| | |
|---|---|
| **surgeon\*** | ['sɜːdʒən] *n.* 外科医生 |

記 联想记忆：surge(波动)+on→做外科医生，情绪不能太波动→外科医生

搭 dental surgeon 牙医

| | |
|---|---|
| **promise\*** | ['prɒmɪs] *n./v.* 允诺，保证；预兆，预示 |
| **thunder** | ['θʌndə(r)] *n.* 雷；雷声 *v.* 打雷；轰隆响 |

記 联想记忆：th+under(在…下)→打雷时切忌躲在树下→雷

派 thunderstorm (*n.* 雷暴)；thundercloud (*n.* 雷雨云)

| | |
|---|---|
| **delicate** | ['delɪkət] *adj.* 纤细的；精致的；精巧的；微妙的 |
| **curriculum** | [kə'rɪkjələm] *n.* (学校等的)全部课程 |
| **layout** | ['leɪaʊt] *n.* 布局，安排，设计 |

記 来自词组lay out (布置，安排)

搭 layout of an office 办公室布局；layout of a CV 简历的版面设计；product layout of a supermarket 超市的货品摆放

| | |
|---|---|
| **venture** | ['ventʃə(r)] *v.* 敢于去；拿…冒险，冒…的风险 *n.* 风险投资，(商业等的)风险项目 |

記 发音记忆："玩车"→玩车有时需要冒险→冒…的风险

搭 venture into the unknown 闯入未知的领域；venture into/on sth. 冒险做…

| | |
|---|---|
| **shrink\*** | [ʃrɪŋk] *v.* (使)收缩；萎缩 |

記 联想记忆：童话故事里，人喝(drink)了巫婆的药水就能收缩(shrink)身体

派 shrinkage (*n.* 收缩；收缩程度)

| **gland** | [glænd] *n.* 腺 |
|---|---|
| **shortage\*** | [ˈʃɔːtɪdʒ] *n.* 不足，缺少 |

**shortage\*** [ˈʃɔːtɪdʒ] *n.* 不足，缺少

记 联想记忆：short(缺乏)+age→不足，缺少

搭 financial shortage 缺钱；shortage of spare time 缺少空闲时间

同 lack (*n.* 缺少)；deficiency (*n.* 不足)

**accreditation** [əˌkredɪˈteɪʃn] *n.* 证明合格，鉴定合格

记 来自accredit (*vt.* 委任，委派)

音频

# *Word List 15*

**stagnant** ['stægnənt] *adj.* 停滞的，不发展的

记 词根记忆：stagn(站立)+ant(…的)→站着不走的→停滞的

**attach** [ə'tætʃ] *v.* 系，贴；认为有重要性(或意义、价值等)；使附属，附加；(使)与…有联系

记 词根记忆：at(表加强)+tach(钉)→牢牢钉上→贴；使附属

搭 attach to 使依恋；把…贴在，附加

**flip** [flɪp] *v.* 轻抛；轻弹

**comment\*** ['kɒment] *n.* 注释，评论，意见 *v.* 注释，评论

记 词根记忆：com(共同)+ment(思考)→共同思考并说出各自观点→评论

搭 comment on/about... 评论…

派 commentator (*n.* 评论员；讲解员)

**flame\*** [fleɪm] *n.* 火焰；强烈的感情 *v.* 燃烧；(因强烈情绪而)变红

记 词根记忆：flam(燃烧)+e→燃烧

**emphasize** ['emfəsaɪz] *vt.* 强调，着重

记 词根记忆：em(表加强)+phas(说)+ize(表动词)→强调，着重

**foresee** [fɔː'siː] *vt.* 预见，预知

记 词根记忆：fore(预先)+see(看)→预先看到→预见，预知

同 predict (*v.* 预言，预测)；foretell (*vt.* 预言，预示)

**historic\*** [hɪ'stɒrɪk] *adj.* 有历史意义的；历史的，历史性的

搭 historic moment 历史性的时刻

**provision\*** [prə'vɪʒn] *n.* 供应，(一批)供应品；准备，预备；条款，规定；给养，口粮

记 来自provide (*vt.* 供应，提供)

搭 make provision 做好准备，预先采取措施；under the provision of 依据…条款

同 preparation (n. 准备，预备)；clause (n. 条款)

**president\*** ['prezɪdənt] n. 总统；校长，会长，(大会)主席

派 presidential (adj. 总统的)

**internist\*** [ɪn'tɜːnɪst] n. 内科医师

**reception\*** [rɪ'sepʃn] n. 接收，接受；接待；欢迎会，招待会；接收效果

记 词根记忆：re(表加强)+cept(抓)+ion→抓住→接受

搭 reception center/desk 接待处

派 receptionist (n. 接待员)

**suspend\*** [sə'spend] vt. 吊，悬挂；推迟；暂停，中止

记 词根记忆：sus(下)+pend(悬挂)→吊，悬挂

搭 suspend a driving licence 吊销驾照；suspend payment 暂停付款

派 suspended (adj. 暂停的；缓期的)

**untrustworthy** [ʌn'trʌstwɜːði] adj. 不值得信任的，靠不住的

记 组合词：un(不)+trust(信任)+worthy(值得的)→不值得信任的

**prospective** [prə'spektɪv] adj. 预期的；未来的；可能的

记 词根记忆：pro(向前)+spect(看)+ive(…的)→向前看的→预期的；未来的

搭 prospective damage 预计损失

同 anticipated (adj. 预期的)

**percentage\*** [pə'sentɪdʒ] n. 百分比，百分率

记 联想记忆：percent(百分比)+age(表集体名词)→百分比，百分率

**clue** [kluː] n. 线索；提示

记 发音记忆："刻录"→警方凭一张刻录光盘找到了犯罪分子→线索

**stammer\*** ['stæmə(r)] n. 结巴，口吃 v. 口吃

记 联想记忆：stamm(看作stamp，邮票)+er→嘴被贴上了邮票→口吃

| swamp | [swɒmp] vt. 淹没；使应接不暇 n. 沼泽 |
| | 同 overwhelm (vt. 淹没；压倒); marsh (n. 沼泽) |
| jealous | ['dʒeləs] adj. 嫉妒的；猜疑的 |
| favour | ['feɪvə(r)] n. 帮忙；偏爱；赞同；恩惠 vt. 赞同；较喜 |
| | 欢，偏袒；有利于 |
| | 记 发音记忆："飞吻"→我很喜欢那个小孩子，于是 |
| | 给了她一个飞吻→较喜欢 |
| fickle* | ['fɪkl] adj. 易变的，无常的 |
| uphill | [ˌʌp'hɪl] adv. 向上，往上；上坡；艰难地 |
| defence* | [dɪ'fens] n. 防御，保护；辩护；答辩；[pl.] 防御力量 |
| | 记 来自defend (v. 防护；辩护) |
| | 搭 natural defence mechanisms 先天性防御机制； |
| | defence against 防御… |
| succeed | [sək'siːd] v. 成功；接着发生 |
| | 记 词根记忆：suc(下)+ceed(行走)→从下面走到上面 |
| | →成功 |
| | 搭 succeed in (doing) sth. 在…中取得成功 |
| gender* | ['dʒendə(r)] n. 性别；(语法中的)性 |
| | 记 联想记忆：温柔的(tender)性别(gender) |
| | 搭 gender equality 男女平等 |
| consecutive* | [kən'sekjətɪv] adj. 连续不断的，连贯的 |
| | 记 词根记忆：con(表加强)+secut(跟随)+ive(…的)→一 |
| | 个接一个的→连续不断的 |
| | 搭 consecutive days 连续几天 |
| | 同 successive (adj. 继承的；连续的) |
| diversion* | [daɪ'vɜːʃn] n. 转向，转移，转换；转移视线的事物； |
| | 娱乐，消遣 |
| | 记 词根记忆：di(离开)+vers(转)+ion→转移，转换 |
| | 搭 create a diversion 转移注意力 |
| donate* | [dəʊ'neɪt] vt. 捐赠，赠送 |
| | 记 词根记忆：don(给予)+ate(做)→给出去→捐赠 |
| | 搭 donate money and materials 捐赠钱和物资 |
| | 派 donation (n. 捐款，捐赠物); donator (n. 捐赠者) |
| | 同 contribute (v. 捐助，捐献); present (vt. 赠送) |

**volume\*** ['vɒljuːm] *n.* 卷，册；体积；音量

記 联想记忆：和volute (*adj.* 螺旋形的；涡形的)一起记

**refund** ['riːfʌnd] *n.* 退款 [rɪ'fʌnd] *vt.* 退还(钱款)，偿付

記 联想记忆：re(向后)+fund(资金)→给回资金→偿付；退款

搭 full refund 全额偿还；give sb. a refund 给某人退款

派 refundable (*adj.* 可偿还的)

**regardless\*** [rɪ'gɑːdləs] *adv.* 不顾后果地；无论如何

記 组合词：regard(关心)+less(少)→很少关心→不顾后果地

搭 regardless of 不管

**emboss** [ɪm'bɒs] *vt.* 使…凸出；压花(纹)

記 联想记忆：em(出)+boss(老板)→那位老板有凸出来的啤酒肚→使…凸出

**internationalist** [ˌɪntə'næʃnəlɪst] *n.* 国际主义者 *adj.* 国际主义者的

記 联想记忆：international(国际的)+ist(表人)→国际主义者

**scatter** ['skætə(r)] *v.* (使人或动物)散开，驱散；撒；撒播

記 联想记忆：s+cat(猫)+ter→老鼠一见到猫就四处逃散→散开

搭 scatter...over... 把…撒在…；scatter strength 分散精力

**appetite** ['æpɪtaɪt] *n.* 食欲，胃口；欲望

記 词根记忆：ap(表加强)+pet(寻求)+ite(表物)→一再追求→食欲

搭 appetite for... 对…的食欲；对…的兴趣

**prevail** [prɪ'veɪl] *vi.* 流行，盛行；占优势，战胜

搭 prevail on/upon 说服，劝说

**glossary\*** ['glɒsəri] *n.* 词汇表；术语表

**consolidation\*** [kənˌsɒlɪ'deɪʃn] *n.* 合并；巩固

記 词根记忆：con(共同)+solid(牢固的)+ation(表状态)→联合在一起使更加牢固→巩固

| | |
|---|---|
| **mansion** | ['mænʃn] *n.* 大厦；(豪华的)宅邸 |
| | 记 联想记忆：man(人)+sion→有钱人住的地方→宅邸 |
| **goodwill*** | [ˌɡʊd'wɪl] *n.* 友好，善意；信誉 |
| | 记 组合词：good(好的)+will(意愿)→善意 |
| **amass** | [ə'mæs] *vt.* 积聚 |
| | 记 联想记忆：a+mass(大量)→使大量东西汇聚到一起 →积聚 |
| **federal** | ['fedərəl] *adj.* 联邦的，联盟的 |
| | 记 联想记忆：FBI(联邦调查局)的F就是federal的缩写 |
| **consideration** | [kənˌsɪdə'reɪʃn] *n.* 考虑；思考；体谅 |
| | 搭 in consideration of 考虑到…；由于… |
| **grip** | [grɪp] *v.* 握紧，抓牢；吸引住…的注意力(或想象力等) *n.* 紧握，抓牢；掌握，控制 |
| | 搭 be in the grip of 在…的掌控下 |
| | 派 gripping (*adj.* 引人入胜的) |
| **galaxy** | ['ɡæləksi] *n.* [the G-] 银河；星系；群英 |
| **route*** | [ruːt] *n.* 路线；路程 |
| | 搭 shipping route 海运航线；air route 空运航线 |
| **deficiency** | [dɪ'fɪʃnsi] *n.* 缺乏，不足 |
| | 记 词根记忆：de(否定)+fic(做)+iency→做得不够→缺 乏，不足 |
| | 同 inadequacy (*n.* 不充分，不足) |
| **opposite*** | ['ɒpəzɪt] *prep.* 在…对面 *adj.* 对面的，对立的；相反 的，相对的 *n.* 对立面，对立物 |
| | 派 opposition (*n.* 反对) |
| **sensational*** | [sen'seɪʃənl] *adj.* 轰动性的，引起哗然的；耸人听闻 的；极好的；绝妙的 |
| | 搭 sensational discovery 轰动性的发现 |
| **participation*** | [pɑːˌtɪsɪ'peɪʃn] *n.* 分享；参与 |
| | 记 来自participate (*vi.* 参与) |
| **relief*** | [rɪ'liːf] *n.* (痛苦等)减轻，解除；援救，救济；宽慰； 缓合剂 |

记 联想记忆：坚定不移的信念(belief)是痛苦的缓和剂(relief)

搭 to one's relief 令人感到放心的是

**cultivation\*** [ˌkʌltɪ'veɪʃn] *n.* 耕种，耕作；培养，教育

**pretension\*** [prɪ'tenʃn] *n.* 声称，自命；自负，自命不凡

记 词根记忆：pre(前)+tens(伸展)+ion(表状态)→无限地向前伸展→自负

**harness\*** ['hɑːnɪs] *vt.* 控制，利用；上马具 *n.* 马具

记 联想记忆：har(看作hard，结实的)+ness→马具通常都很结实→马具

搭 harness a river 治理河流

**bent\*** [bent] *adj.* 被弄弯的，弯曲的 *n.* 爱好，天赋

搭 a bent nail 一颗弯曲的钉子；be bent on doing sth. 决意做某事

**stitch\*** [stɪtʃ] *vt.* 缝，缝合 *n.* 一针，针脚

记 联想记忆：stit(看作sit，坐)+ch→坐在那里做针线活→缝；针脚

**manual\*** ['mænjuəl] *n.* 手册，指南 *adj.* 手的，手工的，体力的；手动的

记 词根记忆：manu(手)+al(…的)→手工的

搭 manual workers 手工劳动者；manual labour 体力劳动

派 manually (*adv.* 用手地，手工地)

**mite\*** [maɪt] *n.* 极小量；小虫，螨虫

记 联想记忆：天上的风筝(kite)像小虫(mite)

**burglar** ['bɜːglə(r)] *n.* 窃贼

记 联想记忆：burg(看作bag，包)+lar→背着大包潜入室内→窃贼

派 burglary (*n.* 夜盗行为；夜盗罪)

**scheme** [skiːm] *n.* 计划，方案；体系，体制；阴谋 *v.* 计划，策划；密谋

记 联想记忆：根据图解(schema)来计划(scheme)行程

**addition\***　[ə'dɪʃn] *n.* 加，增加(物)

記 联想记忆：add(加)+ition→加，增加(物)

搭 in addition 另外；in addition to... 除…之外

**sensory\***　['sensəri] *adj.* 感觉的，感官的

記 词根记忆：sens(感觉)+ory→感觉的

搭 sensory organ 感觉器官

**materialistic\***　[mə,tɪəriə'lɪstɪk] *adj.* 唯物主义的；物质享乐主义的，贪图享乐的

記 来自material (*adj.* 物质的)

**detach**　[dɪ'tætʃ] *v.* 拆卸；分开，分离；分遣

記 词根记忆：de(离开)+tach(钉)→把钉上的分开→拆卸；分离

搭 detach from... 从…分离；拆下

同 disconnect (*vt.* 切断，使分离)；separate (*v.* 分开，分离)

反 attach (*v.* 系；附加)

**torrent**　['tɒrənt] *n.* 洪流；爆发；(话语等的)连发

記 词根记忆：torr(=torn，转动)+ent(表物)→水流转动不停地前进→洪流

**thirsty**　['θɜːsti] *adj.* 口渴的；饥渴的

**clarify**　['klærəfaɪ] *vt.* 澄清；阐明

記 词根记忆：clar(清楚的)+ify(使…)→使清楚→澄清

派 clarification (*n.* 澄清；阐明)

**inspect**　[ɪn'spekt] *vt.* 检查，检阅

記 词根记忆：in(向内)+spect(看)→向内看→检查

派 inspector (*n.* 检查员)；inspection (*n.* 检查，视察)

**seam**　[siːm] *n.* 缝，接缝；煤层

**agriculture**　['ægrɪkʌltʃə(r)] *n.* 农业；农学

記 词根记忆：agri(农业)+cult(耕种)+ure(名词后缀)→农业；农学

派 agricultural (*adj.* 农业的；农学的)

**microcosm\***　['maɪkrəʊkɒzəm] *n.* 微观世界；缩影

記 词根记忆：micro(微小)+cosm(世界)→微观世界

# Word List 16

音频

**proliferate** [prəˈlɪfəreɪt] v. 激增，迅速繁殖（或增殖）

记 词根记忆：prol(i)(子孙)+fer(带来)+ate→带来子孙后代→繁殖

**surgery** [ˈsɜːdʒəri] n. 外科学；外科手术；手术室，诊疗室

搭 heart bypass surgery 心脏搭桥手术

**catastrophe** [kəˈtæstrəfi] n. 大灾难

记 词根记忆：cat(a)(向下)+astro(星星)+phe→古人认为星星坠落预示大难临头→大灾难

派 catastrophic (adj. 悲惨的；灾难性的)

同 disaster (n. 灾难)

**overwork** [ˌəʊvəˈwɜːk] v. (使)过度劳累；对…使用过度；滥用(词等) n. 过重的工作；工作过度

**parental** [pəˈrentl] adj. 父的；母的；父母(般)的

**various\*** [ˈveəriəs] adj. 各种各样的；不同的；多方面的

**sediment** [ˈsedɪmənt] n. 沉淀物；沉积物(如沙、砾、石、泥等)

记 词根记忆：sed(坐)+i+ment(表具体物)→坐下去的东西→沉淀物

派 sedimentary (adj. 沉积的，沉积形成的)

**resit\*** [ˈriːsɪt] v./n. 重修，补考

搭 resit the exam 参加补考

**menace\*** [ˈmenəs] n. 威胁；危险的人(或物) vt. 威胁到，危及

记 联想记忆：men(人)+ace(看作race，赛跑)→和你赛跑的人对你构成了威胁→威胁

搭 a menace to sb./sth. 对…的威胁

同 threat (n. 威胁，恐吓); threaten (v. 威胁，恐吓)

**contain\*** [kənˈteɪn] vt. 包含，容纳，装有；控制，阻止，遏制

记 词根记忆：con(共同)+tain(拿住)→全部拿住→包含

搭 contain oneself 自制

派 container (n. 容器)

**fasten\*** ['fɑːsn] v. 扎牢，扣住

记 联想记忆：fast(牢固的)+en(使…)→扎牢

**establish\*** [ɪ'stæblɪʃ] vt. 建立；确立；安置，使定居

记 词根记忆：e(出)+st(站)+abl(能)+ish(使…)→使能够站立出来→建立；确立

搭 establish goals 树立目标；establish relations 建立联系

派 establishment (n. 建立；确立)

**position\*** [pə'zɪʃn] n. 位置，方位；职位，职务；姿势，姿态；见解，立场 vt. 安放，安置

搭 be in a position to do sth. 能够做…，有做…的机会；leave sth./sb. in the position of 使…处于…

**simulate** ['sɪmjuleɪt] vt. 模仿，模拟；假装，伪装；扮演

记 词根记忆：simul(一样)+ate(使…)→做得像真的一样→模仿

同 imitate (vt. 模仿，效仿)；ape (vt. 模仿)；affect (v. 假装)

**scratch\*** [skrætʃ] n. 划伤，抓痕 v. 抓，搔；划破，划损

搭 from scratch 从头做起，从零开始；up to scratch 达到应有的水平

**flexitime\*** ['fleksitaɪm] n. 弹性工作制

**assist\*** [ə'sɪst] v. 帮助，援助，协助

记 词根记忆：as(表加强)+sist(站立)→站起来帮助别人→帮助，协助

搭 assist with/in 帮助

派 assistance (n. 协助，帮助)；assistant (n. 助手，助教 adj. 助理的，辅助的)

**illegal\*** [ɪ'liːgl] adj. 不合法的，违法的

记 联想记忆：il(不，非)+legal(合法的)→不合法的

搭 illegal profit 非法利润；illegal drugs 毒品；illegal activity 非法活动

派 illegality (n. 非法，违法)；illegally (adv. 不合法地，违法地)

| | |
|---|---|
| **ultimately** | [ˈʌltɪmətli] *adv.* 最终地 |
| | 记 词根记忆：ultim(最后的)+ate+ly→最终地 |
| **sinew*** | [ˈsɪnjuː] *n.* 肌腱；力量的来源 |
| **artificial*** | [ˌɑːtɪˈfɪʃl] *adj.* 人工的，人造的；假的，矫揉造作的；模拟的 |
| | 记 词根记忆：arti(=art，技巧)+fic(做)+ial(…的)→利用技巧制作的→人造的 |
| | 搭 artificial colour 人工色素，合成色素；artificial intelligence 人工智能 |
| **veil*** | [veɪl] *n.* 面纱；遮蔽物 *vt.* 蒙着面纱；掩饰 |
| | 记 联想记忆：邪恶的(evil)人总是试图掩饰(veil)自己 |
| **tend*** | [tend] *v.* 倾向于，趋于；照料；招待 |
| **removal** | [rɪˈmuːvl] *n.* 除去；免职；搬迁 |
| **parallel** | [ˈpærəlel] *n.* 可相比拟的事物(或人)，相似处；纬线 *adj.* 平行的；类似的，相对应的；并行的 *vt.* 与…相似；比得上 |
| | 记 词根记忆：para(类似)+llel→类似的 |
| | 搭 parallel to 与…平行；parallel lines 平行线；parallel bars 双杠 |
| **compel*** | [kəmˈpel] *vt.* 强迫 |
| | 记 词根记忆：com(表加强)+pel(推)→强迫 |
| | 搭 compel sb. to do sth. 强迫某人做某事 |
| **immediately*** | [ɪˈmiːdiətli] *adv.* 立即，马上；紧接地；直接地 |
| **institute** | [ˈɪnstɪtjuːt] *n.* 研究所，学院 *vt.* 建立，设立 |
| | 记 词根记忆：in(使…)+stitut(建立)+e→建立，设立 |
| | 搭 financial institute 金融研究所 |
| **serial** | [ˈsɪəriəl] *n.* 连续剧 *adj.* 连续的；顺序排列的 |
| | 记 联想记忆：连续剧(serial)就是以某个主题为系列(series)的电视剧 |
| **oversee*** | [ˌəʊvəˈsiː] *vt.* 监督，监视 |
| | 记 组合词：over(在…之上)+see(看)→监督 |
| | 搭 oversee the project 监督这个项目 |

| | |
|---|---|
| **reinforce** | [ˌriːɪnˈfɔːs] *vt.* 加强；增援<br>记 联想记忆：re(又，再)+in(向内)+force(力量)→再次给予力量→加强 |
| **commitment** | [kəˈmɪtmənt] *n.* 委托；承诺，许诺；奉献，投入<br>记 词根记忆：com(共同)+mit(送)+ment(表行为)→一起送出→委托 |
| **donation** | [dəʊˈneɪʃn] *n.* 捐款；捐赠<br>记 词根记忆：don(给予)+ation(表行为)→免费给予→捐赠 |
| **curious\*** | [ˈkjʊəriəs] *adj.* 好奇的；奇怪的<br>搭 be curious about 对⋯好奇 |
| **overdraft\*** | [ˈəʊvədrɑːft] *n.* 透支；透支额 |
| **optical\*** | [ˈɒptɪkl] *adj.* 视力的；光学的<br>记 词根记忆：opt(视力)+ical(⋯的)→视力的<br>搭 optical aids 助视器<br>派 optic (*adj.* 眼睛的；视觉的) |
| **otherwise\*** | [ˈʌðəwaɪz] *adv.* 否则，不然；在其他方面 |
| **possession\*** | [pəˈzeʃn] *n.* 持有，拥有；所有权；所有物，财产，财富；领土<br>搭 in one's possession 被某人占有；in possession of sth. 占有某物 |
| **however\*** | [haʊˈevə(r)] *conj.* 不管用什么方法 *adv.* 无论如何，不管怎样；然而；不过；仍然 |
| **retail\*** | [ˈriːteɪl] *n.* 零售 *v.* 零售，以⋯价格销售<br>记 词根记忆：re(一再)+tail(=cut，剪)→一再剪碎了单卖→零售<br>搭 retail price 零售价；retail trade 零售业；retail shop 零售店<br>派 retailer (*n.* 零售商，零售店)；retailing (*n.* 零售业) |
| **cultural\*** | [ˈkʌltʃərəl] *adj.* 文化的，人文的 |
| **solution\*** | [səˈluːʃn] *n.* 解答，解决办法；溶解，溶液 |
| **morality\*** | [məˈræləti] *n.* 道德，美德<br>记 联想记忆：moral(道德的)+ity→道德，美德<br>搭 public morality 公共道德 |

**transaction\*** [træn'zækʃn] *n.* 办理；处理；交易，业务；[pl.] 会报，学报

记 词根记忆：trans(变换)+action(行动)→交换行动→交易

同 deal (*n.* 交易)；exchange (*n.* 交换；交易)

**twofold\*** ['tuːfəʊld] *adj.* 两倍的，双重的；有两部分的 *adv.* 两倍地，双重地

**embassy\*** ['embəsi] *n.* 大使馆；大使馆全体官员

搭 the American Embassy in Paris 美国驻巴黎大使馆

**remark\*** [rɪ'maːk] *v.* 评论，谈论；注意到，察觉 *n.* 评语，评论；注释

记 联想记忆：re(一再)+mark(做标记)→一再做标记→评论

搭 remark about/on 评论；make a remark on 对…发表评论

派 remarkable (*adj.* 显著的，非凡的)

**delay\*** [dɪ'leɪ] *n./v.* 耽搁，延迟，延期

记 联想记忆：de+lay(放下)→放下不管→耽搁

**congress\*** ['kɒŋgres] *n.* (代表)大会；(美国等国的)国会，议会

记 词根记忆：con(共同)+gress(行走)→走到一起去开会→大会

搭 the support of Congress 国会的支持；the People's Congress 人民代表大会

派 congressional (*adj.* 大会的；国会的)

**germ** [dʒɜːm] *n.* 微生物，细菌；起源，萌芽

记 本身是词根，意为"芽"→微生物；细菌

**fashion\*** ['fæʃn] *n.* 方式；流行款式；时装

记 联想记忆：f+ash(灰)+ion→我灰头土脸的，和商场里的时装格格不入→时装；流行款式

派 fashionable (*adj.* 时髦的)

**splash** [splæʃ] *v.* 溅；泼

同 splatter (*v.* 飞溅)；sprinkle (*v.* 喷洒)

**beforehand** [bɪ'fɔːhænd] *adv.* 预先，事先

记 组合词：before(在…以前)+hand(手)→抢在…之前下手→预先，事先

反 afterward (*adv.* 然后，后来)

**filter\*** ['fɪltə(r)] *n.* 过滤器 *v.* 过滤；(消息等)走漏

记 发音记忆："非要它"→香烟的滤嘴是非要不可的→过滤器

搭 filter tip (香烟的)滤嘴；filter sth. out 把…滤出

**aspect\*** ['æspekt] *n.* 方面；(建筑物的)朝向；外表，外观

记 词根记忆：a(表加强)+spect(看)→看上去的样子→外表

搭 in all aspects 全面；aspect of …方面

**objection** [əb'dʒekʃn] *n.* 反对；反对的理由

**tunnel\*** ['tʌnl] *n.* 隧道；地道 *v.* 挖地道，开隧道

记 联想记忆：海峡(channel)像条长长的地道(tunnel)

**contrast** ['kɒntrɑːst] *n.* 对比；对照 [kən'trɑːst] *v.* 对比；对照；形成对比

记 词根记忆：contra(相反)+st(站)→反着站→对比

搭 by contrast 对比之下，(与…)相对照；in contrast with/to 与…形成对比

**effect\*** [ɪ'fekt] *n.* 作用，影响；结果；效果 *vt.* 使产生，招致；实现

记 词根记忆：ef(=e，表加强)+fect(做)→反复做→效果

搭 carry/bring into effect 使生效，实施；in effect 有效，实际上；take effect 生效，起作用；side effects 副作用

派 effective (*adj.* 有效的)；effectively (*adv.* 有效地)；effectiveness (*n.* 有效性)；ineffective (*adj.* 无效的)

**distance** ['dɪstəns] *n.* 距离；远方；一长段时间

记 来自distant (*adj.* 遥远的)

**stem\*** [stem] *n.* 茎；(树)干；词干 *vt.* 止住，堵住，阻止

搭 stem from 源于

**normal\*** ['nɔːml] *adj.* 正常的，平常的；标准的，规范的

記 联想记忆：norm(标准，规范)+al→标准的，规范的

搭 normal education 师范教育；正规教育

派 normally (*adv.* 正常地，通常地)

**sincere** [sɪn'sɪə(r)] *adj.* 真挚的，真诚的，诚恳的

記 联想记忆：sin(罪)+cere→把罪过——坦白，态度真诚→真诚的

**summarise** ['sʌməraɪz] *v.* 总结，概括

記 来自summary (*n.* 总结，概括)

**foetus\*** ['fiːtəs] *n.* 胎儿；胚胎

搭 foetus education 胎教

**merge** [mɜːdʒ] *v.* (使)结合

記 词根记忆：merg(沉)+e→沉下→融为一体→结合

**aware\*** [ə'weə(r)] *adj.* 知道的；意识到的

搭 be aware of 意识到…

派 unaware (*adj.* 不知道的，未意识到的)；awareness (*n.* 知道；意识)

**label\*** ['leɪbl] *vt.* 贴标签于 *n.* 标签，标记；称号；绰号

記 联想记忆：lab(实验室)+el→实验室里的试剂瓶上贴有标签→标签

搭 label as 把…称为

**guarantee\*** [ˌɡærən'tiː] *v.* 保证；允诺 *n.* 保证；担保物

記 联想记忆：guar(看作guard，保卫)+ant(蚂蚁)+ee→蚁后允诺要开展一场保卫战→允诺；保证

搭 guarantee to 保证…；guarantee sb. sth. 保证某人某事

**interrelationship** [ˌɪntərɪ'leɪʃnʃɪp] *n.* 相互关联，相互影响

**stationery** ['steɪʃənri] *n.* 文具

**limestone\*** ['laɪmstəʊn] *n.* 石灰石，石灰岩

記 组合词：lime(石灰)+stone(石头)→石灰石，石灰岩

音频

# *Word List 17*

**impulse**　['ɪmpʌls] *n.* 冲动，突如其来的念头；刺激，驱使
记 词根记忆：im(使…)+puls(推)+e→冲动
搭 on (the) impulse (of...) 凭(…的)冲动；impulse buying 即兴购买
同 desire (*n.* 愿望，欲望)；urge (*n.* 强烈的欲望，迫切的要求)

**wax**　[wæks] *n.* 蜡；蜂蜡 *v.* 给…上蜡，给…打蜡；(月亮)渐圆，渐满
搭 candle wax 蜡烛

**incapacitate\***　[ˌɪnkəˈpæsɪteɪt] *vt.* 使无能力；使伤残；使不适合；使无资格
记 联想记忆：in(无)+capacit(y)(能力)+ate(使…)→使无能力

**appear\***　[əˈpɪə(r)] *v.* 出现，显露，公开露面；出场，问世；仿佛，似乎
搭 appear to do sth. 似乎要…

**check\***　[tʃek] *v.* 检查，核对；阻止，制止 *n.* 检查，核对；制止，抑制；方格，格子
派 checker (*n.* 检验员，审查员)；check-in (*n.* 登记；登记处)；check-out (*n.* 办理退房)；check-up (*n.* 身体检查)；checklist (*n.* 清单)

**collect\***　[kəˈlekt] *v.* 收集，搜集；领取，接走；收(税等)；聚集；积累
记 词根记忆：col(共同)+lect(收集)→收集，搜集
派 collective (*adj.* 共同的；集体的)；collection (*n.* 收藏品)

**attract\***　[əˈtrækt] *vt.* 吸引，招引，引诱，引起(注意等)
记 词根记忆：at(表加强)+tract(拉)→不断拉→吸引，招引

搭 attract one's attention 引起某人的注意；attract people's interest 引起人们的兴趣

派 attraction (n. 吸引；诱惑)

**describe\*** [dɪ'skraɪb] vt. 描述，描写，形容

记 词根记忆：de(表加强)+scrib(写)+e→着重写→描述

派 description (n. 描述；类型)

**chunk** [tʃʌŋk] n. 大块；相当大的部分(或数量)

记 发音记忆："常客"→饭馆的常客占客人总数的很大一部分→相当大的部分

**agency\*** ['eɪdʒənsi] n. 机构；代理，代办

记 词根记忆：ag(代理)+ency(表性质)→代理

派 agent (n. 代理人；代理商)

**blend\*** [blend] v. (使)混合，(使)混杂 n. 混合物；混合，交融

搭 blend in 融入；blend with 与…混合

**conceive** [kən'siːv] v. (构)想出，构想，设想；怀孕

记 词根记忆：con(共同)+ceive(抓)→大家一起抓(思想)→想出

搭 conceive of 设想

同 think (v. 想，认为)；imagine (v. 想象，设想)

**affect\*** [ə'fekt] vt. 影响；感染

记 词根记忆：af(表加强)+fect(做)→使人做→影响

**frustrate** [frʌ'streɪt] vt. 使沮丧；挫败

**extend\*** [ɪk'stend] v. 延长；扩大；延伸，伸展；提供，给予

记 词根记忆：ex(出)+tend(伸展)→伸展出去→延长

**introduce\*** [ˌɪntrə'djuːs] vt. 介绍；传入，引进；提出

搭 introduce a course 介绍一门课程

派 introduction (n. 介绍；引进；推行)

**advice\*** [əd'vaɪs] n. 劝告，忠告；建议，(医生等的)意见

搭 write to sb. for advice 写信给某人征求建议；expert advice 专家意见

**attitude\*** ['ætɪtjuːd] n. 态度，看法；姿势

搭 attitude to/towards 对…的态度

**deliver***    [dɪ'lɪvə(r)] v. 交付，递送；发表，表达；释放；接生

记 联想记忆：de(使…)+liver(看作liber，自由)→使自由→释放

搭 deliver a speech 发表演讲；deliver a judgement 作出判决

派 delivery (n. 投递，送交)

**course***    [kɔːs] n. 过程，进程；路线，方针；跑道；课程；一道菜 v. 追猎；运行；流动

搭 in the course of 在…过程中，在…期间

**match***    [mætʃ] n. 火柴；比赛，竞赛；对手，敌手 v. 匹配，相称

搭 football match 足球赛；man of the match (比赛中的)本场最佳球员；home match 主场比赛；away match 客场比赛；match against/with 与…比赛

派 matchless (adj. 无比的，无敌的)

**employ***    [ɪm'plɔɪ] n./vt. 雇用；用，使用

派 employee (n. 职员，雇员)；employer (n. 雇主)；employment (n. 雇用)；employable (adj. 可利用的)

**pedal**    ['pedl] v. 骑车；踩踏板 n. 踏板

记 词根记忆：ped(脚)+al(表物)→脚踏的东西→踏板

**resident**    ['rezɪdənt] n. 居民，住户 adj. 常驻的，居住的

派 residence (n. 住处；居住)

**optometrist**    [ɒp'tɒmətrɪst] n. 验光师，视力测定者

记 词根记忆：opto(=opt，视力)+metr(=meter，测量)+ist(表人)→验光师

**degrade**    [dɪ'greɪd] v. (使)降级；(使)堕落；(使)降解；(使)退化

记 联想记忆：de(向下)+grade(级别)→降低级别→(使)降级

派 degradation (n. 退化，恶化)

同 demote (vt. 使降级，使降职)；decompose (v. 分解)；abase (vt. 降低)

**particle**    ['pɑːtɪkl] n. 极少量；微粒

记 联想记忆：part(部分)+icle(看作article，物品)→物品的一部分→极少量

124

| | |
|---|---|
| **transport** | ['trænspɔːt] *n.* 运输，运送；交通运输系统，运载工具 |
| | [træn'spɔːt] *vt.* 运输，运送，搬运 |
| | 记 词根记忆：trans(转移)+port(运)→从一地搬到一地→运输，运送 |
| | 搭 on/by public transport 乘坐公共交通工具；transport costs 运费；free transport 免费交通 |
| | 派 transportation (*n.* 运输；客运) |
| **prepare\*** | [prɪ'peə(r)] *v.* 准备，预备 |
| | 记 词根记忆：pre(预先)+par(准备)+e→准备，预备 |
| | 搭 be prepared for 为⋯做准备，准备好 |
| **registration\*** | [ˌredʒɪ'streɪʃn] *n.* 登记，注册；(邮件等的)挂号；登记或注册的项目 |
| **gorge\*** | [gɔːdʒ] *v.* 狼吞虎咽，贪婪地吃 *n.* 山峡，峡谷 |
| **chaos\*** | ['keɪɒs] *n.* 混乱 |
| | 记 发音记忆：chao(拼音"吵")+s(音似：死)→吵死啦!→混乱 |
| | 搭 molecular chaos 分子混沌，分子混沌态 |
| | 派 chaotic (*adj.* 混乱的，无秩序的) |
| **recreational\*** | [ˌrekri'eɪʃənl] *adj.* 消遣的，娱乐的；游戏的 |
| **systematic\*** | [ˌsɪstə'mætɪk] *adj.* 系统的，体系的 |
| | 记 来自system (*n.* 系统) |
| **subtropical\*** | [ˌsʌb'trɒpɪkl] *adj.* 亚热带的 |
| | 搭 subtropical climate 亚热带气候 |
| **detract\*** | [dɪ'trækt] *v.* 去掉，减损 |
| | 记 词根记忆：de(向下)+tract(拉)→去掉，减损 |
| **seal\*** | [siːl] *vt.* 封，密封 *n.* 封铅，封条；印，图章；海豹 |
| | 记 联想记忆：sea(海洋)+l(看作love，爱)→海水也不会冲走爱的印迹→印，图章 |
| **depress\*** | [dɪ'pres] *vt.* 使沮丧；使不景气；降低，减少 |
| | 记 联想记忆：de(向下)+press(挤压)→情绪向下挤压→使沮丧 |
| | 派 depression (*n.* 消沉；萧条) |

| | |
|---|---|
| **scarce** | [skeəs] *adj.* 缺乏的，不足的；稀少的，罕见的 |
| | 记 联想记忆：scar(伤疤)+ce→有伤疤→美中不足→不足的 |
| | 搭 scarce metals 稀有金属 |
| **evidence\*** | ['evɪdəns] *n.* 根据，证据；形迹，迹象 |
| | 记 词根记忆：e+vid(看)+ence→所看见的人或物→根据，证据 |
| | 搭 a piece of evidence 一项证据；in evidence 明显地 |
| **besides\*** | [bɪ'saɪdz] *prep.* 除…之外 *adv.* 而且 |
| **waterproof** | ['wɔːtəpruːf] *adj.* 不透水的；防水的 *n.* [常pl.]防水衣物，雨衣 |
| | 记 组合词：water(水)+proof(防…的)→防水的 |
| | 搭 waterproof fabric 防水布，防雨布 |
| **exclusive** | [ɪk'skluːsɪv] *adj.* 独有的；专用的；排他的；不包括…的；高档的，豪华的 *n.* 独家新闻 |
| **majority\*** | [mə'dʒɒrəti] *n.* 多数，大多数 |
| **despite\*** | [dɪ'spaɪt] *prep.* 不管，尽管 |
| | 搭 despite oneself 尽管(自己)不愿意，不由自主地 |
| **dissolve** | [dɪ'zɒlv] *v.* 溶解；解散，解除；结束 |
| | 记 联想记忆：dis(分开)+solve(解决)→分开解决→溶解；解散，解除 |
| | 搭 dissolve in 溶解于… |
| **release\*** | [rɪ'liːs] *vt.* 释放，解放；发表，发行 *n.* 释放；发表，发布；排放，泄露 |
| | 搭 release news 发布新闻 |
| **deploy\*** | [dɪ'plɔɪ] *vt.* 部署；使用，运用 |
| | 记 联想记忆：de(表加强)+ploy(策略)→运用策略→使用，运用 |
| **original\*** | [ə'rɪdʒɪnl] *adj.* 最初的，原始的；新颖的，有独创性的 *n.* 原物，原作 |
| | 搭 original handwriting 真迹；an original viewpoint 一个全新观点 |

**branch***　[brɑːntʃ] *n.* 树枝；分部，分科 *v.* 分岔

🔍 main branch 主枝，主分支；local branch 本地分店

**chancellor***　['tʃɑːnsələ(r)] *n.* 大臣；总理；首席法官；大学校长

📝 联想记忆：chance(运气)+llor→实力强，运气好，当上了校长→校长

**vertical**　['vɜːtɪkl] *adj.* 垂直的；竖式的 *n.* 垂直线

🔍 vertical line 垂直线

**herbivore***　['hɜːbɪvɔː(r)] *n.* 食草动物

📝 词根记忆：herb(草)+i+vor(吃)+e→食草动物

**flat***　[flæt] *adj.* 平的；(价格)固定的 *n.* 单元住宅

📝 联想记忆：菜不放盐(salt)味道平平(flat)

**occasionally**　[əˈkeɪʒnəli] *adv.* 有时候，偶尔

**accommodation**　[əˌkɒməˈdeɪʃn] *n.* 住处，膳宿；适应，调节

📝 联想记忆：ac+commod(看作common，普通的)+ation(表状态)→再普通的人都需要住处→住处，膳宿

🔍 student accommodation 学生宿舍；accommodation facilities 住宿设施

**static**　['stætɪk] *n.* 静电；[-s] 静力学 *adj.* 静止的，静态的；停滞的

📝 词根记忆：stat(站)+ic(…的)→站着不动的→静止的

🔍 static electricity 静电；静位觉

**section***　['sekʃn] *n.* 部分；部门；截面

📝 词根记忆：sect(切)+ion→从整体切割出来的→部分；部门

**scale**　[skeɪl] *n.* 规模，大小；[pl.] 天平，磅秤；刻度，标度；(鱼等的)鳞；(音乐)音阶；等级，级别；比例(尺) *vt.* 攀登，爬越；改变…的大小

🔍 on a large scale 大规模地；in scale 成比例，相称；out of scale 不成比例，不相称；scale down 缩小，减少

**constantly**　['kɒnstəntli] *adv.* 经常；不断地

**ailment***　['eɪlmənt] *n.* (不严重的)疾病

📝 联想记忆：a(一个)+il(看作ill，生病的)+ment(表结果)→疾病

| adhere* | [ədˈhɪə(r)] *vi.* 黏附；遵守；坚持 |
| | 记 词根记忆：ad(表加强)+her(黏附)+e→黏附；遵守 |
| | 搭 adhere to 坚持；黏附；遵守 |
| extracurricular | [ˌekstrəkəˈrɪkjələ(r)] *adj.* 课外的 |
| | 记 组合词：extra(额外的)+curricular(课程的)→课外的 |
| propel | [prəˈpel] *vt.* 推进，推动；驱使 |
| | 记 词根记忆：pro(向前)+pel(推)→推进 |
| | 同 stimulate (*vt.* 刺激，激励)；impel (*vt.* 驱使；推进) |
| posture | [ˈpɒstʃə(r)] *n.* 姿势；心情；态度 |
| | 记 词根记忆：post(放)+ure(表名词)→摆放的动作→姿势 |
| | 搭 a comfortable posture 舒适的姿势 |
| overseas* | [ˌəʊvəˈsiːz] *adj.* 外国的，海外的 *adv.* 在海外，向海外 |
| | 记 组合词：over(越过)+seas(海)→漂洋过海→海外(的) |
| industrialise* | [ɪnˈdʌstriəlaɪz] *v.* (使)工业化 |
| | 派 industrialisation (*n.* 工业化，产业化) |
| empire* | [ˈempaɪə(r)] *n.* 帝国 |
| | 记 联想记忆：一个帝国(empire)需要一个贤明的君主(emperor) |
| mechanic | [məˈkænɪk] *n.* 机修工；[-s] 力学，机械学 |
| | 记 词根记忆：mech(机器)+an+ic(表人)→机修工 |
| fracture | [ˈfræktʃə(r)] *n.* 断裂，折断；骨折 *v.* (使)断裂；(使)分裂 |
| | 记 词根记忆：fract(打碎)+ure(表状态)→断裂 |
| | 搭 compound fracture 开放性骨折 |
| | 同 crack〔*v.* (使)破裂；(使)发出爆裂声 *n.* 裂缝；爆裂声〕；split〔*v.* (使)分裂，分离 *n.* 裂口〕 |

# Word List 18

音 频

| | |
|---|---|
| **plummet** | ['plʌmɪt] *vi.* (价值或数量)骤然跌落，暴跌<br>记 联想记忆：李子(plum)熟了会垂直落下(plummet) |
| **glacial\*** | ['gleɪʃl] *adj.* 冰期的；冰川的；寒冷的，冰冷的；冷若冰霜的<br>记 词根记忆：glaci(冰)+al(…的)→冰期的<br>搭 the glacial period 冰期 |
| **dock** | [dɒk] *v.* (使)停靠码头 *n.* 码头 |
| **argument\*** | ['ɑːgjumənt] *n.* 争吵，争论，辩论；观点，论据 |
| **chase\*** | [tʃeɪs] *v.* 追捕；追求；催促；雕刻<br>记 联想记忆：谁动了我的奶酪(cheese)，我就去追赶(chase)谁<br>搭 chase after 追赶，追逐；追求 |
| **brochure\*** | ['brəʊʃə(r)] *n.* 小册子；资料(或广告)手册<br>记 发音记忆："不用求"→有了说明书小册子，就不用求别人了→小册子 |
| **convince\*** | [kən'vɪns] *vt.* 使确信；说服<br>记 词根记忆：con(表加强)+vinc(征服)+e→彻底征服对方→说服<br>搭 convince sb. to do sth. 说服某人做某事；be convinced of 确信，承认<br>派 unconvinced (*adj.* 不信服的；不确定的) |
| **teem\*** | [tiːm] *vi.* 充满，遍布；倾泻<br>记 联想记忆：和team (*n.* 群，队)一起 |
| **confront\*** | [kən'frʌnt] *vt.* 遭遇；面对，正视<br>记 词根记忆：con(共同)+front(前额)→面对面→遭遇；面对<br>搭 confront with 遭遇，面对；be confronted with 面临 |
| **exhibition** | [ˌeksɪ'bɪʃn] *n.* 展览(会)；陈列，展览<br>搭 education exhibition 教育展 |

| **whereas** | [ˌweər'æz] *conj.* 然而，但是 |
|---|---|
| **additional*** | [ə'dɪʃənl] *adj.* 附加的；追加的 |
| | 搭 additional charges 附加费用；additional outlay 额外开支；additional cost 额外费用，新增成本 |
| **overlapping*** | [ˌəʊvə'læpɪŋ] *adj.* 重叠的；共通的 |
| **poultry*** | ['pəʊltri] *n.* 家禽；禽肉 |
| | 记 词根记忆：poult(幼禽)+ry(表集合名词)→家禽 |
| **pregnancy*** | ['pregnənsi] *n.* 怀孕；怀孕期 |
| | 记 来自pregnant (*adj.* 怀孕的) |
| **confirmation*** | [ˌkɒnfə'meɪʃn] *n.* 证实，确认；批准 |
| **unquote*** | [ˌʌn'kwəʊt] *v.* 结束引语 |
| **embezzlement** | [ɪm'bezlmənt] *n.* 贪污，盗用 |
| | 记 联想记忆：em+bezzle(看作bezant，金银币)+ment→将金银币据为己有→贪污，盗用 |
| **acrobatic*** | [ˌækrə'bætɪk] *adj.* 杂技的；杂技般的；杂技演员的 |
| **numerous** | ['njuːmərəs] *adj.* 众多的 |
| | 记 词根记忆：numer(数)+ous(…的)→数目众多的→众多的 |
| **balcony** | ['bælkəni] *n.* 阳台；楼座 |
| | 记 发音记忆："白给你"→阳台上的东西都"白给你"→阳台 |
| **postgraduate** | [ˌpəʊst'grædʒuət] *n.* 研究生 |
| | 搭 postgraduate student 研究生 |
| **well-being** | ['wel biːɪŋ] *n.* 健康；幸福；安宁；康乐 |
| | 记 组合词：well(好，健康)+being(存在)→安宁；康乐 |
| **prime*** | [praɪm] *adj.* 首要的，主要的；最好的 |
| | 记 词根记忆：prim(第一)+e→首要的；最好的 |
| **settle*** | ['setl] *v.* 定居，安家；解决，调停；安排，安放；支付，结算；安置于；(鸟等)飞落，停留，栖息 |
| | 记 联想记忆：set(放置)+tle→放置在一个地方就好像定居了下来→定居，安家 |
| | 搭 settle down 定居，过安定的生活 |
| | 派 settler (*n.* 移民，殖民者)；settlement (*n.* 解决；协议；定居点) |

130

| | |
|---|---|
| **fallow\*** | ['fæləʊ] adj. (土地)休耕的；休闲的 |
| | 记 联想记忆：几个伙伴(fellow)一起在休耕的(fallow)田地上玩耍 |
| **troupe\*** | [truːp] n. (演出的)班子，团，队；(尤指)马戏团，芭蕾舞团 |
| | 记 联想记忆：部队(troop)里的一群(group)人组建了一个剧团(troupe) |
| **premise\*** | ['premɪs] n. 前提，假设；[pl.] (企业、机构等使用的)房屋和地基，经营场址 |
| | 记 词根记忆：pre(前)+mis(放)+e→放在前面的东西→前提 |
| | 搭 the major premise 主要前提 |
| | 同 hypothesis (n. 假设) |
| **discerning\*** | [dɪ'sɜːnɪŋ] adj. 有识别力的，眼光敏锐的 |
| | 记 词根记忆：dis(分离)+cern(区别)+ing→能分清楚的→有识别力的 |
| **niggle\*** | ['nɪgl] v. 拘泥小节；挑剔，吹毛求疵；为小事操心；不断地烦扰 |
| **prospectus\*** | [prə'spektəs] n. 内容说明书；简章，简介 |
| **liaise\*** | [li'eɪz] vi. 做联络人；联络，联系 |
| **excavation\*** | [ˌekskə'veɪʃn] n. 挖掘，发掘；出土文物 |
| **continental\*** | [ˌkɒntɪ'nentl] adj. 欧洲大陆的；大陆的 n. 欧洲大陆人 |
| **modernism\*** | ['mɒdənɪzəm] n. 现代主义 |
| | 派 modernist (n. 现代主义者，现代人) |
| **artery** | ['ɑːtəri] n. 动脉；干线，要道 |
| | 记 联想记忆：和vein (n. 静脉)一起记 |
| **premium\*** | ['priːmiəm] adj. 高级的，优质的；售价高的 n. (投保人向保险公司支付的)保险费；额外费用，加付款；奖品，赠品；额外津贴 |
| | 记 词根记忆：pre(前)+m(=em，拿取)+ium(表名词)→提前拿取的东西→保险费 |
| | 搭 at a premium 稀少 |

| | |
|---|---|
| **glamour** | ['glæmə(r)] *n.* 魅力；诱惑力 |
| | 记 联想记忆：g+lamour(看作labour，劳动)→劳动人民最有魅力→魅力 |
| **barbecue*** | ['bɑːbɪkjuː] *n.* 金属烤肉架；烧烤野餐 |
| **material*** | [mə'tɪəriəl] *n.* 材料；原料；素材 *adj.* 物质的；重要的 |
| **adapt*** | [ə'dæpt] *v.* 使适合；改编；适应 |
| | 记 词根记忆：ad(表加强)+apt(适应)→使适合；适应 |
| | 搭 adapt to 适应…；adapt from 根据…改编 |
| | 派 adaptable (*adj.* 能适应的；可修改的) |
| **gullibly*** | ['gʌləbli] *adv.* 轻信地，易受欺骗地 |
| | 记 来自gullible (*adj.* 易受骗的) |
| **sift*** | [sɪft] *v.* 细查；筛；过滤；精选，挑选 |
| | 记 联想记忆：坐(sit)下来慢慢筛(sift)面粉 |
| **succession** | [sək'seʃn] *n.* 连续；接替，继承 |
| | 记 词根记忆：suc(下)+cess(行走)+ion→在下面行走→连续 |
| **spark** | [spɑːk] *n.* 火花 |
| | 记 联想记忆：s+park(公园)→公园里燃起火花→火花 |
| **sympathy** | ['sɪmpəθi] *n.* 同情；赞同，支持 |
| | 记 词根记忆：sym(共同)+pathy(感情)→共同的感情→同情 |
| **chill*** | [tʃɪl] *v.* (使)变冷；冷藏 *n.* 寒意；寒战；寒心 *adj.* 寒冷的；扫兴的 |
| | 记 联想记忆：c+hill(小山)→山上→高处不胜寒→寒冷 |
| **multinational** | [ˌmʌlti'næʃnəl] *adj.* 多国的，多民族的；跨国的，涉及多国的 *n.* 跨国公司 |
| **exposure*** | [ɪk'spəʊʒə(r)] *n.* 暴露；显露；接触；曝光 |
| | 记 词根记忆：ex(出)+pos(放)+ure→放出来→暴露 |
| **fierce*** | [fɪəs] *adj.* 凶猛的；强烈的 |
| | 记 发音记忆："飞蛾死"→凶猛的飞蛾扑火而死→凶猛的 |
| | 搭 fierce loyalty 极度的忠诚 |

| | |
|---|---|
| **crime*** | [kraɪm] *n.* 罪行；犯罪 |
| | 记 词根记忆：crim(罪行)+e→罪行；犯罪 |
| | 搭 campus crime 校园犯罪；crime rate 犯罪率；commit a crime 犯罪 |
| **constitute** | ['kɒnstɪtjuːt] *v.* 组成；构成；设立，成立 |
| | 记 词根记忆：con(共同)+stitut(建立)+e→一起建立→设立 |
| **deceive** | [dɪ'siːv] *v.* 欺骗，蒙骗 |
| | 记 词根记忆：de(非)+ceive(拿)→不拿来→欺骗，蒙骗 |
| | 例 deceive oneself 欺骗自己；deceive sb. into doing sth. 骗某人做某事 |
| | 派 deceptive (*adj.* 迷惑的；虚伪的) |
| **haul** | [hɔːl] *vt.* 用力拖；搬运 |
| | 记 联想记忆：他们忙着往礼堂(hall)里搬(haul)东西 |
| **emission*** | [ɪ'mɪʃn] *n.* (光、热等的)散发；散发物；排放物 |
| | 记 词根记忆：e(出)+miss(送)+ion→送出→(光、热等的)散发 |
| | 搭 greenhouse gas emission 温室气体排放；zero-emission car 零排放车辆 |
| **procession** | [prə'seʃn] *n.* 队伍，行列 |
| | 记 联想记忆：队伍(procession)在行军过程(process)中遭遇暴风雪 |
| **bistro*** | ['biːstrəʊ] *n.* 小酒馆；小餐馆 |
| **crash** | [kræʃ] *v.* 碰撞；冲，闯；倒下，坠落；发出撞击(或爆裂)声；垮台，破产 *n.* 碰撞；坠落，坠毁；破裂声，撞击声 *adj.* 速成的，应急的 |
| | 记 联想记忆：卡车撞上(crash)路边的一堆垃圾(trash) |
| | 搭 crash into 闯入；碰撞 |
| **workforce** | ['wɜːkfɔːs] *n.* 受雇的或现有的工作人员总数；劳动人口，劳动力 |
| | 记 组合词：work(工作)+force(队伍)→劳动人口 |
| **surpass*** | [sə'pɑːs] *v.* 超过，超越，优于，胜过 |
| | 记 联想记忆：sur+pass(通过)→在上面通过→超过 |
| | 同 exceed (*vt.* 超越，胜过) |

133

| | |
|---|---|
| **sociology*** | [ˌsəʊsiˈɒlədʒi] *n.* 社会学 |
| | 🔁 词根记忆：soci(社会)+ology(…学)→社会学 |
| **violent*** | [ˈvaɪələnt] *adj.* 暴力的；带有强烈感情的；猛烈的 |
| **frock*** | [frɒk] *n.* 连衣裙 |
| **epidemic*** | [ˌepɪˈdemɪk] *adj.* 流行性的 *n.* 流行病 |
| | 🔁 词根记忆：epi(在…中间)+dem(人民)+ic(…的)→在人民之中的→流行性的 |
| | 🔁 contagious (*adj.* 传染性的，会感染的)；prevalent (*adj.* 流行的) |
| **grab** | [græb] *v.* 抓住，抓取；(匆忙地)取，拿，吃，喝 |
| | 🔁 联想记忆：螃蟹(crab)用钳子抓(grab)人 |
| | 🔁 grab at/for sth. 抓住/夺得某物；up for grabs 可供争夺的 |
| **appliance** | [əˈplaɪəns] *n.* (家用)电器，用具，器具 |
| | 🔁 联想记忆：appli(看作apply，运用)+ance→可用的东西→用具，器具 |
| | 🔁 household appliances 家用器具 |
| **facility** | [fəˈsɪləti] *n.* [pl.] 设备，设施；便利条件 |
| | 🔁 词根记忆：fac(做)+ility→辅助人们做事的东西→设备，设施 |
| | 🔁 communication facilities 通信设施 |
| **consolation*** | [ˌkɒnsəˈleɪʃn] *n.* 安慰；慰问 |
| | 🔁 词根记忆：con(表加强)+sol(太阳)+ation(表行为)→带来阳光→安慰；慰问 |
| | 🔁 consolation prize 安慰奖 |

# Word List 19

音频

| | |
|---|---|
| **unravel** | [ʌnˈrævl] v. 解开；解释，阐明 |
| | 记 联想记忆：un(解开)+ravel(纠缠)→解开纠缠→弄清楚→阐明 |
| **texture** | [ˈtekstʃə(r)] n. 质地，纹理；口感 |
| | 记 词根记忆：text(编织)+ure→质地，纹理 |
| **assumption** | [əˈsʌmpʃn] n. 假定，假设；担任，承担 |
| **dissatisfied\*** | [dɪsˈsætɪsfaɪd] adj. 不满意的，不满足的 |
| **simultaneous** | [ˌsɪmlˈteɪniəs] adj. 同时的，同时发生的，同时存在的；同步的 |
| | 记 词根记忆：simult(一样)+aneous(有…特征的)→(时间)相同的→同时发生的 |
| | 同 coinstantaneous (adj. 同时发生的，同时的) |
| **sundial** | [ˈsʌndaɪəl] n. 日晷 |
| **toxic** | [ˈtɒksɪk] adj. 有毒的；引起中毒的 |
| | 派 toxicity (n. 毒性) |
| | 同 poisonous (adj. 有毒的)；noxious (adj. 有害的，有毒的) |
| **utilise\*** | [ˈjuːtəlaɪz] vt. 利用，运用 |
| | 记 词根记忆：util(用)+ise(使…)→利用 |
| | 派 utilisation (n. 利用) |
| **conformity\*** | [kənˈfɔːməti] n. 符合，一致性 |
| **overrate\*** | [ˌəʊvəˈreɪt] vt. 对…评价过高，高估 |
| | 记 组合词：over(超越)+rate(估价)→对…评价过高 |
| **dormant** | [ˈdɔːmənt] adj. 休眠的；静止的；隐匿的 |
| | 搭 dormant volcano 休眠火山；lie dormant 潜伏着 |
| **displace** | [dɪsˈpleɪs] vt. 取代；迫使(人们)离开家园；撤职，使失业 |
| | 记 联想记忆：dis(离开)+place(位置)→使从位置上离开→取代 |

| | |
|---|---|
| **embrace** | [ɪmˈbreɪs] *v./n.* 拥抱；包括；欣然接受 |
| | 🔖 词根记忆：em(包围)+brace(臂)→被胳膊包围→拥抱 |
| **engrave*** | [ɪnˈɡreɪv] *vt.* (在…上)雕刻；使铭记 |
| | 🔖 联想记忆：en+grave(坟墓)→进入坟墓也要记着，真是刻骨铭心→(使)铭记 |
| | 🔖 be engraved with one's name 刻着某人的名字 |
| **disrespectful** | [ˌdɪsrɪˈspektfl] *adj.* 失礼的，无礼的 |
| **invade*** | [ɪnˈveɪd] *v.* 侵犯，侵入，侵略，侵袭 |
| | 🔖 词根记忆：in(进入)+vad(走)+e→未经允许走进来→侵犯，侵入 |
| | 🔖 invader (*n.* 侵略者)；invasion (*n.* 入侵，侵略) |
| **arcade*** | [ɑːˈkeɪd] *n.* 拱廊，有拱廊的街道；游戏机厅 |
| **commentary*** | [ˈkɒməntri] *n.* (尤指电台或电视台所作的)实况报道，现场解说；注释，解释；批评；评价 |
| | 🔖 来自comment (*v.* 评论) |
| **recreate*** | [ˌriːkriˈeɪt] *vt.* 再现，再创造 |
| **mock*** | [mɒk] *adj.* 假的；模拟的 *n.* 嘲弄；模仿，仿制品 *v.* 嘲笑，嘲弄 |
| **territory*** | [ˈterətri] *n.* 领土，领地，版图；领域，范围 |
| | 🔖 词根记忆：terr(土地)+it+ory(表地点)→领土；领域 |
| | 🔖 territorial (*adj.* 领土的) |
| **prohibit*** | [prəˈhɪbɪt] *v.* 禁止，阻止 |
| | 🔖 词根记忆：pro(向前)+hibit(拿)→在前面拿住→禁止，阻止 |
| | 🔖 prohibit sb. from doing sth. 阻止某人做某事 |
| | 🔖 prohibition (*n.* 禁令)；prohibitive (*adj.* 禁止的；贵得买不起的) |
| **shipment** | [ˈʃɪpmənt] *n.* 装运，运送，运输；装载(或运输)的货物，装货量 |
| | 🔖 联想记忆：ship(船运)+ment→装运 |
| | 🔖 cargo (*n.* 货物)；freight (*n.* 货物；重载) |
| **calendar*** | [ˈkælɪndə(r)] *n.* 日历；月历；日程表 |

| magic | ['mædʒɪk] *n.* 魔法，法术；魅力；魔力 *adj.* 有魔力的，神奇的 |
| --- | --- |
| | 记 联想记忆：mag(看作magnet，磁铁)+ic→像磁铁一样吸引人→魅力 |
| slip* | [slɪp] *v.* 滑倒，滑落；悄悄地放，偷偷地给；下降 *n.* 差错，疏漏；滑倒；纸片 |
| shatter | ['ʃætə(r)] *v.* (使)破碎，碎裂；给予极大打击 |
| | 记 发音记忆："筛它"→(使)破碎 |
| truce | [truːs] *n.* 休战(协定) |
| | 记 联想记忆：休战协定(truce)确认了战败属实(true) |
| discount* | ['dɪskaʊnt] *n.* (价格、债款等)折扣 *vt.* 给…打折；漠视，低估 |
| | 记 联想记忆：dis(分离)+count(计算)→不计算在内的部分→折扣 |
| | 搭 make a discount 打折；discount store 折扣商店；at a discount 打折 |
| tough* | [tʌf] *adj.* 艰苦的，难对付的；健壮的；(肉等食物)老的；强硬的；坚强的 |
| | 搭 a tough nut 难对付的人，与之打交道有危险的人 |
| volunteer* | [ˌvɒlən'tɪə(r)] *v.* 自愿做，无偿做 *adj.* 志愿的，义务的，无偿的 *n.* 志愿者 |
| | 搭 volunteers for Olympic Games 奥运会志愿者 |
| | 派 voluntary (*adj.* 自愿的，志愿的) |
| eruption | [ɪ'rʌpʃn] *n.* (火山、战争等)爆发；(疾病)发作 |
| | 记 来自erupt (*v.* 爆发；喷出) |
| pension | ['penʃn] *n.* 养老金，抚恤金；年金 |
| | 记 词根记忆：pens(花费)+ion(表物)→养老金 |
| | 搭 live on a pension 靠退休金/抚恤金生活 |
| assignment* | [ə'saɪnmənt] *n.* 任务，工作 |
| | 记 来自assign (*vt.* 指派，分配) |
| assign* | [ə'saɪn] *vt.* 指派，分配；指定 |
| | 记 联想记忆：as+sign(签名)→找那个明星签名的任务指派给你了→指派，分配 |

| | |
|---|---|
| **stainless** | [ˌsteɪnləs] *adj.* 不锈的；无污点的，无瑕疵的 |
| | 记 联想记忆：stain(污点)+less(没有)→无污点的；不锈的 |
| | 搭 stainless steel 不锈钢 |
| **hallowed** | ['hæləʊd] *adj.* 受崇敬的；神圣(化)的 |
| | 记 联想记忆：hall(大厅)+ow+ed→放在大厅里供奉起来→神圣(化)的 |
| **terminal** | ['tɜːmɪnl] *n.* 终点，终端；终点站，航站楼 *adj.* 末端的 |
| | 记 词根记忆：termin(界限)+al(…的)→末端的 |
| **climate\*** | ['klaɪmət] *n.* 气候；风气，思潮 |
| **relevance\*** | ['reləvəns] *n.* 中肯，适当；相关性 |
| | 记 词根记忆：re(一再)+lev(举起)+ance→被一再举起→相关性 |
| **reluctant\*** | [rɪ'lʌktənt] *adj.* 不情愿的，勉强的；难得到的，难处理的 |
| | 记 发音记忆："瑞拉忑忑"→不情愿的，勉强的 |
| **regularity\*** | [ˌregju'lærəti] *n.* 规律性，规则性；整齐，匀称 |
| | 记 来自regular (*adj.* 有规律的) |
| **laterality\*** | [ˌlætə'rælɪti] *n.* 对一侧面的偏重，偏向一侧状态 |
| **predominant\*** | [prɪ'dɒmɪnənt] *adj.* 卓越的，突出的；支配的，主要的，盛行的 |
| | 记 联想记忆：pre(前)+dominant(统治的)→在前面统治的→支配的 |
| **trek\*** | [trek] *vi./n.* 牛拉车；艰苦跋涉 |
| **daunt\*** | [dɔːnt] *vt.* 使气馁，使胆怯 |
| | 记 联想记忆：d(看作devil，魔鬼)+aunt(姨妈)→姨妈被鬼故事吓倒了→使胆怯 |
| | 派 daunting (*adj.* 令人发怵的；使人气馁的) |
| **itinerary\*** | [aɪ'tɪnərəri] *n.* 行程表；旅行路线，旅行计划 |
| | 记 词根记忆：it(走)+iner+ary(表名词)→行走→行程表；旅行路线 |
| **acclimatise\*** | [ə'klaɪmə.taɪz] *v.* (使…)服水土；(使…)适应新环境 |

138

| | |
|---|---|
| **forthcoming** | [ˌfɔːθˈkʌmɪŋ] *adj.* 即将到来的 |
| | 记 组合词：forth(往前)+coming(就要到来的)→即将到来的 |
| **structure\*** | [ˈstrʌktʃə(r)] *n.* 结构；构造；建筑物 *vt.* 系统安排；精心组织 |
| | 记 词根记忆：struct(建造)+ure(表结果)→建筑物 |
| | 搭 management structure 管理结构；economic structure 经济结构 |
| **quantity** | [ˈkwɒntəti] *n.* 数量，数目；大量，大宗 |
| **integral** | [ˈɪntɪɡrəl] *adj.* 不可或缺的，构成整体所必需的；完整的，完备的 |
| | 记 词根记忆：integr(完整)+al(…的)→完整的，完备的 |
| | 搭 integral number 整数 |
| | 同 essential (*adj.* 非常重要的)；basic (*adj.* 基本的，根本的)；fundamental (*adj.* 根本的，基础的) |
| **intensive** | [ɪnˈtensɪv] *adj.* 加强的；密集的 |
| | 记 来自intense (*adj.* 强烈的) |
| | 搭 intensive training 强化训练 |
| **acknowledge** | [əkˈnɒlɪdʒ] *v.* 承认，确认；致意；感谢 |
| | 记 联想记忆：ac+know(知道)+ledge→大家都知道了，所以不得不承认→承认 |
| **liquor** | [ˈlɪkə(r)] *n.* 烈性酒；含酒精饮料 |
| | 记 词根记忆：liqu(液体)+or→烈性酒 |
| **presence\*** | [ˈprezns] *n.* 出席；存在；仪态 |
| | 记 联想记忆：pre(前)+senc(看作send，送)+e→送到前面→出席 |
| **develop\*** | [dɪˈveləp] *v.* 发展；生长，形成；开发 |
| | 派 development (*n.* 发展)；undeveloped (*adj.* 欠发达的)；developing (*adj.* 发展中的) |
| **blast\*** | [blɑːst] *v.* 爆破，炸毁 *n.* 一阵(大风)；冲击 |
| | 记 联想记忆：b+last(最后)→最后一声b→爆炸 |
| | 搭 have a blast 玩得很开心；a blast of 一阵(风)；at full blast 全力以赴地；最大音量地 |

| | |
|---|---|
| **greatly*** | ['greɪtli] *adv.* 非常；很；极大地 |
| **sporadically*** | [spə'rædɪkli] *adv.* 偶发地；零星地 |
| **imitate** | ['ɪmɪteɪt] *vt.* 模仿，模拟；仿效<br>🔑 词根记忆：imit(相像)+ate(做)→做得相像→模仿 |
| **constitution*** | [ˌkɒnstɪ'tjuːʃn] *n.* 宪法，章程；体质，体格；组成，形成 |
| **advocate** | ['ædvəkeɪt] *vt.* 拥护，支持；提倡 ['ædvəkət] *n.* 拥护者，支持者；提倡者<br>🔑 词根记忆：ad(表加强)+voc(叫喊)+ate→一再呼吁→提倡 |
| **maintenance*** | ['meɪntənəns] *n.* 维持；保养；抚养费<br>🔍 the maintenance of an automobile 汽车的保养 |
| **spouse*** | [spaʊs] *n.* 配偶<br>🔑 联想记忆：sp(看作spend，度过)+ouse(看作house，房子)→在同一间房子里共度人生的人→配偶<br>🔵 mate (*n.* 配偶) |
| **expedition** | [ˌekspə'dɪʃn] *n.* 远征，探险，考察；(短途的)旅行，出行；远征队，探险队，考察队<br>🔑 词根记忆：ex(出)+ped(脚)+ition→出行<br>🔍 on an expedition to 去…探险；go/start on an expedition 去远征(探险、考察)；a shopping expedition 外出购物 |
| **incendiary*** | [ɪn'sendiəri] *adj.* 放火的，能引起燃烧的；煽动性的<br>🔑 词根记忆：in+cendi(=cend，发光)+ary(…的)→使燃烧发光→能引起燃烧的；煽动性的<br>🔍 incendiary bomb 燃烧弹 |
| **expansion** | [ɪk'spænʃn] *n.* 扩大，扩张<br>🔑 来自expand (*v.* 扩大，扩张) |
| **encase*** | [ɪn'keɪs] *vt.* 装入，包住<br>🔑 联想记忆：en(进入)+case(容器)→被装入容器中→装入，包住<br>🔍 encase sth. in sth. 将…装入… |

**invalid** [ɪnˈvælɪd] *adj.* (指法律上)无效的，作废的；无可靠根据的，站不住脚的；有病的，伤残的 [ˈɪnvəlɪd] *n.* (需要有人照顾的)病弱者，残疾者

记 词根记忆：in(无)+val(价值)+id(…的)→无价值的→无效的，作废的

搭 invalid characters 无效字符

同 impotent (*adj.* 无效的，不起作用的)；unfounded (*adj.* 无事实根据的)

**unbiased\*** [ʌnˈbaɪəst] *adj.* 公正的，没有偏见的

记 联想记忆：un(无)+biased(有偏见的)→没有偏见的，公正的

搭 unbiased opinions 没有偏见的想法

音频

# *Word List 20*

**postpone** [pə'spəʊn] *v.* 延迟，延期
記 词根记忆：post(后)+pon(放)+e→放到后面→延迟，延期

**skim** [skɪm] *v.* 撇去；掠过，擦过；浏览，略读
記 联想记忆：一眼掠过(skim)，只见皮(skin)毛

**preface** ['prefəs] *n.* 序言，引言 *vt.* 为⋯写序言；以⋯为开端
記 词根记忆：pre(前)+face(面)→(书)前边的脸→序言

**retain\*** [rɪ'teɪn] *vt.* 保留；保持
記 词根记忆：re(重新)+tain(拿住)→重新拿回→保留；保持

**culminate\*** ['kʌlmɪneɪt] *vi.* (以某种结果)告终；(在某一点)结束
記 词根记忆：culmin(顶)+ate→达到顶点→(以某种结果)告终；(在某一点)结束
同 end (*v.* 结束，终结)；terminate (*v.* 停止，结束)；top (*vt.* 达到顶端；结束)

**robotic\*** [rəʊ'bɒtɪk] *adj.* 机器人的，机械的；像机器人的，呆板而机械的

**profile\*** ['prəʊfaɪl] *n.* 面部的侧影，侧面轮廓；传略，人物简介 *vt.* 扼要介绍；写传略(或简介)
記 词根记忆：pro(在前)+fil(线条)+e→前面的线条→侧面轮廓
搭 employee profile 雇员简介；keep a high/low profile 保持高/低姿态

**salinity\*** [sə'lɪnəti] *n.* 盐分，盐度

**aggravation** [ˌæɡrə'veɪʃn] *n.* 加重；恶化；愤怒，恼怒
搭 leave in aggravation 愤怒地离开；a state of aggravation 愤怒的状态

**incident** ['ɪnsɪdənt] *n.* 发生的事；事件，事变
派 incidence (*n.* 事件；发生率)

| | |
|---|---|
| **previous\*** | ['priːviəs] *adj.* 以前的；在…之前的；早先的，稍前的<br>🔤 词根记忆：pre(前)+vi(道路)+ous→更早上路的→以前的<br>🔍 previous to 在…之前 |
| **spice** | [spaɪs] *n.* 香料，调味品 *vt.* 使增添趣味；往…加香料<br>🔤 联想记忆：香料(spice)是辣的(spicy) |
| **bore\*** | [bɔː(r)] *v.* 使厌烦；钻孔 *n.* 令人讨厌的人(或事) |
| **lull** | [lʌl] *n.* 间歇，暂停；平静期 |
| **betray\*** | [bɪ'treɪ] *vt.* 出卖，泄露(秘密等)；辜负；流露情感<br>🔍 betray oneself 原形毕露<br>🟰 reveal (*vt.* 揭示；暴露) |
| **underlying\*** | [ˌʌndə'laɪɪŋ] *adj.* 表面下的，下层的，在下面的；根本的；潜在的，隐含的<br>🔤 组合词：under(在…下)+lying(躺着的)→在下面躺着的→在下面 |
| **dispiriting\*** | [dɪ'spɪrɪtɪŋ] *adj.* 令人沮丧的，使人气馁的<br>🔤 联想记忆：dis(没有)+spirit(精神)+ing→使人没精神的→令人沮丧的 |
| **opulent\*** | ['ɒpjələnt] *adj.* 豪华的，华丽的，富裕的；丰富的，丰饶的<br>🔤 词根记忆：op(财富)+ulent(富有…的)→富裕的 |
| **plush\*** | [plʌʃ] *adj.* 豪华的，舒适的 *n.* 长毛绒 |
| **dispense\*** | [dɪ'spens] *vt.* 分发，分配；提供<br>🔤 词根记忆：dis(分升)+pens(称重)+e→按重量分发→分配<br>🔍 dispense with sb./sth 摒弃，不再使用 |
| **behalf** | [bɪ'hɑːf] *n.* 利益；代表<br>🔍 on one's behalf 代表；on behalf of 代表；为了 |
| **initial** | [ɪ'nɪʃl] *adj.* 最初的，开始的；词首的 *n.* 词首大写字母<br>🔤 词根记忆：init(开始)+ial(属于…的)→开始的<br>🔍 the initial stage 初级阶段；initial offerings 原始股；initial payment 首付<br>🔧 initially (*adv.* 最初，开始) |

| | |
|---|---|
| **govern** | ['gʌvn] *v.* 统治，管理；控制，支配<br>派 government (*n.* 政府) |
| **mingle** | ['mɪŋgl] *v.* (使)混合，(使)联结；相往来；混杂其中<br>记 联想记忆：和single (*adj.* 单一的)一起记 |
| **charter** | ['tʃɑːtə(r)] *n.* 纲领，宣言；宪章；包租 *vt.* 包租(飞机、船等)；特许设立，给…发许可证，给予特权 |
| **formidable\*** | [fə'mɪdəbl] *adj.* 可怕的；难以应付的，难以克服的<br>同 dreadful (*adj.* 可怕的，令人畏惧的)；awesome (*adj.* 使人敬畏的，使人惊惧的)；insurmountable (*adj.* 不能克服的，不能超越的)<br>反 manageable (*adj.* 能处理的) |
| **belt\*** | [belt] *n.* 腰带；地带 |
| **relay** | ['riːleɪ] *n.* 接力赛；中继设备 *vt.* 传送；转播<br>记 联想记忆：re(重新)+lay(放置)→重新放置→转播 |
| **crockery** | ['krɒkəri] *n.* 陶器；瓦器<br>记 联想记忆：crock(坛子，瓦罐)+ery→陶器；瓦器 |
| **diversify\*** | [daɪ'vɜːsɪfaɪ] *v.* (使)多样化<br>派 diversification (*n.* 变化，多样化) |
| **threshold** | ['θreʃhəʊld] *n.* 入门，门槛；界限；开端，起点<br>记 联想记忆：thres(看作thread，细线)+hold(拿着)→手里拿根细线站在门口→入门，门槛<br>搭 be on the threshold of sth. 在…的开端<br>同 doorway (*n.* 门口)；outset (*n.* 开端，开始) |
| **vacation** | [və'keɪʃn] *n.* 假期；休假<br>记 词根记忆：vac(空)+ation(表状态)→空闲的→假期 |
| **skyscraper\*** | ['skaɪskreɪpə(r)] *n.* 摩天楼<br>记 组合词：sky(天)+scrape(摩擦)+er(表人或物)→楼高得可以擦到天→摩天楼 |
| **draft\*** | [drɑːft] *n.* 草稿，草案；汇票；征兵，服役；通风，气流 *vt.* 起草，草拟；选派，抽调；征募，征召…入伍<br>搭 bank draft 银行汇票；first draft 草案，初稿 |
| **deter\*** | [dɪ'tɜː(r)] *v.* 制止，阻止；威慑，吓住；使打消念头<br>记 词根记忆：de(使…)+ter(=terr，恐吓)→威慑，吓住 |

| **promising** | ['prɒmɪsɪŋ] *adj.* 有希望的；有前途的 |
| --- | --- |
| | 记 联想记忆：promis(e)(承诺)+ing→承诺了的→有希望的 |
| | 同 hopeful〔*adj.* (怀)有希望的〕；bright (*adj.* 前景光明的，充满希望的) |
| | 反 hopeless (*adj.* 没有希望的) |
| **goal\*** | [gəʊl] *n.* 球门；射门，进球得分；目标 |
| **crush\*** | [krʌʃ] *vt.* 碾碎；压碎；压服，压垮；镇压，制服 |
| | 记 联想记忆：碰撞(crash)后被碾碎(crush) |
| | 搭 crush a rebellion 压制反抗；crush up 粉碎 |
| **stream\*** | [striːm] *n.* 溪流；一股 *v.* 流出 |
| | 记 联想记忆：s+tream(看作dream，梦想)→梦想的河流→溪流 |
| **urgent** | ['ɜːdʒənt] *adj.* 紧急的，紧迫的；催促的，急切的 |
| | 派 urgently (*adv.* 紧急地) |
| **maximise\*** | ['mæksɪmaɪz] *vt.* 使增加到最大限度，最佳化；充分利用 |
| | 记 词根记忆：max(大)+im+ise(使…)→使增至最大限度→最佳化 |
| **sleek\*** | [sliːk] *adj.* (毛发等)光滑而有光泽的；造型优美的；时髦的；豪华的 *vt.* 使(毛发等)光滑发亮 |
| **entrust\*** | [ɪn'trʌst] *vt.* 委托，交付，托付 |
| | 记 联想记忆：en+trust(信任)→十分信任才会委托→委托，交付 |
| **pamper\*** | ['pæmpə(r)] *vt.* 纵容，娇惯；精心护理 |
| **veterinarian\*** | [ˌvetərɪ'neərɪən] *n.* 兽医 |
| **demolition\*** | [ˌdeməˈlɪʃn] *n.* 拆除；破坏，毁坏 |
| **derelict\*** | ['derəlɪkt] *adj.* 被抛弃的；废弃的；衰退的，破败的 *n.* 遗弃物；无家可归者，社会弃儿 |
| | 记 词根记忆：de(表加强)+re(后)+lict(留下)→留在身后→被抛弃的 |
| | 搭 derelict land 荒废的土地 |

| | |
|---|---|
| **synchronise\*** | ['sɪŋkrənaɪz] *v.* (使)同步发生，同速进行 |
| | 搭 synchronised swimming 花样游泳 |
| **ornamental\*** | [ˌɔːnə'mentl] *adj.* 装饰性的，装饰的 |
| **track\*** | [træk] *n.* 小路；跑道；音轨；轨道 *v.* 跟踪，追踪 |
| **estuary\*** | ['estʃuəri] *n.* (江河入海的)河口，河口湾 |
| | 记 联想记忆：est(看作east，东)+uary(看作February，二月)→二月春水向东流，流到河口不回头→河口，河口湾 |
| | 搭 estuary deposits 河口沉积，港湾沉积 |
| **leaflet** | ['liːflət] *n.* 传单，散页印刷品；小册子 *v.* 散发传单(或小册子) |
| | 记 联想记忆：leaf(树叶)+let(表小东西)→大街上的传单如落叶般铺天盖地→传单 |
| **cascade\*** | [kæ'skeɪd] *n.* 小瀑布 |
| | 记 词根记忆：casc(=cas，落下)+ade(表动作结果)→(水)落下→小瀑布 |
| **irritate** | ['ɪrɪteɪt] *vt.* 使烦躁，激怒；使疼痛；刺激 |
| | 派 irritant (*n.* 刺激物 *adj.* 刺激性的)；irritating (*adj.* 恼人的，令人痛苦的) |
| **hatch** | [hætʃ] *v.* 孵出，孵化；策划 *n.* (门、地板或天花板上的)开口；(飞机等的)舱门 |
| | 记 联想记忆：要想赢得比赛(match)得有准备和策划(hatch) |
| | 同 design (*vt.* 筹划，构思)；devise (*vt.* 策划，图谋)；scheme (*v.* 计划，策划) |
| **commence\*** | [kə'mens] *v.* 开始，着手 |
| | 搭 commence with 由…开始；commence doing sth. 开始做某事 |
| | 同 begin (*v.* 开始)；start (*v.* 开始) |
| | 反 end (*v.* 结束)；finish (*v.* 结束，终止) |
| **initiative** | [ɪ'nɪʃətɪv] *n.* 倡议，新方案；主动性，积极性；主动权 |
| | 搭 take the initiative 带头，倡导，发起 |
| | 派 initiation (*n.* 开始) |

| | |
|---|---|
| **fruitful** | ['fruːtfl] *adj.* 多产的，富饶的；富有成效的<br>记 联想记忆：fruit(果实)+ful(=full，满满的)→硕果累累的→多产的 |
| **stationary** | ['steɪʃənri] *adj.* 静止的，不动的，固定的；稳定的<br>记 联想记忆：station(位置)+ary→总在同一位置的→静止的<br>搭 a stationary target 一个固定的目标<br>同 motionless (*adj.* 不运动的，静止的)；fixed (*adj.* 固定的)<br>反 mobile (*adj.* 移动的) |
| **superficial** | [ˌsuːpə'fɪʃl] *adj.* 表面的；肤浅的<br>记 词根记忆：super(上)+fic(做)+ial(…的)→做表面文章→表面的<br>搭 superficial resemblance 表面上的相似 |
| **crawl\*** | [krɔːl] *vi.* 爬，爬行；缓慢行进 *n.* 缓慢(或费力)的行进；自由泳<br>记 联想记忆：c+raw(生疏的)+l→对地形生疏，车要开得慢一点→缓慢行进<br>搭 be crawling with sth. 挤满，爬满 |
| **rotate** | [rəʊ'teɪt] *v.* (使)旋转，转动；轮流，轮换<br>记 词根记忆：rot(转)+ate(使…)→(使)旋转，转动 |
| **spoil\*** | [spɔɪl] *v.* 损坏，破坏，糟蹋；宠坏，溺爱；(食物)变质 *n.* [pl.] 战利品，掠夺物，赃物<br>记 联想记忆：破坏(spoil)土地(soil)，损人不利己<br>搭 the spoils of office 利用官职捞取的私利 |
| **flask** | [flɑːsk] *n.* 长颈瓶；烧瓶<br>记 联想记忆：和flash (*v.* 闪光)一起记 |
| **attend\*** | [ə'tend] *v.* 出席，参加；随同，陪同；专心，注意<br>记 词根记忆：at(表加强)+tend(伸展)→伸长脖子看→专心<br>派 attendance (*n.* 出席)；attention (*n.* 注意；关心) |
| **rim** | [rɪm] *n.* (圆形物体的)边，缘<br>记 联想记忆：打靶(aim)不能打边(rim) |

| **motivate** | ['məʊtɪveɪt] *vt.* 使有动机；激励，激发 |
| | 搭 motivate sb. to do sth. 激励某人做某事 |
| **patent** | ['pætnt] *vt.* 取得专利权 *n.* 专利(权) ['peɪtnt] *adj.* 显而易见的；有专利的，受专利保护的 |
| | 搭 patent device 专利设备；apply for patent 申请专利 |
| **architect** | ['ɑːkɪtekt] *n.* 建筑师，设计师；创造者 |
| **symptom** | ['sɪmptəm] *n.* 症状；征候，征兆 |
| | 记 词根记忆：sym(共同)+pto(掉下)+m→一起掉下来的→症状；征候 |
| | 搭 symptom for …的症状；late symptoms 迟发症状；clinical symptoms 临床症状；deficiency symptoms 营养缺乏症状 |
| **tremendous** | [trə'mendəs] *adj.* 极大的，巨大的；非常的，惊人的 |
| | 记 词根记忆：trem(颤抖)+end+ous(…的)→非常的，惊人的 |
| | 同 enormous (*adj.* 巨大的，庞大的)；marvelous (*adj.* 非凡的，惊奇的) |
| | 反 tiny (*adj.* 微小的) |

# *Word List 21*

音频

**destination**    [ˌdestɪ'neɪʃn] *n.* 目的地，终点；目标

记 联想记忆：destin(看作destine，预定)+ation→预定的地方→目的地

搭 holiday destination 度假胜地；final destination 最终目的地；arrive at/reach destination 到达目的地

**welfare**    ['welfeə(r)] *n.* 福利

记 联想记忆：wel(看作well，好的)+fare(费用)→让人过上好生活的费用→福利

搭 welfare work 福利事业；welfare state 福利国家；welfare benefits 福利待遇

**envisage**    [ɪn'vɪzɪdʒ] *vt.* 展望，想象；面对

记 词根记忆：en(使…)+vis(看)+age(表行为)→展望

搭 envisage a bright future 展望美好的未来

同 imagine (*vt.* 想象，设想)；fancy (*vt.* 想象，设想)；envision (*vt.* 想象；展望)

**binoculars***    [bɪ'nɒkjələz] *n.* 双筒望远镜

记 词根记忆：bin(o)(双，两)+ocul(眼睛)+ars→两只眼睛→双筒望远镜

**spoilage***    ['spɔɪlɪdʒ] *n.* 变质；损坏

**misconception**    [ˌmɪskən'sepʃn] *n.* 误解，错误想法

**vegetation**    [ˌvedʒə'teɪʃn] *n.* 植物，草木

同 plant (*n.* 植物)

**conceptual**    [kən'septʃuəl] *adj.* 观念的，概念的

记 来自concept (*n.* 观念，概念)

**modification**    [ˌmɒdɪfɪ'keɪʃn] *n.* 修改，改正

记 联想记忆：modifi(看作modify，修改)+cation→修改

**erroneous**    [ɪ'rəʊniəs] *adj.* 错误的，不正确的

记 词根记忆：err(错误)+on+eous(…的)→错误的，不正确的

| | |
|---|---|
| **robust** | [rəʊ'bʌst] *adj.* 健壮的，强壮的；坚定的 |
| | 派 robustness (*n.* 健壮)；robustly (*adv.* 有活力地；强健地) |
| | 同 sturdy (*adj.* 强健的)；healthy (*adj.* 健壮的，健康的) |
| | 反 delicate (*adj.* 脆弱的) |
| **immense\*** | [ɪ'mens] *adj.* 巨大的，广大的 |
| | 记 词根记忆：im(不)+mens(测量)+e→不能测量的→巨大的，广大的 |
| | 搭 immense improvement 巨大的进步 |
| **baron** | ['bærən] *n.* 贵族；男爵 |
| **independence** | [ˌɪndɪ'pendəns] *n.* 独立，自主 |
| | 记 联想记忆：in(不)+depend(依靠)+ence(表名词)→不依靠别人→独立，自主 |
| **intense** | [ɪn'tens] *adj.* 强烈的，剧烈的；紧张的；热情的，热切的 |
| | 记 联想记忆：in(在…之中)+tense(紧张)→处于紧张之中→紧张的 |
| | 搭 intense heat 酷热 |
| **withdraw** | [wɪð'drɔː] *v.* 收回；撤退；缩回，退出；提取(钱) |
| | 搭 withdraw one's promise 收回诺言；a withdrawn letter 一封被撤回的信函；withdraw money from a bank 从银行取钱 |
| **sceptical\*** | ['skeptɪkl] *adj.* 怀疑的，猜疑的 |
| **flicker** | ['flɪkə(r)] *n./vi.* 闪烁；一闪而过 |
| | 记 联想记忆：flick(弹)+er→弹指一挥间，星光闪烁→闪烁 |
| **cord\*** | [kɔːd] *n.* 粗线，细绳 |
| | 搭 power cord 电源线 |
| **lower\*** | ['ləʊə(r)] *adj.* 较低的；下面的 *v.* 降低；减少 |
| **primary** | ['praɪməri] *adj.* 最初的；初级的；首要的，基本的 |
| | 记 词根记忆：prim(主要的)+ary(…的)→首要的 |
| | 搭 the primary stage of civilization 文明的最初阶段；primary school 小学；primary education 初等教育 |

| | |
|---|---|
| **exhaustion** | [ɪɡ'zɔːstʃən] *n.* 精疲力竭；耗尽 |
| **coincide** | [ˌkəʊɪn'saɪd] *vi.* 同时发生；一致 |
| | 记 词根记忆：co(共同)+in+cid(降临)+e→使一同降临→同时发生 |
| | 派 coincidence (*n.* 同时发生的事情；一致) |
| | 同 concur (*vi.* 一致)；agree (*v.* 与…一致) |
| **mess** | [mes] *n.* 凌乱 *v.* 弄糟，搞乱 |
| | 搭 make a mess 弄乱，搞砸 |
| **design** | [dɪ'zaɪn] *n.* 设计，构想；图样，图案；企图，图谋 |
| | *v.* 设计；谋划，构思 |
| | 记 联想记忆：de+sign(标记)→做标记→设计 |
| | 派 designer (*n.* 设计师) |
| **insist\*** | [ɪn'sɪst] *v.* 坚持；坚决认为；一定要 |
| | 记 词根记忆：in(使…)+sist(站立)→一直站着→坚持 |
| | 搭 insist on 坚持要求，坚决主张 |
| **crew** | [kruː] *n.* 全体船员；工作人员；队，组 |
| | 记 联想记忆：和crow (*n.* 乌鸦)一起记 |
| **geographical** | [ˌdʒiːə'ɡræfɪkl] *adj.* 地理学的；地理的 |
| **indigenous** | [ɪn'dɪdʒənəs] *adj.* 土产的，本地的，当地的，本土的 |
| | 记 词根记忆：indi(内部)+gen(产生)+ous(…的)→内部产生的→本地的 |
| | 搭 indigenous language 本土语言 |
| **consistent** | [kən'sɪstənt] *adj.* 一致的，协调的；相符的，相容的 |
| | 记 词根记忆：con(共同)+sist(站立)+ent(具有…性质的)→站在一起的→一致的 |
| **sympathetic** | [ˌsɪmpə'θetɪk] *adj.* 同情的，体谅的；赞同的，支持的；和谐的 |
| | 记 词根记忆：sym(共同)+path(感情)+etic(有…性质的)→有着共同感情的→同情的 |
| **personalize** | ['pɜːsənəlaɪz] *vt.* 使成为私人的；在…上标出主人姓名(或记号)；个人化 |
| **incompatible** | [ˌɪnkəm'pætəbl] *adj.* 不兼容的，不能和谐共存的，不协调的，合不来的 |

| | |
|---|---|
| | 记 联想记忆：in(不)+compatible(兼容的，协调的)→不兼容的，不协调的 |
| **predominate** | [prɪ'dɒmɪneɪt] *vi.* 统治，支配；(在数量、力量上)占优势 |
| | 记 联想记忆：pre+dominate(统治)→处于统治地位→占优势 |
| **complexity** | [kəm'pleksəti] *n.* 复杂，复杂性；复杂的事物 |
| **terrestrial** | [tə'restriəl] *adj.* 陆地的，陆生的，陆栖的；地球的 |
| | 记 词根记忆：terr(土地)+estr+ial(…的)→陆地的 |
| | 搭 terrestrial life 地球生物 |
| **commission** | [kə'mɪʃn] *n.* 委托；佣金 *vt.* 授权，委托 |
| | 记 词根记忆：com(表加强)+miss(送)+ion→送交给某人→委托 |
| | 搭 in/out of commission 可/不可使用 |
| **beware** | [bɪ'weə(r)] *v.* 谨防，当心 |
| | 记 联想记忆：be(使)+ware(音似：歪耳)→使歪耳，侧耳偷听→谨防，当心 |
| **compensation** | [ˌkɒmpen'seɪʃn] *n.* 补偿，赔偿；赔偿物，赔偿金 |
| | 搭 make compensation for one's losses 补偿某人的损失 |
| **issue\*** | ['ɪʃuː] *n.* 问题，争论点；发行；(报刊的)一期；分发，流出 *vt.* 颁布；发行；流出；分发，发给 |
| | 搭 environmental issues 环境问题；issue a statement 发表声明；issue shares 发行股票 |
| **finite** | ['faɪnaɪt] *adj.* 有限的；限定的 |
| | 记 词根记忆：fin(范围)+ite(有…性质的)→限定范围的→限定的 |
| **curly** | ['kɜːli] *adj.* 卷曲的，波浪式的 |
| | 记 联想记忆：curl(使卷曲)+y→卷曲的 |
| **redress** | [rɪ'dres] *vt.* 修正；纠正；矫正 |
| | 记 联想记忆：re(重新)+dress(整理)→重新整理→修正 |
| **swallow** | ['swɒləʊ] *v.* 吞咽；忍受 *n.* 燕子 |

| | |
|---|---|
| **hasty** | ['heɪsti] *adj.* 草率的，匆忙的 |
| | 记 联想记忆：hast(看作fast，快的)+y→快速完成的→匆忙的 |
| | 同 impetuous (*adj.* 草率的，匆忙的) |
| **geometry** | [dʒi'ɒmətri] *n.* 几何；几何学 |
| **stuff** | [stʌf] *n.* 东西，物品；原料，材料 *vt.* 填进；让…吃饱 |
| | 搭 stuff...with 填满，塞满；have a stuffed nose 鼻子不通气 |
| **landward*** | ['lændwəd] *adj.* 向陆的，近陆的 *adv.* 向陆地，近陆地 |
| **vigorous** | ['vɪgərəs] *adj.* 朝气蓬勃的；有力的 |
| | 记 联想记忆：vigor(活力)+ous(…的)→朝气蓬勃的 |
| | 搭 vigorous students 朝气蓬勃的学生 |
| **subordinate** | [sə'bɔːdɪnət] *n.* 下属 *adj.* 下级的；次要的 |
| | [sə'bɔːdɪneɪt] *vt.* 使处于次要地位，把…列在下级；使服从 |
| | 记 词根记忆：sub(下)+ordin(秩序)+ate→顺序在下→次要的 |
| | 同 inferior (*adj.* 下等的，下级的)；secondary (*adj.* 次要的，二级的) |
| | 反 superior (*adj.* 更好的；上级的) |
| **correspond*** | [ˌkɒrə'spɒnd] *vi.* 相一致；符合；通信；相当于，相应 |
| | 记 词根记忆：cor(共同)+re(回)+spond(约定)→共同约定→相一致；符合 |
| | 搭 correspond to 符合，相当于；correspond with 相一致，与…通信 |
| | 派 correspondence (*n.* 通信；符合)；corresponding (*adj.* 相应的) |
| **farewell** | [ˌfeə'wel] *n.* 告别；欢送会 |
| | 记 联想记忆：fare(看作far，远)+well(好)→朋友去远方，说些告别话→告别 |
| **adjacent** | [ə'dʒeɪsnt] *adj.* 邻近的，毗连的 |
| | 同 adjoining (*adj.* 邻接的)；contiguous (*adj.* 接近的) |
| | 反 detached (*adj.* 分开的)；separate (*adj.* 个别的，单独的) |

153

| | |
|---|---|
| **charity** | ['tʃærəti] *n.* 慈善；施舍；慈善机构 |
| | 搭 charity donation 慈善捐款 |
| **comedy*** | ['kɒmədi] *n.* 喜剧；喜剧性(事件) |
| | 记 联想记忆：大家一起来(come)看喜剧(comedy) |
| | 派 comedian (*n.* 喜剧演员) |
| **gorgeous** | ['gɔːdʒəs] *adj.* 华丽的；极好的 |
| | 记 联想记忆：gorge(峡谷)+ous→峡谷很美丽→华丽 |
| **recommend** | [ˌrekə'mend] *vt.* 推荐；建议；劝告；使受欢迎 |
| | 记 联想记忆：re(一再)+com(共同)+mend(修)→这本书是大家一再修改的成果，强力推荐→推荐 |
| | 搭 recommend sb. sth. 向某人推荐某物 |
| | 派 recommendation (*n.* 推荐；劝告) |
| **survive*** | [sə'vaɪv] *vi.* 活下来；仍然存在，保存下来 *vt.* 幸免于；比…活得长，比…长命 |
| | 记 词根记忆：sur(上)+viv(生命)+e→活在死亡界限之上→幸免于 |
| | 派 survival (*n.* 生存；幸存) |
| **grim** | [grɪm] *adj.* 严厉的；可怕的；令人讨厌的 |
| | 记 联想记忆：g+rim(边框)→给出条条框框来约束→严厉的；可怕的 |
| **apparatus** | [ˌæpə'reɪtəs] *n.* 器械，器具，仪器；机构，组织 |
| | 记 词根记忆：ap(表加强)+par(准备)+atus→准备好用的东西→器械，器具 |
| **dome** | [dəʊm] *n.* 圆屋顶；穹顶 |
| | 记 联想记忆：和home (*n.* 家)一起记 |
| **formal** | ['fɔːml] *adj.* 正式的；正规的 |
| | 反 informal (*adj.* 非正式的) |
| **explore** | [ɪk'splɔː(r)] *v.* 探险，探索；仔细检查，探究 |
| | 派 exploration (*n.* 探险；探究)；exploratory (*adj.* 探索的，探测的) |
| **extension*** | [ɪk'stenʃn] *n.* 伸展；延期；延长部分；电话分机 |
| | 搭 one month extension 延期一个月；the extension of vocabulary 词汇的扩展；extension to …的延伸部分 |

**consist\***    [kən'sɪst] *vi.* 由…组成，由…构成；在于，存在于

记 词根记忆：con(共同)+sist(站立)→站在一起→由…构成

搭 consist of 由…组成，由…构成

派 consistency (*n.* 一致性，连贯性)；consistent (*adj.* 一致的；相符的)；consistently (*adv.* 始终如一地)

**brew\***    [bruː] *v.* 酿造；冲泡；酝酿；(不愉快的事)即将来临

记 联想记忆：自酿(brew)苦酒，紧皱起眉头(brow)

派 brewery (*n.* 啤酒厂)

**sacrifice**    ['sækrɪfaɪs] *n.* 牺牲，牺牲品；献祭，供奉；祭品，供物 *v.* 牺牲；献祭

记 词根记忆：sacri(神圣)+fic(做)+e→神圣的做法→牺牲，献祭

派 sacrificial (*adj.* 供奉的，献祭的，牺牲品的)

**degenerate**    [dɪ'dʒenəreɪt] *vi.* 退化；恶化；堕落 [dɪ'dʒenərət] *adj.* 退化的；堕落的

记 词根记忆：de(变坏)+gener(产生)+ate→产生坏的(想法)→退化；退化的

派 degeneration (*n.* 恶化，退化的过程)

反 develop (*v.* 发展，生长)；evolve〔*v.* (使)发展，(使)进化〕

**intelligent\***    [ɪn'telɪdʒənt] *adj.* 聪明的，理智的

记 词根记忆：intel(=inter，在…之间)+lig(选择)+ent(具有…性质的)→知道如何选择→聪明的，理智的

搭 an intelligent reader 一位聪明的读者

# *Word List 22*

**aspiration** [ˌæspəˈreɪʃn] *n.* 强烈的愿望；志向

🔢 词根记忆：a(表加强)+spir(呼吸)+ation(表状态)→渴望得呼吸急促→强烈的愿望

📤 aspirational (*adj.* 渴望成功的，有雄心壮志的)

**considerable** [kənˈsɪdərəbl] *adj.* 相当大(或多)的，可观的；值得考虑的，重要的

🔢 联想记忆：consider(考虑)+able(能…的)→能纳入考虑范围的→值得考虑的

**clumsy** [ˈklʌmzi] *adj.* 笨拙的；不得体的

**gleam** [gliːm] *vi.* 闪烁；流露 *n.* 闪光

📤 gleaming (*adj.* 光洁闪亮的)

**fascinate** [ˈfæsɪneɪt] *v.* 强烈地吸引，使着迷

🔢 联想记忆：fasc(看作fast，牢固的)+in(里面的)+ate→牢牢地陷在里边→使着迷

📋 be fascinated by 被…迷住

**supervise** [ˈsuːpəvaɪz] *vt.* 监督，管理；指导

🔢 词根记忆：super(上)+vis(看)+e→在上面(往下)看→监督，管理；指导

📤 supervisor (*n.* 主管；督学)；supervision (*n.* 监督，管理)；supervisory (*adj.* 管理的，监督的)

📗 administer (*vt.* 管理)；superintend (*vt.* 管理，监督)

**evaluate** [ɪˈvæljueɪt] *vt.* 评价，估价

🔢 词根记忆：e(出)+valu(价值)+ate→给出价→评价，估价

**curiosity** [ˌkjʊəriˈɒsəti] *n.* 好奇，好奇心；稀奇或罕见的事物，珍品

🔢 词根记忆：curi(=cur，跑)+osity(表状态)→都跑过来看→好奇心

**residential** [ˌrezɪ'denʃl] *adj.* 居住的，住宅的；寄宿的

搭 residential property 住宅地；residential school 寄宿学校；Asian residential area 亚洲人居住地；residential quarters 住宅小区

**sole** [səʊl] *adj.* 唯一的，独有的 *n.* 鞋底，袜底；脚底

记 词根记忆：sol(单独)+e→唯一的

搭 sole parent 单亲

派 solely (*adv.* 唯一地；独自地)

**decade\*** ['dekeɪd] *n.* 十年，十年期

记 词根记忆：dec(十)+ade→十年，十年期

**survey\*** ['sɜːveɪ] *n.* 调查，勘察；测量，勘测；审视

[sə'veɪ] *vt.* 调查，检视；测量，勘测；俯瞰

记 词根记忆：sur(上)+vey(道路)→在道路上进行勘测→勘测

搭 sample survey 抽样调查；land survey 土地测量

**fitting** ['fɪtɪŋ] *n.* 试穿；装置 *adj.* 适合的

**rudimentary** [ˌruːdɪ'mentri] *adj.* 基本的，初步的；未充分发展的，发育不成熟的

记 词根记忆：rud(天然的)+iment+ary(…的)→天然的状态→初步的；未充分发展的

**courtship** ['kɔːtʃɪp] *n.* 求爱或追求；求爱期，追求期

**ritual** ['rɪtʃuəl] *n.* 典礼，(宗教等的)仪式；例行公事，老规矩 *adj.* 作为仪式一部分的，仪式的；例行的

记 联想记忆：rit(e)(典礼，仪式)+ual→典礼，仪式

同 ceremony (*n.* 仪式，典礼)

**stereoscopic** [ˌsteriə'skɒpɪk] *adj.* 有立体视觉的；有立体效果的

**interface** ['ɪntəfeɪs] *n.* 界面；接口；接合点

记 联想记忆：inter(相互)+face(面)→界面

**preliminary** [prɪ'lɪmɪnəri] *adj.* 开端的，预备的，初步的 *n.* [常pl.] 初步做法，起始行为

记 词根记忆：pre(前)+limin(门槛)+ary(…的)→入门前的→初步的

搭 without preliminaries 直截了当地；preliminary trial 初步审讯；preliminary remarks 开场白

| | |
|---|---|
| **turbid** | ['tɜːbɪd] *adj.* 浑浊的；混乱的 |
| **repertoire** | ['repətwɑː(r)] *n.* (剧团等)常备剧目；(剧团、演员等的)全部节目 |
| | 🔢 词根记忆：re(表加强)+pert(带)+oire→一定要带着的剧目→(剧团等)常备剧目 |
| **monotonous** | [mə'nɒtənəs] *adj.* 单调乏味的 |
| | 🔢 词根记忆：mono(单个)+ton(声音)+ous(有…性质的)→一个声音的→单调乏味的 |
| | 🔍 monotonous diet 单调乏味的食物 |
| **speculation** | [ˌspekju'leɪʃn] *n.* 推测，思索；投机活动，投机买卖 |
| **resemble** | [rɪ'zembl] *vt.* 与…相似，相像 |
| | 🔢 词根记忆：re(一再)+sembl(相像)+e→与…相似 |
| | 🔍 resemblance (*n.* 相似；相像) |
| **perspective** | [pə'spektɪv] *n.* (判断事物的)角度，方法；透视法 |
| | 🔢 词根记忆：per(贯穿)+spect(看)+ive→透过…看→透视法 |
| **rendition** | [ren'dɪʃn] *n.* (剧本、诗歌或音乐作品的)演绎，表演，演奏 |
| **metaphorical** | [ˌmetə'fɒrɪkl] *adj.* 隐喻的 |
| **interpret** | [ɪn'tɜːprɪt] *v.* 诠释，解释，说明；口译，翻译 |
| | 🔢 词根记忆：inter(在…之间)+pret→在两种语言之间沟通→口译，翻译 |
| **perimeter** | [pə'rɪmɪtə(r)] *n.* 周长；周边 |
| | 🔢 词根记忆：peri(周围)+meter(测量)→测量一圈的长度→周长 |
| **jerk** | [dʒɜːk] *v.* 使猝然一动；猛拉 *n.* 急推，猛拉；猝然一动 |
| **visual** | ['vɪʒuəl] *adj.* 视觉的；视力的 |
| | 🔢 词根记忆：vis(看)+ual(有…性质的)→视觉的 |
| | 🔍 visual acuity 视敏度；visual aid 直观教具；visual arts 视觉艺术；visual cell 视觉细胞；visual fatigue 视觉疲劳 |
| **horror** | ['hɒrə(r)] *n.* 恐惧；恐怖 |

| | |
|---|---|
| **distort** | [dɪˈstɔːt] *vt.* 扭曲；曲解；使变形 |
| | 记 词根记忆：dis(分开)+tort(扭曲)→扭曲 |
| **expose*** | [ɪkˈspəʊz] *vt.* 使暴露，揭露 |
| | 记 词根记忆：ex(出)+pos(放)+e→放出来→使暴露，揭露 |
| | 搭 expose oneself (to sth.) 使自己面临、遭受(危险或不快) |
| | 派 exposure (*n.* 暴露，曝光) |
| **sponge** | [spʌndʒ] *n.* 海绵 *vt.* 用湿海绵(或布)擦，揩 |
| | 同 rinse (*vt.* 清洗) |
| **audition** | [ɔːˈdɪʃn] *n.* 试演；试听，试音 |
| | 记 词根记忆：audit(听)+ion(表动作)→试听 |
| **reliable*** | [rɪˈlaɪəbl] *adj.* 可靠的，可信赖的 |
| **abstraction** | [æbˈstrækʃn] *n.* 抽象 |
| **mount** | [maʊnt] *n.* 山，山峰；支架，底座 *v.* 登上；骑上；发起；镶嵌 |
| | 记 本身为词根，意为"登上" |
| **announce*** | [əˈnaʊns] *vt.* 宣布；声称 |
| | 派 announcement (*n.* 宣告；发布)；announcer (*n.* 广播员，播报员) |
| **headline** | [ˈhedlaɪn] *n.* 大字标题；[常pl.] 头版头条新闻 |
| | 记 联想记忆：head(头部)+line(行列)→写在文章顶头的内容→大字标题 |
| **collapse*** | [kəˈlæps] *v./n.* 坍塌；崩溃；晕倒 |
| | 记 联想记忆：col+lapse(滑倒)→一出门就滑倒，真让人崩溃→崩溃 |
| **assistance** | [əˈsɪstəns] *n.* 协助，援助 |
| | 记 联想记忆：assist(援助，帮助)+ance→协助，援助 |
| | 搭 military assistance 军事援助 |
| **discriminate** | [dɪˈskrɪmɪneɪt] *v.* 区别；歧视 |
| | 记 词根记忆：dis(分开)+crimin(区别)+ate→区分(对待)→区别；歧视 |
| | 同 distinguish (*v.* 区别，辨别) |

**destructive***   [dɪ'strʌktɪv] *adj.* 破坏(性)的

记 词根记忆：de(否定)+struct(建造)+ive(…的)→破坏(性)的

**authority***   [ɔː'θɒrəti] *n.* 权力，管辖权；[pl.] 官方，当局；权威，专家

搭 in authority 持有权力；one leading authority 一个极具有权威的人

**mild***   [maɪld] *adj.* 温柔的；温和的；轻微的

记 联想记忆：温柔的(mild)人有时也会有野蛮的(wild)一面

**capacity***   [kə'pæsəti] *n.* 容量，容积；能量，能力

记 词根记忆：cap(拿)+acity(表状态)→能拿住→能力

搭 the capacity of …的容量；the capacity to do/for doing sth. 做…的能力

**latitude**   ['lætɪtjuːd] *n.* 纬度；[pl.] 纬度地区；(言行等的)自由

记 联想记忆：和attitude (*n.* 态度)一起记

同 freedom (*n.* 自由，自主)；liberty (*n.* 自由，自由权)

**circus***   ['sɜːkəs] *n.* 马戏团；环形广场

记 词根记忆：circ(圆)+us→圆形的地方→环形广场

**grin**   [grɪn] *v./n.* 咧嘴笑

记 联想记忆：gr(看作girl，女孩)+in(里面)→里面的女孩咧嘴笑→咧嘴笑

搭 grin from ear to ear 笑得合不拢嘴

**democratic***   [ˌdeməˈkrætɪk] *adj.* 民主的；有民主精神的

搭 Democratic Party 民主党；democratic reform 民主改革

**install***   [ɪn'stɔːl] *vt.* 安顿，安置；安装，设置；正式任命，使正式就职

记 词根记忆：in(进入)+stall(放)→放进→安置；安装

搭 install a drinking machine 安装饮水机

**faculty**   ['fæklti] *n.* 才能；(高等院校的)学院，系；(学院或系的)全体教学人员

搭 mental/intellectual faculty 智力；the faculty of law 法学院

| | |
|---|---|
| **institution** | [ˌɪnstɪˈtjuːʃn] *n.* (行业)协会；机构；制度；习俗；团体；设立，制定<br>**搭** institution of higher learning 高等院校；educational institution 教育机构；supervisory institution 监督机构 |
| **probability*** | [ˌprɒbəˈbɪləti] *n.* 可能性；概率<br>**记** 来自probable (*adj.* 可能的) |
| **bizarre** | [bɪˈzɑː(r)] *adj.* 奇形状的；怪诞的<br>**记** 联想记忆：集市(bazaar)上到处是奇形怪状的(bizarre)货物<br>**搭** a bizarre story 一个怪诞的故事<br>**同** fantastic (*adj.* 奇异的；荒谬的)；outlandish (*adj.* 古怪的，奇异的) |
| **gravity** | [ˈɡrævəti] *n.* 重力 |
| **cap*** | [kæp] *vt.* 盖在…上面 *n.* 帽子 |
| **external*** | [ɪkˈstɜːnl] *adj.* 外部的，外面的，表面的<br>**记** 词根记忆：ex(外)+ternal→外面的<br>**搭** external wound 外伤；external pressure 外界压力；external affairs 外交事务；external member 外部构件，套件；external auditor 外部审计师 |
| **absurd** | [əbˈsɜːd] *adj.* 荒谬的，荒唐的<br>**同** ridiculous (*adj.* 荒谬的，可笑的) |
| **separate** | [ˈsepəreɪt] *v.* (使)分离，(使)分开；划分，区分；分居<br>[ˈseprət] *adj.* 分离的，分开的；不同的，特别的<br>**搭** separate bedrooms 单独的卧室 |
| **inclination** | [ˌɪnklɪˈneɪʃn] *n.* 倾向；意愿；趋势；倾斜度<br>**记** 词根记忆：in(向内)+clin(倾斜)+ation(表状态)→倾斜度 |

音频

# *Word List 23*

**pressure\***  ['preʃə(r)] *n.* 压力，压强；强制，压迫 *vt.* 对…施加压力(或影响)；迫使，说服

记 联想记忆：press(压)+ure→压力，压强；对…施加压力

搭 under pressure 处于压力之下；put pressure on 给…以压力；atmospheric pressure 大气压；take one's blood pressure 给某人量血压

**conviction\***  [kən'vɪkʃn] *n.* 定罪；坚信，确信；坚定的看法或信念

**tranquility\***  [træŋ'kwɪləti] *n.* 宁静，安静

记 联想记忆：tranquil(宁静的)+ity(表名词)→宁静

**facilitate**  [fə'sɪlɪteɪt] *vt.* 使便利，使容易；推动，帮助

记 词根记忆：fac(做)+ilit+ate(使…)→使便利，使容易

**grand\***  [grænd] *adj.* 宏伟的；大的

**installment**  [ɪn'stɔ:lmənt] *n.* 分期付款；(连载或连播的)一集

搭 in installment 以分期付款的形式；monthly installments 按月还款

**acumen**  ['ækjəmən] *n.* 敏锐；精明

记 词根记忆：acu(锐利)+men(表示抽象名词)→敏锐；精明

**dissertation**  [ˌdɪsə'teɪʃn] *n.* 专题论文

记 来自dissert (*vi.* 论述，写论文)

**heap\***  [hi:p] *n.* (一)堆；大量 *vt.* (使)成堆

记 联想记忆：通过大量(heap)量变一跃(leap)发生质变

搭 heaps of 许多，大量；heap sth. on sth. 在…上放很多…

**blame\***  [bleɪm] *vt.* 责怪，责备

搭 blame sth. on sb./sth. 把…归咎于…；only have yourself to blame 只能怪你自己

162

| | |
|---|---|
| **frame** | [freɪm] *n.* 框架 *vt.* 给…镶框 |
| | 搭 picture frame 相框，画框 |
| | 派 framework (*n.* 结构，机制) |
| **symbolism** | ['sɪmbəlɪzəm] *n.* 符号的使用；(尤指文艺中的)象征主义，象征手法 |
| **ascribe** | [ə'skraɪb] *vt.* 把…归因于 |
| | 记 词根记忆：a(表加强)+scrib(写)+e→把…写上去→把…归因于 |
| **abstract** | ['æbstrækt] *adj.* 抽象的；抽象派的 *n.* 摘要，梗概；抽象 [æb'strækt] *vt.* 摘要，提炼；抽象化 |
| | 记 词根记忆：abs(离去)+tract(拉)→拉出→提炼 |
| | 搭 abstract noun 抽象名词 |
| | 派 abstracted (*adj.* 抽象的)；abstraction (*n.* 抽象概念；抽象化状态) |
| **disruption** | [dɪs'rʌpʃn] *n.* 扰乱；中断 |
| **self-esteem** | [ˌself ɪ'stiːm] *n.* 自尊；自负 |
| **literate** | ['lɪtərət] *adj.* 有读写能力的；有文化的；博学的；掌握(某个领域或某方面)知识的；通晓…的 |
| | 记 词根记忆：liter(文字)+ate(具有…的)→有读写能力的；有文化的 |
| **extinction** | [ɪk'stɪŋkʃn] *n.* 灭绝，绝种；熄灭 |
| | 记 来自extinct (*adj.* 灭绝的) |
| **endanger** | [ɪn'deɪndʒə(r)] *vt.* 危及，危害 |
| | 记 联想记忆：en(使…)+danger(危险)→危及 |
| | 同 imperil (*vt.* 使陷于危险，危及) |
| **perception** | [pə'sepʃn] *n.* 看法；感觉；洞察力 |
| | 记 来自perceive (*vt.* 感知，觉察) |
| | 派 perceptible (*adj.* 可以感觉到的，看得出来的)；perceptive (*adj.* 感知的；有理解力的，有识别力的) |
| **prediction** | [prɪ'dɪkʃn] *n.* 预言；预料；预报 |
| **foster** | ['fɒstə(r)] *v.* 培养，培育(某物)；鼓励，促进；领养 *adj.* 收养的，寄养的 |
| | 记 联想记忆：fost(看作fast，快速的)+er→促进；培养 |

派 fosterling (*n.* 养子，养女); fosterer (*n.* 养育者)

同 nurture (*vt.* 抚育，教养); cultivate (*vt.* 教养，培养)

**ancestral** [æn'sestrəl] *adj.* 祖先的；祖传的

**rekindle** [ˌriː'kɪndl] *vt.* 重新点燃；使复苏

记 联想记忆：re(重新)+kindle(点燃)→重新点燃

**revival** [rɪ'vaɪvl] *n.* (健康、力量或知觉的)恢复，复原；苏醒，复活；复兴；重新使用；重新流行

记 词根记忆：re(重新)+viv(生命)+al(表行为)→生命重现→复活；复兴

**inevitable** [ɪn'evɪtəbl] *adj.* 不可避免的，必然(发生)的

记 联想记忆：in(不)+evitable(可避免的)→不可避免的

派 inevitably (*adv.* 不可避免地，必然地)

**disenchantment** [ˌdɪsɪn'tʃɑːntmənt] *n.* 失望，不抱幻想

**acupuncture** ['ækjupʌŋktʃə(r)] *n.* 针刺疗法，针灸

**loath** [ləʊθ] *adj.* 不情愿的，勉强的

搭 nothing loath 很愿意，很高兴

**orthodox** ['ɔːθədɒks] *adj.* 正统的，传统的

记 词根记忆：ortho(正)+dox(观点)→正统观点的→正统的

搭 orthodox views 传统观念

派 orthodoxy (*n.* 正统观念)

同 conventional (*adj.* 传统的); customary (*adj.* 习惯的，惯例的)

**popularity** [ˌpɒpju'lærəti] *n.* 普及，流行

记 联想记忆：popular(流行)+ity→流行

**amplify** ['æmplɪfaɪ] *v.* 详述；放大(声音等)

记 词根记忆：ampl(大)+ify(使…)→放大

同 expand (*v.* 使膨胀；扩张); increase (*v.* 增加)

反 deflate (*vt.* 放气；使缩小); shrink (*v.* 缩小)

**reliance** [rɪ'laɪəns] *n.* 依靠，依赖

同 trust (*n.* 信任，信赖); dependence (*n.* 信任，信赖)

反 distrust (*n.* 不信任)

**nightmare** ['naɪtmeə(r)] *n.* 噩梦；可怕的事物

| | |
|---|---|
| **leap\*** | [liːp] *n.* 跳跃；激增 *v.* 跳；冲 |
| **conscious** | ['kɒnʃəs] *adj.* 自觉的；意识到的；神志清醒的 |
| | 记 词根记忆：con(共同)+sci(知道)+ous(…的)→共同知道的→自觉的；意识到的 |
| **divine\*** | [dɪ'vaɪn] *adj.* 神的；神授的，天赐的 |
| **decompose\*** | [ˌdiːkəm'pəʊz] *v.* (使)分解，(使)腐烂 |
| | 记 联想记忆：de(离开)+compose(组成)→把组合在一起的东西分开→分解 |
| **investigate** | [ɪn'vestɪɡeɪt] *v.* 调查 |
| | 记 联想记忆：invest(投资)+i+gate(大门)→先进行市场调查是通往投资的大门→调查 |
| **underneath** | [ˌʌndə'niːθ] *adv.* 在下面 *prep.* 在…下面 *n.* 下部 |
| **division** | [dɪ'vɪʒn] *n.* 分开，分隔；分配；分歧；除(法)；部门，科，司 |
| | 记 词根记忆：di(分开)+vis(看)+ion→看出不同→分歧 |
| | 搭 division of labour 分工 |
| | 派 divisional (*adj.* 分开的) |
| **gamble** | ['ɡæmbl] *v.* 赌博，打赌；投机；冒险 |
| | 记 联想记忆：gamb(看作game，游戏)+le→赌博可不仅仅是小小的游戏→赌博 |
| | 搭 gamble away 赌博输掉；gamble on 把…押在…上；投机；碰运气 |
| | 同 bet (*v.* 打赌，赌博)；wager (*v.* 打赌；赌博)；stake (*vt.* 以…打赌，拿…冒险) |
| **ancient** | ['eɪnʃənt] *adj.* 古老的；年老的 |
| | 记 发音记忆："安神的"→那古老的旋律让人心安神宁→古老的 |
| | 同 antique (*adj.* 古老的) |
| | 反 modern (*adj.* 现代的) |
| **strand** | [strænd] *n.* 股，缕；部分，方面 |
| | 同 string (*n.* 线，细绳)；thread (*n.* 线，细丝) |
| **specimen** | ['spesɪmən] *n.* 范例，样品；样本，标本 |
| **motive** | ['məʊtɪv] *n.* 动机，目的 *adj.* 发动的；导致运动的 |
| | 记 词根记忆：mot(动)+ive→移动的目的→动机，目的 |

| | |
|---|---|
| **furious** | ['fjʊəriəs] *adj.* 狂怒的；激烈的 |
| | 同 irate (*adj.* 暴怒的，愤怒的)；fierce (*adj.* 强烈的，狂热的)；turbulent (*adj.* 汹涌的，狂暴的) |
| | 反 meek (*adj.* 温顺的，驯服的)；calm (*adj.* 镇静的，平静的)；unperturbed (*adj.* 宁静的；泰然自若的) |
| **alternative\*** | [ɔːl'tɜːnətɪv] *adj.* 可供替代的；非传统的，另类的 *n.* 可供选择的事物 |
| | 记 词根记忆：altern(其他的)+ative(有…性质的)→可供替代的 |
| | 搭 an alternative lifestyle 另一种生活方式 |
| | 派 alternatively (*adv.* 二选一地) |
| **access\*** | ['ækses] *vt.* 进入；使用 *n.* 通道，入径；机会；权利 |
| | 记 词根记忆：ac(表加强)+cess(行走)→一再向前走→进入 |
| | 搭 access to 接近/进入…的方法/通路，使用…的权利；have/gain access to 可以获得 |
| **exhilaration** | [ɪgˌzɪlə'reɪʃn] *n.* 高兴；兴奋 |
| **inland** | ['ɪnlænd] *adj.* 内陆的 [ˌɪn'lænd] *adv.* 向(或在)内陆；向(或在)内地 |
| **migrate\*** | [maɪ'greɪt] *v.* (候鸟等)迁徙；移居 |
| | 记 词根记忆：migr(迁移)+ate→迁徙；移居 |
| | 派 migratory (*adj.* 迁徙的，流浪的) |
| | 同 emigrate (*v.* 移居国外)；immigrate (*v.* 移居入境) |
| **claim\*** | [kleɪm] *v.* 要求；声称，主张，索赔 *n.* 要求；主张，断言；索赔 |
| | 记 本身为词根，意为"大声呼喊"→要求；声称 |
| | 搭 lay claim to 对…提出所有权要求；put forward a claim to sth. 提出要得到某物；claim to do sth. 声称要做某事 |
| **digest** | [daɪ'dʒest] *v.* 消化；领会 ['daɪdʒest] *n.* 文摘 |
| | 记 词根记忆：di(分开)+gest(带来)→带下去→消化 |
| | 同 absorb (*vt.* 吸收，吸取；理解，掌握)；comprehend (*v.* 领会，理解) |

**decipher** [dɪ'saɪfə(r)] *vt.* 破译；解释

🔢 联想记忆：de(去掉)+cipher(密码)→解开密码→破译

**extraordinary** [ɪk'strɔːdnri] *adj.* 不同寻常的，非凡的；特别的

🔢 组合词：extra(以外的)+ordinary(平常的)→平常之外的→不同寻常的，非凡的

**stale** [steɪl] *adj.* 不新鲜的；陈腐的

🔄 obsolete (*adj.* 陈旧的，废弃的)

**tan** [tæn] *adj.* 棕褐色的 *n.* 棕褐色；晒黑 *v.* (使)晒成棕褐色，晒黑

🔄 sunburn (*n./v.* 晒黑)

**impair** [ɪm'peə(r)] *vt.* 损害；削弱

🔢 词根记忆：im(不)+pair(=par，准备)→损害

🔍 impair one's health 损害健康

🔄 injure (*vt.* 伤害，损害，损伤)；undermine (*vt.* 削弱，破坏)

🔄 strengthen (*v.* 加强，巩固)；improve (*v.* 改进，改善)

**inescapable** [ˌɪnɪ'skeɪpəbl] *adj.* 不可逃避的；难免的

**adolescent** [ˌædə'lesnt] *n.* 青少年 *adj.* 青春期的；青少年的

🔢 联想记忆：adol(看作adult，成年人)+esc(计算机上退出键)+ent(表人)→好想从成年人退回到青少年→青少年

🔍 an adolescent girl 一个妙龄少女

**associate\*** [ə'səʊsieɪt] *v.* 使联合；使有联系；交往

[ə'səʊsiət] *n.* 伙伴；同事 *adj.* 副的；联合的，合伙的

🔢 词根记忆：as(表加强)+soci(社会)+ate(使…)→成为一个社会→使联合

🔍 associate with 和…相关，联合；business associate 商业伙伴；associate professor 副教授

🔄 combine (*v.* 结合，联合)；join (*v.* 加入，结合)

**layer** ['leɪə(r)] *n.* 层，层次

🔢 联想记忆：lay(层面)+er→层，层次

| cable* | ['keɪbl] *n.* 缆绳；电缆；电报 *v.* (给…)发电报 |
|---|---|
| | 記 联想记忆：他在工作台(table)上夜以继日地研究电缆(cable) |
| | 搭 underground cables 地下电缆 |
| wedge* | [wedʒ] *n.* 楔子，楔形 *vt.* 楔入 |
| | 記 联想记忆：楔子(wedge)的边缘(edge)很尖锐 |
| historian | [hɪ'stɔːriən] *n.* 历史学家，历史工作者 |
| fancy | ['fænsi] *adj.* 别致的；有精美装饰的 *vt.* 想象；想要；想做 *n.* 想象力；喜欢，想要；爱好 |
| | 記 联想记忆：fan(迷，狂热者)+cy→着迷(的事)→喜欢，想要；爱好 |

# *Word List 24*

音频

| | |
|---|---|
| **judicious\*** | [dʒu'dɪʃəs] *adj.* 明智的；有见识的 |
| | 记 词根记忆：judici(判断)+ous(…的)→具有判断力的→明智的；有见识的 |
| **landfill\*** | ['lændfɪl] *n.* 垃圾堆；垃圾填筑地，废渣填埋地 |
| | 记 组合词：land(地)+fill(充满)→堆满垃圾的地方→垃圾堆 |
| | 搭 landfill site 垃圾掩埋地点 |
| **cast** | [kɑːst] *v.* 投射(光、视线等)；把…加于；投，扔；丢弃，剔除；脱落，蜕皮；浇铸，铸造 *n.* 演员表，全体演员；石膏绷带；铸模，铸件；外貌，特征 |
| | 搭 cast iron 铸铁 |
| **uniform\*** | ['juːnɪfɔːm] *n.* 制服 *adj.* 相同的，一致的 |
| | 记 词根记忆：uni(单一)+form(形状)→单一形状的→相同的，一致的 |
| | 搭 in uniform 穿着制服的 |
| | 派 uniformity (*n.* 同样，一致) |
| **longitudinal\*** | [ˌlɒŋgɪ'tjuːdənl] *adj.* 经度的，经线的；纵的；长度的 |
| | 记 联想记忆：和latitudinal (*adj.* 纬度的)一起记 |
| **disillusion** | [ˌdɪsɪ'luːʒn] *vt.* 使醒悟 |
| | 记 联想记忆：dis(不)+illusion(幻想)→不要再幻想了，快醒醒吧→使醒悟 |
| **clientele** | [ˌkliːən'tel] *n.* (医生、律师等的)顾客，主顾，客户 |
| **holistic** | [həʊ'lɪstɪk] *adj.* 整体的，全面的；功能整体性的 |
| | 搭 holistic medicine 整体医学 |
| **exodus** | ['eksədəs] *n.* 大批离去，成群外出 |
| | 记 词根记忆：ex(出)+od(道路)+us→走上外出的道路→大批离去 |
| **concur** | [kən'kɜː(r)] *v.* 同时发生；意见相同，一致 |
| | 记 词根记忆：con(共同)+cur(发生)→同时发生 |

| | |
|---|---|
| **preventative** | [prɪˈventətɪv] *adj.* 预防性的 |
| **complementary** | [ˌkɒmplɪˈmentri] *adj.* 互补的；补充的，补足的 |
| | 记 词根记忆：com(表加强)+ple(满的)+ment+ary(…的)→填满的→互补的；补充的 |
| **adjunct** | [ˈædʒʌŋkt] *n.* 附加物，附件；附加语，修饰语 |
| | 记 词根记忆：ad(表加强)+junct(连接)→连在上面的东西→附加物 |
| **simplistic** | [sɪmˈplɪstɪk] *adj.* 过分单纯化的，过分简单化的 |
| **hiccup** | [ˈhɪkʌp] *n.* 嗝，呃逆；暂时的(或小的)困难(或挫折) *vi.* 打嗝 |
| **prowess** | [ˈpraʊəs] *n.* 杰出的才能，高超的技艺，专长，造诣 |
| | 记 联想记忆：prow(英勇的)+ess→杰出的才能 |
| **engross** | [ɪnˈɡrəʊs] *vt.* 使全神贯注，占去(某人的)全部注意力和时间 |
| | 记 联想记忆：en(进入)+gross(总的)→全身心进入一种状态→使全神贯注 |
| **tease** | [tiːz] *v.* 逗乐，奚落，戏弄；强求 *n.* 揶揄，戏弄，取笑；逗弄者，取笑者 |
| | 记 联想记忆：tea(茶)+se→以茶代酒，戏弄别人→揶揄，戏弄 |
| **exuberant** | [ɪɡˈzjuːbərənt] *adj.* 繁茂的，丰富的；非凡的；华而不实的 |
| | 搭 exuberant imagination 丰富的想象力 |
| **cavort** | [kəˈvɔːt] *vi.* 欢跃，跳跃；嬉戏 |
| | 记 发音记忆："渴望他"→看到他便兴奋得跳跃→跳跃 |
| **socialise** | [ˈsəʊʃəlaɪz] *v.* (同他人)来往，交往，交际；使(某人)适应社会生活 |
| | 搭 socialised medicine 公费医疗制度 |
| **optimum** | [ˈɒptɪməm] *adj.* 最好的；最有利的 |
| | 记 词根记忆：optim(最好)+um→最好的 |
| | 同 optimal (*adj.* 最佳的，最理想的)；ideal (*adj.* 理想的，完美的) |

| | |
|---|---|
| **creative*** | [kri'eɪtɪv] *adj.* 创造性的；创作的 |
| **molecule*** | ['mɒlɪkjuːl] *n.* 分子 |
| | 🔢 联想记忆：mol(摩尔)+ecule→分子 |
| **fitness** | ['fɪtnəs] *n.* 健康；适合(某事物) |
| | 🔢 联想记忆：fit(健康的)+ness(表名词)→健康 |
| **regarding** | [rɪ'gaːdɪŋ] *prep.* 关于 |
| | 🔢 联想记忆：regard(关心)+ing→关于 |
| **contact*** | ['kɒntækt] *n.* 接触；联系 *vt.* 与…取得联系，联络 |
| | 🔢 词根记忆：con(表加强)+tact(接触)→接触 |
| | 🔠 contact list 联系人清单；eye contact 目光交流；in contact with sb. 与某人保持联系；come into contact with sb. 接触某人；contact lens 隐形眼镜 |
| **consultant*** | [kən'sʌltənt] *n.* 顾问；专科医生 |
| | 🔢 联想记忆：consult(请教；查阅)+ant(表人)→供咨询的人→顾问 |
| | 🔠 school consultant 校方顾问；legal consultant 司法顾问；study abroad consultant 留学顾问 |
| **secondary** | ['sekəndri] *adj.* 次要的，二级的；(教育、学校等)中等的；辅助的，从属的 |
| | 🔢 联想记忆：来自second(*num.* 第二) |
| | 🔠 be secondary to 仅次于…；secondary school 中学 |
| | 🔣 secondarily (*adv.* 在第二，其次，在第二位) |
| **fraction** | ['frækʃn] *n.* 小部分，少量 |
| | 🔢 词根记忆：fract(破碎)+ion→破碎的部分→小部分 |
| | 🔠 a fraction closer 稍微靠近一点；a fraction of 一小部分 |
| | 🔣 fractional (*adj.* 很少的，微不足道的) |
| **dictation** | [dɪk'teɪʃn] *n.* 听写 |
| **engage*** | [ɪn'geɪdʒ] *v.* 吸引(某人的注意力等)；占用(某人的时间)；使从事于，使忙于；雇用，聘用；与(某人)交战；(指机器零件等)啮合，衔接；与…建立密切关系 |
| | 🔠 engage in doing sth. 从事于… |

| | |
|---|---|
| **populate\*** | ['pɒpjuleɪt] *vt.* (大批地)居住于，生活于 |
| | 记 词根记忆：popul(人民)+ate(使…)→使人民在某处→(大批地)居住于 |
| **merchandising\*** | ['mɜːtʃəndaɪzɪŋ] *n.* 销售规划；推销 |
| **meteorology\*** | [ˌmiːtiə'rɒlədʒi] *n.* 气象学 |
| | 记 联想记忆：meteor(流星；大气现象)+ology(…学)→气象学 |
| **dealer** | ['diːlə(r)] *n.* 商人，经销商 |
| | 记 联想记忆：deal(交易)+er(表人)→进行交易的人→商人 |
| **authorise** | ['ɔːθəraɪz] *vt.* 批准，认可；授权 |
| | 派 unauthorised (*adj.* 未经授权的，未被批准的)；authoritative (*adj.* 权威性的；命令式的) |
| **spectator** | [spek'teɪtə(r)] *n.* (尤指体育比赛的)观众；旁观者 |
| | 记 词根记忆：spect(看)+ator(表人)→观众；旁观者 |
| | 搭 spectator sport 吸引很多观众的体育项目 |
| **compatriot\*** | [kəm'pætriət] *n.* 同胞；同国人 |
| | 记 联想记忆：他的同伴(companion)跟他是同一个国家的人(compatriot) |
| **dreadful** | ['dredfl] *adj.* 可怕的；令人不快的 |
| **shuttle** | ['ʃʌtl] *n.* 航天飞机；来往于两地之间的航班(或班车、火车) |
| | 记 联想记忆：shut(关)+tle→封闭的空间→航天飞机 |
| **entail\*** | [ɪn'teɪl] *vt.* 牵涉；需要 |
| | 记 联想记忆：en+tail(尾巴)→被人抓住尾巴→牵涉 |
| **contrary** | ['kɒntrəri] *adj.* 相反的 *n.* 相反的事实(或情况) |
| | 记 词根记忆：contra(相反)+ry(…的)→相反的 |
| | 搭 to the contrary 反之，正相反；on the contrary反之，正相反；contrary to 与…相反；quite the contrary 恰恰相反；contrary opinions 相反的观点 |
| **alert** | [ə'lɜːt] *adj.* 警惕的 *n.* 警戒；警报 *vt.* 警告 |
| | 记 联想记忆：Red Alert "红色警戒"，20世纪90年代风靡全球的电脑游戏 |

**shift***    [ʃɪft] v. 移动，转移；改变，转变 n. 转换，转变；轮(或换)班

🔺 联想记忆：电脑键盘上的切换键即Shift键

**mere**    [mɪə(r)] adj. 仅仅的；纯粹的

🔺 联想记忆：仅仅(mere)在这儿(here)徘徊是不行的

**monitor**    ['mɒnɪtə(r)] n. 班长；监视器 vt. 监视；监测

🔺 词根记忆：mon(警告)+itor(表人)→给你警告的人→班长

**derive***    [dɪ'raɪv] v. 取得；起源

🔺 联想记忆：de+rive(r)→黄河流域是中华文明的发源地→起源

🔺 derive from 源自

**desire***    [dɪ'zaɪə(r)] v./n. 想望，期望；要求

🔺 联想记忆：*A Street Car Named Desire* 电影《欲望号街车》

🔺 a strong desire to do sth. 做…的强烈愿望

🔺 desirable (adj. 理想的；可取的)

**minimal**    ['mɪnɪml] adj. 最小的，最低限度的

🔺 词根记忆：min(小)+imal→最小的

🔺 maximum (adj. 最大的，最大限度的)

**sketch**    [sketʃ] v. 画素描；概述 n. 素描；速写

**lag***    [læg] v. 走得慢；落后 n. (时间上的)间隔；滞后

🔺 联想记忆：leg(腿)中间的零件e换成a了→腿坏了→走得慢

🔺 jet lag 时差，时差反应

**trigger***    ['trɪgə(r)] vt. 引起；触发，导致 n. 扳机

🔺 trigger a war 引发战争

🔺 stimulus (n. 刺激物)；initiate (vt. 发起，开始)；cause (vt. 引起，导致)

**supplement**    ['sʌplɪment] vt. 补充，增补 ['sʌplɪmənt] n. 增补(物)，补充(物)；补遗；增刊；附录；(服务、旅馆房费等的)附加费

記 联想记忆：supple(看作supply，补给)+ment→增补，补充

搭 supplement to 对…的补充

**offend** [ə'fend] v. 冒犯，得罪，令人不悦

记 联想记忆：off(离开)+end(最后)→他感觉被冒犯了，最后离开了→冒犯

派 offence (n. 犯规；冒犯)；offensive (adj. 冒犯的；攻击性的)

**vivid*** ['vɪvɪd] adj. 鲜艳的；鲜明的；生动的

记 词根记忆：viv(生命)+id(…的)→富有生命力的→生动的

**enclose** [ɪn'kləʊz] vt. 围住；附上；把…装入信封

记 联想记忆：en(进入)+close(关闭)→关在里面→围住

派 enclosure (n. 围栏；附件)

**dose*** [dəʊs] n. 剂量，一剂

记 联想记忆：玫瑰(rose)对生气中的女孩是一剂(dose)良药

**supply*** [sə'plaɪ] n. 供给，供应(量)；[常pl.] 存货，必需品 vt. 供给，供应；满足(需要)，弥补(不足)

搭 supply sth. to sb. 为某人提供…

**compress** [kəm'pres] v. 压紧；压缩 ['kɒmpres] n. (止血、减痛等的)敷布，压布

记 联想记忆：com(表加强)+press(压)→使劲压→压紧；压缩

搭 compress sth. into sth. 把…压缩成…

**interest*** ['ɪntrəst] n. 兴趣；利息；利益 vt. 使感兴趣

**overcome*** [ˌəʊvə'kʌm] vt. 战胜，克服；(感情等)压倒

记 来自词组come over (战胜；支配)

**achievement*** [ə'tʃiːvmənt] n. 成就，成绩；达到，完成，实现

记 来自achieve (v. 达到，完成)

搭 sense of achievement 成就感

174

# Word List 25

| | |
|---|---|
| **dusk** | [dʌsk] *n.* 薄暮，黄昏 |
| | 记 联想记忆：她趴在书桌(desk)上看着窗外的黄昏(dusk) |
| **cease*** | [siːs] *v.* 停止，终止 |
| | 记 联想记忆：c+ease(安逸，安心)→生于忧患，死于安乐→停止，终止 |
| **arable*** | ['ærəbl] *adj.* 可耕作的 *n.* 耕地 |
| | 记 联想记忆：ar(看作art，技术)+able(能够的)→通过技术认定可耕→可耕作的 |
| | 搭 arable land 耕地 |
| **congested*** | [kən'dʒestɪd] *adj.* 拥挤不堪的；充塞的 |
| | 记 词根记忆：con(表加强)+gest(带来)+ed(有…的)→带来很多→拥挤不堪的；充塞的 |
| | 派 congestion (*n.* 拥挤，拥堵) |
| **split** | [splɪt] *v.* (使)分裂，分离；(被)撕裂，裂开；劈开；分担，分享 *n.* 裂口；分化，分裂 |
| | 记 发音记忆："撕劈了它"→劈开→分裂 |
| | 搭 split into 分成，分开；split from/with sb. 与某人断绝关系，离开某人 |
| **linger*** | ['lɪŋɡə(r)] *vi.* 继续逗留；缓慢消失 |
| **distinct** | [dɪ'stɪŋkt] *adj.* 清楚的，明显的；有区别的，不同的；不同种类的 |
| | 记 词根记忆：di+stinct(刺)→刺眼的→明显的 |
| | 搭 be distinct from 与…截然不同；a distinct minority 明显的少数 |
| | 派 distinctive (*adj.* 独特的)；distinction (*n.* 差别，不同；区分) |
| **negotiate** | [nɪ'ɡəʊʃieɪt] *v.* 洽谈，协商；商定，达成；顺利越过 |

175

| | |
|---|---|
| **cruel\*** | ['kruːəl] *adj.* 残忍的，残暴的 |
| | 🔢 发音记忆："刻肉"→残忍的，残暴的 |
| | 🔤 be cruel to 对…残忍 |
| **womb\*** | [wuːm] *n.* 子宫；发源地 |
| | 🔢 联想记忆：生命的过程就是从子宫(womb)到坟墓(tomb) |
| **advantageous** | [ˌædvən'teɪdʒəs] *adj.* 有利的 |
| | 🔢 来自advantage (*n.* 益处，好处) |
| **manoeuvre** | [mə'nuːvə(r)] *n.* 移动；策略，手段 *v.* 移动，转动；操纵，控制 |
| **predatory** | ['predətri] *adj.* 食肉的；掠夺的 |
| | 🔢 联想记忆：predator(掠夺者)+y(有…性质的)→掠夺的 |
| **converse** | [kən'vɜːs] *vi.* 谈话，会谈 ['kɒnvɜːs] *adj.* 逆向的 *n.* 相反的事物；反面 |
| | 🔢 词根记忆：con(共同)+vers(转)+e→一起转向→交谈，会谈 |
| | 🔤 conversation (*n.* 交谈，谈话) |
| **context** | ['kɒntekst] *n.* 上下文；背景；环境 |
| | 🔢 词根记忆：con(共同)+text(编织)→共同编织在一起→上下文 |
| | 🔤 contextual (*adj.* 根据上下文的) |
| **entrepreneurial** | [ˌɒntrəprə'nɜːriəl] *adj.* 创业的 |
| **dearth** | [dɜːθ] *n.* 缺乏，短缺 |
| | 🔢 联想记忆：dear(珍贵的)+th→物以稀为贵→缺乏，短缺 |
| | 🔤 a dearth of water 缺水 |
| **adventurous** | [əd'ventʃərəs] *adj.* 喜欢冒险的，敢作敢为的；充满危险和刺激的，惊险的 |
| **exploitative** | [ɪk'splɔɪtətɪv] *adj.* 开发的，利用的；剥削的 |
| **impoverish** | [ɪm'pɒvərɪʃ] *vt.* 使贫困；使枯竭，使贫瘠 |
| | 🔢 词根记忆：im(进入)+pover(贫困)+ish(使…)→使进入贫困→使贫困 |
| **convection** | [kən'vekʃn] *n.* 传送；对流 |

**plateau** ['plætəʊ] *n.* 高原；(上升后的)稳定时期(或状态)

記 联想记忆：plat(平)+eau→高出平地的地→高原

**crust** [krʌst] *n.* 硬层，硬表面，地壳；(一片)面包皮

記 联想记忆：可与crush (*v.* 压碎)一起记

派 crusty (*adj.* 有脆皮的；脾气暴躁的)

**overlie** [ˌəʊvəˈlaɪ] *v.* 躺在…上面；置于…上面

記 组合词：over (在…上面)+lie(躺；放)→躺在…上面；置于…上面

**brittle** ['brɪtl] *adj.* 易碎的，易损坏的；靠不住的；冷淡的，不友好的；(声音)尖利的

記 联想记忆：br(看作break，打破)+ittle(看作little，小的)→打破成小块→易碎的

搭 brittle temper 易发怒的脾气，急脾气

派 brittleness (*n.* 脆弱)

**collision** [kəˈlɪʒn] *n.* 碰撞；冲突，抵触

記 来自collide (*vi.* 冲撞)

**extrusion** [ɪkˈstruːʒn] *n.* 挤出，推出，挤压

記 词根记忆：ex(出)+trus(推)+ion→挤出

**pumice** ['pʌmɪs] *n.* 浮石，浮岩 *vt.* 用浮岩磨

**predictable** [prɪˈdɪktəbl] *adj.* 可预言的，可预报的；按老一套办事的，墨守成规的

**geological** [ˌdʒiːəˈlɒdʒɪkl] *adj.* 地质的，地质学的

記 词根记忆：ge(o)(地)+ological(…学的)→地质学的

搭 geological textbook 地质学教科书

**halve\*** [hɑːv] *v.* 二等分，减半

**assimilate** [əˈsɪməleɪt] *v.* 吸收；使同化

記 词根记忆：as(表加强)+simil(一样)+ate(使…)→使成为一样→使同化

同 absorb (*vt.* 吸收)；digest (*v.* 消化)

**harbour** ['hɑːbə(r)] *n.* 港湾 *v.* 停泊；隐匿

記 发音记忆："哈勃"→哈勃望远镜停泊在太空中→停泊

177

| **hybrid\*** | ['haɪbrɪd] *n.* 杂交生成的生物体，杂交植物(或动物)；杂种；混血儿；混合物，合成物 *adj.* 杂交产生的；混合的，合成的 |
|---|---|
| **inhale\*** | [ɪn'heɪl] *v.* 吸(烟)，吸气<br>**记** 词根记忆：in(进入)+hal(呼吸)+e→吸气<br>**派** inhalation (*n.* 吸入；吸入物) |
| **decibel\*** | ['desɪbel] *n.* 分贝<br>**记** 词根记忆：deci(十分之一)+bel(贝尔，为十个分贝)→分贝 |
| **voyage** | ['vɔɪɪdʒ] *n./v.* 旅行，航行，飞行<br>**记** 词根记忆：voy(道路)+age→旅行，航行<br>**搭** maiden voyage 首航 |
| **contingency\*** | [kən'tɪndʒənsi] *n.* 偶然性，可能性；意外事件；附带事件<br>**记** 词根记忆：con+ting(接触)+ency(表行为)→事情都碰在一起了→意外事件 |
| **relieve** | [rɪ'liːv] *vt.* 救济；缓解<br>**派** relief (*n.* 救济；缓解) |
| **stance\*** | [stæns] *n.* 姿势；观点，立场<br>**记** 词根记忆：stan(站)+ce→站姿→姿势 |
| **conduct\*** | ['kɒndʌkt] *n.* 举止；指导；管理 [kən'dʌkt] *v.* 指导；管理，实施；指挥<br>**记** 词根记忆：con(表加强)+duct(引导)→指导<br>**搭** conduct oneself (行为)表现 |
| **mate\*** | [meɪt] *v.* 交配，配种 *n.* 配偶；伙伴；(商船上的)大副<br>**记** 联想记忆：配偶(mate)相互为对方铺垫子(mat)<br>**搭** soul mate 灵魂伴侣；性情相投的人 |
| **attack\*** | [ə'tæk] *n./v.* 进攻；抨击；(疾病等)突然发作<br>**记** 联想记忆：at(表加强)+tack(看作tank，坦克)→用坦克加强进攻→进攻；抨击 |
| **discredit\*** | [dɪs'kredɪt] *vt.* 使怀疑；使丧失信誉，使丢脸<br>**记** 联想记忆：dis(不)+credit(信任)→不信任→使怀疑 |

**flora\*** [ˈflɔːrə] *n.* (某地区或时期的)一切植物，植物群

🔡 联想记忆：希腊神话里的花神名叫弗洛拉(Flora)

🔍 flora and fauna 动植物

📕 floral (*adj.* 花的；有花卉图案的)

**mass** [mæs] *adj.* 大量的 *n.* 团，众多；【物】质量；[pl.] 群众，民众 *v.* 聚集

🔡 联想记忆：和less (*adj.* 较少的)一起记

🔍 mass production 大规模生产

**anticipate\*** [ænˈtɪsɪpeɪt] *v.* 预期，预料，期望；先于…行动

🔡 词根记忆：anti(=ante，前面)+cip(拿)+ate(做)→在…之前取得→先于…行动

🔍 anticipate doing sth. 期待做某事

📕 anticipation (*n.* 预料)

**operate** [ˈɒpəreɪt] *v.* 运转；动手术；起作用；操作；经营

🔍 operating cost 经营费用

**bypass** [ˈbaɪpɑːs] *n.* (绕过市镇的)旁道 *vt.* 绕过

🔡 来自词组pass by (经过)

🔶 circumvent (*vt.* 绕行，避开)

**undetected\*** [ˌʌndɪˈtektɪd] *adj.* 未被发现的

🔡 联想记忆：un(不)+detect(发现)+ed→未被发现的

**shaft\*** [ʃɑːft] *n.* 轴，柄，杆；(光的)束，光线；竖井，(电梯的)升降井

🔡 联想记忆：变速杆(shaft)用来改变(shift)速度

**channel\*** [ˈtʃænl] *n.* 频道；[常pl.] 渠道，途径；沟渠；海峡，水道；航道

🔍 the English Channel 英吉利海峡

**determine\*** [dɪˈtɜːmɪn] *v.* 确定；决定；(使)下决心

🔡 词根记忆：de(表加强)+termin(界限)+e→加强界限→决定

**dominate** [ˈdɒmɪneɪt] *v.* 支配，统治；耸立于

🔡 词根记忆：domin(=dom，控制)+ate→紧紧控制→支配，统治

179

| | |
|---|---|
| **instrumental** | [ˌɪnstrə'mentl] *adj.* 有帮助的，起作用的；用乐器演奏的；与乐器有关的<br>记 来自instrument (*n.* 手段；器具) |
| **load** | [ləʊd] *v.* 装载；装(胶卷、弹药等) *n.* 负荷；装载 |
| **improve*** | [ɪm'pruːv] *v.* 改善，改进<br>搭 improve on/upon sth. 改进；做出更好的业绩 |
| **sensitive*** | ['sensətɪv] *adj.* 敏感的，灵敏的；神经过敏的，容易生气的；易受伤害的<br>记 词根记忆：sens(感觉)+itive(有…性质的)→敏感的<br>派 sensitivity (*n.* 敏感，灵敏性) |
| **abolish** | [ə'bɒlɪʃ] *vt.* 废止，废除<br>同 annul (*vt.* 废除，取消)；destroy (*vt.* 破坏，消灭) |
| **conception** | [kən'sepʃn] *n.* 观念；概念<br>派 misconception (*n.* 误解) |
| **encounter*** | [ɪn'kaʊntə(r)] *vt./n.* 遭遇，遇到<br>记 联想记忆：en(使…)+counter(相反的)→使从两个相反的方面来→遇到，遭遇<br>搭 encounter problems 遇到问题 |
| **bubble** | ['bʌbl] *vi.* 冒泡，起泡；发出冒泡的声音 *n.* 泡，泡沫；气泡；幻想的计划<br>记 发音记忆：拟声词，指水冒泡的声音<br>搭 bubble economy 泡沫经济 |
| **sample*** | ['sɑːmpl] *n.* 样品，样本 *vt.* 从…抽样，采样；品尝<br>记 联想记忆：简单的(simple)样品(sample)<br>搭 blood sample 血液样本；size of sample 样本大小 |
| **qualitative** | ['kwɒlɪtətɪv] *adj.* 性质的，质量的；定性的<br>记 联想记忆：qualit(y)(质量)+ative→质量的；定性的 |
| **accountant** | [ə'kaʊntənt] *n.* 会计师<br>记 联想记忆：account(账目)+ant(表人)→管账的人→会计师<br>搭 Certified Public Accountant 注册会计师 |
| **storey** | ['stɔːri] *n.* 楼层<br>记 联想记忆：可与store (*n.* 商店)一起记 |
| **gang** | [gæŋ] *n.* 一帮 *v.* 结成一伙 |

# *Word List 26*

音频

| | |
|---|---|
| **enterprise\*** | ['entəpraɪz] *n.* 企业，公司；事业 |
| | 记 词根记忆：enter(进入)+pris(抓)+e→进入市场，把握先机→企业，公司 |
| | 搭 backbone enterprise 骨干企业；joint enterprise 合资企业；state enterprise 国有企业 |
| **verify\*** | ['verɪfaɪ] *vt.* 证明；证实 |
| | 记 词根记忆：ver(真实)+ify(使…)→使…真实→证明；证实 |
| | 派 verification (*n.* 确认) |
| **string** | [strɪŋ] *n.* 线；弦；细绳；一串 *vt.* (用绳等)缚；扎；挂；(用线)串起；使排成一列 |
| | 记 联想记忆：st+ring(铃)→一串清脆的铃声→一串 |
| | 搭 a piece of string 一根带子；shoe string 鞋带 |
| **litter** | ['lɪtə(r)] *v.* 使乱七八糟；乱扔 *n.* 废弃物，垃圾；一窝幼崽 |
| | 记 联想记忆：把little的"l"乱丢，错拿成"r"→乱扔 |
| | 同 trash (*n.* 垃圾，废物)；rubbish (*n.* 垃圾，废物) |
| **manor** | ['mænə(r)] *n.* 领地，庄园 |
| | 记 联想记忆：man(人)+or(表物)→人靠自己的力量建立起来的→领地 |
| **location** | [ləʊ'keɪʃn] *n.* 位置，场所；(电影的)外景拍摄地 |
| | 搭 a good location 一个好地段；the best/golden location 黄金地段 |
| **breakdown** | ['breɪkdaʊn] *n.* 垮台，倒塌，破裂；(健康、精神等)衰竭，衰弱；(机器等的)损坏，故障；分类 |
| | 记 来自词组break down (打破，破坏) |
| | 同 disintegration (*n.* 瓦解)；classification (*n.* 分类) |
| **irresistible** | [ˌɪrɪ'zɪstəbl] *adj.* 无法抵抗的，不能压制的；无法抵制诱惑的 |

記 联想记忆：ir(不)+resistible(可抵抗的)→不可抵抗的→无法抵抗的

| | |
|---|---|
| **fluency** | ['fluːənsi] *n.* 流利，流畅；通顺 |
| | 記 词根记忆：flu(流动)+ency(表状态)→流动的状态→流利 |
| **transcription** | [træn'skrɪpʃn] *n.* 抄写，誊写；抄本，誊本；书面标注的事物；(乐曲的)改编 |
| **introspection** | [ˌɪntrə'spekʃn] *n.* 内省，反省 |
| | 記 词根记忆：intro(向内)+spect(看)+ion→看自己的内心→内省 |
| **elicitation** | [ɪ'lɪsɪ'teɪʃn] *n.* 引出，诱出 |
| | 記 词根记忆：e(出)+lic(引诱)+itation→引诱到外边来→引出，诱出 |
| **informant** | [ɪn'fɔːmənt] *n.* 提供消息或情报的人，线人；提供资料的人 |
| **ambiguity** | [ˌæmbɪ'ɡjuːəti] *n.* 模棱两可；不明确 |
| | 記 词根记忆：amb(i)(周围)+ig(驱使)+uity→向四周驱使，没有明确方向→不明确 |
| **generative** | ['dʒenərətɪv] *adj.* 生殖的，生产的；有生产能力的 |
| **recourse** | [rɪ'kɔːs] *n.* 依靠；求助，求援 |
| **scrupulous** | ['skruːpjələs] *adj.* 多顾虑的，谨慎的(尤指道德方面)；一丝不苟的，严谨的 |
| | 記 来自scruple (*n./vi.* 顾忌，顾虑) |
| | 搭 be scrupulous in (doing) sth. 小心谨慎对待(做)某事 |
| **utterance** | ['ʌtərəns] *n.* 用言语表达，讲话；话语，言语，言论 |
| **emeritus** | [ɪ'merɪtəs] *adj.* 退休后保留头衔的，荣誉退休的 |
| **bilingual** | [ˌbaɪ'lɪŋɡwəl] *adj.* (说)两种语言的 |
| | 記 词根记忆：bi(两)+lingu(语言)+al(…的)→(说)两种语言的 |
| | 搭 bilingual education 双语教育 |
| **substitution** | [ˌsʌbstɪ'tjuːʃn] *n.* 代替，置换；代入法 |
| **mundane** | [mʌn'deɪn] *adj.* 世俗的，现世的；平淡的，平凡的，单调的 |
| | 記 词根记忆：mund(世界)+ane(…的)→世俗的 |

| | |
|---|---|
| **foreseeable** | [fɔː'siːəbl] *adj.* 可预知的，能预测的 |
| **hurl** | [hɜːl] *vt.* 猛投，猛摔；大声叫骂 |
| **invoke** | [ɪn'vəʊk] *vt.* 恳求，祈求；援用，援引；使用，应用 |
| | 记 词根记忆：in(使…)+vok(叫喊)+e→恳求 |
| **duplicate** | ['djuːplɪkeɪt] *vt.* 复制，复写；重复 |
| | ['djuːplɪkət] *adj.* 完全相同的；副本的 *n.* 复制品 |
| | 记 词根记忆：du(二)+plic(重叠)+ate(使…)→两种重叠状态→完全相同的；复制品 |
| | 搭 duplicate copy 副本 |
| | 派 duplication (*n.* 副本；复制) |
| | 同 copy (*n.* 副本 *v.* 复印，复制) |
| **mushroom** | ['mʌʃrʊm] *vi.* 迅速成长(或发展) *n.* 蘑菇 |
| **adaptation** | [ˌædæp'teɪʃn] *n.* 适应；改编；改制物 |
| | 记 联想记忆：adapt(改编；适应)+ation(表动作)→适应；改编 |
| **elite\*** | [eɪ'liːt] *n.* 精英，中坚 *adj.* 卓越的，精锐的 |
| | 记 联想记忆：e+lite(看作词根lig，选择)→选出来的都是精英→精英 |
| | 搭 social elite 社会精英 |
| **up-to-date** | [ˌʌp tə 'deɪt] *adj.* 直到最近的；现代的 |
| **bury\*** | ['beri] *vt.* 埋葬；埋藏，掩藏 |
| | 派 burial (*n.* 埋葬，埋藏，葬礼) |
| **moderate** | ['mɒdərət] *adj.* 温和的；适度的 ['mɒdəreɪt] *v.* (使)减轻，缓和；使适中 |
| | 记 词根记忆：moder(=mod，风度)+ate→做事有风度→适度的 |
| **bold** | [bəʊld] *adj.* 粗(字)体的；大胆的，勇敢的；鲁莽的；醒目的 |
| | 记 联想记忆：b+old(年长)→年长的人通常不会太鲁莽→鲁莽的 |
| **award\*** | [ə'wɔːd] *n.* 奖；评判；授予 *vt.* 授予；给予 |
| | 搭 award a prize 颁奖；be awarded for 因…而被授奖；get one's award 得奖；award ceremony 颁奖仪式；win/receive an award 获奖 |

| | |
|---|---|
| **hassle*** | ['hæsl] *n.* 困难，麻烦；分歧，争论 |
| | 记 联想记忆：可能是haste(急忙)+tussle(争执；扭打)的缩合词→分歧，争论 |
| **addict** | ['ædɪkt] *n.* 吸毒成瘾的人；有瘾的人，对…入迷的人 |
| **restrain** | [rɪ'streɪn] *vt.* 阻止；抑制 |
| | 记 词根记忆：re(一再)+strain(拉紧)→阻止；抑制 |
| | 派 restraint (*n.* 抑制；约束措施) |
| **reproduce*** | [,riːprə'djuːs] *v.* 繁殖，生育；复制，仿造，翻版；再现，使…在脑海中重现 |
| | 记 联想记忆：re(一再)+produce(生产)→不断地生产→繁殖 |
| | 派 reproduction (*n.* 复制品；繁殖) |
| **signpost*** | ['saɪnpəʊst] *vt.* 在…设置路标 *n.* 路标 |
| | 记 组合词：sign(标志)+post(放置)→在…设置路标 |
| **intent** | [ɪn'tent] *n.* 意图，意向，目的 *adj.* 专心的，专注的；急切的 |
| | 记 词根记忆：in(向内)+tent(伸展)→向内伸展→意图 |
| **artefact*** | ['ɑːtɪfækt] *n.* 人工制品，手工艺品 |
| | 记 词根记忆：art(技巧)+e+fact(制作)→用技巧制作的东西→人工制品 |
| **application*** | [,æplɪ'keɪʃn] *n.* 请求，申请(书、表)；应用，运用；施用，敷用 |
| | 记 词根记忆：ap(表加强)+plic(折叠)+ation(表行为)→折得很近→申请；应用 |
| | 搭 application for 申请…; application form 申请表；application process 申请过程；job application 应聘 |
| **acquaintance** | [ə'kweɪntəns] *n.* 相识的人；认识，了解 |
| | 记 联想记忆：acquaint(使熟知)+ance(表名词)→熟人；认识 |
| | 搭 speaking acquaintance 泛泛之交；nodding acquaintance 点头之交 |
| **challenge*** | ['tʃælɪndʒ] *n.* 挑战；质疑；艰巨任务，难题 *vt.* 挑战；质疑 |

搭 face a challenge 面对挑战；take up challenges 接受挑战

**guideline\*** ['gaɪdlaɪn] *n.* [常pl.] 指导方针；准则，行动纲领

记 组合词：guide(指导)+line(路线)→指导方针

**hemisphere** ['hemɪˌsfɪə(r)] *n.* (地球的)半球；大脑半球

记 词根记忆：hemi(半)+spher(球)+e→半球

**civil** ['sɪvl] *adj.* 国民的；国家的；民用的；政府的

**viable\*** ['vaɪəbl] *adj.* 可行的，可实施的；【生】能自行生长发育的

记 词根记忆：vi(道路)+able(能…的)→有路可走→可行的，可实施的

派 viability (*n.* 可行性)

**gigantic** [dʒaɪˈɡæntɪk] *adj.* 巨大的，庞大的

搭 a gigantic sculpture 一座巨大的雕像

同 colossal (*adj.* 巨大的，庞大的)；enormous (*adj.* 巨大的，极大的)

反 tiny (*adj.* 极小的，微小的)；microscopic (*adj.* 极小的)

**venue** ['venjuː] *n.* (聚集、审判、比赛等的)地点

记 联想记忆：ven(来)+ue→大家都来的地方→(聚集、审判、比赛等的)地点

搭 sport venue 运动场馆；outdoor venue 户外场所

**grieve** [ɡriːv] *v.* (使)伤心

同 lament (*v.* 哀悼；悲痛)；bemoan (*vt.* 哀怨；悲叹)；sadden (*vt.* 使伤心，使悲哀)

反 cheer (*v.* 欢呼)；rejoice (*v.* 感到高兴，充满喜悦)

**studio** ['stjuːdiəʊ] *n.* 工作室；摄影室；练习室

**inhabitant** [ɪnˈhæbɪtənt] *n.* 居民，住户，居住者；栖息的动物

记 词根记忆：in(使…)+habit(居住)+ant(表人)→居民，居住者

**suicidal\*** [ˌsuːɪˈsaɪdl] *adj.* 自杀(性)的；有自杀倾向的

记 词根记忆：sui(自己)+cid(杀)+al(…的)→自杀(性)的

**bilateral\*** [ˌbaɪˈlætərəl] *adj.* 双边的；双方的

记 词根记忆：bi(二)+later(边)+al(…的)→双边的

**memorable\*** ['memərəbl] *adj.* 容易记住的；难忘的

记 词根记忆：memor(记忆)+able(可…的)→可记忆的 →容易记住的

搭 a memorable experience 一次难忘的经历

**dazzle** ['dæzl] *v.* 使目眩；使倾倒 *n.* 耀眼，眩目；令人眼花缭乱的东西

记 联想记忆：爵士乐(jazz)使人头晕目眩(dazzle)

**vast\*** [vɑːst] *adj.* 巨大的；大量的

记 联想记忆：古老的东方(east)地大物博，人口众多(vast)

派 vastly (*adv.* 巨大地；大量地)

**underground\*** [ˌʌndə'graʊnd] *adj.* 地下的 *adv.* 在地(面)下

['ʌndəgraʊnd] *n.* 地铁

记 组合词：under(在…下)+ground(地面，土地)→地下的；在地(面)下

搭 underground railway 地铁

**scholar\*** ['skɒlə(r)] *n.* 学者；奖学金获得者

记 联想记忆：schol(看作school，学校)+ar(表人)→学者

派 scholarship (*n.* 奖学金；学问)

**compete\*** [kəm'piːt] *vi.* 竞争；比赛

记 词根记忆：com(共同)+pet(寻求)+e→共同追求(一个目标)→竞争

搭 compete against/with 与…竞争；compete for 为…比赛

派 competitive (*adj.* 竞争的)；competitor (*n.* 竞争者，对手)

**prescription** [prɪ'skrɪpʃn] *n.* 处方，药方；开处方，开药方

记 词根记忆：pre(预先)+script(写)+ion→预先把要抓的药写在方子上→药方

搭 prescription drugs/medication 处方药；fill a prescription 按方配药；give a prescription 开药方

**crude** [kruːd] *adj.* 天然的；粗糙的；粗俗的

记 词根记忆：c+rud(天然的)+e→天然的

| | |
|---|---|
| **vary** | ['veəri] *v.* 改变；(使)多样化；变化；不同 |
| | 搭 variable (*adj.* 易变的 *n.* 变量)；various (*adj.* 各种各样的) |
| **compose** | [kəm'pəʊz] *v.* 组成，构成；撰写，创作(乐曲等)；使安定 |
| | 记 词根记忆：com(共同)+pos(放)+e→放到一起→组成，构成 |
| | 搭 be composed of 由…组成 |
| **alley*** | ['æli] *n.* 小巷；胡同 |
| **bounce** | [baʊns] *v.* 弹起，反弹；(使)上下晃动 *n.* 弹跳；反弹力；活力，精力 |
| | 记 联想记忆：突然弹跳(bounce)起来，掀翻了一盎司(ounce)酒 |
| | 搭 bounce back 卷土重来，恢复过来 |
| **platform** | ['plætfɔːm] *n.* 平台；站台；纲领 |
| | 记 联想记忆：plat(平的)+form(形态)→形状是平的→平台 |

音频

# *Word List 27*

**atmosphere\*** ['ætməsfɪə(r)] *n.* 大气；气氛；环境
　　記 词根记忆：atmo(空气)+spher(球)+e→围绕地球的空气→大气
　　搭 atmosphere of …的氛围
　　派 atmospheric (*adj.* 大气的)

**appoint** [ə'pɔɪnt] *vt.* 任命，委任；指定(时间、地点等)
　　記 联想记忆：ap(表加强)+point(指向，指出)→指定某人做某事→任命，委任
　　搭 appoint to 任命，委任

**characteristic** [ˌkærəktə'rɪstɪk] *n.* 特性；特征 *adj.* 特有的；典型的

**identify\*** [aɪ'dentɪfaɪ] *v.* 认出，识别；辨别；查明；确定；视…(与…)为同一事物
　　搭 identify...with... 把…与…视为同一事物
　　派 identifiable (*adj.* 可辨认的；可确认的)
　　同 recognize (*vt.* 认出，识别)；determine (*v.* 确定)；distinguish (*v.* 区别，辨别)

**altitude** ['æltɪtjuːd] *n.* 海拔，高度；[pl.] 高地，高处
　　記 词根记忆：alt(高)+itude(表状态)→海拔，高度
　　搭 high/low altitude 高海拔/低海拔

**possess** [pə'zes] *vt.* 具有；拥有
　　記 联想记忆：poss(看作boss，老板)+ess→老板占有很多财产→具有；拥有
　　搭 possess an interest in 对…感兴趣

**excitement\*** [ɪk'saɪtmənt] *n.* 激动；兴奋；令人兴奋的事
　　記 词根记忆：ex(出)+cit(激起)+e+ment(表行为)→激动；兴奋

**contradiction** [ˌkɒntrə'dɪkʃn] *n.* 矛盾，不一致；否认，反驳
　　記 词根记忆：contra(相反)+dict(说)+ion→反着说→否认，反驳

| **painstaking** | [ˈpeɪnzteɪkɪŋ] *adj.* 需细心的，辛苦的，煞费苦心的；勤勉的；刻苦的 *n.* 辛苦；勤勉；刻苦 |
| --- | --- |
| | 记 组合词：pains(痛苦)+taking(花费…的)→煞费苦心的；刻苦的 |
| | 搭 work with painstaking 尽心地工作 |
| **pursuit** | [pəˈsjuːt] *n.* 追求，寻求；[常pl.] 花时间和精力等做的事；消遣，爱好 |
| | 记 联想记忆：钱包(purse)被小偷偷走了，赶忙追赶(pursuit) |
| | 搭 in pursuit of 追求 |
| | 同 chase (*n.* 追逐); hobby (*n.* 业余爱好) |
| **humanistic** | [ˌhjuːməˈnɪstɪk] *adj.* 人文主义的；人性的 |
| **coherent** | [kəʊˈhɪərənt] *adj.* 条理清楚的，连贯的；一致的，协调的 |
| | 记 词根记忆：co(共同)+her(黏附)+ent(具有…性质的)→黏附在一起→连贯的 |
| | 派 coherently (*adv.* 条理清楚地；一致地); coherence (*n.* 一致；连贯性) |
| | 同 consistent (*adj.* 一致的) |
| **outlook** | [ˈaʊtlʊk] *n.* 观点，见解；展望，前景 |
| | 记 组合词：out(外面)+look(看)→向外看→展望 |
| **apportion** | [əˈpɔːʃn] *vt.* 分派，(按比例或计划)分配 |
| | 记 词根记忆：ap(表加强)+port(部分)+ion(表动作)→分成部分→分派，分配 |
| **finitude** | [ˈfaɪnɪtjuːd] *n.* 有限；限定，界限 |
| **exhaustible** | [ɪgˈzɔːstəbl] *adj.* 可耗尽的，会枯竭的 |
| **revelation** | [ˌrevəˈleɪʃn] *n.* 被揭示的真相，(惊人的)新发现；揭示，显示；泄露 |
| | 记 联想记忆：revel(=reveal，揭露)+ation(表行为)→揭示，显示 |
| | 派 reveal (*vt.* 揭露，泄露；展现，显示) |
| | 同 disclosure (*n.* 揭发；败露) |
| | 反 concealment (*n.* 隐藏) |

| | |
|---|---|
| **resistance** | [rɪ'zɪstəns] *n.* 反抗，抵制；抵抗力，抵抗性；阻力；电阻 |
| | 搭 resistance to chemicals 抵制化学药品 |
| **attainable** | [ə'teɪnəbl] *adj.* 可获得的，可达到的，可实现的 |
| **indispensable** | [ˌɪndɪ'spensəbl] *adj.* 必不可少的，必需的 |
| | 记 联想记忆：in(不)+dispensable(可有可无的)→不是可有可无的→必不可少的，必需的 |
| | 同 essential (*adj.* 非常重要的，必要的)；vital (*adj.* 极其重要的)；requisite〔*adj.* (成功所)必要的〕 |
| **cuisine** | [kwɪ'ziːn] *n.* 烹饪；烹调法，烹调风格；菜肴 |
| | 记 发音记忆："口味新"→烹饪出新口味→烹饪 |
| **reputable** | ['repjətəbl] *adj.* 名声好的，高尚的；受尊敬的；值得信赖的 |
| **overshadow** | [ˌəʊvə'ʃædəʊ] *vt.* 使蒙上阴影；使扫兴；使黯然失色 |
| | 记 联想记忆：over(在…上)+shadow(阴影)→使蒙上阴影；使黯然失色 |
| **unparalleled** | [ʌn'pærəleld] *adj.* 无双的，无比的，空前的 |
| | 记 联想记忆：un(无)+parallel(平行)+ed→没有东西可以与之平行的→无双的，无比的 |
| **opulence** | ['ɒpjələns] *n.* 财富，富裕；丰富，富饶 |
| **supersede** | [ˌsuːpə'siːd] *vt.* 代替，取代 |
| | 记 词根记忆：super(上)+sed(坐)+e→坐在别人的位置上→代替；取代 |
| **exploitation** | [ˌeksplɔɪ'teɪʃn] *n.* 开采，开发；剥削，榨取；自私的利用 |
| **passionate** | ['pæʃənət] *adj.* 充满激情的，热切的，狂热的 |
| | 记 联想记忆：passion(激情)+ate→充满激情的 |
| **poisonous\*** | ['pɔɪzənəs] *adj.* 有毒的，有害的；恶毒的，邪恶的 |
| | 记 联想记忆：poison(毒)+ous(有…性质的)→有毒的 |
| **strip** | [strɪp] *v.* 剥夺；夺去，使空无一物；拆卸，拆开 *n.* 带状物；条纹；狭长地带，带状水域 |
| | 记 联想记忆：s(音似：死)+trip(旅行)→死亡剥夺了人的尘世之旅→剥夺 |

| | |
|---|---|
| **exhaust*** | [ɪgˈzɔːst] *v.* 使非常疲倦，使疲惫不堪；用尽，耗尽<br>*n.* (机器排出的)废气，蒸汽<br>搭 be exhausted from 因…而十分疲乏 |
| **mysterious*** | [mɪˈstɪəriəs] *adj.* 神秘的，诡秘的<br>记 联想记忆：myster(=mystery，神秘)+ious→神秘的 |
| **spite** | [spaɪt] *n.* 恶意，怨恨<br>搭 in spite of 不管，尽管 |
| **passport*** | [ˈpɑːspɔːt] *n.* 护照；途径，路子，手段<br>记 联想记忆：pass(通过)+port(港口)→通过港口所需的文件→护照 |
| **divert** | [daɪˈvɜːt] *vt.* 使绕道，转移；娱乐，供消遣<br>记 词根记忆：di(离开)+vert(转)→转移<br>派 diversion (*n.* 转移；消遣) |
| **dissemination** | [dɪˌsemɪˈneɪʃn] *n.* 散布，传播<br>记 词根记忆：dis(分开)+semin(种子)+ation→撒种子→散布 |
| **perpetual** | [pəˈpetʃuəl] *adj.* 连续不断的；长期的；永久的<br>记 词根记忆：per(自始至终)+pet(寻求)+ual(有…性质的)→自始至终追求的→长期的；永久的<br>同 eternal (*adj.* 永恒的，永远的)；permanent (*adj.* 永久的，持久的)<br>反 temporary (*adj.* 暂时的，临时的) |
| **contradict** | [ˌkɒntrəˈdɪkt] *v.* 反驳，驳斥；与…发生矛盾；相抵触<br>记 词根记忆：contra(相反)+dict(说)→说反话→反驳<br>同 deny (*vt.* 驳斥，反对) |
| **organize** | [ˈɔːgənaɪz] *v.* 组织，使有条理；成立<br>搭 organize an activity 组织活动；organized crime 团伙犯罪 |
| **column** | [ˈkɒləm] *n.* 柱；柱形物；专栏(文章)，栏目；(报纸或书页上的)栏 |
| **source** | [sɔːs] *n.* 来源，出处；(河的)发源地；根源，起源<br>记 联想记忆：这些资源(resource)的来源(source)是哪里？ |

| | |
|---|---|
| **cater** | ['keɪtə(r)] v. 提供饮食；迎合；满足需要(或欲望) |
| | 🔑 联想记忆：cat(小猫)+er→小猫饿了，喂点猫粮→提供饮食 |
| | 🔍 cater for sb./sth. 迎合…，为…提供饮食及服务；cater to sth. 迎合…，满足…的需求 |
| | 📎 catering (n. 餐饮业) |
| **lobby** | ['lɒbi] v. 游说 n. 大厅；游说团 |
| **flexible** | ['fleksəbl] adj. 易弯曲的；柔韧的；灵活的 |
| | 🔑 词根记忆：flex(弯曲)+ible(可…的)→易弯曲的；柔韧的 |
| | 📎 flexible working hours 弹性工作时间 |
| **penalty** | ['penəlti] n. 惩罚；罚金 |
| | 🔑 词根记忆：penal(=pen，惩罚)+ty(表情况)→惩罚；罚金 |
| | 📎 death penalty 死刑 |
| **comply** | [kəm'plaɪ] vi. 遵从；服从 |
| | 🔑 词根记忆：com(共同)+ply(重叠)→(观点)共同叠在一起→遵从；服从 |
| | 📎 comply with the law 守法 |
| **capsule** | ['kæpsjuːl] n. 胶囊；航天舱，太空舱 |
| | 🔑 联想记忆：cap(帽子)+sule(音似：seal，密封)→帽状物→胶囊；密封舱 |
| **aeronautics\*** | [ˌeərə'nɔːtɪks] n. 航空学 |
| | 🔑 词根记忆：aero(空气)+naut(船)+ics(…学)→航空学 |
| **adopt\*** | [ə'dɒpt] v. 采用，采取，采纳；收养，领养；正式通过，批准 |
| | 🔑 联想记忆：这个被收养(adopt)的孩子必须尽快适应(adapt)新的环境 |
| | 📎 adopt the new policy 通过新政策；adopt a new technique 采用新技术 |
| **lease** | [liːs] n. 租约 vt. 出租，租用 |
| | 🔑 联想记忆：l+ease(安心)→有了租约，可以安心了→租约 |

| | |
|---|---|
| **bit*** | [bɪt] *n.* 少许；小片；小块 |
| **conceal** | [kən'siːl] *vt.* 隐藏；隐瞒；掩盖 |
| | 记 联想记忆：con+ceal(看作seal，密封)→密封起来→隐藏；隐瞒；掩盖 |
| **compromise** | ['kɒmprəmaɪz] *n.* 妥协，折中办法 *v.* 妥协，放弃(原则、理想等)；危及 |
| | 记 联想记忆：com+promise(保证)→相互保证→妥协 |
| | 搭 reach a compromise over sth. 就某事达成妥协 |
| **haphazard*** | [hæp'hæzəd] *adj.* 无秩序的，无计划的，组织混乱的 |
| | 记 联想记忆：hap(机会，运气)+hazard(冒险)→运气加冒险，就能成功→偶然情况→无计划的 |
| **essential** | [ɪ'senʃl] *adj.* 本质的，基本的；必要的，必不可少的；极其重要的 *n.* 要素；实质，本质；要点 |
| | 记 词根记忆：ess(存在)+ential→存在的东西→要素；实质，本质 |
| | 搭 be essential to/for 对…必不可少 |
| | 派 essentially (*adv.* 本质上，基本上) |
| **urge** | [ɜːdʒ] *v.* 敦促，力劝；鼓励；竭力主张 |
| | 派 urgent (*adj.* 紧急的；急切的)；urgency (*n.* 紧急，迫切) |
| **feasible** | ['fiːzəbl] *adj.* 可行的，可能的；可做的，可实行的 |
| | 记 联想记忆：f+easi(看作easy，容易的)+ble→容易做到的→可能的 |
| | 搭 feasible plan 可行的计划；feasible suggestions 可行的建议 |
| **cereal** | ['sɪəriəl] *n.* 谷类植物；谷物；谷类食物 |
| | 记 联想记忆：ce+real(真正的)→真正的健康食品→谷类食物 |
| | 同 grain (*n.* 谷物；谷粒) |
| **existence*** | [ɪg'zɪstəns] *n.* 存在；生活(方式) |
| | 记 联想记忆：exist(存在)+ence→存在；生活(方式) |
| | 搭 come into existence 产生 |
| | 派 coexistence (*n.* 共存，共处) |

| | |
|---|---|
| **apply\*** | [ə'plaɪ] *v.* 申请；应用，使用；涉及 |
| | 记 联想记忆：这家服务站免费提供(supply)打气筒给行人使用(apply) |
| | 搭 apply for 申请；apply to 与…有关，适用，应用 |
| **admission** | [əd'mɪʃn] *n.* 允许进入，加入权，进入权；招供，招认；入场券 |
| | 记 词根记忆：ad(表加强)+miss(送)+ion→允许送入→允许进入 |
| **attempt\*** | [ə'tempt] *n./v.* 尝试，试图；努力 |
| | 记 词根记忆：at(表加强)+tempt(尝试)→尝试，试图 |
| | 搭 make attempt 尝试；attempt (doing) sth. 尝试(做)…；attempt to do sth. 尝试/努力做… |
| **inference** | ['ɪnfərəns] *n.* 推论；推断 |
| | 记 联想记忆：从这些参考书(reference)里，你能推断(inference)出什么？ |
| **loop\*** | [luːp] *n.* 圈环；环状物；环路；循环 *v.* (使)成环，(使)成圈；成环形运动 |
| **subtract** | [səb'trækt] *vt.* 减去；去掉 |
| | 记 词根记忆：sub(下)+tract(拉)→拉下来→减去；去掉 |
| **linguistic\*** | [lɪŋ'gwɪstɪk] *adj.* 语言的；语言学的 |
| | 记 词根记忆：lingu(语言)+istic→语言的 |
| | 搭 linguistic features 语言特征 |
| **aptitude\*** | ['æptɪtjuːd] *n.* 天资，天赋，天生的才能 |
| | 记 联想记忆：感激(gratitude)上苍让你具备这种才能(aptitude) |
| | 搭 aptitude for …的能力 |
| **premier** | ['premiə(r)] *n.* 总理；首相 *adj.* 首要的，第一位的；最著名的 |
| **enquiry** | [ɪn'kwaɪəri] *n.* 询问；调查；探索 |
| | 记 联想记忆：enquir(=enquire，询问)+y→询问 |

# Word List 28

音频

**lawsuit** ['lɔːsuːt] *n.* 诉讼，起诉

记 组合词：law(法律)+suit(起诉，诉讼)→诉讼

**pack*** [pæk] *v.* (把…)打包，收拾(行李)；包装，包裹；塞满

*n.* 包；(一起供应的)全套东西

搭 pack up 收拾行装，打点行李；停止，放弃；辞掉

**prescribe** [prɪ'skraɪb] *v.* 开处方，开药；规定，指示

记 词根记忆：pre(预先)+scrib(写)+e→预先写好→规定；指示

搭 prescribe sb. sth. 为某人开…药

**universe** ['juːnɪvɜːs] *n.* 宇宙，天地万物；世界；领域

记 词根记忆：uni(一个)+vers(转)+e→一个旋转着的整体空间→宇宙

派 universal (*adj.* 普遍的；通用的)

**skull** [skʌl] *n.* 颅骨；脑袋

**domination** [ˌdɒmɪ'neɪʃn] *n.* 控制，统治，支配

记 词根记忆：domin(=dom，控制)+ation(表行为)→控制，统治，支配

**animate** ['ænɪmət] *adj.* 活的，有生命的 ['ænɪmeɪt] *vt.* 赋予生命；使生机勃勃

记 词根记忆：anim(生命)+ate(使…)→赋予生命

**accountancy** [ə'kaʊntənsi] *n.* 会计工作，会计职业

**availability** [ə,veɪlə'bɪləti] *n.* 可利用性，可得性；利用的可能性；可利用的人或物

记 来自available (*adj.* 可用的)

**payable** ['peɪəbl] *adj.* 可支付的；应支付的

记 联想记忆：pay(支付，给予)+able(能…的)→可支付的；应支付的

**solicitor** [sə'lɪsɪtə(r)] *n.* (城镇的)法务官；初级律师，事务律师

同 lawyer (*n.* 律师)；attorney (*n.* 律师)

| **departure** | [dɪ'pɑːtʃə(r)] *n.* 离开，出发，启程；背离，违反；(在特定时间)离开的飞机(或火车等) |
| --- | --- |
| **audit** | ['ɔːdɪt] *vt.* 审计，查账；旁听 *n.* 审计，查账 |
| | 记 词根记忆：aud(听)+it→听…报告→审计；旁听 |
| **receipt** | [rɪ'siːt] *n.* 收到，接到；发票，收据；[pl.] 收到的款项 |
| | 记 词根记忆：re(回)+ceipt(拿，取)→拿回来的→收到的款项 |
| | 搭 receipt invoice 收妥发票，钱货两讫发票 |
| | 派 receive (*v.* 收到；遭到；接待)；receiver〔*n.* (电话)听筒；接收器〕 |
| **scamper** | ['skæmpə(r)] *vi.* 奔跑，快跑 |
| | 记 联想记忆：s(音似：嘶)+camper(露营者)→露营者嘶喊着快跑→快跑 |
| **spiral** | ['spaɪrəl] *adj.* 螺旋形的，盘旋的 *v.* 盘旋上升(或者下降)；(物价等)急剧增长 *n.* 螺旋形；逐渐加速上升(或者下降) |
| | 记 联想记忆：spir(看作spire，螺旋)+al→螺旋形的 |
| | 搭 spiral staircase 螺旋形楼梯 |
| | 派 spire (*n.* 螺旋) |
| | 同 loop (*n.* 环；线圈)；twist (*n.* 扭曲；螺旋状)；coil (*v.* 盘绕，卷) |
| **encode** | [ɪn'kəʊd] *vt.* 把(电文等)译成电码(或密码)，把…编码 |
| | 记 联想记忆：en+code(电码，密码)→把…译成电码 |
| **scout** | [skaʊt] *n.* 侦察员(或机、舰)；童子军 *v.* 侦察；寻找，搜索 |
| | 记 联想记忆：sc+out(外面)→在外面巡逻的人→侦察员 |
| **regurgitate** | [rɪ'gɜːdʒɪteɪt] *vt.* 涌回，流回；【动】将(咽下的食物)返回到口中，反刍 |
| **propellant** | [prə'pelənt] *n.* 喷射剂；推进物，推进剂 |
| **ejection** | [ɪ'dʒekʃn] *n.* 喷出；排出物 |
| **intrigue** | [ɪn'triːg] *v.* 密谋，施诡计；引起极大兴趣，迷住 *n.* 阴谋，诡计；密谋 |

記 词根记忆：in(向内)+trig(琐碎)+ue→在里面放入琐碎使复杂→密谋，施诡计

搭 political intrigues 政治阴谋

派 intriguing (*adj.* 迷人的，吸引人的)

同 attract (*vt.* 吸引)；captivate (*vt.* 迷住，迷惑，吸引)；appeal (*vi.* 有吸引力)；plot (*v./n.* 密谋，阴谋)

| | |
|---|---|
| **transition** | [træn'zɪʃn] *n.* 过渡，过渡时期；转变，转换；变革 |

記 词根记忆：trans(越过)+it(行走)+ion→穿过一地走到另一地→转变

搭 in transition 转变中

派 transitional (*adj.* 变迁的，过渡期的)

同 transformation (*n.* 转化)；change (*n.* 转变，改变)

| | |
|---|---|
| **stack** | [stæk] *n.* 整齐的一叠(或一堆) *v.* 把…叠成堆，堆放于；堆积，堆起 |

記 联想记忆：库存(stock)就是一堆(stack)商品

搭 reference stacks 书库；stack up 把…堆起

| | |
|---|---|
| **realm** | [relm] *n.* 界，领域，范围；王国，国度 |

記 联想记忆：real(真正的)+m→真正的艺术是无国界的→领域；王国

| | |
|---|---|
| **ingredient** | [ɪn'griːdiənt] *n.* (混合物的)组成部分，成分；(烹调的)原料；(构成)要素，因素 |

記 词根记忆：in(内部)+gred(=grad，走)+ient→走入内部的东西→组成部分，成分；原料

| | |
|---|---|
| **friction** | ['frɪkʃn] *n.* 摩擦(力)；矛盾，冲突 |

記 联想记忆：润滑油的主要功能(function)是减小摩擦力(friction)

同 discord (*n.* 不和，纷争)；conflict (*n.* 冲突，争论)；attrition (*n.* 磨损；摩擦)

反 accord (*n.* 一致，符合)；harmony (*n.* 一致；和谐)

| | |
|---|---|
| **astronaut\*** | ['æstrənɔːt] *n.* 宇航员 |
| **banner\*** | ['bænə(r)] *n.* 横幅；旗帜 |

記 联想记忆：ban(禁止)+ner→禁止悬挂横幅→横幅

| | |
|---|---|
| **technique** | [tek'niːk] *n.* 技巧，技艺；技术，技能 |
| | 🖥 词根记忆：techn(技艺)+ique→技术 |
| **squeeze** | [skwiːz] *v.* 压榨，榨取；捏，挤压；挤入，挤过；向…勒索 *n.* 挤压，捏；紧缺，拮据，经济困难；减少，削减 |
| | 🖥 联想记忆：s+quee(看作queen，女王)+ze→想与女王握手的人很多→挤入，挤过 |
| | 🔍 squeeze toothpaste 挤牙膏；squeeze sth. out 把…挤出来 |
| **sorrow** | ['sɒrəʊ] *n.* 悲哀；伤心事 |
| | 🔍 sorrow at/over sth. 为…感到悲伤 |
| **arboreal** | [ɑː'bɔːriəl] *adj.* 树木的；栖于树木的 |
| | 🖥 词根记忆：arbor(树)+eal(…的)→树木的 |
| | 🔍 arboreal insects 栖树的昆虫 |
| **facade** | [fə'sɑːd] *n.* 正面；(虚伪的)外表 |
| | 🖥 联想记忆：fac(看作face，正面)+ade→正面 |
| **post-mortem** | [ˌpəʊst 'mɔːtəm] *adj.* 事后的 *n.* 验尸，尸体解剖；事后反思(或剖析) |
| | 🔍 do/conduct/carry out a post-mortem on sb. 对某人进行剖尸验证 |
| **disillusionment** | [ˌdɪsɪ'luːʒnmənt] *n.* 幻灭；觉醒，醒悟 |
| | 🖥 联想记忆：dis(不)+illusion(幻想)+ment→不再幻想→觉醒，醒悟 |
| **subject*** | ['sʌbdʒɪkt] *n.* 主题，题材；学科；主语；实验对象，接受实验的人(动物) *adj.* 受…支配的，取决于…的；易遭受…的 |
| | 🔍 be subject to 受支配，从属于… |
| | 🔣 subjective (*adj.* 主观的) |
| **blunt** | [blʌnt] *adj.* 钝的；率直的 *vt.* 把…弄钝；使减弱 |
| | 🖥 发音记忆："不拦的"→口无遮拦的→率直的 |
| **statistically*** | [stə'tɪstɪkli] *adv.* 统计上地 |
| **switch*** | [swɪtʃ] *n.* 开关；转换 *v.* (使)改变，转变；转换；对调 |

| **stockpile\*** | ['stɒkpaɪl] *n.* 囤聚的物资 *vt.* 大量贮存 |
| | 🔢 组合词：stock(储存)+pile(堆)→成堆地储存→大量贮存 |
| **indicate\*** | ['ɪndɪkeɪt] *v.* 标示，表示，表明；象征；暗示，示意 |
| | 🔢 词根记忆：in(加以…)+dic(说)+ate→说出→表示，表明 |
| | 📶 indicator (*n.* 指示器；指示信号)；indication (*n.* 指示，标示) |
| **uncertainty\*** | [ʌn'sɜːtnti] *n.* 犹豫，迟疑；不确定；无把握 |
| **hypothesis** | [haɪ'pɒθəsɪs] *n.* 假设，假定；假说；猜想 |
| | 🔢 联想记忆：hypo(在…下面)+thesis(论点)→在论点之下，非真正论点→假设；假说 |
| | 🔡 Continental Drift Hypothesis 大陆漂移说；raise a hypothesis 提出一个假设 |
| | 🔲 supposition (*n.* 假定；猜想)；assumption (*n.* 假定) |
| **ultraclean\*** | [ˌʌltrə'kliːn] *adj.* 超净的，特净的 |
| **trim** | [trɪm] *vt./n.* 修剪；整理 *adj.* 苗条的，修长的；整齐的，整洁的 |
| | 🔢 联想记忆：tri(看作try，试)+m(end)(修理)→试着去修理→修剪 |
| | 🔡 trim one's nails 修剪指甲；trim sth. off/away 把某物去除掉；trim off 修剪；trim with 用…装饰 |
| **steady** | ['stedi] *adj.* 稳步的；稳定的 *v.* (使)稳定，(使)平稳；(使)镇定 |
| | 🔢 联想记忆：st+eady(看作ready，准备好的)→事先有准备，心里就有底→稳的；稳定的 |
| | 📶 steadily (*adv.* 平稳地) |
| **dramatic\*** | [drə'mætɪk] *adj.* 引人注目的；戏剧性的；激动人心的；戏剧的 |
| | 🔢 词根记忆：dra(表演)+ma+tic→戏剧性的 |
| | 🔡 dramatic irony 戏剧性的讽刺；dramatic effect 戏剧性的效果 |
| | 📶 dramatically (*adv.* 引人注目地；戏剧性地) |

**amorphous\*** [ə'mɔːfəs] *adj.* 无固定形状的；无组织的

记 词根记忆：a(无)+morph(形状)+ous(…的)→无固定形状的

搭 amorphous state 无定形状态；非晶形状态

**solve\*** [sɒlv] *vt.* 解答；解决

派 solution (*n.* 解决；解决办法)

**blade\*** [bleɪd] *n.* 刀片；桨叶；(草的)叶片

记 联想记忆：电影《刀锋战士》英文为 *Blade*

**glimpse** [glɪmps] *vt.* 瞥见 *n.* 一瞥，一看

记 联想记忆：glim(灯光)+pse→像灯光一闪→一瞥

**bulletin\*** ['bʊlətɪn] *n.* (报纸、电台等的)新闻简报；公告；学报；期刊(尤指机关刊物)

记 联想记忆：芝加哥公牛队(Bull)又上新闻(bulletin)了

搭 news bulletin 新闻简报

**annoy** [ə'nɔɪ] *vt.* 使烦恼；打搅

**chapel** ['tʃæpl] *n.* 小教堂；祈祷室

记 联想记忆：chap(看作chamber，房间)+el(小)→小房间→小教堂

**subscribe\*** [səb'skraɪb] *v.* 订阅，订购；申请，预订；签署(文件)

记 词根记忆：sub(下)+scrib(写)+e→在下面写上名字→签署

派 subscriber (*n.* 订阅者；用户)

**foil** [fɔɪl] *n.* 箔；箔纸

**invoice\*** ['ɪnvɔɪs] *n.* 发票 *vt.* 给…开发票

记 联想记忆：in+voice(声音)→大声把人叫进来开发票→发票；给…开发票

**extra\*** ['ekstrə] *adj.* 额外的；特别的 *adv.* 额外地，另外；特别地 *n.* 另外收费的事物

记 本身为词根，意为"额外的；特别的"

**transmute\*** [trænz'mjuːt] *v.* 改变；(使)变化，变形，变质

记 词根记忆：trans(变换)+mut(改变)+e→改变

**analyse\*** ['ænəlaɪz] *vt.* 分析；分解

记 词根记忆：ana(在旁边)+lys(分解)+e→分析；分解

派 analysis (*n.* 分析)；analyst (*n.* 分析家；化验员)

| | |
|---|---|
| **acoustic** | [əˈkuːstɪk] *adj.* 原声的；声音(学)的；听觉的 |
| **stall** | [stɔːl] *n.* 货摊；小隔间 |
| | 记 联想记忆：sta(看作stand，立)+ll(像两根柱子)→两根柱子撑起的狭小空间→货摊；小隔间 |
| **cover** | [ˈkʌvə(r)] *vt.* 掩盖，覆盖；包含，包括；走过(一段路)；适用于；报道，采访；足够支付 *n.* 盖子，套子；封面；掩蔽(物)，掩护(物) |
| **breakthrough** | [ˈbreɪkθruː] *n.* 突破；重大进展 |
| | 记 组合词：break(打破)+through(通过)→打破→突破 |
| **spiritual** | [ˈspɪrɪtʃuəl] *adj.* 精神的；心灵的；宗教的 |
| | 记 联想记忆：spirit(精神)+ual(有…性质的)→精神的 |
| | 搭 spiritual damage 精神伤害 |
| **concrete\*** | [ˈkɒnkriːt] *adj.* 混凝土制的；确实的，具体的；有形的，实在的 *n.* 混凝土 |
| | 记 词根记忆：con+cre(产生)+te→产生(事物)→具体存在的事物→实在的；具体的 |
| | 搭 reinforced concrete 钢筋混凝土 |
| **generalise** | [ˈdʒenrəlaɪz] *v.* 概括；推广 |
| | 记 联想记忆：general(概括的)+ise→概括 |
| | 派 generalisation (*n.* 概括，归纳；泛论) |

# *Word List 29*

| | |
|---|---|
| **remarkable\*** | [rɪ'mɑːkəbl] *adj.* 引人注目的，显著的，值得注意的；异常的，非凡的<br>搭 remarkable achievements 非凡的成就 |
| **clot\*** | [klɒt] *n.* (血液)凝块 *v.* 凝结成块<br>搭 blood clot 血液凝块 |
| **prior** | ['praɪə(r)] *adj.* 在前的，优先的<br>记 词根记忆：pri(第一)+or→排在第一的→在前的，优先的<br>搭 prior to 在…之前；prior consideration 事先的考虑 |
| **integrate\*** | ['ɪntɪɡreɪt] *v.* (使)合并，(使)成为一体<br>记 词根记忆：integr(完整)+ate→(使)成为一体<br>搭 integrate theory with practice 使理论与实践相结合<br>派 integration (*n.* 结合，综合)；disintegrate (*vt.* 使分解，使碎裂) |
| **exemplify** | [ɪɡ'zemplɪfaɪ] *vt.* 作为…的典型；例证，举例说明<br>记 来自example (*n.* 实例)，注意区分a和e<br>同 demonstrate (*v.* 证明，论证)；illustrate (*v.* 举例说明，阐明) |
| **formulation** | [ˌfɔːmju'leɪʃn] *n.* 公式化，格式化；确切的表达 |
| **exploratory** | [ɪk'splɒrətri] *adj.* 探测的；勘探的；探索的 |
| **pasture** | ['pɑːstʃə(r)] *n.* 牧场，草原 *vt.* 放牧<br>记 联想记忆：pas(看作pass, 通过)+ture→牛羊通过的地方→牧场，草原<br>派 pasturage (*n.* 放牧)<br>同 meadow (*n.* 草地，牧场) |
| **nutrient** | ['njuːtriənt] *n.* 滋养物，营养品<br>记 词根记忆：nutri(滋养)+ent(…药)→滋养物，营养品 |
| **plough** | [plaʊ] *n.* 犁 *v.* 耕地；开(路)；破(浪)<br>搭 plough around 试探 |

| | |
|---|---|
| **patriotic** | [ˌpætri'ɒtɪk] *adj.* 爱国的，有爱国心的；显示出爱国精神的 |
| | 搭 patriotic emotion 爱国感情 |
| | 派 patriotism (*n.* 爱国主义，爱国精神)；patriot (*n.* 爱国者) |
| **scrub** | [skrʌb] *v.* 用力擦洗，把…擦净；取消(计划等) *n.* 矮树丛，灌木丛 |
| | 记 联想记忆：sc+rub(摩擦)→用力擦洗 |
| | 同 scour (*v.* 冲洗，擦亮)；thicket (*n.* 灌木丛) |
| **formality** | [fɔː'mæləti] *n.* 认真遵循规范、礼节等；例行公事；正式手续 |
| | 记 词根记忆：form(形状)+al+ity(表性质)→认真维持形状→认真遵守规范、礼节等 |
| **perquisite** | ['pɜːkwɪzɪt] *n.* 额外补贴，临时津贴；利益；特权 |
| **simplicity** | [sɪm'plɪsəti] *n.* 简单(性)，简易；朴素；直率，单纯 |
| | 记 联想记忆：simpl(e)(简单的)+icity→简单 |
| **heighten** | ['haɪtn] *v.* (使)增强，(使)加剧 |
| | 记 联想记忆：height(高度，海拔)+en(使…)→提高→(使)增强，(使)加剧 |
| | 同 intensify〔*v.* (使)增强，(使)加剧〕 |
| | 反 lessen〔*v.* (使)变少，(使)减轻，(使)减少〕 |
| **assimilation** | [əˌsɪmə'leɪʃn] *n.* 吸收；(被)吸收和同化的过程 |
| | 搭 cultural assimilation 文化同化 |
| **necessity** | [nə'sesəti] *n.* 必然，必要；必需品；必要性 |
| | 记 来自necessary (*adj.* 必需的；必要的) |
| | 派 necessitous (*adj.* 贫困的；急需的) |
| **disposable** | [dɪ'spəʊzəbl] *adj.* 一次性的；可动用的 |
| | 记 词根记忆：dis(不)+pos(放置)+able(能…的)→不能长久放置的→一次性的 |
| | 搭 disposable income 可支配收入 |
| **ingenuity** | [ˌɪndʒə'njuːəti] *n.* 心灵手巧，足智多谋；巧妙，精巧 |
| | 记 词根记忆：in+gen(产生)+uity→能产生很多点子→足智多谋 |

| | |
|---|---|
| **luxuriant** | [lʌɡˈʒʊəriənt] *adj.* 繁茂的；肥沃的；丰富的 |
| | 🔑 词根记忆：lux(光)+uri+ant(…的)→光线充足的→丰富的 |
| **consequential** | [ˌkɒnsɪˈkwenʃl] *adj.* 结果的，随之发生的 |
| **scour** | [ˈskaʊə(r)] *vt.* 四处搜寻，细查；擦洗，擦亮；冲刷出，冲刷成 |
| | 🔑 发音记忆："四call"→一连打了四个电话(call)→四处搜寻 |
| **seasonal** | [ˈsiːzənl] *adj.* 季节性的，随季节而变化的；节令性的 |
| **murky** | [ˈmɜːki] *adj.* 浑浊的；黑暗的；朦胧的；隐晦的 |
| **cue** | [kjuː] *n.* 暗示，提示；信号 |
| | 🔑 联想记忆：线索(clue)有提示(cue)作用 |
| | 🔍 on cue 恰好在这个时候 |
| **thermal** | [ˈθɜːml] *adj.* 热的；热量的 *n.* 热气流 |
| | 🔑 词根记忆：therm(热)+al(…的)→热的 |
| | 🔍 thermal energy 热能 |
| | 🔄 warm (*adj.* 暖和的，温暖的)；hot (*adj.* 热的) |
| **revolution\*** | [ˌrevəˈluːʃn] *n.* 革命；巨变，大变革 |
| | 🔑 词根记忆：re+volu(卷)+tion→不断向前席卷而来的→革命 |
| | 🔄 revolutionary (*adj.* 革命的；革命性的) |
| **romance** | [rəʊˈmæns] *n.* 恋爱；浪漫爱情；爱情小说，传奇故事 |
| | 🔑 发音记忆："罗曼史"→恋爱；浪漫爱情 |
| **currently** | [ˈkʌrəntli] *adv.* 当前，现时，目前 |
| | 🔑 联想记忆：current(当前的)+ly(表副词)→当前，现时，目前 |
| **inferential\*** | [ˌɪnfəˈrenʃəl] *adj.* 可推断的，推理的 |
| | 🔑 联想记忆：infer(推断)+ential→可推断的 |
| | 🔍 inferential capability 推理能力 |
| **persist** | [pəˈsɪst] *vi.* 坚持；维持，保持，持续 |
| | 🔑 词根记忆：per(自始至终)+sist(站立)→始终站立着→坚持；持续 |
| | 🔄 persistent (*adj.* 持久稳固的) |

| | |
|---|---|
| **minimum** | ['mɪnɪməm] *n.* 最小值，最低限度 *adj.* 最低限度的，最小的<br><br>记 词根记忆：min(小)+imum→最小的 |
| **output*** | ['aʊtpʊt] *n.* 产量；输出量；输出功率 *vt.* 输出<br><br>记 组合词：out(出)+put(放)→输出<br><br>搭 farm output 农业生产量 |
| **stash*** | [stæʃ] *vt.* 藏匿；贮藏<br><br>记 联想记忆：st(看作stay，在)+ash(灰)→放在灰里→藏匿 |
| **species*** | ['spiːʃiːz] *n.* 种，物种<br><br>记 联想记忆：科学家从一些生物物种(species)中选取好的制成标本(specimen) |
| **subtle** | ['sʌtl] *adj.* 细微的，微妙的，难以捉摸的；隐约的；精巧的，巧妙的；诡秘的，狡诈的<br><br>记 词根记忆：sub(下)+tle→暗藏于下面的→微妙的；隐约的<br><br>同 delicate (*adj.* 微妙的)；intricate (*adj.* 难以理解的) |
| **competent** | ['kɒmpɪtənt] *adj.* 有能力的；能胜任的<br><br>记 联想记忆：compet(e)(竞争)+ent(具有…性质的)→能在竞争中取胜的→有能力的<br><br>同 sufficient (*adj.* 充分的，足够的；能胜任的)<br><br>反 inefficient〔*adj.* (指人)不能胜任的〕 |
| **select** | [sɪ'lekt] *v.* 选择，挑选 *adj.* 精选的，优等的<br><br>记 词根记忆：se+lect(选择)→选择，挑选<br><br>搭 selected poem 诗选<br><br>派 selective (*adj.* 选择性的)；selection (*n.* 选择) |
| **loose** | [luːs] *adj.* 松的；未固定牢的；散漫的；不精确的<br><br>记 联想记忆：这样散漫(loose)下去，时间都丢(lose)了<br><br>派 loosen (*v.* 解开，放松) |
| **available*** | [ə'veɪləbl] *adj.* 可获得的，可得到的；可用的；有空的<br><br>记 联想记忆：avail(有用)+able(能…的)→可用的<br><br>搭 be available to 可用于 |

| | |
|---|---|
| **illustration** | [ˌɪlə'streɪʃn] *n.* 说明；实例；图解，插图 |
| | 记 联想记忆：illustrat(=illustrate，举例说明；图解)+ion(表名词)→实例；图解 |
| **slice** | [slaɪs] *v.* 把…切成片，削 *n.* 薄片，切片；份，部分 |
| | 记 联想记忆：sl+ice(冰)→把冰块切碎→切片 |
| | 搭 a slice of 一片，一部分；a slice of bread 一块面包 |
| **waterfront*** | ['wɔːtəfrʌnt] *n.* 滨水路，滨水区，码头区 |
| | 记 组合词：water(水)+front(面向，朝向)→滨水路，滨水区，码头区 |
| **generic** | [dʒə'nerɪk] *adj.* 一般的，通用的；种的，属的 |
| | 记 词根记忆：gen(产生)+er+ic(…的)→产生不同种属的→种的，属的 |
| | 搭 generic name【生物】属名 |
| **cricket*** | ['krɪkɪt] *n.* 板球；蟋蟀 |
| | 记 联想记忆：花钱买票(ticket)去看板球(cricket)比赛 |
| **exhale*** | [eks'heɪl] *v.* 呼出(气)；散发(气味、蒸气等) |
| | 记 词根记忆：ex(出)+hal(呼吸)+e→呼出(气)；散发 |
| **creation*** | [kri'eɪʃn] *n.* 创造；作品 |
| | 记 联想记忆：creat(e)(创造)+ion→创造 |
| | 派 recreation (*n.* 消遣) |
| **corporate*** | ['kɔːpərət] *adj.* 团体的，共同的；法人的，公司的 |
| | 记 词根记忆：corpor(团体)+ate(有…性质的)→团体的 |
| | 搭 corporate loan 公司贷款 |
| | 派 corporation (*n.* 公司；法人) |
| **swell** | [swel] *v.* 膨胀；增长，增强 *n.* 海面的起伏，浪涌 |
| | 记 联想记忆：那种气味(smell)在增长(swell)，越来越难闻 |
| **synthesis** | ['sɪnθəsɪs] *n.* 综合，合成；综合体 |
| | 记 联想记忆：syn(共同)+thesis(论题)→将相同的论题综合起来→综合 |
| | 搭 the synthesis of art 综合艺术 |
| **excreta*** | [ɪk'skriːtə] *n.* 排泄物 |

**decapitate\*** [dɪˈkæpɪteɪt] *vt.* 斩首

记 词根记忆：de(去掉)+capit(头)+ate(使…)→把头去掉→斩首

**pepper** [ˈpepə(r)] *n.* 胡椒(粉) *vt.* 在…上撒(胡椒粉等)

**groan** [ɡrəʊn] *vi.* 呻吟；叹息 *n.* 呻吟声，叹息声

记 联想记忆：受到折磨(groan)，发出呻吟(moan)

**diminish\*** [dɪˈmɪnɪʃ] *v.* 减少；降低；贬低，轻视

记 词根记忆：di+min(小)+ish→减少；降低

同 curtail〔*vt.* 缩减，减少〕；decrease (*v.* 减少)

反 increase (*v.* 增加，加大)

**naive** [naɪˈiːv] *adj.* 幼稚的，天真的，不成熟的

记 联想记忆：native(原始的，土著的)去掉t→比土著人还要少一点阅历→天真的，幼稚的，不成熟的

搭 naive attitude 天真的态度

同 childish (*adj.* 幼稚的，不成熟的)

**upset** [ʌpˈset] *vt.* 使苦恼；搅乱；推翻，颠倒

[ˌʌpˈset] *adj.* 心烦的；(肠胃等)不适的

记 联想记忆：up(上)+set(放置)→底朝天放着→颠倒

**appeal\*** [əˈpiːl] *vi.* 呼吁；起诉，上诉；吸引 *n.* 上诉，申诉；呼吁；感染力，吸引力

搭 appeal for 请求；appeal to 诉诸；吸引

同 accuse (*vt.* 控告)

**consumption** [kənˈsʌmpʃn] *n.* 消耗(量)；消费(量)

记 词根记忆：con(共同)+sumpt(取)+ion→消耗；消费

搭 consumption pattern 消费模式

**caution** [ˈkɔːʃn] *n.* 谨慎，小心 *v.* 提醒，警告

记 发音记忆："考生"→考生要谨慎答题→谨慎

派 cautionary (*adj.* 警告的，告诫的)

**average\*** [ˈævərɪdʒ] *n.* 平均(数) *adj.* 平均的；平常的，普通的 *v.* 平均达到；平均为

搭 average age 平均年龄；average price 平均价格；on average 平均

**blonde** [blɒnd] *adj.* (头发)金黄色的 *n.* 金发女郎

| | |
|---|---|
| **burst** | [bɜːst] v. (使)爆炸；突然发作；破裂 n. 爆炸 |
| | 🔤 burst into 突然爆发；burst out 突然激动地喊叫 |
| **ecology** | [iˈkɒlədʒi] n. 生态，生态学；生态环境 |
| | 📝 词根记忆：eco(生态)+logy(…学)→生态学 |
| **profession** | [prəˈfeʃn] n. 行业，职业；宣称，表白 |
| | 📝 联想记忆：这位教授(professor)从事历史学专业(profession) |
| **transit\*** | [ˈtrænzɪt] n. 运输，运载 v. 通过，经过；中转 |
| | 📝 词根记忆：trans(越过)+it(行走)→从一地走到另一地→运输，运载；通过，经过 |
| | 📤 transition (n. 过渡；转变) |
| | 📗 transportation (n. 运输，运载)；delivery (n. 传送，运送) |
| **medieval** | [ˌmediˈiːvl] adj. 中世纪的；中古(时代)的 |
| | 📝 词根记忆：medi(中间)+ev(时代)+al→中世纪的 |
| | 🔤 medieval Italy 中世纪的意大利 |
| **behave** | [bɪˈheɪv] v. 表现；(机器等)运转；(事物)起作用；表现得体；使检点 |
| | 📝 联想记忆：be+have(有)→表现所拥有的→表现 |
| | 🔤 behave oneself 注意自己的言行 |
| **devastating\*** | [ˈdevəsteɪtɪŋ] adj. 毁灭性的；强有力的 |
| | 🔤 devastating effect 毁灭性的影响 |
| **dredge\*** | [dredʒ] v. 挖掘；疏浚；挖出，吸出；重提(不愉快或令人难堪的)旧事 |
| | 📝 发音记忆："掘机"→挖掘 |
| | 🔤 dredge up 挖掘；疏浚 |
| **launch** | [lɔːntʃ] vt. 将…投放市场；开始从事，发动，发起；发射 n. 发射；(产品)上市 |
| | 📝 联想记忆：在午餐(lunch)会上推出(launch)新产品，真是不错的主意 |
| | 🔤 launch into sth. 开始…，积极投入…；launch an attack 发动攻击 |

# Word List 30

音频

| | |
|---|---|
| **disintegrate** | [dɪs'ɪntɪɡreɪt] v. (使)碎裂，瓦解，解体<br>🔢 联想记忆：dis(不)+integrate(一体化，使完整)→使不完整→(使)碎裂，瓦解 |
| **fade** | [feɪd] v. (使)变淡，变暗；褪色；凋谢；逐渐消失<br>🔢 联想记忆：褪色(fade)的记忆何以面对(face) |
| **concede** | [kən'siːd] v. (不情愿地)承认；让步<br>🔢 词根记忆：con(共同)+ced(行走)+e→让步 |
| **complaint\*** | [kəm'pleɪnt] n. 抱怨；投诉；控告；(尤指不严重、常影响身体某部位的)疾病 |
| **irritable** | ['ɪrɪtəbl] adj. 急躁的，易怒的，易受刺激的；过敏的<br>🔢 词根记忆：ir(进入)+rit(擦)+able(具有…性质的)→进入摩擦→急躁的 |
| **legislation** | [ˌledʒɪs'leɪʃn] n. 法律，法规；立法<br>🔢 词根记忆：legis(法律)+lat(拿出)+ion→法律，法规；立法<br>🔢 legislative (adj. 立法的；根据法规执行的；立法机关的 n. 立法机关)；legislator (n. 立法者)；legislature (n. 立法机关) |
| **bouncing** | ['baʊnsɪŋ] adj. 健壮的，茁壮的 |
| **innovative** | ['ɪnəveɪtɪv] adj. 革新的，创新的，新颖的；富有革新精神的<br>🔢 来自innovation (n. 改革，创新)<br>🔢 innovative spirit 创新精神 |
| **congestion** | [kən'dʒestʃən] n. 拥挤，充塞；充血<br>🔢 词根记忆：con(表加强)+gest(带来)+ion→带来了一大堆→拥挤，充塞<br>🔢 traffic congestion 交通阻塞；congestion surcharge (港口)拥挤附加费 |

| | |
|---|---|
| **particulate** | [pɑːˈtɪkjələt] *adj.* 粒子状的，微粒的，颗粒的 *n.* 粒子，微粒状物质 |
| | 🔍 particulate matter 颗粒物质 |
| **pollutant** | [pəˈluːtənt] *n.* 污染物质(尤指排入水中和空气中的有害化学物质)，有害物质 |
| | 📝 来自pollute (*vt.* 污染) |
| **megacity** | [ˈmegəsɪti] *n.* (人口超过1000万的)大城市 |
| **allergic** | [əˈlɜːdʒɪk] *adj.* 过敏的；(对…)变态反应的，变应性的 |
| | 📝 词根记忆：all+erg(活力)+ic(…的)→过敏的 |
| | 🔍 allergic reaction 过敏性反应；allergic to 对…过敏，厌恶… |
| **populace** | [ˈpɒpjələs] *n.* (一个国家或地区的)人口，全体居民；平民，大众 |
| | 📝 词根记忆：popul(人民)+ace→平民，大众 |
| **proclaim** | [prəˈkleɪm] *v.* 宣告，宣布，声明；显示 |
| | 📝 词根记忆：pro(在前)+claim(呼喊)→在前面大叫→宣告，声明；显示 |
| | 📗 proclamation (*n.* 公告，布告，声明) |
| | 📘 declare (*v.* 正式宣布；宣称)；announce (*v.* 宣布，声称) |
| **supervision** | [ˌsuːpəˈvɪʒn] *n.* 监督，管理；指导 |
| **comparable** | [ˈkɒmpərəbl] *adj.* 可比较的，类似的；比得上的 |
| | 📝 词根记忆：com(共同)+par(相等)+able(可…的)→都是相等的→可比较的 |
| | 📘 similar (*adj.* 相似的，类似的)；like (*adj.* 相似的，同样的) |
| **habitual** | [həˈbɪtʃuəl] *adj.* 惯常的，通常的；习惯性的 |
| | 📝 联想记忆：habit(习惯)+ual(有…性质的)→惯常的，通常的 |
| **rehabilitate** | [ˌriːəˈbɪlɪteɪt] *vt.* 使(重病患者)康复；使(长期服刑者)恢复正常生活；使恢复原状；复职；恢复…的名誉 |
| | 📝 词根记忆：re(重新)+habilit(=abili，能)+ate→重新获得能力→使恢复原状 |

| picturesque | [ˌpɪktʃəˈresk] *adj.* 美丽如画的；(语言)生动的 |
| | 搭 a picturesque village 一个风景如画的村庄 |
| afield | [əˈfiːld] *adv.* 在野外，在田中；在战场上；离乡背井地；到远方，在远处 |
| productive | [prəˈdʌktɪv] *adj.* 生产性的；多产的；富有成效的 |
| form* | [fɔːm] *n.* 形式；外形；表格 *v.* (使)形成，(使)出现 |
| | 派 formality (*n.* 拘谨；礼节)；formability (*n.* 可成形性) |
| temporary | [ˈtemprəri] *adj.* 临时的，暂时的 |
| | 搭 temporary employment/work 临时工作 |
| | 派 temporarily (*adv.* 临时地) |
| spill* | [spɪl] *v.* (使)溢出；涌出 |
| | 记 联想记忆：s+pill(药丸)→药丸太满了，洒了一地→溢出 |
| mediocre* | [ˌmiːdiˈəʊkə(r)] *adj.* 平庸的，平凡的 |
| | 记 词根记忆：medi(中间)+ocre→中间状态→平庸的，平凡的 |
| | 搭 a mediocre writer 一位平庸的作家 |
| lead* | [liːd] *v.* 指引；领导；致使 *n.* 领先，领先地位 |
| | [led] *n.* 铅 |
| define | [dɪˈfaɪn] *vt.* 给…下定义；限定 |
| | 记 词根记忆：de+fin(范围)+e→划定范围→给…下定义；限定 |
| figure* | [ˈfɪɡə(r)] *n.* 数字；人物；体态，体形；轮廓；(插)图，图表；雕像，塑像 *v.* 是重要部分；认为；计算，估计 |
| | 搭 leading figure 主要人物，领导人物 |
| respond* | [rɪˈspɒnd] *vi.* 回答，答复；响应；作出反应 |
| | 搭 respond to 回答…，对…作出反应；respond by doing sth. 做…进行回应 |
| | 派 response (*n.* 回答；反应)；respondent (*n.* 回答者 *adj.* 回答的) |
| approval | [əˈpruːvl] *n.* 赞成，同意；正式批准 |
| | 记 词根记忆：ap(表加强)+prov(证明)+al(表行为)→向某人进行证明→赞成，同意 |

| | |
|---|---|
| **smell*** | [smel] v. 散发(或有)…的气味；闻到，嗅到 |
| **flaw** | [flɔː] n. 缺点；瑕疵 |
| **multiple** | ['mʌltɪpl] adj. 多重的；多样的 n. 倍数 |
| | 记 词根记忆：multi(多)+ple(折叠)→多重的；多样的 |
| | 搭 multiple choice 多项选择；in multiple(s) 成倍地 |
| **adventure** | [əd'ventʃə(r)] n. 冒险，冒险活动；异乎寻常的经历，奇遇 |
| | 搭 spirit of adventure 冒险精神；adventure film 惊险电影 |
| **zone** | [zəʊn] n. 地区，地带；区域 |
| **diagram** | ['daɪəgræm] n. 图解，图表 |
| | 记 词根记忆：dia(穿过)+gram(画)→画带有交叉点的图→图解，图表 |
| **slouch** | [slaʊtʃ] v. 无精打采地站(或坐、走)；低头垂肩地站(或坐、走) |
| | 记 发音记忆："似老去"→无精打采地站 |
| **bloom*** | [bluːm] n. 花朵；开花(期)；青春焕发(的时期) v. (使)开花 |
| | 记 联想记忆：杜鹃花开(bloom)鲜红如血(blood) |
| | 搭 be in full bloom 盛开 |
| **horizon*** | [hə'raɪzn] n. 地平线；范围；眼界 |
| | 记 联想记忆：ho+riz(音似：rise，升起)+on→太阳从地平线上升起→地平线 |
| | 搭 expand one's horizons 开阔眼界 |
| | 派 horizontal (adj. 水平的)；horizontally (adv. 水平地) |
| **trick*** | [trɪk] n. 诡计，花招；把戏 vt. 欺诈，哄骗 |
| | 记 联想记忆：西方国家的小孩子在万圣节喜欢玩treat or trick的游戏 |
| | 派 tricky (adj. 不易处理的，难对付的) |
| **centigrade** | ['sentɪgreɪd] adj. 百分度的；摄氏度的 |
| | 记 联想记忆：centi(一百)+grade(等级)→百分度的 |
| **courageous*** | [kə'reɪdʒəs] adj. 勇敢的，有胆量的 |
| | 记 联想记忆：courage(勇气)+ous(…的)→有勇气的→勇敢的，有胆量的 |

| academic | [ˌækə'demɪk] *adj.* 学院的；学术的；不切实际的 *n.* 学者；大学教师 |
| --- | --- |
| | 🈸 academic achievement 学术成就；academic study 学术研究；academic problem 学术问题；academic teaching staff 师资力量 |
| | 🈶 academically (*adv.* 学术上)；academia (*n.* 学术界；学术生涯) |
| preferable | ['prefrəbl] *adj.* 更可取的，更好的，更合意的 |
| | 🈚 联想记忆：prefer(更喜欢)+able(能…的)→更喜欢就觉得更好→更可取的，更好的 |
| biometrics* | [ˌbaɪəʊ'metrɪks] *n.* 生物测定学 |
| reunite* | [ˌriːjuː'naɪt] *v.* (使)结合；(使)重聚 |
| minority* | [maɪ'nɒrəti] *n.* 少数；少数民族 |
| | 🈚 词根记忆：min(小)+or+ity(表状况)→少数 |
| clench* | [klentʃ] *v.* 握紧；咬紧(牙关等)；牢牢抓住 |
| corpus* | ['kɔːpəs] *n.* 文集，文献，汇编；语料库 |
| | 🈚 词根记忆：corp(身体)+us→知识体→文集，汇编；语料库 |
| alarm* | [ə'lɑːm] *n.* 惊恐，恐慌；报警器；闹钟；警报 *vt.* 使惊恐；使担心 |
| | 🈚 联想记忆：al+arm(武器)→受了惊吓，拿起武器→惊恐 |
| beam* | [biːm] *n.* (光线等的)束；(建筑物的)梁；笑容 *v.* 面露喜色；发射电波，播送 |
| | 🈚 联想记忆：be+am→做我自己，成为国家的栋梁→(建筑物的)梁 |
| | 🈸 a beam of light 一束光 |
| conjunction | [kən'dʒʌŋkʃn] *n.* 连接；连词 |
| | 🈚 词根记忆：con(表加强)+junct(连接)+ion→连接 |
| height* | [haɪt] *n.* 海拔；身高 |
| nasty* | ['nɑːsti] *adj.* 令人讨厌的；不友好的，恶意的，下流的；恶劣的 |
| | 🈚 联想记忆：做事总是草率的(hasty)，真是令人讨厌的(nasty) |

搭 a nasty person 一个下流的人；nasty weather 恶劣的天气

同 disgusting (adj. 令人厌恶的，使人反感的)

**monster** ['mɒnstə(r)] n. 怪物；巨人，庞然大物

记 发音记忆："蒙死他"→怪物把他给吓蒙了→怪物

**continually** [kən'tɪnjuəli] adv. 连续地，持续地

**adequate\*** ['ædɪkwət] adj. 充足的；合适的，合格的

记 词根记忆：ad(表加强)+equ(平等)+ate→比平等多的→充足的

搭 be adequate for 适合于…

派 inadequate (adj. 不充足的；不适当的)

**hike** [haɪk] v. 徒步旅行；提高(价格等) n. 远足，徒步旅行；猛增

记 联想记忆：我喜欢(like)徒步旅行(hike)

**grateful** ['greɪtfl] adj. 感激的，感谢的

**organ\*** ['ɔːgən] n. 器官；(官方的)机构

**rely** [rɪ'laɪ] vi. 依靠；信赖

记 联想记忆：re(一再)+ly(音似：lie，撒谎)→一再撒谎的人不值得信赖→信赖

搭 rely on/upon 依靠

**incentive** [ɪn'sentɪv] n. 刺激；激励

记 词根记忆：in(进入)+cent(唱)+ive→把(力量)唱进去→刺激

派 incentivize (v. 刺激；激励)

同 motivation (n. 刺激，动机)；impetus (n. 推动，促进，刺激)

**technical** ['teknɪkl] adj. 技术的，工艺的

记 词根记忆：techn(技艺)+ical(…的)→技术的

搭 technical support 技术支持；technical education 技术教育

**chorus** ['kɔːrəs] n. 合唱，合唱曲；合唱队；副歌，叠句；齐声说的话(或发出的喊声) v. 齐声说

搭 in chorus 异口同声；female/male chorus 女声/男声合唱；mixed chorus 混声合唱

# *Word List 31*

音频

| | |
|---|---|
| **scent** | [sent] *n.* 香味；气味 *vt.* 嗅到；察觉<br>📝 联想记忆：绽放的花朵送出(sent)沁人心脾的香气(scent) |
| **hitherto** | [ˌhɪðə'tuː] *adv.* 到目前为止，迄今<br>📝 联想记忆：hit(打)+her+to→迄今为止，他的爱还没有打动她→到目前为止，迄今 |
| **accomplish** | [ə'kʌmplɪʃ] *vt.* 达到(目的)；完成(任务)；实现(计划、诺言等)<br>📝 联想记忆：ac+compl(看作complete，完成)+ish(使…)→完成<br>🔍 accomplish one's mission 完成了某人的任务 |
| **bullet\*** | ['bʊlɪt] *n.* 枪弹，子弹<br>📝 联想记忆：bull(芝加哥公牛队)+et→芝加哥公牛队队员如子弹般在球场中穿梭→枪弹，子弹 |
| **rural\*** | ['rʊərəl] *adj.* 农村的，乡村的<br>📝 词根记忆：rur(乡村)+al(…的)→农村的，乡村的 |
| **enclosure** | [ɪn'kləʊʒə(r)] *n.* 四周有篱笆(或围墙等)的场地，围场；(信中的)附件<br>📝 联想记忆：en(进入…之中)+clos(看作close)+ure→被围在当中→围场 |
| **discontinue** | [ˌdɪskən'tɪnjuː] *v.* 停止；中断；不连续 |
| **revegetate** | [riː'vedʒɪˌteɪt] *v.* 再生长，再植 |
| **sustainable** | [sə'steɪnəbl] *adj.* 可以忍受的；足以支撑的；养得起的；可持续的<br>📝 来自sustain (*v.* 维持)<br>🔍 sustainable development 可持续发展 |
| **dispersal** | [dɪ'spɜːsl] *n.* 散布，分散；消散，疏散 |
| **fabulous** | ['fæbjələs] *adj.* 寓言中的；巨大的；极好的<br>📝 联想记忆：fab(看作fable，寓言)+ulous→寓言中的 |

| | |
|---|---|
| **retailing** | [ˈriːteɪlɪŋ] *n.* 零售业 |
| **rental** | [ˈrentl] *n.* 租金额；出租，租赁 *adj.* 可供租用的；出租(业)的<br>搭 rental agreement 租约 |
| **fraught** | [frɔːt] *adj.* 充满…的；担心的，烦恼的<br>记 和freight (*n.* 装运的货物)一起记 |
| **obsession** | [əbˈseʃn] *n.* 迷住；困扰；萦绕于心的事物或人；固执的念头<br>记 词根记忆：ob(逆，倒)+sess(坐)+ion→坐立不安→困扰<br>派 obsessional (*adj.* 痴迷的，迷恋的；耿耿于怀的)；obsessive (*adj.* 迷恋的 *n.* 强迫症患者) |
| **ethereal** | [ɪˈθɪəriəl] *adj.* 优雅的；轻巧的；缥缈的<br>记 来自ether (*n.* 太空；苍天)<br>搭 ethereal beauty 娇柔、飘逸之美 |
| **unobtrusive** | [ˌʌnəbˈtruːsɪv] *adj.* 不引人注目的；不张扬的<br>记 联想记忆：un(表否定)+obtrusive(突出的)→不引人注目的 |
| **underpin** | [ˌʌndəˈpɪn] *vt.* 加固…的基础；加强，巩固 |
| **nutritional** | [njuˈtrɪʃənl] *adj.* 营养的，滋养的；营养物的，食物的 |
| **velocity** | [vəˈlɒsəti] *n.* 速度，速率；迅速，快速<br>记 词根记忆：veloc(快的)+ity(表名词)→速度<br>搭 gain/lose velocity 加速/减速<br>同 speed (*n.* 迅速；速度，速率)；rapidity (*n.* 迅速) |
| **unveil** | [ˌʌnˈveɪl] *v.* 揭去面纱或覆盖物；揭幕；首次公开、揭露或展示(某事物)<br>记 联想记忆：un(解开)+veil(面纱)→揭去面纱 |
| **prototype** | [ˈprəʊtətaɪp] *n.* 原型，蓝本<br>记 词根记忆：proto(第一)+typ(形状)+e→首先的形状→原型<br>同 archetype (*n.* 原型)；original (*n.* 原物，原作) |
| **swivel** | [ˈswɪvl] *v.* (使)旋转 *n.* 转环；转节 |
| **replicate** | [ˈreplɪkeɪt] *vt.* 重复，复现或复制；再制造；再生<br>记 词根记忆：re(一再)+plic(重叠)+ate→一再重叠→复制 |

**capsize** [kæp'saɪz] *v.* (使船)翻，倾覆

记 联想记忆：cap(帽子)+size(大小)→像帽子一样小的船容易翻→翻，倾覆

**project*** ['prɒdʒekt] *n.* 计划，方案；课题，项目；工程

[prə'dʒekt] *v.* 放映；投射，发射；(使)突出，(使)伸出；设计，规划

记 词根记忆：pro(向前)+ject(投掷)→向前掷→(使)突出，(使)伸出

搭 draw up a project 制订方案；carry out a project 执行方案

**thorny** ['θɔːni] *adj.* 多刺的；痛苦的，棘手的

记 联想记忆：t+horn(角)+y→有角的刺→多刺的

**eligible** ['elɪdʒəbl] *adj.* 符合条件的；合适的

记 词根记忆：e+lig(选择)+ible(可…的)→能被选择出来的→符合条件的

搭 be eligible to 有资格做…

同 desirable (*adj.* 值得要的，合意的)；qualified (*adj.* 有资格的)；suitable (*adj.* 适当的，相配的)

**admit*** [əd'mɪt] *v.* 承认；准许…进入；准许…加入

记 词根记忆：ad+mit(送)→能送进去→准许…进入

派 admission (*n.* 准许进入；入场费；承认)

**bacterial** [bæk'tɪəriəl] *adj.* 细菌的；由细菌引起的

搭 bacterial infection 细菌感染

**management*** ['mænɪdʒmənt] *n.* 管理(部门、人员)；处理

记 联想记忆：man(人)+age(年纪)+ment→到了一定年龄，富有经验的人适合做管理人员→管理(部门、人员)

**enrolment** [ɪn'rəʊlmənt] *n.* 登记，注册；入学，入伍

记 联想记忆：enrol(登记；入学)+ment→登记；入学

搭 enrolment form 登记表

**strategy** ['strætədʒi] *n.* 战略，策略

记 联想记忆：str(看作strange，奇怪的)+ate(吃)+gy→用奇怪的方法吃掉对手→战略，策略

搭 marketing strategies 营销策略

| | |
|---|---|
| **emerge\*** | [ɪ'mɜːdʒ] *vi.* 出现；显露，(事实等)暴露 |
| | 📖 词根记忆：e(出)+merg(沉，没)+e→从浸没物之中出来→显露 |
| **submerge** | [səb'mɜːdʒ] *v.* 浸没；潜入水中 |
| | 📖 词根记忆：sub(下)+merg(沉，没)+e→浸没；潜入水中 |
| **mantle** | ['mæntl] *n.* 披风，斗篷；覆盖物；(煤气灯)纱罩；【解】外层，包膜；外表；(水库的)槽；【地】地幔 |
| | *vt.* 用斗篷盖；覆盖 |
| **overall\*** | [əʊvər'ɔːl] *adj.* 全面的；全部的 |
| | 📖 组合词：over(从头到尾)+all(所有的)→全面的；全部的 |
| | 🔖 overall checkup 全面检查 |
| **granite\*** | ['grænɪt] *n.* 花岗岩，花岗石 |
| | 📖 词根记忆：gran(=grain，颗粒)+ite→颗粒状石头→花岗岩，花岗石 |
| **approximate** | [ə'prɒksɪmət] *adj.* 近似的；大概的 |
| | [ə'prɒksɪmeɪt] *vt.* 近似，接近 |
| | 📖 词根记忆：ap(表加强)+proxim(接近)+ate→接近的→近似的 |
| | 📝 approximately (*adv.* 近似地；大约) |
| **gallery** | ['gæləri] *n.* 美术馆；展览馆；画廊 |
| **community** | [kə'mjuːnəti] *n.* 社会；社区；团体；界；(动植物的)群落；共同体 |
| | 📖 词根记忆：com+mun(公共的)+ity→公共状态→社区；团体 |
| | 🔖 community spirit 团体精神 |
| **swing\*** | [swɪŋ] *v.* 摇摆；(使)突然转向 *n.* 摇摆；秋千 |
| | 📖 联想记忆：s+wing(翅膀)→摇摆翅膀，在风中盘旋→摇摆 |
| **cite\*** | [saɪt] *vt.* 引用；引证；举出(示例) |
| **spectrum** | ['spektrəm] *n.* 谱，光谱，频谱；范围，幅度 |
| | 📖 词根记忆：spect(看)+rum→能看到光的颜色→光谱 |

搭 electromagnetic spectrum 电磁光谱

同 range (*n.* 范围，幅度)

**drawback** ['drɔːbæk] *n.* 缺点；不利条件

记 联想记忆：draw(拉)+back(向后)→拖后腿→缺点；不利条件

**identity\*** [aɪ'dentəti] *n.* 身份；特性；同一性

记 联想记忆：i+dent(牙齿)+ity(表性质)→通过牙齿来确定身份→身份

搭 cultural identity 文化特性

**trend** [trend] *n.* 倾向；趋势；流行，时尚 *vi.* 伸向；倾向

记 联想记忆：tend(倾向)加r还是倾向(trend)

搭 downward trend 下跌趋势

**extreme** [ɪk'striːm] *adj.* 极度的；极端的 *n.* 极端，过分

记 联想记忆：extre(看作extra，以外的)+me(我)→在我能忍受的极限以外→极端

搭 in the extreme 极其

派 extremely (*adv.* 极端地；非常地)

**skip** [skɪp] *v.* 跳，蹦；漏过；逃学

同 leap (*v.* 跳跃；跳过)；overlook (*vt.* 忽视，略过)

**military** ['mɪlətri] *adj.* 军事的 *n.* [the ~] 军队

记 词根记忆：milit(战斗)+ary(…的)→军事的

**vested\*** ['vestɪd] *adj.* 法律规定的；既定的

记 联想记忆：到了法律规定的(vested)年龄，就被授予(vest)选举的权利

**symphony** ['sɪmfəni] *n.* 交响乐；和谐的东西

记 词根记忆：sym(共同)+phon(声音)+y→奏出共同的声音→交响乐

同 concord (*n.* 和谐，一致)；harmony (*n.* 协调，和谐)

反 discord (*n.* 不一致，不和谐)

**locate\*** [ləʊ'keɪt] *vt.* 找到；位于；使坐落于；把…设置在

记 词根记忆：loc(地方)+ate(做)→找到；位于

搭 factory located far away 坐落在远处的工厂

| **classify** | ['klæsɪfaɪ] *vt.* 把…归类；把…分级 |
| --- | --- |
| | 記 联想记忆：class(类别)+ify(使…)→把…归类 |
| **enthusiastic** | [ɪn,θjuːzi'æstɪk] *adj.* 热情的；热心的 |
| | 記 词根记忆：enthusi(=enthuse，热心)+astic→热情的；热心的 |
| | 搭 enthusiastic applause 热烈的掌声 |
| | 同 eager (*adj.* 热切的，渴望的)；passionate (*adj.* 充满热情的) |
| **alter** | ['ɔːltə(r)] *vt.* 改变；变动 |
| | 記 本身为词根，意为"改变状态" |
| **disqualify\*** | [dɪs'kwɒlɪfaɪ] *vt.* 使丧失资格 |
| | 記 联想记忆：dis(不)+qualify(具有资格)→使不具有资格→使丧失资格 |
| | 搭 disqualify sb. from (doing) sth. 使某人丧失(做)某事的资格 |
| **maximum\*** | ['mæksɪməm] *n.* 最大量，极限 *adj.* 最大的，最高的 |
| | 記 词根记忆：max(大)+imum→最大的，最高的 |
| **delivery** | [dɪ'lɪvəri] *n.* 投递，交付；分娩 |
| **undergraduate** | [,ʌndə'grædʒuət] *n.* 大学本科生，大学肄业生 |
| | 記 组合词：under(不足)+graduate(毕业生)→还不是毕业生→大学本科生 |
| **focus\*** | ['fəʊkəs] *v.* (使)聚焦，(使)集中 *n.* 焦点，焦距；(注意力、活动等的)中心 |
| | 搭 focus (sth.) on 使聚集，集中；(使)聚焦 |
| **administer\*** | [əd'mɪnɪstə(r)] *v.* 管理，治理；执行，实施；给予(药物或治疗) |
| | 搭 administer to 有助于；给予 |
| **ash** | [æʃ] *n.* 灰；灰烬；[pl.] 骨灰，遗骸 |
| | 搭 cigar ash 雪茄烟灰 |
| **intensify** | [ɪn'tensɪfaɪ] *vt.* 使增强；使加剧 |
| | 記 词根记忆：in(向内)+tens(伸展)+ify(使…)→使向内伸展→使增强 |

**inventory** ['ɪnvəntri] *n.* 目录；存货

记 词根记忆：in+vent(来)+ory(表物)→有关所有进来的货物→目录；存货

同 checklist (*n.* 清单)

**event\*** [ɪ'vent] *n.* 事件；比赛项目

搭 in the event of 万一，如果

**crucial** ['kruːʃl] *adj.* 决定性的；至关重要的

记 词根记忆：cruc(十字形)+ial(…的)→十字路口→决定性的，至关重要的

搭 crucial to/for 对…至关重要

**stage\*** [steɪdʒ] *n.* 舞台；戏剧；阶段

搭 on/off stage 在台上/台下；stage fright 怯场

**aeration\*** [eə'reɪʃn] *n.* 通风

记 词根记忆：aer(空气)+ation(表状态)→能通空气→通风

**profitable** ['prɒfɪtəbl] *adj.* 有利可图的，赚钱的；有益的

记 联想记忆：profit(利益)+able(能…的)→能获利的→有利可图的，赚钱的

搭 highly profitable business 非常有利可图的生意

同 beneficial (*adj.* 有益的，有利的)；lucrative (*adj.* 赚钱的；有利可图的)

反 unprofitable (*adj.* 无利益的，不赚钱的)

**faith** [feɪθ] *n.* 信任，信用；信仰，信条

记 联想记忆：屡败(fail)屡战，信心(faith)不倦

搭 have faith in 信任…，相信…

**cafeteria** [ˌkæfə'tɪəriə] *n.* 自助餐馆；小餐厅

记 联想记忆：cafe(咖啡馆)+teria→自助餐馆

音频

# *Word List 32*

**involve\*** [ɪn'vɒlv] *vt.* 使卷入，使参与；牵涉，陷入，连累；包含，含有

记 词根记忆：in(进入)+volv(卷)+e→使卷入，牵涉

搭 involve in 卷入，参加；involve sb. in 使某人卷入，使某人陷入

派 involvement (*n.* 参与；投入；沉迷)

**dairy** ['deəri] *n.* 奶制品；乳品店 *adj.* 乳制品的

记 联想记忆：每天(daily)吃乳制品(dairy)强壮骨骼

搭 dairy cattle 乳牛；dairy farm 乳牛场

**confirm\*** [kən'fɜːm] *vt.* 证实，确定；肯定；批准，使有效

记 词根记忆：con(表加强)+firm(坚定)→使更加坚定→证实；肯定

派 confirmation (*n.* 证实；批准)

**hinge\*** [hɪndʒ] *n.* 合叶；铰链 *v.* 依…而定

记 发音记忆："很紧"→铰链很紧，转不动→铰链

**subsidise\*** ['sʌbsɪdaɪz] *vt.* 津贴，资助

记 来自subsidy (*n.* 津贴；补助金)

**stain** [steɪn] *vt.* (被)玷污；给…着色 *n.* 污点，污渍

记 联想记忆：一下雨(rain)，到处都是污点(stain)

**unload\*** [ˌʌn'ləʊd] *v.* 从…卸下货物；摆脱

记 联想记忆：un+load(负荷，重担)→从…卸下货物

**conversion** [kən'vɜːʃn] *n.* 转化；转变，变换；兑换

记 词根记忆：con+vers(转)+ion→转化；转变

**irrelevant\*** [ɪ'reləvənt] *adj.* 不相关的；离题的

记 联想记忆：ir(不)+relevant(有关的)→不相关的

**thrill** [θrɪl] *v.* (使)非常激动；(使)发抖

搭 be thrilled to bits 非常愉快

同 excite (*vt.* 使激动，使兴奋)；delight〔*v.* (使)高兴，(使)欣喜〕

| | |
|---|---|
| **trial\*** | ['traɪəl] *n.* 审讯；试验 *adj.* 试验性的 *v.* (全面彻底地)测试，试验，试用 |
| | 搭 clinical trial 临床试验；trial period 试用期；time trial 计时比赛；on trial (指人)在试用期间，(指物)在试验中 |
| **extol\*** | [ɪk'stəʊl] *vt.* 赞颂，赞美，颂扬 |
| | 记 词根记忆：ex(使…)+tol(举起)→举起双手，赞美对方→赞美 |
| **albeit** | [ˌɔːl'biːɪt] *conj.* 虽然，尽管 |
| **obstacle** | ['ɒbstəkl] *n.* 障碍，妨碍物，干扰 |
| | 记 词根记忆：ob(逆)+st(站)+acle(表小东西)→反着站的小物体→障碍，妨碍物 |
| | 搭 obstacle course 障碍赛跑赛场，重重困难；natural obstacles 天然障碍 |
| **meagre** | ['miːɡə(r)] *adj.* 少量且劣质的 |
| **precipitation** | [prɪˌsɪpɪ'teɪʃn] *n.* 降雨(量)，降水(量)；沉淀作用 |
| **precarious** | [prɪ'keəriəs] *adj.* 不安全的，充满危险的；不牢靠的，不稳固的 |
| | 记 联想记忆：pre(前)+car(汽车)+ious→坐在汽车前面→不安全的 |
| **autonomy** | [ɔː'tɒnəmi] *n.* 自治，自治权；自主权 |
| | 记 词根记忆：auto(自己)+nomy(某一领域的知识、理论)→自治，自治权 |
| | 派 autonomous (*adj.* 自治的；独立自主的) |
| **credibility** | [ˌkredə'bɪləti] *n.* 可信性，可靠性 |
| | 记 词根记忆：cred(相信)+ibility(可…性)→可信性，可靠性 |
| **onslaught** | ['ɒnslɔːt] *n.* 猛攻，猛袭 |
| | 记 联想记忆：on+slaught(er)(打击)→猛攻，猛袭 |
| **curtail** | [kɜː'teɪl] *vt.* 缩短，削减；剥夺 |
| | 记 词根记忆：cur(=curt，短)+tail(剪)→剪短→缩短，削减 |
| | 同 abridge (*vt.* 缩减，减短)；shorten (*v.* 缩短) |

**correlation** [ˌkɒrə'leɪʃn] *n.* 相互关系，相关(性)

记 联想记忆：cor(共同)+relation(关系)→相互关系

**afflicting** [ə'flɪktɪŋ] *adj.* 痛苦的

**simulation** [ˌsɪmju'leɪʃn] *n.* 假装；模拟

**incongruous** [ɪn'kɒŋgruəs] *adj.* 不协调的，不一致的；不适宜的

**remuneration** [rɪˌmjuːnə'reɪʃn] *n.* 报酬；薪水

**intermix** [ˌɪntə'mɪks] *v.* 混入，混杂

**paramount** ['pærəmaʊnt] *adj.* 最重要的，决定性的

记 联想记忆：par+amount(数量)→在量上超过别的→最重要的，决定性的

**hypnotic** [hɪp'nɒtɪk] *adj.* 催眠的 *n.* 催眠药

**suffice** [sə'faɪs] *v.* 足够，足以；满足…的需求

记 词根记忆：suf(表加强)+fic(做)+e→拼命地做→满足…的需求；足够

搭 suffice (it) to say 只要说…就够了

派 sufficiency (*n.* 充足)；sufficient (*adj.* 足够的，充分的)；sufficiently (*adv.* 充分地，十分)

反 lack (*vt.* 缺乏)

**technician** [tek'nɪʃn] *n.* 技术员，技师

记 词根记忆：techn(技艺)+ician(表人)→技术员，技师

**apart** [ə'pɑːt] *adv.* 相间隔；分离；除去 *adj.* 分离的

记 联想记忆：a+part(分开)→分离的

**mainstream*** ['meɪnstriːm] *n.* 主要倾向，主要趋势，主流

记 组合词：main(主要的)+stream(溪，流)→主流，主要趋势，主要倾向

**flush** [flʌʃ] *v.* 冲洗，清除；(使)发红；(使)脸红；奔流 *n.* 脸红 *adj.* 齐平的，同高的

记 联想记忆：在闪烁(flash)的镁光灯下，她的脸通红(flush)

搭 flush away 冲掉，冲去

同 redden〔*v.* (使)变红；(脸因羞涩、愤怒等)发红〕；douche (*vt.* 冲洗，灌洗)

| | |
|---|---|
| **stir** | [stɜː(r)] *v./n.* 搅动；摇动；激动 |
| | 记 本身是词根，意为"刺激" |
| **odd** | [ɒd] *adj.* 奇特的；偶尔出现的；奇数的 |
| | 记 联想记忆：奇奇(odd)相加(add)为偶 |
| | 派 oddly (*adv.* 奇特地) |
| **inject** | [ɪnˈdʒekt] *vt.* 注射；注入，灌输 |
| | 记 词根记忆：in(进入)+ject(投掷)→投进去→注入，灌输 |
| | 派 injection (*n.* 注射) |
| | 同 implant (*vt.* 注入，灌输)；infuse (*vt.* 注入，灌输) |
| **demand\*** | [dɪˈmɑːnd] *n.* 要求；需求(量) *v.* 要求；需要；询问 |
| | 记 词根记忆：de(向下)+mand(命令)→向下命令→要求，需求 |
| | 搭 in great demand 需求量大；demand for... 对…的需求 |
| **unsatisfactory\*** | [ˌʌnˌsætɪsˈfæktəri] *adj.* 不能令人满意的 |
| **excursion** | [ɪkˈskɜːʃn] *n.* 远足，短途旅游；【物】偏移，漂移 |
| | 搭 Saturday excursion 周六短途旅行 |
| **grid\*** | [grɪd] *n.* 格子，栅格；地图上的坐标方格；输电网；煤气输送网 |
| | 搭 power grid 电力网 |
| **controversial\*** | [ˌkɒntrəˈvɜːʃl] *adj.* 争论的 |
| | 记 词根记忆：contro(相反)+vers(转)+ial(…的)→反着转的→争论的 |
| **wagon\*** | [ˈwægən] *n.* 四轮马车；货车；(铁路)货车车厢，车皮 |
| | 搭 rail wagon 铁路车皮 |
| **reputation\*** | [ˌrepjuˈteɪʃn] *n.* 名誉，名声 |
| | 记 词根记忆：re(重新)+put(思考)+ation(表状态)→反复思考，名气只是过眼烟云→名誉，名声 |
| | 搭 have a reputation for 因…而闻名；ruin reputation 损害名声；live up to its reputation 与其名气相符 |
| **tag** | [tæg] *n.* 标签；附加语 *v.* 跟随；给…加标签；添加 |
| | 记 联想记忆：在包(bag)上贴标签(tag) |

**dizzy** ['dɪzi] *adj.* 头晕目眩的，眩晕的；(使人)头晕的

记 联想记忆：di(二)+zz(打鼾声)+y→两个室友都打鼾，吵得我头晕→眩晕的

同 giddy (*adj.* 眼花缭乱的；头晕的)

**immune** [ɪ'mjuːn] *adj.* 免疫的，有免疫力的；有抵抗力的；不受影响的；免除的，免除惩罚的，豁免的

记 词根记忆：im(没有)+mun(公共的)+e→免疫的；免除的

搭 immune system 免疫系统

派 autoimmune (*adj.* 自体免疫的)

同 resistant (*adj.* 有抵抗力的)；invulnerable (*adj.* 无法伤害的)

反 susceptible (*adj.* 易受…影响或损害的)；liable (*adj.* 易于…的)

**carve** [kɑːv] *v.* 切；雕刻

搭 carve in stone (决定、计划等)不能改变的

同 engrave (*vt.* 雕刻)；sculpture (*v.* 雕刻，雕塑)

**geology** [dʒi'ɒlədʒi] *n.* 地质学；地质概况

记 词根记忆：geo(地)+logy(…学)→地质学

**directory** [də'rektəri] *n.* 人名地址录；电话号码簿

记 联想记忆：direct(指引)+ory(表物)→指引人们查询的东西→人名地址录

**vital*** ['vaɪtl] *adj.* 生死攸关的；极其重要的；有生命力的

记 词根记忆：vit(生命)+al(…的)→事关生命的→生死攸关的

搭 vital to/for sth. 对…极重要的，对…必不可少的；at the vital moment 在关键时刻；a vital error 一个致命的错误；a vital decision 一个重要决定

**droplet** ['drɒplət] *n.* 小滴，微滴

记 联想记忆：drop(看作drip，水滴)+let(表小东西)→小水滴→小滴

| | |
|---|---|
| **reveal\*** | [rɪˈviːl] vt. 揭露；泄露；展现 |
| | 记 联想记忆：re(相反)+veal(看作veil，面纱)→揭开面纱→揭露；展现 |
| | 搭 reveal secret 泄露秘密 |
| **visible\*** | [ˈvɪzəbl] adj. 可见的，看得见的；有形的；明显的，显而易见的 |
| | 记 词根记忆：vis(看)+ible(可…的)→看得见的 |
| | 派 invisible (adj. 看不见的，无形的) |
| **conference** | [ˈkɒnfərəns] n. (正式)会议 |
| **cholesterol** | [kəˈlestərɒl] n. 胆固醇 |
| | 记 组合词：chole(胆，胆汁)+sterol(固醇)→胆固醇 |
| **calcium** | [ˈkælsiəm] n. 钙 |
| | 记 词根记忆：calc(石头，石灰)+ium→石灰中含碳酸钙→钙 |
| **construct\*** | [kənˈstrʌkt] vt. 建造；构思，构筑；创立 |
| | [ˈkɒnstrʌkt] n. 构想，观念 |
| | 记 词根记忆：con(表加强)+struct(建立)→建造；构筑 |
| | 搭 construct a model 制作模型；construct an argument 建立论点 |
| | 派 construction (n. 建筑，建造物) |
| **interval** | [ˈɪntəvl] n. 间隔，幕间休息；间距 |
| | 记 词根记忆：inter(在…之间)+val→处在两者之间的→间距；间隔 |
| **advent\*** | [ˈædvent] n. 到来；出现 |
| | 记 词根记忆：ad+vent(来)→到来；出现 |
| | 搭 the advent of sth. …的到来 |
| **aggressiveness\*** | [əˈgresɪvnəs] n. 侵略；争斗；攻击 |
| **category** | [ˈkætəgəri] n. 种类；类别；范畴 |
| **fault** | [fɔːlt] n. 缺点，瑕疵，毛病 |
| **confusion** | [kənˈfjuːʒn] n. 困惑，糊涂；混淆；混乱，杂乱，无秩序状态 |
| | 记 联想记忆：confus(e)(使困惑)+ion→困惑，糊涂 |

| **wrinkle** | ['rɪŋkl] *n.* 皱纹 *v.* (使)起皱纹 |
| | 记 联想记忆：眨眼(twinkle)容易起皱纹(wrinkle) |
| **huddle** | ['hʌdl] *vi.* 聚集在一起 *n.* 杂乱的一堆；拥挤 |
| | 记 联想记忆：大家聚集在一起(huddle)来处理(handle)问题 |
| **clash\*** | [klæʃ] *v.* 发生冲突；打斗；不协调；砰地相撞，发出刺耳的撞击声 *n.* 冲突；打斗；不协调；(金属等发出的)刺耳的撞击声 |
| | 记 发音记忆：该词的发音类似物体撞碎的声音 |
| | 搭 personality clashes 性格冲突 |
| **briefly\*** | ['briːfli] *adv.* 暂时地；简要地 |
| **commodity\*** | [kə'mɒdəti] *n.* 商品，货物；日用品 |
| | 记 词根记忆：com(共同)+mod(模式)+ity(表名词)→有共同模式的东西→商品 |
| | 搭 commodity economy 商品经济；commodities fair 商品交易会；commodity price 商品价格 |
| | 同 goods (*n.* 货物) |

# *Word List 33*

音频

| | |
|---|---|
| **marble** | ['mɑːbl] *n.* 大理石；(玻璃)弹珠；[pl.] 弹球游戏 |
| | 🔑 联想记忆：mar(看作March，三月)+ble→大理三月好风光哎→大理石 |
| **booth** | [buːð] *n.* 不受干扰的划定空间(如电话亭、投票间等)；售货棚 |
| | 🔑 联想记忆：他在公用电话亭(booth)里打电话说他牙(tooth)不好 |
| **imitation** | [ˌɪmɪ'teɪʃn] *n.* 模仿；仿造；仿制品，假货，赝品 |
| | 🔸 in imitation of 模仿，仿效 |
| | 🟰 fake (*n.* 假货，赝品)；counterfeit (*n.* 赝品) |
| **exceed** | [ɪk'siːd] *vt.* 超过，胜过 |
| | 🔑 词根记忆：ex(出)+ceed(行走)→走出→超过，胜过 |
| | 🔸 exceed speed limit 超速 |
| **cohesion\*** | [kəʊ'hiːʒn] *n.* 结合，团结；凝聚力 |
| | 🔑 词根记忆：co(共同)+hes(黏附)+ion(表状态)→黏附在一起→结合，团结；凝聚力 |
| **livestock** | ['laɪvstɒk] *n.* 〈总称〉家畜，牲畜 |
| | 🔑 组合词：live(活)+stock(东西)→活物→家畜，牲畜 |
| **astound** | [ə'staʊnd] *vt.* 使震惊 |
| | 🔑 联想记忆：as+tound(看作sound，声音)→像被奇怪的声音吓倒→使震惊 |
| | 📙 astounding (*adj.* 令人震惊的) |
| **absorb\*** | [əb'sɔːb] *vt.* 吸收；吸引…的注意，使全神贯注；把…并入，同化 |
| | 🔑 词根记忆：ab(离去)+sorb(吸收)→吸收掉→吸收 |
| | 🔸 be absorbed into/in 全神贯注于… |
| **decrease\*** | [dɪ'kriːs] *v.* 减少，减小 ['diːkriːs] *n.* 减少；减少量 |
| | 🔑 词根记忆：de(向下)+creas(增长)+e→减少 |
| | 🔸 decrease to 减少到 |

229

| | |
|---|---|
| **moral** | ['mɒrəl] *adj.* 道德的，伦理的 *n.* [pl.] 品行，道德；寓意，教训 |
| | 记 词根记忆：mor(道德)+al(…的)→道德的，伦理的 |
| | 搭 public morals 社会公德 |
| | 派 moralistic (*adj.* 道学的；说教的) |
| **weigh** | [weɪ] *v.* 称重；认真考虑，权衡 |
| | 搭 weigh advantages and disadvantages 权衡利弊 |
| **ceramic** | [sə'ræmɪk] *adj.* 陶器的；陶瓷的 *n.* [pl.] 陶瓷器 |
| | 记 联想记忆：c+era(时代，时期)+mic→古时中国以陶器而闻名→陶瓷器 |
| **acquisition** | [ˌækwɪ'zɪʃn] *n.* 取得；获得物 |
| **character\*** | ['kærəktə(r)] *n.* 性格，品质；性质，特性；人物，角色；(书写或印刷)符号，文字 |
| | 记 联想记忆：char+acter(看作actor，演员)→演员刻画人物性格，惟妙惟肖→性格 |
| | 搭 character trait 性格特征；character flaw 性格缺陷 |
| **arrange\*** | [ə'reɪndʒ] *v.* 安排；排列 |
| | 记 联想记忆：ar(表加强)+range(排列)→有序地排列→安排；排列 |
| | 搭 arrange the accommodation 安排住宿 |
| **conservation\*** | [ˌkɒnsə'veɪʃn] *n.* 保存；保护 |
| | 记 词根记忆：con(表加强)+serv(服务)+ation→一再为其服务→保存；保护 |
| **earthworm\*** | ['ɜːθwɜːm] *n.* 蚯蚓 |
| | 记 组合词：earth(地上)+worm(蠕虫；小人物)→蚯蚓 |
| **entice** | [ɪn'taɪs] *vt.* 怂恿，引诱 |
| | 记 联想记忆：他们全部(entire)被引诱(entice)了 |
| **manipulative** | [mə'nɪpjələtɪv] *adj.* 善于操纵的，会摆布人的；熟练操作的，有操作能力的 |
| **memorise** | ['meməraɪz] *vt.* 记住，熟记 |
| **retrenchment** | [rɪ'trentʃmənt] *n.* 节省；削减 |
| | 记 词根记忆：re(一再)+trench(切，割)+ment→一再削减(开支)→节省；削减 |

**motivational** [ˌməʊtɪ'veɪʃənl] *adj.* 动机的，有关动机的

**reinforcement** [ˌriːɪn'fɔːsmənt] *n.* 增援；加强，加固

**intervention** [ˌɪntə'venʃn] *n.* 干涉，干预，介入
记 来自intervene (*vi.* 干涉，干预，介入)

**infirmity** [ɪn'fɜːməti] *n.* 虚弱，衰弱
记 联想记忆：in(不)+firm(坚定)+ity→不坚定→虚弱，衰弱

**glossy** ['glɒsi] *adj.* 有光泽的，光滑的
记 来自gloss (*n.* 光泽的表面；光彩)

**escalate** ['eskəleɪt] *v.* (使)逐步增长或发展，(使)逐步升级
记 来自Escalator，原来是自动电梯的商标，后来才出现了动词escalate

**extravagance** [ɪk'strævəgəns] *n.* 奢侈，挥霍；放肆的言行
记 词根记忆：extra(超过)+vag(漫游)+ance→漫游过多→奢侈

**victimise** ['vɪktɪmaɪz] *vt.* 使受害，迫害
记 联想记忆：victim(受害者)+ise(使…)→(使)成为受害者→(使)受害

**evaluation** [ɪˌvæljuˈeɪʃn] *n.* 估价，评价，评估
记 来自evaluate (*vt.* 评价，评估)

**maternal** [mə'tɜːnl] *adj.* 母亲的；母系的
记 词根记忆：matern(母亲)+al→母亲的；母系的
搭 maternal instinct 母性本能

**crusade** [kruː'seɪd] *n.* 十字军(远征)；斗争，运动 *vi.* 加入十字军，投身正义运动
记 词根记忆：crus(十字形)+ade→十字军

**recalcitrant** [rɪ'kælsɪtrənt] *adj.* 顽抗的，反抗的，不服从指挥的

**mortality** [mɔː'tæləti] *n.* 死亡率
记 词根记忆：mort(死亡)+ality(表性质)→死亡率
搭 infant mortality 婴儿死亡率

**taunt** [tɔːnt] *vt.* 嘲笑，讥笑 *n.* [常pl.] 嘲弄的言语，讥讽

**disseminate** [dɪ'semɪneɪt] *vt.* 散布，传播
记 词根记忆：dis(分开)+semin(种子)+ate(做)→散布，传播

| | |
|---|---|
| **sanction** | ['sæŋkʃn] vt. 批准，认可 n. 批准，认可；约束因素，约束力；[常pl.] 国际制裁 |
| | 记 词根记忆：sanct(神圣)+ion→给予神圣的权力→批准，认可 |
| | 派 sanctionist (n. 制裁国) |
| **invert*** | [ɪn'vɜːt] v. (使)倒转，(使)颠倒 |
| | 记 词根记忆：in(进入)+vert(转)→(使)倒转，(使)颠倒 |
| **unfortunately*** | [ʌn'fɔːtʃənətli] adv. 不幸地 |
| **frustration** | [frʌ'streɪʃn] n. 沮丧，不满 |
| **recipe** | ['resəpi] n. 食谱；方法，秘诀，秘方 |
| | 记 词根记忆：re+cip(抓)+e→抓住关键，才是诀窍→秘诀，秘方 |
| | 同 secret (n. 秘密；秘诀)；knack (n. 技巧，诀窍) |
| **condense*** | [kən'dens] v. (使)压缩，精简；(使)凝结 |
| | 记 词根记忆：con(表加强)+dens(变浓厚)+e→变得浓厚→(使)压缩 |
| **gather*** | ['gæðə(r)] v. 聚集，集合，聚拢；收集，采集；逐渐增加；猜想，推测 |
| | 搭 gather in 收割 |
| **advertise*** | ['ædvətaɪz] v. 为…做广告；宣传；(在报刊、电视、广播中)公告，公布 |
| | 搭 advertise for 为…做广告 |
| | 派 advertiser (n. 广告客户)；advertisement (n. 广告) |
| **utility*** | [juː'tɪləti] n. 功用，效用；[常pl.] 公用事业 |
| | 记 词根记忆：util(用)+ity→使用的效果→功用，效用 |
| | 派 utilitarian (adj. 实用的，功利的) |
| **exhibit*** | [ɪg'zɪbɪt] n. 展览品 v. 陈列，展览；显示 |
| | 记 词根记忆：ex(出)+hibit(拿)→拿出→陈列，展览 |
| | 派 exhibition (n. 展览) |
| **irrevocable*** | [ɪ'revəkəbl] adj. 无法取消的，不能改变的 |
| | 记 联想记忆：ir(不)+revocable(可以取消的)→无法取消的 |

| | |
|---|---|
| **shelter*** | [ˈʃeltə(r)] *n.* 掩蔽(处)，隐蔽(处)；住所；保护 *v.* 掩蔽；躲避 |
| | 🔑 联想记忆：shel(看作shell，壳)+ter→像壳一样的地方→掩蔽(处)；住所 |
| **stock** | [stɒk] *n.* 储备品；股票；〈总称〉家畜 *vt.* 储备 *adj.* 常备的 |
| **devise*** | [dɪˈvaɪz] *vt.* 设计，发明 |
| | 🔑 联想记忆：科学家发明(devise)出许多现代化的机械设备(device) |
| **career*** | [kəˈrɪə(r)] *n.* 生涯；经历；职业 |
| | 🔑 发音记忆：和同音词Korea (*n.* 韩国)一起记 |
| | 🔍 career break 离职期；career adviser 职业顾问 |
| **humidity** | [hjuːˈmɪdəti] *n.* 湿度；潮湿 |
| | 🔑 联想记忆：humid(潮湿的)+ity→湿度；潮湿 |
| | 🔍 relative humidity 相对湿度 |
| **hollow** | [ˈhɒləʊ] *adj.* 中空的，空心的；空洞的；(声音)沉闷的，虚伪的，空虚的 *vt.* 挖空，凿空 |
| **statistic** | [stəˈtɪstɪk] *n.* 统计数值；[pl.] 统计学 |
| | 🔑 联想记忆：stat(看作state，国家)+istic→常听到新闻说：据国家统计数据表明→统计数值 |
| **bark*** | [bɑːk] *vi.* 吠叫 *n.* 犬吠声；树皮 |
| | 🔑 发音记忆："巴克"→巴克是《野性的呼唤》中的狗→犬吠声 |
| **burrow*** | [ˈbʌrəʊ] *v.* 挖掘；钻进；翻寻 *n.* 地洞 |
| | 🔑 联想记忆：用犁(furrow)来挖(burrow)地 |
| | 🔍 burrow into 探查 |
| **equivalent** | [ɪˈkwɪvələnt] *adj.* 相等的，等量的 *n.* 相等物，等价物 |
| | 🔑 词根记忆：equi(相等)+val(价值)+ent(具有…性质的)→价值相等的→相等的，等量的 |
| | 🔍 equivalent to 相当于 |
| **fatigue** | [fəˈtiːg] *n.* 疲劳，劳累 *v.* (使)疲劳 |
| **bibliography** | [ˌbɪbliˈɒgrəfi] *n.* 参考书目；书目；文献学 |
| | 🔑 词根记忆：biblio(书)+graph(写)+y(表名词)→写作 |

中用的书→参考书目

搭 classified bibliography 分类书目

**probable\*** ['prɒbəbl] *adj.* 很可能的，大概的

**treadmill\*** ['tredmɪl] *n.* (人或畜力的)踏车；单调的例行工作，乏味繁重的工作

记 联想记忆：tread(踩踏)+mill(磨坊)→在磨坊里踩踏车→乏味繁重的工作

**flavour** ['fleɪvə(r)] *n.* 风味，滋味 *vt.* 给…调味

记 联想记忆：喜欢(favour)加上l(看作love，爱)，生活更有味道(flavour)

搭 a flavour of …的味道

**asymmetry\*** [,eɪ'sɪmətri] *n.* 不对称

记 联想记忆：a(不)+symmetry(对称，匀称)→不对称

派 asymmetric (*adj.* 不对称的；不均匀的)

**lethal\*** ['liːθl] *adj.* 致命的，破坏性的，毁灭性的；有害的

记 词根记忆：leth(死亡)+al(…的)→致死的→致命的

**stare** [steə(r)] *vi.* 凝视，盯着看 *n.* 凝视，注视

记 联想记忆：凝视(stare)星(star)空

**colony\*** ['kɒləni] *n.* 殖民地；(动植物的)群体

记 词根记忆：col(耕种)+ony(表名词)→在某处耕种→将那里变为自己的殖民地→殖民地

**stab** [stæb] *v.* (用刀等锐器)刺，戳，捅 *n.* 刺，戳，捅；刺(或戳、捅)的伤口

**fingerprint\*** ['fɪŋgəprɪnt] *n.* 指纹，手印

记 组合词：finger(手指)+print(印迹)→指纹，手印

**enthusiasm** [ɪn'θjuːziæzəm] *n.* 热情，热心，热忱；热衷的事物

# Word List 34

音频

| **mixture** | ['mɪkstʃə(r)] *n.* 混合(物) |
| | 记 词根记忆：mix(混合)+ture(表名词)→混合(物) |
| **tendency\*** | ['tendənsi] *n.* 倾向，趋向 |
| | 记 词根记忆：tend(伸展)+ency(表名词)→伸展过去→倾向，趋向 |
| | 搭 tendency to do sth. 做…的趋势；tendency towards sth. …的趋向/趋势 |
| **lane\*** | [leɪn] *n.* 小巷；行车道 |
| | 记 联想记忆：小巷(lane)可作行车路线(line) |
| **assess\*** | [ə'ses] *vt.* 评定，估价 |
| | 派 assessment (*n.* 评定；核定的金额) |
| **inductive\*** | [ɪn'dʌktɪv] *adj.* 诱导的，归纳的 |
| | 搭 inductive reasoning 归纳推理 |
| **session** | ['seʃn] *n.* 一场，一节；会议；集会 |
| | 记 联想记忆：ses(看作see，看见)+sion→看见彼此→会面→会议 |
| | 搭 special session 特别会议；in session 正在开会；training session 培训期；reading session 阅读课 |
| **constrain** | [kən'streɪn] *vt.* 迫使；约束 |
| | 记 词根记忆：con(表加强)+strain(拉紧)→一再拉紧→约束 |
| | 派 constraint (*n.* 限制，约束) |
| **negative\*** | ['negətɪv] *adj.* 否定的；负面的；消极的；负的；阴性的 *n.* 负数；(照相的)底片 |
| | 记 词根记忆：neg(否定)+ative(…的)→否定的 |
| | 搭 a negative reply 否定的答复；negative number 负数 |
| | 反 positive (*adj.* 正面的；积极的) |
| **unwrap** | [ʌn'ræp] *vt.* 打开，解开；除去包装 |

| | |
|---|---|
| **punctual** | ['pʌŋktʃuəl] *adj.* 守时的；准时的 |
| | 记 词根记忆：punct(点)+ual(有…性质的)→卡在点上的→守时的；准时的 |
| | 派 punctually (*adv.* 准时地)；punctuality (*n.* 准时) |
| **intake** | ['ɪnteɪk] *n.* 吸入，纳入；进气口，入口 |
| | 记 联想记忆：in(进入)+take(带来)→被带入里面→吸入，纳入 |
| | 搭 intake of …的摄入 |
| **penetration** | [ˌpenə'treɪʃn] *n.* 进入，穿过；洞察力，领悟力 |
| **plagiarise** | ['pleɪdʒəraɪz] *v.* 剽窃，抄袭 |
| | 记 词根记忆：plagiar(=plagiarism，剽窃)+ise(表动词)→做歪事→剽窃，抄袭 |
| **municipal** | [mjuː'nɪsɪpl] *adj.* 市的，市政的；地区的；内政的 |
| | 记 词根记忆：muni(公共的)+cip(拿)+al(…的)→市政的 |
| | 搭 municipal council 市政委员会 |
| | 派 municipality (*n.* 市政当局；自治市或区) |
| **deficit** | ['defɪsɪt] *n.* 不足额，赤字；亏损 |
| | 记 词根记忆：de(否定)+fic(做)+it→做得不够的→赤字 |
| **triumphant** | [traɪ'ʌmfənt] *adj.* 得胜的；得意洋洋的；狂欢的 |
| | 记 联想记忆：triumph(胜利)+ant→得胜的 |
| **reptile** | ['reptaɪl] *n.* 爬行动物，爬虫类；卑鄙的人 |
| | 记 词根记忆：rept(爬)+ile(表物)→爬行动物 |
| | 派 reptilian (*adj.* 爬虫类的；卑鄙的) |
| **circumscribe** | ['sɜːkəmskraɪb] *vt.* 在…周围画线；限制 |
| | 记 词根记忆：circum(周围)+scrib(画)+e→在…周围画线 |
| **patronage** | ['pætrənɪdʒ] *n.* 赞助；支持；光顾；任免权 |
| | 记 联想记忆：patron(赞助人)+age→赞助；支持 |
| **analogy** | [ə'nælədʒi] *n.* 类推；类比 |
| | 记 词根记忆：ana(类似)+log(说话)+y(表名词)→说类似的话→类推；类比 |
| | 搭 draw an analogy between...and... 把…比作… |
| | 派 analogous (*adj.* 类似的) |
| | 同 likeness (*n.* 相似) |

| | |
|---|---|
| **precedent** | ['presɪdənt] *n.* 先例，范例；惯例 |
| | 記 词根记忆：pre(前)+ced(行走)+ent(表名词)→走在前面的→先例；惯例 |
| | 同 tradition (*n.* 常例，常规) |
| | 派 precedable (*adj.* 可能被超前的，可能先发生的) |
| **obscurity** | [əb'skjʊərəti] *n.* 模糊；费解；晦涩；不出名 |
| | 記 来自obscure (*adj.* 朦胧的，模糊的) |
| **ascertain** | [ˌæsə'teɪn] *vt.* 弄清，查明；确定 |
| | 記 词根记忆：as(表加强)+certain(确定)→弄清，查明；确定 |
| | 同 discover (*v.* 发现)；clarify (*vt.* 澄清) |
| | 反 conceal (*vt.* 隐瞒)；cover (*v.* 掩盖) |
| **esteem** | [ɪ'stiːm] *n./vt.* 尊重；尊敬 |
| | 記 联想记忆：e(音似：一)+stee(看作steel, 钢铁)+m(看作man, 人)→一个有钢铁般意志的人值得尊敬→尊重；尊敬 |
| | 搭 have great esteem for 对…大为敬佩；be held in high esteem by sb. 深受某人敬佩 |
| | 同 regard (*vt./n.* 尊敬；尊重) |
| | 反 disesteem (*n./vt.* 轻视) |
| **legitimacy** | [lɪ'dʒɪtɪməsi] *n.* 合法性；正统性 |
| **discrepancy** | [dɪ'skrepənsi] *n.* 差异；不同；矛盾 |
| | 記 词根记忆：dis(分开)+crep(破裂)+ancy(表名词)→裂开→矛盾 |
| | 同 difference (*n.* 差别，分歧) |
| | 反 accord (*n.* 一致，符合) |
| **benevolent** | [bə'nevələnt] *adj.* 善心的，仁心的 |
| | 記 词根记忆：bene(好)+vol(意愿)+ent(具有…性质的)→好意的→善心的，仁心的 |
| | 派 benevolence (*n.* 善心，仁心) |
| **malevolent** | [mə'levələnt] *adj.* 有恶意的；恶毒的 |
| | 記 词根记忆：male(恶)+vol(意愿)+ent(具有…性质的)→有恶意的；恶毒 |

**downsize\*** ['daʊnsaɪz] *v.* 缩小，紧缩

记 组合词：down(往下的)+size(大小，尺寸)→尺寸减小→缩小，紧缩

**lunar** ['luːnə(r)] *adj.* 月球的；月亮的

搭 lunar eclipse 月蚀

**complicated\*** ['kɒmplɪkeɪtɪd] *adj.* 复杂的；难懂的

记 词根记忆：com(共同)+plic(重叠)+ated→重叠在一起的→复杂的

**handle** ['hændl] *v.* 处理；操作，操纵；(用手)触，拿 *n.* 手柄，把手

记 联想记忆：hand(手)+le→用手操作的东西→手柄，把手

搭 door handle 门把手

同 manage (*v.* 操纵，控制；管理)；regulate (*v.* 管制，控制)

派 mishandle (*vt.* 错误地处理)

**innovation** [ˌɪnəˈveɪʃn] *n.* 革新，创新

记 词根记忆：in(使…)+nov(新的)+ation(表状态)→革新，创新

搭 technological innovation 技术革新

同 novelty (*n.* 新奇，新奇的事物)；reformation (*n.* 改革，革新)

**glitter** ['glɪtə(r)] *n./vi.* 闪光，闪耀

记 联想记忆：g+litter(看作little，小)→一闪一闪小星星→闪光

同 gleam (*vi.* 闪亮，闪烁 *n.* 闪光，闪亮)；radiate 〔*v.* 散发出(光或热)〕；sheen (*n.* 光辉，光泽)

**council\*** ['kaʊnsl] *n.* 理事会，委员会；地方议会

记 Security Council 联合国安理会

**feedback\*** ['fiːdbæk] *n.* 反馈；反馈信息

记 组合词：feed(喂养；提供)+back(反)→反馈

搭 provide feedback 提供反馈信息；feedback on 关于…的反馈信息

**subsequent\*** ['sʌbsɪkwənt] *adj.* 继···之后的，随后的

记 词根记忆：sub(接近)+sequ(跟随)+ent(具有···性质的)→继···之后的，随后的

搭 subsequent on 作为···的结果发生；subsequent events 后来发生的事

派 subsequently (*adv.* 随后；接着)

---

**shark** [ʃɑːk] *n.* 鲨鱼；诈骗者

**venomous** ['venəməs] *adj.* 有毒的；分泌毒液的；恶毒的

记 联想记忆：venom(毒液)+ous(···的)→有毒的；分泌毒液的

搭 venomous snake 毒蛇

---

**intellectual** [ˌɪntə'lektʃuəl] *n.* 知识分子 *adj.* 智力的；理智的

记 词根记忆：intel(=inter, 在···之间)+lect(选择)+ual(有···性质的)→能从中选择的→有辨别力的→智力的

搭 intellectual test 智力测试

---

**strain** [streɪn] *v./n.* 拉紧，绷紧；扭伤，拉伤；(使)过劳，(使)极度紧张

记 本身为词根，意为"拉紧"

同 tauten〔*v.* (使)拉紧，绷紧〕；tense〔*v.* (使)紧张〕

---

**terminology\*** [ˌtɜːmɪ'nɒlədʒi] *n.* (某学科的)专门用语，术语

记 词根记忆：termin(界限)+ology(···学)→仅限于一部分人使用的学术语言→术语

搭 scientific terminology 科学术语

---

**centennial** [sen'teniəl] *n.* 百年纪念 *adj.* 一百年的

记 词根记忆：cent(百)+enn(年)+ial(···的)→一百年的

---

**Mediterranean** [ˌmedɪtə'reɪniən] *adj.* 地中海(式)的 *n.* 地中海

记 词根记忆：medi(中间)+terr(土地)+anean→在陆地中间的海→地中海

---

**outdo\*** [ˌaʊt'duː] *vt.* 超越，胜过

记 组合词：out(超过)+do(做)→超越，胜过

---

**discipline\*** ['dɪsəplɪn] *vt.* 训练，训导 *n.* 学科；纪律；处分

记 联想记忆：dis(不)+cip+line(线)→不站成一条线就要受惩罚→必须遵守纪律→纪律

| **consequent** | ['kɒnsɪkwənt] *adj.* 作为结果的；随之发生的 |
| --- | --- |
| | 记 词根记忆：con(表加强)+sequ(跟随)+ent(具有…性质的)→随之发生的 |
| | 派 consequential (*adj.* 结果的)；consequently (*adv.* 因此，因而) |
| **fulfil*** | [fʊl'fɪl] *vt.* 实现，完成；满足 |
| | 记 联想记忆：ful(看作full, 充满的)+fil(l)(装满)→做得圆满，把梦想实现→实现 |
| | 搭 fulfil oneself 实现某人自己的抱负 |
| **element*** | ['elɪmənt] *n.* 要素；元素；[the –s] 基本原理 |
| | 记 联想记忆：e+lemen(看作lemon, 柠檬)+t→柠檬是水果的一种→要素；元素 |
| | 派 elementary (*adj.* 初步的；基本的) |
| **segment*** | ['segmənt] *n.* 片段；部分；节；线段；(橘子等的)瓣 |
| | 记 词根记忆：seg(切，割)+ment(表具体物)→切开的部分→片段；部分 |
| | 派 segmented (*adj.* 分割的) |
| **orchestra** | ['ɔːkɪstrə] *n.* 管弦乐队 |
| | 记 联想记忆：or+chest(胸腔)+ra→管弦乐队的成员大都需借助胸腔的力量吹奏乐器→管弦乐队 |
| **muscle** | ['mʌsl] *n.* 肌肉；体力；力量，实力 |
| | 记 发音记忆："马瘦"→瘦马也有肌肉→肌肉 |
| | 搭 movement of muscles 肌肉运动；leg muscles 腿部肌肉；stomach muscles 腹部肌肉 |
| **function** | ['fʌŋkʃn] *vi.* 运行，起作用 *n.* 功能；职责，作用；函数 |
| | 搭 vital functions 生命机能；public function 公共职能；公共函数 |
| **metaphor*** | ['metəfə(r)] *n.* 隐喻，暗喻 |
| | 记 词根记忆：meta(变化)+phor(带来)→(语言)改变着说→隐喻 |
| | 派 metaphorical (*adj.* 隐喻的) |
| **delegate** | ['delɪgət] *n.* 代表，代表团成员 ['delɪgeɪt] *v.* 委派…为代表；授(权)给…，把…委托给… |
| | 搭 delegate sb. to do sth. 委派某人做某事 |

| **fragile** | ['frædʒaɪl] *adj.* 脆弱的；易碎的；易受伤害的 |
| --- | --- |
| | 记 词根记忆：frag(打碎)+ile(易…的)→容易被打碎的→脆弱的；易碎的 |
| | 同 delicate (*adj.* 易碎的；脆弱的)；brittle (*adj.* 易碎的，易损坏的；脆弱的)；frail (*adj.* 体弱的；易破碎的，易损的) |
| | 反 unbreakable (*adj.* 打不破的，牢不可破的)；sturdy (*adj.* 强壮的，强健的) |
| **radiate** | ['reɪdieɪt] *v.* 发光；发热；辐射 |
| | 记 词根记忆：radi(光线)+ate(使…)→发光；发热 |
| | 派 radiation (*n.* 发光；辐射) |
| **situated\*** | ['sɪtʃueɪtɪd] *adj.* 位于…的；处于…境地的 |
| **invader\*** | [ɪn'veɪdə(r)] *n.* 入侵者 |
| | 记 来自invade (*v.* 侵犯，侵入) |
| **complete\*** | [kəm'pli:t] *adj.* 完全的，彻底的；完成的；绝对的 *vt.* 完成；结束 |
| | 记 词根记忆：com(表加强)+plet(填满)+e→完成；结束 |
| | 派 completion (*n.* 完成；实现)；completely (*adv.* 十分；完全) |
| **kit** | [kɪt] *n.* 成套工具；全套衣服及装备 *vt.* 装备 |
| | 搭 first-aid kit 急救箱 |
| **generate** | ['dʒenəreɪt] *vt.* 发生，产生(光、热、电)；引起，导致 |
| | 记 词根记忆：gener(产生)+ate(使…)→产生；引起 |
| | 搭 generate electricity 发电 |
| | 派 generation (*n.* 产生；一代)；regenerate 〔*v.* (使)再生；革新〕 |
| **remote\*** | [rɪ'məʊt] *adj.* 边远的，偏僻的；(距离或空间上)遥远的；(时间上)久远的；关系疏远的 |
| | 记 词根记忆：re(相反)+mot(动)+e→向后移动→关系疏远的 |
| | 搭 remote control 遥控器；remote chance/possibility 机会很小；remote sensing technology 遥感技术；a remote village 一座偏僻的村庄 |

**avoid\***  [ə'vɔɪd] *vt.* 避免；躲开

记 词根记忆：a(表加强)+void(空)→空出来→躲开

搭 avoid doing sth. 避免做…；avoid mistakes 避免犯错误

派 avoidance (*n.* 避免)

**dismiss\***  [dɪs'mɪs] *vt.* 解雇，解散；驳回，不受理

记 词根记忆：dis(分开)+miss(放出)→解雇，解散

搭 dismiss sb. for sth. 因某事解雇某人

**absenteeism\***  [ˌæbsən'tiːɪzəm] *n.* 旷课；旷工

记 联想记忆：absent(缺席)+ee(表人)+ism→旷课

**apparent\***  [ə'pærənt] *adj.* 显然的，显而易见的；表面上的

记 联想记忆：ap+parent(父母)→父母对儿女的爱是显而易见的→显然的

**succumb\***  [sə'kʌm] *vi.* 屈服，屈从；(因…)死亡

记 词根记忆：suc(下)+cumb(躺)→躺下→屈服

**stretch**  [stretʃ] *v.* 伸展；延伸，延续，拉长；拉直，绷紧 *n.* 一段(时间、路程)；伸展；弹性，伸缩性

搭 at a stretch 一口气地，连续；at full stretch 非常紧张，竭尽全力；stretch out 伸展，伸手

# *Word List 35*

| | |
|---|---|
| **minister\*** | [ˈmɪnɪstə(r)] *n.* 部长；外交使节；牧师 |
| **combustion\*** | [kəmˈbʌstʃən] *n.* 燃烧；燃烧过程 |
| | 记 联想记忆：combust(燃烧)+ion(表名词)→燃烧；燃烧过程 |
| | 搭 combustion chamber 燃烧室 |
| | 派 combustibility (*n.* 燃烧性，可燃性) |
| **veterinary\*** | [ˈvetnri] *adj.* 兽医的 |
| | 搭 veterinary medicine 兽药 |
| **plausible** | [ˈplɔːzəbl] *adj.* 似有道理的，貌似真实的；嘴巧的 |
| | 记 词根记忆：plaus(鼓掌)+ible(可…的)→可给予掌声的→似有道理的 |
| | 派 plausibility (*n.* 似乎有理；善辩)；implausible (*adj.* 难以置信的，不像真实的)；plausibly (*adv.* 似真地) |
| | 同 colourable (*adj.* 似是而非的) |
| | 反 actual (*adj.* 真实的) |
| **elucidate** | [ɪˈluːsɪdeɪt] *vt.* 阐明，使…清楚 |
| | 记 联想记忆：e+lucid(清晰的)+ate→弄清晰→阐明，使…清楚 |
| **transient** | [ˈtrænziənt] *adj.* 短暂的，转瞬即逝的，暂时的；临时的 *n.* 在某地短暂停留或工作的人 |
| | 记 词根记忆：trans(转移)+ient(…的)→不断转移的→短暂的 |
| | 同 temporary (*adj.* 暂时的，临时的)；passing (*adj.* 短暂的) |
| | 反 permanent (*adj.* 永久的，持久的) |
| **sanitation** | [ˌsænɪˈteɪʃn] *n.* (公共)卫生，卫生设施 |
| | 记 词根记忆：sanit(健康的)+ation(表状态)→要想健康，得讲卫生→卫生 |
| **distortion** | [dɪˈstɔːʃn] *n.* 扭曲，变形；曲解，歪曲 |

| | |
|---|---|
| **altruistic** | [ˌæltruˈɪstɪk] *adj.* 无私的，为他人着想的 |
| | 搭 altruistic act 无私的行为 |
| **climatic** | [klaɪˈmætɪk] *adj.* 气候(上)的 |
| | 搭 climatic phenomenon 气候现象 |
| **pragmatic** | [præɡˈmætɪk] *adj.* 务实的；实事求是的；实用主义观点的 |
| | 记 词根记忆：pragm(行为)+atic(…的)→切实去做的→务实的 |
| **dwindle** | [ˈdwɪndl] *v.* (使)变小，(使)缩小 |
| | 记 联想记忆：d+wind(风)+le→随风而去，越来越小→(使)缩小 |
| | 搭 dwindle down to 缩减到…；dwindle out 逐渐消失 |
| **disdain** | [dɪsˈdeɪn] *v./n.* 鄙视，蔑视 |
| | 记 词根记忆：dis(不)+dain(=dign，高贵)→不高贵→鄙视，蔑视 |
| **pedigree** | [ˈpedɪɡriː] *n.* 家谱；门第；血统 |
| **constituent** | [kənˈstɪtʃuənt] *n.* 成分，要素；选区内的选民 *adj.* 组成的；有宪法制定或修改权的 |
| | 记 词根记忆：con(共同)+stitu(=stit，建立)+ent(…的)→共同建立的→组成的 |
| | 搭 constituent assembly 立宪会议 |
| | 派 constituency (*n.* 选区；选区的选民) |
| | 同 component (*adj.* 组成的，构成的) |
| **impetus** | [ˈɪmpɪtəs] *n.* 推动，促进，刺激；推动力 |
| | 记 词根记忆：im(使…)+pet(寻求)+us(表名词)→有追求才有动力→推动力 |
| | 同 stimulus〔*n.* 促进(因素)，刺激(物)〕；spur〔*n.* 刺激(物)，激励〕 |
| **malleable** | [ˈmæliəbl] *adj.* 可塑的；易改变的 |
| | 记 词根记忆：malle(来自拉丁语malleus，锤子)+able(可…的)→可锤打的→易改变的 |
| **renaissance** | [rɪˈneɪsns] *n.* [the R-] (欧洲14至16世纪的)文艺复兴，文艺复兴时期；(文学、艺术等的)复兴，新生 |

244

記 词根记忆：re(重新)+naiss(=nasc，出生)+ance (表名词)→获得新生→复兴，新生

同 revival (*n.* 苏醒，复兴)；renewal (*n.* 复兴，恢复)

反 collapse (*n.* 倒塌；瓦解)；decline (*n.* 衰败，衰落)

| **incongruity** | [ˌɪnkən'ɡruːəti] *n.* 不和谐，不相称；不协调或不一致的事物 |
| | 記 联想记忆：in(不)+congruity(一致，和谐)→不和谐，不相称 |
| **instinctual** | [ɪn'stɪŋktʃuəl] *adj.* 本能的 |
| **scuffle** | ['skʌfl] *n./vi.* 扭打，混战 |
| **treatise** | ['triːtɪz] *n.* 论文；专著 |
| **hypothetical** | [ˌhaɪpə'θetɪkl] *adj.* 假设的，假定的；爱猜想的 |
| **smother\*** | ['smʌðə(r)] *v.* 厚厚地覆盖；(使)窒息；把(火)闷熄 |
| | 記 联想记忆：s(看作she，她)+mother(母亲)→母亲的溺爱几乎要让她窒息了→(使)窒息 |
| **excess\*** | [ɪk'ses] *n.* 超越；过量 ['ekses] *adj.* 过量的，额外的 |
| | 記 词根记忆：ex(出)+cess(行走)→走出界限→过量 |
| | 搭 excess baggage 超重行李 |
| | 派 excessive (*adj.* 过分的，过度的) |
| **spine** | [spaɪn] *n.* 脊椎，脊柱；(动植物的)刺，刺毛；书脊；〈喻〉中心 |
| | 記 联想记忆：s+pine(松树)→脊柱像松树一样挺直→脊柱 |
| | 派 spinal (*adj.* 脊椎的) |
| | 同 backbone (*n.* 脊椎) |
| **stress\*** | [stres] *n.* 压力；重音；强调，重点 *vt.* 强调；重读 |
| | 記 联想记忆：s+tress(看作dress，穿衣)→穿衣强调个人风格→强调 |
| **smooth\*** | [smuːð] *adj.* 顺利的；流畅的；协调的；光滑的 |
| | 搭 smooth transfer of political power 政权的顺利交接 |
| **incur\*** | [ɪn'kɜː(r)] *vt.* 招致，遭受 |
| | 記 词根记忆：in(使…)+cur(发生)→使发生→遭受 |
| | 搭 incur debt 负债；incur losses 遭受损失 |

| | |
|---|---|
| **missile\*** | ['mɪsaɪl] *n.* 发射物；导弹，飞弹 |
| | 記 词根记忆：miss(送)+ile(表物体)→发送出去的东西→发射物 |
| **compulsively\*** | [kəm'pʌlsɪvli] *adv.* 强制地；禁不住地 |
| **wrap** | [ræp] *v.* 裹；包；缠绕 |
| **confine** | [kən'faɪn] *vt.* 限制，仅限于；管制，禁闭 *n.* [pl.] 界限，范围 |
| | 記 词根记忆：con(表加强)+fin(范围)+e→规定范围→限制 |
| | 搭 beyond the confine of 超出…的范围 |
| **limitation\*** | [ˌlɪmɪ'teɪʃn] *n.* 限制；局限 |
| | 記 联想记忆：limit(限制)+ation→限制；局限 |
| **chain** | [tʃeɪn] *n.* 链，链条；一连串，一系列；[pl.] 枷锁，镣铐；连锁店 *vt.* 用链条拴住 |
| | 搭 food chain 食物链 |
| **sip** | [sɪp] *v.* 小口地喝；吸吮 |
| **tedious** | ['tiːdiəs] *adj.* 冗长乏味的，单调的 |
| | 搭 a tedious story 一个乏味冗长的故事 |
| **pathology\*** | [pə'θɒlədʒi] *n.* 病理学；病变 |
| | 記 词根记忆：path(病痛)+ology(…学)→病理学 |
| **setting\*** | ['setɪŋ] *n.* 环境；背景；安置 |
| | 記 联想记忆：set(布置)+ting→布置(新居)→环境 |
| **extinct\*** | [ɪk'stɪŋkt] *adj.* 灭绝的；废弃的 |
| | 記 词根记忆：ex(出)+tinct(=stinct，刺)→把刺拔出去→废弃的 |
| | 搭 extinct volcano 死火山 |
| | 派 extinction (*n.* 灭绝；废止) |
| | 反 thriving (*adj.* 兴旺的，兴盛的) |
| **aridity** | [ə'rɪdəti] *n.* 干旱；乏味 |
| | 記 联想记忆：arid(干旱的)+ity→干旱 |
| **vision\*** | ['vɪʒn] *n.* 想象力；视力，视觉；梦幻，幻觉 |
| | 派 visual (*adj.* 看得见的) |

**organism** ['ɔ:gənɪzəm] *n.* 生物；有机体

派 organic (*adj.* 有机体的，有机物的)

**surveillance** [sɜ:'veɪləns] *n.* 监视，盯梢

记 联想记忆：survei(看作survey，调查)+llance→通过监视来调查→监视，盯梢

**senior** ['si:niə(r)] *adj.* 资格较老的；年长的；级别(或地位)高的 *n.* 较年长者；(中学或大学的)毕业班学生

记 词根记忆：sen(老)+ior(较…的)→年长的

搭 senior citizen 老年人；senior student 高年级学生

**vague** [veɪg] *adj.* 模糊的，含糊的，不明确的

记 词根记忆：vag(漫游)+ue→思路四处游走→模糊的

**translate*** [trænz'leɪt] *v.* 翻译；(使)转变，变为

**poverty** ['pɒvəti] *n.* 贫穷

搭 live in poverty 在贫困中成长；poverty line 贫困线

**modify** ['mɒdɪfaɪ] *vt.* 更改，修改；(语法上)修饰

记 词根记忆：mod(方式)+ify(使…)→使…调整方式→修改

**clockwise** ['klɒkwaɪz] *adj.* 顺时针方向的 *adv.* 顺时针方向地

记 组合词：clock(时钟)+wise(方向)→指针转动的方向→顺时针方向的(地)

**isolate*** ['aɪsəleɪt] *vt.* 使隔离，使孤立

记 词根记忆：isol(岛)+ate(使…)→使成岛，与陆地隔开→使隔离

**highlight** ['haɪlaɪt] *vt.* 强调，突出；(用不同颜色)标出；(在电脑屏幕上)突出显示 *n.* 最精彩的部分，最重要的事件

记 组合词：high(高的)+light(发光)→高调地发光→强调，突出

**moist** [mɔɪst] *adj.* 湿润的，潮湿的

记 联想记忆：薄雾(mist)中湿润的(moist)城市很美

派 moisture (*n.* 潮湿，湿气)

**threaten** ['θretn] *v.* 威胁，恐吓；预示(危险)快要来临，是…的征兆，可能发生

搭 be threatened with 被…所威胁/吓到

同 menace (*v.* 威胁，恐吓)

**underling\*** ['ʌndəlɪŋ] *n.* 职位低的人，下属

记 联想记忆：under(在…管辖下)+ling→职位低的人

**medium** ['miːdiəm] *n.* 媒质，媒介；工具，手段；(细菌等的)生存环境 *adj.* 中等的；平均的

记 词根记忆：medi(中间)+um(表名词)→中间物→媒介

搭 medium sized 中等尺寸的

**detail** ['diːteɪl] *n.* 细节，详情；枝节，琐事 *vt.* 详细说明

记 联想记忆：de(向下)+tail(切)→向下切开，使露出细节→细节

搭 in detail 详细地；with details of 关于…的细节

**compile** [kəm'paɪl] *vt.* 汇编；编纂

记 词根记忆：com(共同)+pil(堆)+e→(将材料)堆在一起→汇编；编纂

**induction\*** [ɪn'dʌkʃn] *n.* 就职；归纳；感应

记 联想记忆：induct(就职)+ion→就职

**link\*** [lɪŋk] *n.* 环节；联系，纽带；(铁路公路等的)连接线 *v.* 连接，联系

记 联想记忆：网络上的"链接"就叫link→连接，联系

搭 link A with B 把A与B联系起来

**foreland\*** ['fɔːlənd] *n.* 前沿地；岬角

记 组合词：fore(前面)+land(土地)→前沿地

**unemployment** [ˌʌnɪm'plɔɪmənt] *n.* 失业；失业人数

记 联想记忆：un(不)+employ(雇用)+ment→失业

派 employment (*n.* 雇用；使用；工作)

**option** ['ɒpʃn] *n.* 选择(权)；(供)选择的物(或人)；选课

记 词根记忆：opt(选择)+ion→选择

**slogan** ['sləʊɡən] *n.* 标语，口号

记 词根记忆：s+log(说)+an→说出口号→口号

**instinct** ['ɪnstɪŋkt] *n.* 本能，直觉；天性

记 词根记忆：in(向内)+stinct(刺激)→内在的刺激→本能，直觉

派 instinctive (*adj.* 本能的，直觉的；天生的)

| | |
|---|---|
| **marsh** | ['mɑːʃ] *n.* 沼泽；湿地<br>🔤 联想记忆：mars(火星)+h→火星上可能会有沼泽→沼泽 |
| **mental\*** | ['mentl] *adj.* 心理上的，思想的，精神的；智力的<br>🔤 词根记忆：ment(智力)+al(…的)→智力的 |
| **hospitality** | [ˌhɒspɪ'tæləti] *n.* (对客人的)友好款待，好客；盛情；招待礼节<br>🔤 词根记忆：hospit(客人)+ality(表名词)→好客<br>🔍 corporate hospitality 企业联谊 |
| **origin\*** | ['ɒrɪdʒɪn] *n.* 起源；[常pl.] 出身<br>🔤 词根记忆：orig(开始)+in(表名词)→生命的开始→起源<br>🔍 have origins in 源于… |
| **array\*** | [ə'reɪ] *n.* 陈列；大批，大量 *vt.* 布置；部署<br>🔤 联想记忆：ar+ray(光线)→像光线一样整齐排列→陈列<br>🔍 an array of 一批，一系列 |
| **remain\*** | [rɪ'meɪn] *v.* 保持；仍旧是；剩余，遗留 *n.* [pl.] 残余；遗迹；残骸，遗体 |
| **comprehension** | [ˌkɒmprɪ'henʃn] *n.* 理解；理解力<br>🔤 词根记忆：com(共同)+prehens(抓住)+ion(表名词)→共同抓住要领→理解 |
| **journal\*** | ['dʒɜːnl] *n.* 杂志，刊物；日报；日志<br>🔤 词根记忆：journ(日期)+al(表名词)→每日都有的东西→日报<br>🔍 journalese (*n.* 新闻文体；新闻笔调) |

音频

# *Word List 36*

| | |
|---|---|
| **notorious** | [nəʊ'tɔːriəs] *adj.* 著名的，众所周知的；声名狼藉的<br>同 infamous (*adj.* 声名狼藉的，臭名昭著的) |
| **cash** | [kæʃ] *n.* 现金，现款 *vt.* 把…兑现 |
| **valid** | ['vælɪd] *adj.* 有效的，具有法律效力的；正当的；有根据的，有理的<br>记 词根记忆：val(强壮的)+id(…的)→有力的→具有法律效力的 |
| **enrich** | [ɪn'rɪtʃ] *vt.* 充实，使丰富；使富裕<br>记 联想记忆：en(使…)+rich(富有的)→使富裕<br>搭 enrich one's experience 丰富…的经历 |
| **equation** | [ɪ'kweɪʒn] *n.* 方程式，等式；平衡；等同，相等<br>搭 identical equation 恒等式 |
| **miracle** | ['mɪrəkl] *n.* 奇迹；奇事<br>记 词根记忆：mir(惊奇)+acle(表物)→奇迹 |
| **worthy** | ['wɜːði] *adj.* 有价值的；值得的<br>反 unworthy (*adj.* 没有价值的；不值得的) |
| **irrigation** | [ˌɪrɪ'geɪʃn] *n.* 灌溉；冲洗<br>记 词根记忆：ir(进入)+rig(浇水)+ation(表状态)→把水引入→灌溉 |
| **chief\*** | [tʃiːf] *adj.* 主要的；为首的，首席的 |
| **remedy** | ['remədi] *n.* 药品；治疗法；补救 *vt.* 治疗；补救<br>记 词根记忆：re(表加强)+med(治疗)+y(表名词)→治疗<br>搭 remedy for 对…的治疗法/药物/补救办法 |
| **accelerate** | [ək'seləreɪt] *v.* 加速；促进<br>记 词根记忆：ac(表加强)+celer(快速的)+ate(使…)→加速 |
| **thoughtful** | ['θɔːtfl] *adj.* 沉思的；体贴的 |
| **brunt\*** | [brʌnt] *n.* 冲击；冲力<br>记 联想记忆：b+run(跑)+t→飞奔着冲过去→冲击 |

**prominence** ['prɒmɪnəns] *n.* 突出，显著；卓越；重要

记 词根记忆：pro(向前)+min(突出)+ence(表名词)→向前突出→突出

**compass** ['kʌmpəs] *n.* 罗盘，罗盘仪；界限，范围；[pl.] 圆规

记 联想记忆：com(共同)+pass(走，通过)→共同走过的地方→范围

**inaugurate** [ɪˈnɔːgjəreɪt] *vt.* 开始，开创；为…举行就职典礼；为…举行开幕式；为…举行落成仪式

记 词根记忆：in(进入)+augur(预兆)+ate(表动词)→进入预测好的未来→开创

派 inauguration (*n.* 就职，就职典礼)

同 commence (*v.* 开始)；initiate (*vt.* 开始，发起)

**suppress** [səˈpres] *vt.* 压制，镇压；禁止发表，查禁；抑制(感情等)，忍住；阻止…的生长(或发展)

记 联想记忆：sup(向下)+press(压)→压下去→压制，镇压

派 suppression (*n.* 镇压，抑制)

同 squash (*v.* 镇压，压制)；restrain (*vt.* 抑制，压制)

**perpetuate** [pəˈpetʃueɪt] *vt.* 使永存；使持续

记 词根记忆：per(自始至终)+pet(寻求)+uate(使…)→永远追求→使持续

**configuration** [kənˌfɪgəˈreɪʃn] *n.* 结构，配置；轮廓，外形

记 联想记忆：con+figur(e)(形状)+ation→轮廓，外形

搭 aircraft configuration 飞机结构

派 configure (*vt.* 配置；设定)

**replenish** [rɪˈplenɪʃ] *vt.* 再斟满，再装满；添加，补充

记 词根记忆：re(重新)+plen(填满)+ish(表动词)→再装满；补充

派 replenishment (*n.* 补充；充满)

**encompass** [ɪnˈkʌmpəs] *vt.* 包含；包围；环绕

记 联想记忆：en(进入)+compass(范围)→进入范围→包围

| | |
|---|---|
| **camouflage** | [ˈkæməflɑːʒ] *v./n.* 掩饰，伪装 |
| | 📖 联想记忆：cam(看作came，来)+ou(看作out)+flag(旗帜)+e→扛着旗帜出来，伪装成战士→掩饰，伪装 |
| **encapsulate** | [ɪnˈkæpsjuleɪt] *vt.* 装入胶囊；压缩；总结，概述 |
| | 📖 来自capsule (*n.* 胶囊)；en(进入)+capsul(e)+ate(使⋯)→装入胶囊 |
| **reinvigorate** | [ˌriːɪnˈvɪɡəreɪt] *vt.* 使重新振作；使恢复活力；使复兴 |
| **repatriate** | [ˌriːˈpætrieɪt] *v.* 把(某人)遣返回国；归国；将(资金等)调回本国 |
| | 📖 词根记忆：re(重新)+patr(祖国)+iate(表动词)→重新送回祖国→归国 |
| **tensile** | [ˈtensaɪl] *adj.* 拉力的，张力的；可延展的，可伸长的 |
| | 🔍 tensile force 张力 |
| **solidify** | [səˈlɪdɪfaɪ] *v.* 巩固，确保；凝固，(使)固化；团结 |
| **propagate** | [ˈprɒpəɡeɪt] *v.* 繁殖，增殖；传播，宣传，使普及 |
| | 📖 词根记忆：pro(向前)+pag(系牢)+ate(表动词)→向前系牢→传播 |
| | 📑 propagation (*n.* 繁殖；传播) |
| | 🔗 produce (*vt.* 生产；繁殖)；multiply (*v.* 增加；繁殖) |
| **germinate** | [ˈdʒɜːmɪneɪt] *v.* (使)发芽，(使)生长；发展 |
| | 📖 词根记忆：germin(=germ，种子)+ate(使⋯)→使种子发芽→(使)发芽 |
| **unbeatable** | [ʌnˈbiːtəbl] *adj.* 无敌的，不可战胜的 |
| **accredit** | [əˈkredɪt] *vt.* 信任，相信；委任，授权；把⋯归于 |
| | 📖 联想记忆：ac(表加强)+credit(相信)→信任，相信 |
| **disorientate** | [dɪsˈɔːriənteɪt] *vt.* (=disorient)使失去方向感；使迷茫，使不知所措 |
| **slumber** | [ˈslʌmbə(r)] *v.* 睡眠，安睡 *n.* [常pl.] 睡眠，安睡 |
| | 📖 联想记忆：s+lumber(木材)→睡得很沉，像根木头→安睡 |
| **sufficient\*** | [səˈfɪʃnt] *adj.* 足够的，充分的 |
| | 🔍 be sufficient for 对⋯来说足够的，充分的 |

派 self-sufficient (*adj.* 自给自足的)

反 insufficient (*adj.* 不足的)

**antiquity\*** [æn'tɪkwəti] *n.* 古老；古代；古人；古迹，古物

记 联想记忆：antiqu(=antique，古代的)+ity→古代

搭 Roman antiquities 罗马古迹

**pretend** [prɪ'tend] *v.* 装作，假装；假扮，装扮

记 联想记忆：pre(前)+tend(伸展)→向前伸手，假装去接东西→装作，假装

**dominant** ['dɒmɪnənt] *adj.* 占优势的；统治的；居高临下的

记 词根记忆：domin(=dom，控制)+ant→统治的

搭 dominant position 统治地位

**pilot\*** ['paɪlət] *n.* 飞行员；引航员 *vt.* 驾驶；为…引航 *adj.* 试验性的；试点的

记 发音记忆："派了他"→派他去开飞机→飞行员

**privacy** ['prɪvəsi] *n.* 隐私，私事；隐私权

记 词根记忆：priv(单个)+acy(表名词)→个人的事情→隐私

同 secrecy (*n.* 秘密，保密)；seclusion (*n.* 归隐；与世隔绝)

反 publicity (*n.* 公开)

**advance** [əd'vɑːns] *v.* 前进，向前移动；取得进展；预付 *adj.* 预先的；先行的 *n.* 前进；增长，提高；预付款

搭 in advance 预先，提前

**efficiency** [ɪ'fɪʃnsi] *n.* 效率；功效，效能

记 词根记忆：ef(表加强)+fic(做)+iency(表名词)→做出东西又快又好→效率

**drainage** ['dreɪnɪdʒ] *n.* 排水(系统)

记 词根记忆：drain(排水)+age(表名词)→排水(系统)

**credible** ['kredəbl] *adj.* 可信的，可靠的

记 词根记忆：cred(相信)+ible(可…的)→可信的

反 incredible (*adj.* 难以置信的)

**elaborate** [ɪ'læbərət] *adj.* 详尽的；复杂的；精心制作的

[ɪ'læbəreɪt] *v.* 详述；详细制定

🔑 词根记忆：e(表加强)+labor(工作，劳动)+ate→精细化工作的→精心制作的

🔍 elaborate designs 精心的设计

**consult** [kən'sʌlt] v. 请教；查阅；商议

🔑 联想记忆：不顾侮辱(insult)，不耻请教(consult)

🔍 consultation (n. 请教；咨询)

**fare\*** [feə(r)] n. 交通费用；票价 vi. 进展，表现

🔑 联想记忆：若愿与我同行，我不在乎(care)承担船费(fare)

**foundation\*** [faʊn'deɪʃn] n. 基础；地基；创立

🔑 词根记忆：found(基础)+ation(表状态)→基础；地基

**principal** ['prɪnsəpl] adj. 主要的 n. 校长；本金，资本；主角

🔑 词根记忆：prin(第一)+cip(拿)+al(…的)→最先拿的→主要的

**collection\*** [kə'lekʃn] n. 收集，积聚；收藏(品)

**comparatively\*** [kəm'pærətɪvli] adv. 相对地；比较地

**victim\*** ['vɪktɪm] n. 牺牲者；受害者

🔑 联想记忆：胜利者(victor)的荣耀是牺牲者(victim)的鲜血换来的

🔍 fall victim to 成为…的牺牲品；成为…的受害者

**aisle** [aɪl] n. 走廊，通道；(教堂的)侧廊

🔑 联想记忆：ai(看作air，空气)+sle→让空气流通的道→通道

🔍 an aisle seat 靠过道的座位

**scan\*** [skæn] v. 扫描；浏览 n. 扫描

🔑 发音记忆："四看"→眼睛像扫描仪一样四处看→扫描；浏览

🔍 scanner (n. 扫描仪)

**sculpture** ['skʌlptʃə(r)] n. 雕塑品

🔑 联想记忆：sculpt(雕刻)+ure→雕塑品

**rigorous** ['rɪgərəs] adj. 严密的；严格的，严厉的；严酷的

🔑 联想记忆：rig(看作rog，要求)+orous→不断要求→严格的

派 rigorously (*adv.* 严格地；严密地)

同 meticulous (*adj.* 谨小慎微的); rigid (*adj.* 严格的)

反 careless (*adj.* 粗心的，疏忽的)

| | |
|---|---|
| **fragment** | ['frægmənt] *n.* 碎片，小部分，片段<br><br>[fræg'ment] *v.* 分裂；破碎<br><br>记 词根记忆：frag(打碎)+ment(表具体物)→碎片 |
| **audio** | ['ɔːdiəʊ] *adj.* 声音的；录音的<br><br>记 词根记忆：aud(听)+io→声音的 |
| **landmark\*** | ['lændmɑːk] *n.* 路标，地标；里程碑<br><br>记 组合词：land(土地)+mark(标志)→路标，地标<br><br>搭 landmark decision 里程碑式的决定 |
| **biography** | [baɪ'ɒgrəfi] *n.* 传记<br><br>记 词根记忆：bio(生命)+graph(写)+y(表名词)→记录生命的文字→传记 |
| **dubious** | ['djuːbiəs] *adj.* 怀疑的；靠不住的，不确定的<br><br>记 词根记忆：dub(两)+ious(…的)→两种状态的→不确定的<br><br>同 doubtful (*adj.* 可疑的，不确定的); questionable (*adj.* 可疑的) |
| **boulder\*** | ['bəʊldə(r)] *n.* 圆形巨石；鹅卵石 |
| **drill** | [drɪl] *v.* 钻孔；训练 *n.* 钻，钻机；训练，演习<br><br>记 联想记忆：dr+ill(生病的)→带病坚持训练→训练 |
| **batch** | [bætʃ] *n.* 一批，一组，一群；一批生产量<br><br>记 联想记忆：bat(蝙蝠)+ch→蝙蝠都是群居生活→一批，一群<br><br>搭 in batch 成批地；a batch of 一批，大量 |
| **shell** | [ʃel] *n.* (蛋、坚果、种子或某些动物的)壳；炮弹<br><br>*v.* 给…去壳；炮击 |
| **subsidy** | ['sʌbsədi] *n.* 津贴，补贴，补助金<br><br>记 词根记忆：sub(下)+sid(坐)+y(表名词)→在台下就坐领津贴→津贴<br><br>搭 housing subsidies 住房补贴 |

| | |
|---|---|
| **contrived\*** | [kən'traɪvd] *adj.* 不自然的；做作的；人为的<br>📝 词根记忆：contri(相反)+ve(=vene，走)+d→故意反着走→不自然的 |
| **multiply** | ['mʌltɪplaɪ] *v.* (使)增加，(使)繁殖；乘，乘以<br>📣 multiplication (*n.* 乘法，乘法运算) |
| **joint** | [dʒɔɪnt] *n.* 接头；关节 *adj.* 连接的；联合的<br>📝 联想记忆：join(结合，连接)+t→接头；关节<br>🔍 call for joint effort from 需要…的共同努力；joint venture 合资企业 |
| **spray\*** | [spreɪ] *n.* 浪花；喷雾，喷剂；飞沫 *v.* 喷射，喷洒；(使)飞溅<br>📝 联想记忆：sp(音似：四泼)+ray(光线)→光线向四面射去→喷射 |
| **meanwhile** | ['miːnwaɪl] *adv.* 与此同时<br>📝 组合词：mean(意味)+while(当…时)→就在那个时候→与此同时 |
| **force\*** | [fɔːs] *vt.* 强迫 *n.* [pl.] 军队；力气；力量；影响力；效力；[the ~] 警察部门<br>🔍 bring into force 开始生效，开始实施；the forces of nature 自然力量 |
| **evolve\*** | [ɪ'vɒlv] *v.* (使)逐渐形成；(使)演变，(使)进化<br>📝 词根记忆：e(出)+volv(转)+e→转出来→(使)进化<br>🔍 evolve from 由…进化而来；evolve into 进化成为… |

# Word List 37

音频

| | |
|---|---|
| **chew\*** | [tʃuː] *v.* 咀嚼；咬<br>**搭** chew over 深思熟虑，详细讨论；chew up 咀嚼 |
| **speculate** | ['spekjuleɪt] *v.* 推测；投机 |
| **bulge** | [bʌldʒ] *n./v.* 膨胀；凸出；塞满 |
| **insignificant\*** | [ˌɪnsɪɡ'nɪfɪkənt] *adj.* 无关紧要的，无意义的<br>**记** 联想记忆：in(无)+significant(有意义的，重要的)→无关紧要的，无意义的 |
| **revise\*** | [rɪ'vaɪz] *v.* 修订；复习<br>**记** 词根记忆：re(一再)+vis(看)+e→反复看→复习 |
| **deposit** | [dɪ'pɒzɪt] *v.* 存放；储蓄；使沉淀；付(保证金) *n.* 存款；保证金，押金；沉积物<br>**记** 联想记忆：de+posit(看作position，位置)→将钱放在安全的位置，存入银行→储蓄<br>**搭** savings deposit 储蓄存款；fixed deposit 定期存款；bank deposit 银行存款 |
| **professional\*** | [prə'feʃənl] *adj.* 职业的；专业的 *n.* 专家；专业人员<br>**搭** professional misconduct 失职；professional knowledge 专业知识 |
| **rigid** | ['rɪdʒɪd] *adj.* 严格的，死板的；刚硬的，僵硬的 |
| **solemn** | ['sɒləm] *adj.* 庄严的，隆重的；严肃的，认真的<br>**记** 词根记忆：sol(太阳)+emn→古时把太阳看作是神圣庄严的→庄严的<br>**搭** a solemn cathedral 一座庄严肃穆的大教堂 |
| **outsell\*** | [ˌaʊt'sel] *vt.* 卖得比…多 |
| **forum** | ['fɔːrəm] *n.* 论坛；讨论会<br>**记** 联想记忆：for+u(看作you，你)+m(看作me，我)→让你我说话的地方→论坛 |
| **anecdote** | ['ænɪkdəʊt] *n.* 短故事；趣闻，轶事<br>**记** 联想记忆：a+nec(看作neck，脖子)+dote(溺爱)→ |

一个人伸着脖子听喜爱的趣闻、轶事→趣闻，轶事

派 anecdotal (*adj.* 趣闻的，轶事的)

**conversely** ['kɒnvɜːsli] *adv.* 相反地，颠倒地

记 词根记忆：con+vers(转)+e+ly→转过去→相反地，颠倒地

**prefabricate** [priː'fæbrɪˌkeɪt] *vt.* 预先制造，预制构件(用以组装建筑物、船舶等)

**paralysis** [pə'ræləsɪs] *n.* 瘫痪；麻痹；中风

记 词根记忆：para(半)+lys(裂开)+is(表名词)→身体仿佛裂成两半→瘫痪

**geometric** [ˌdʒiːə'metrɪk] *adj.* 几何的；几何学的

记 来自geometry (*n.* 几何学)

搭 geometric configuration 几何构型

**floral** ['flɔːrəl] *adj.* 花的，像花的；绘有花的，饰以花的；植物群的

**pollinate** ['pɒləneɪt] *vt.* 【植】给…授粉

记 联想记忆：pollin(看作pollen，花粉)+ate(表动作)→给…授粉

**objectify** [əb'dʒektɪfaɪ] *vt.* 使客观化；使具体化；物化

**presuppose** [ˌpriːsə'pəʊz] *vt.* 预先假定…属实；认为，假设；以…为先决条件，以…为前提

记 联想记忆：pre(预先)+suppose(假定)→预先假定…属实

**recapture** [ˌriː'kæptʃə(r)] *vt.* 重获，收复

**contrive** [kən'traɪv] *v.* 计划，图谋；设计；发明

同 devise (*vt.* 设计，发明); plan (*v.* 计划；设计); manage (*v.* 管理；设法做到)

**anticipation** [ænˌtɪsɪ'peɪʃn] *n.* 预料

搭 in anticipation 预先，预料，期待

**provenance** ['prɒvənəns] *n.* 出处，起源

记 词根记忆：pro(在前)+ven(来)+ance(表名词)→先于…来到的东西→起源

| | |
|---|---|
| **studious** | ['stjuːdiəs] *adj.* 好学的，学习勤勉的；专心的；谨慎的，认真的，仔细的<br>记 来自 study (*n./v.* 学习)<br>同 diligent (*adj.* 勤勉的，用功的) |
| **vibrant** | ['vaɪbrənt] *adj.* 振动的；活泼的，充满生气的 |
| **inventive** | [ɪn'ventɪv] *adj.* 发明的，创造的；善于发明创造的<br>记 联想记忆：invent(创造，发明)+ive(…的)→发明的，创造的 |
| **protrude** | [prə'truːd] *v.* (使)伸出；(使)突出<br>记 词根记忆：pro(向前)+trud(推)+e→向前推出→(使)伸出 |
| **managerial** | [ˌmænə'dʒɪəriəl] *adj.* 经理的；管理的，经营的<br>搭 managerial talent 管理人才 |
| **notoriety** | [ˌnəʊtə'raɪəti] *n.* 声名狼藉，臭名昭著<br>记 词根记忆：not(知道)+oriety(多)→做了坏事，人人皆知→臭名昭著 |
| **opaque** | [əʊ'peɪk] *adj.* 不透明的；晦涩的，难懂的<br>记 词根记忆：op(不)+aque(=aqua，水)→不像水一样透明→不透明的<br>派 opaquely (*adv.* 不透明地，无光泽地)；opaqueness (*n.* 含糊)<br>同 obscure (*adj.* 模糊的；费解的)；vague (*adj.* 含糊的，不明确的)<br>反 transparent (*adj.* 透明的) |
| **partial** | ['pɑːʃl] *adj.* 部分的，不完全的；偏爱的，癖好的；偏向一方的，偏心的<br>搭 partial imitation 部分模仿<br>派 partially (*adv.* 部分地) |
| **ape\*** | [eɪp] *n.* 猿，类人猿 *vt.* 模仿<br>搭 go ape 发疯；变得狂热 |
| **portable** | ['pɔːtəbl] *adj.* 便于携带的；手提式的<br>记 词根记忆：port(拿)+able(可…的)→可以拿的→便于携带的 |

**搭** portable computer 手提电脑，笔记本；portable telephone 移动电话

| | |
|---|---|
| **depart*** | [dɪ'pɑːt] vi. 离开，起程，出发 |

**记** 词根记忆：de(表加强)+part(分开)→离开

| | |
|---|---|
| **gauge** | [geɪdʒ] n. 测量仪表；规格，标准；计量器 vt. 测量，度量 |

**记** 发音记忆："规矩"→规格

**同** measure (n. 量具；计量单位 v. 测量，度量)；criterion (n. 评判的标准，尺度)；estimate (v. 估计，估量)；evaluate (vt. 评价，估计)

| | |
|---|---|
| **dialect** | ['daɪəlekt] n. 方言，土语 |

**记** 词根记忆：dia(二者之间)+lect(讲)→在一部分人之间说的话→方言

| | |
|---|---|
| **debate** | [dɪ'beɪt] n./v. 争论，辩论 |

**记** 词根记忆：de(表加强)+bat(打)+e→竞选双方在打口水战→辩论

**搭** beyond debate 无可争辩；open the debate 在辩论时首先发言；debate upon/on 讨论(问题)

**同** dispute (v./n. 争论，辩论)

| | |
|---|---|
| **cosmopolitan** | [ˌkɒzmə'pɒlɪtən] adj. 世界性的，全球的 n. 世界主义者；四海为家者 |

**记** 词根记忆：cosmo(世界)+polit(城市)+an(…的)→世界城的→世界性的

| | |
|---|---|
| **helix*** | ['hiːlɪks] n. 螺旋(形)；螺旋状物 |

**记** 联想记忆：heli(看作helic，螺旋的)+x→螺旋(形)；螺旋状物

| | |
|---|---|
| **motion** | ['məʊʃn] n. 运动；手势 v. (向…)打手势 |

**记** 词根记忆：mot(动)+ion(表名词)→运动

**搭** set/put sth. in motion 让…动起来，开动…

| | |
|---|---|
| **understanding** | [ˌʌndə'stændɪŋ] n. 理解；谅解 adj. 体谅的；宽容的 |
| **circumstance*** | ['sɜːkəmstəns] n. 环境；[pl.] 境况，情况 |

**记** 词根记忆：circum(周围)+st(站)+ance(表名词)→站在周围的事物→环境

搭 in/under...circumstances 在…情况下；in/under no circumstances 在任何情况下都不

**temper*** ['tempə(r)] *n.* 情绪；脾气 *vt.* 使缓和

记 联想记忆：情绪(temper)会影响体温(temperature)

**insurance** [ɪn'ʃʊərəns] *n.* 保险；保险费；保险业

记 联想记忆：insur(e)(保险)+ance(表名词)→保险；保险费

搭 unemployment insurance 失业保险；life insurance 人寿险；accident insurance 意外伤害保险

**impress*** [ɪm'pres] *vt.* 给…留下深刻印象，使铭记；印，压印 *n.* 印记

记 联想记忆：im(使…)+press(压)→使压住→压印

**maintain*** [meɪn'teɪn] *vt.* 维持，保持；维修，保养；坚持，主张；赡养，负担

记 词根记忆：main(逗留)+tain(拿住)→留住→保持

搭 maintain world peace 维护世界和平；maintain one's health 保持健康

**meaningful*** ['miːnɪŋfl] *adj.* 有目的的；有意义的

记 联想记忆：meaning(含义，意义)+ful(…的)→有目的的；有意义的

**exist*** [ɪg'zɪst] *vi.* 存在；生存

派 existence (*n.* 存在；生存；生活方式)

**jostle*** ['dʒɒsl] *v.* 推挤；挤开通路；争夺

**version*** ['vɜːʃn] *n.* 样式，型号，种类；(从不同角度的)说法，描述；(电影、剧本、乐曲等的)版本

搭 original version 原始版本

**hostility*** [hɒ'stɪləti] *n.* 敌意，敌对，对抗；抵制，反对，否决；[pl.] 交战，战争

**appearance*** [ə'pɪərəns] *n.* 出现；外观

记 联想记忆：appear(出现)+ance(表名词)→出现

**grind** [graɪnd] *v.* 磨碎，碾碎；把…磨光，把…磨锋利 *n.* 苦差事

记 联想记忆：将一块大(grand)石头磨碎(grind)

搭 the daily grind 繁重的日常工作

**optimistic\*** [ˌɒptɪˈmɪstɪk] *adj.* 乐观的；乐观主义的

记 词根记忆：optim(最好)+istic(…的)→什么都往最好处想的→乐观的

**tense** [tens] *adj.* (令人)紧张的；(身体或肌肉)绷紧的 *v.* (使)绷紧

记 发音记忆："弹死"→没有弹性→绷紧的

派 tension (*n.* 紧张)

同 stressed (*adj.* 紧张的)；strain (*v.* 绷紧)

**ignore\*** [ɪgˈnɔː(r)] *vt.* 不顾，不理，忽视，忽略

记 联想记忆：ig+nore(看作nose，鼻子)→翘起鼻子不理人→不顾，不理，忽视

搭 ignore the fact 忽视事实

**extract\*** [ˈekstrækt] *n.* 摘录，选段；提取物，精，汁

[ɪkˈstrækt] *vt.* 取出；提取；选取

记 词根记忆：ex(出)+tract(拉)→拉出→取出

搭 extract from 从…中提取

同 remove (*vt.* 移开，挪走)；cull (*vt.* 挑选，精选)；abstract (*n.* 摘要，梗概)

**therefore\*** [ˈðeəfɔː(r)] *adv.* 因此，所以

**bar\*** [bɑː(r)] *n.* 酒吧；栅栏；棒，条状物 *vt.* 闩(门、窗等)；阻拦

记 发音记忆："吧"→酒吧

**externally** [ɪkˈstɜːnəli] *adv.* 外部地；外表上，外形上

记 联想记忆：external(外部的)+ly→外部地

**abound\*** [əˈbaʊnd] *vi.* 富于；充满

记 联想记忆：a(一个)+bound(界限，范围)→所有物品在一个范围内→富于；充满

**subjective** [səbˈdʒektɪv] *adj.* 主观(上)的

同 personal (*adj.* 个人的)；intuitive (*adj.* 直觉的)

反 objective (*adj.* 客观的)

**particularly\*** [pəˈtɪkjələli] *adv.* 特别，尤其

记 联想记忆：particular(特别的)+ly→特别，尤其

| **quiver** | ['kwɪvə(r)] *v.* 颤抖，抖动 |
| | 同 quake（*vi.* 震动；颤抖）；shake〔*v.* (使)颤抖，(使)震动〕 |
| **classification** | [ˌklæsɪfɪ'keɪʃn] *n.* 分类；级别 |
| | 记 联想记忆：classifi(=classify，把…分类)+cation→分类 |
| **pollution\*** | [pə'luːʃn] *n.* 污染；污染物 |
| **obtain** | [əb'teɪn] *v.* 获得，得到；通用，流行 |
| | 记 词根记忆：ob(表加强)+tain(拿住)→拿到→获得 |
| | 搭 obtain a degree 获得学位 |
| **mandarin\*** | ['mændərɪn] *n.* 柑橘；政界要员；[M-] 普通话 |
| | 记 词根记忆：mand(命令)+arin→命令全国都要讲的语言→普通话 |

音频

# *Word List 38*

| | |
|---|---|
| **probe** | [prəʊb] v. 探索，查究；(用探针或探测器等)探查，探测 n. 探针；探测器，探测飞船；探索，调查 |
| | 同 investigate (v. 调查)；survey (v. 调查；检查) |
| **panic\*** | ['pænɪk] adj. 恐慌的 n. 恐慌，惊惶 v. (使)惊慌失措 |
| **disturb\*** | [dɪ'stɜːb] vt. 扰乱；弄乱，打乱；打扰，使烦恼 |
| | 记 词根记忆：dis(分开)+turb(搅动)→打乱 |
| | 搭 disturb the peace 扰乱和平 |
| **grassy\*** | ['grɑːsi] adj. 长满草的；草绿色的；似草的 |
| **glorious** | ['glɔːrɪəs] adj. 光荣的；壮丽的 |
| | 搭 a glorious victory 一场辉煌的胜利 |
| **fertile** | ['fɜːtaɪl] adj. 肥沃的，多产的，富饶的；能繁殖的 |
| | 记 词根记忆：fert(=fer，带来)+ile(…的)→可带来果实的→多产的 |
| | 搭 fertile land/soil 肥沃的土地；fertile eggs 受精卵 |
| **amateur** | ['æmətə(r)] n. 外行；业余爱好者 adj. 业余的 |
| | 记 词根记忆：amat(爱)+eur(表人)→业余爱好者 |
| | 反 expert (n. 专家)；professional (adj. 专业的) |
| **undisguised\*** | [ˌʌndɪs'ɡaɪzd] adj. 无伪装的；坦率的 |
| | 记 联想记忆：un(不，无)+disguise(装饰；伪装)+d→无伪装的 |
| **silver\*** | ['sɪlvə(r)] n. 银；银器 |
| **fulfillment** | [fʊl'fɪlmənt] n. 履行；实现 |
| **aspire** | [ə'spaɪə(r)] v. 向往，渴望，追求；有志于，有抱负 |
| | 记 词根记忆：a(表加强)+spir(呼吸)+e→看到渴望的东西就呼吸急促→渴望 |
| **recession** | [rɪ'seʃn] n. (经济的)衰退，萧条；撤回，退回 |
| | 记 词根记忆：re(相反)+cess(行走)+ion(表名词)→向后走→衰退 |
| | 搭 economic recession 经济衰退 |

| | |
|---|---|
| **miscellaneous** | [ˌmɪsə'leɪniəs] *adj.* 各种各样的；混杂的 |
| | 记 词根记忆：misc(混淆)+ellan+eous(…的)→混杂的；各种各样的 |
| | 搭 miscellaneous costs 杂费 |
| **utilization** | [ˌjuːtəlaɪ'zeɪʃn] *n.* 利用，使用 |
| **caustic** | ['kɔːstɪk] *n.* 腐蚀剂 *adj.* 腐蚀性的；(指评论)讽刺的，挖苦的 |
| | 记 联想记忆：caus(看作cause，造成)+tic→造成腐蚀的→腐蚀性的 |
| | 搭 caustic remarks 讽刺性的言论 |
| **detergent** | [dɪ'tɜːdʒənt] *adj.* 净化的，清洁的 *n.* 清洁剂 |
| **reclaim** | [rɪ'kleɪm] *vt.* 纠正；要求归还，收回；开垦(土地) |
| | 记 联想记忆：re(一再)+claim(叫喊)→一再叫喊，要求归还→要求归还 |
| | 派 reclamation (*n.* 开垦；回收) |
| | 同 retrieve (*v.* 重新得到)；retake (*vt.* 取回，夺回) |
| **deflect** | [dɪ'flekt] *v.* (使)偏斜，(使)转向 |
| | 记 词根记忆：de(向下)+flect(弯曲)→(使)偏斜 |
| **trench** | [trentʃ] *n.* 沟，壕沟 *v.* 挖沟 |
| | 记 联想记忆：t+rench(看作bench，长凳)→像长凳一样狭长的地区→沟，壕沟 |
| | 搭 trench coat 军用防水短上衣 |
| | 同 channel (*n.* 水道)；ditch (*n.* 沟渠) |
| **holistically** | [həˈlɪstɪkli] *adv.* 整体地，全盘地 |
| **urbanization** | [ˌɜːbənaɪ'zeɪʃn] *n.* 城市化，都市化 |
| **insularity** | [ˌɪnsjuˈlærəti] *n.* 岛国(状态)；与外界隔绝的生活状况；(思想、观点等的)褊狭 |
| **permeate** | ['pɜːmieɪt] *v.* 扩散，弥漫；渗透，渗入 |
| | 记 词根记忆：per(贯穿)+me(走)+ate(使…)→使来回走动→渗透 |
| | 派 permeation (*n.* 渗透)；permeant (*adj.* 浸透的，渗透的) |
| | 同 penetrate (*v.* 穿透，渗透)；saturate (*vt.* 浸透) |

| | |
|---|---|
| **repack** | [ˌriːˈpæk] *vt.* 重新包装；重新填塞；再装配；拆修 |
| **disruptive** | [dɪsˈrʌptɪv] *adj.* 制造混乱的；分裂性的；破坏性的 |
| **clinical** | [ˈklɪnɪkl] *adj.* 临床的；冷静客观的；简朴的 |
| | 🔢 联想记忆：clinic(诊所)+al→临床的 |
| **momentum** | [məˈmentəm] *n.* 动力，冲力，势头；动量 |
| | 🔢 联想记忆：moment(瞬间)+um→冲力在瞬间迸发→冲力 |
| | 🔵 impetus (*n.* 促进；推动力) |
| **disempower** | [ˌdɪsɪmˈpaʊə] *vt.* 使失去权力或影响 |
| **depletion** | [dɪˈpliːʃn] *n.* 削减，消耗 |
| | 🔢 词根记忆：de(否定)+plet(填满)+ion(表名词)→使不满→削减 |
| **authenticate** | [ɔːˈθentɪkeɪt] *vt.* 鉴别，证明 |
| | 🔢 联想记忆：authentic(真的；真正的)+ate→证明…是真的→鉴别，证明 |
| **anatomy\*** | [əˈnætəmi] *n.* 解剖(学)；解剖结构 |
| | 🔢 词根记忆：ana(分开)+tom(切割)+y(表行为)→分开切→解剖(学) |
| | 🔷 human anatomy 人体解剖(学) |
| | 🔶 anatomical (*adj.* 解剖学的) |
| **confidence** | [ˈkɒnfɪdəns] *n.* 信任；信心 |
| **commencement** | [kəˈmensmənt] *n.* 开始，开端；毕业典礼 |
| **chemical\*** | [ˈkemɪkl] *adj.* 化学的 *n.* 化学制品 |
| | 🔷 toxic chemicals 有毒化学物品；chemical reaction 化学反应；chemical engineering 化学工程 |
| **literal** | [ˈlɪtərəl] *adj.* 照字面；逐字的 |
| | 🔢 词根记忆：liter(文字)+al(…的)→逐字的 |
| | 🔶 literally (*adv.* 逐字地；实际上) |
| | 🔵 verbatim (*adj.* 逐字的，照字面的) |
| **comprehensive** | [ˌkɒmprɪˈhensɪv] *adj.* 全面，广泛的；综合的；包容的 |
| | 🔢 词根记忆：com(表加强)+prehens(抓)+ive(…的)→全部抓住的→全面的 |
| | 🔷 comprehensive school 综合学校 |

**glue** [gluː] *n.* 胶水 *vt.* 胶合，粘贴

记 联想记忆：用胶水(glue)把那幅蓝色的(blue)画贴上

**bureau** ['bjuərəu] *n.* 办公室；机构；局；处；所

搭 an employment bureau 一家职业介绍所

**observe** [əb'zɜːv] *v.* 察觉；观察；遵守

记 词根记忆：ob(表加强)+serv(维持)+e→遵守

**brood** [bruːd] *v.* 沉思；孵蛋 *n.* (雏鸡等)一窝

记 联想记忆：这一窝(brood)小鸡是同一个品种(breed)

同 meditate (*v.* 沉思，考虑)；hatch (*v.* 孵化)

**interdependent** [ˌɪntədɪ'pendənt] *adj.* 互相依赖的，互助的

记 联想记忆：inter(相互)+dependent(依赖的)→互相依赖的

**murder** ['mɜːdə(r)] *n./v.* 谋杀，凶杀

**prominent** ['prɒmɪnənt] *adj.* 突出的；著名的；显著的

记 词根记忆：pro(向前)+min(突出)+ent(具有…性质的)→突出的

**conventional\*** [kən'venʃənl] *adj.* 普通的，习惯的；常规的，因循守旧的，传统的

搭 conventional food 普通食物；conventional value 传统价值观

**productivity** [ˌprɒdʌk'tɪvəti] *n.* 生产力；生产率

记 联想记忆：product(产品)+ivity→生产力；生产率

同 output (*n.* 产量；输出量)；capacity (*n.* 生产量；生产能力)

**viscous** ['vɪskəs] *adj.* 黏滞的，黏性的

**transform\*** [træns'fɔːm] *v.* 使改观，改革，改善；变换，把…转换成

记 词根记忆：trans(变换)+form(形状)→使改观

**strategist** ['strætədʒɪst] *n.* 战略家

记 联想记忆：strateg(y)(战略)+ist(表人)→战略家

**indulge** [ɪn'dʌldʒ] *v.* 沉溺于，纵情于；满足(欲望、兴趣等)；放纵，听任

同 gratify (*vt.* 使满意，使高兴)；satisfy〔*v.* 满足，(使)满意〕；spoil (*v.* 宠坏，溺爱)；pamper (*v.* 纵容，娇惯)

| personality* | [ˌpɜːsə'næləti] *n.* 人格；个性，性格；名人，人物 |
|---|---|
| definition | [ˌdefɪ'nɪʃn] *n.* 定义，释义；清晰(度) |
| host* | [həʊst] *n.* 主人；东道主，主办方；大量，许多 *v.* 主办；招待 |
| | 搭 a host of 大量的；host country 东道国，主办国 |
| feminism* | ['femənɪzəm] *n.* 男女平等主义；女权主义；女权运动 |
| | 记 词根记忆：femin(来自feminine，女性)+ism(…主义)→女权主义 |
| abate | [ə'beɪt] *v.* 减轻；降价 |
| | 记 词根记忆：a(不)+bat(打，击)+e→不再打击→减轻 |
| expectation | [ˌekspek'teɪʃn] *n.* 期待，预期，期望；[pl.] 前程，成功的前景 |
| | 记 联想记忆：expect(期待)+ation(表名词)→期待，预期，期望 |
| | 搭 role expectations 角色期待 |
| excessive | [ɪk'sesɪv] *adj.* 过多的，极度的，过分的 |
| brilliant | ['brɪliənt] *adj.* 光辉灿烂的；卓越的，有才华的 |
| | 记 词根记忆：brilli(发光)+ant(…的)→发光的→光辉灿烂的 |
| | 搭 brilliant sunshine 灿烂的阳光；brilliant idea 极好的想法 |
| seminar* | ['semɪnɑː(r)] *n.* (大学的)研究班；研讨会 |
| | 记 词根记忆：semin(种子)+ar(表场所)→精神如种子般传播的地方→研讨会 |
| navigable* | ['nævɪɡəbl] *adj.* 可通航的；适于航行的 |
| | 记 词根记忆：nav(船)+ig(开动)+able(能…的)→船可以开动的→可通航的 |
| foul* | [faʊl] *adj.* 发臭的；肮脏的；邪恶的 *n.* 犯规 |
| | 记 联想记忆：邪恶的(foul)心灵(soul) |
| contemplate | ['kɒntəmpleɪt] *v.* 思量，沉思；注视；打算，预期 |
| | 记 联想记忆：con+templ(看作temple，庙)+ate→庙里的和尚常常打坐→思量，沉思 |
| | 同 consider (*v.* 考虑；认为)；ponder (*v.* 沉思，考虑) |

268

| | |
|---|---|
| **budget\*** | ['bʌdʒɪt] *n.* 预算，预算经费 *v.* 做预算<br>搭 budget deficit 预算赤字；cut down the budget 减少预算；plan a budget 做预算 |
| **flee** | [fliː] *v.* 逃走；逃避 |
| **worthwhile** | [ˌwɜːθ'waɪl] *adj.* 值得花费时间(或金钱)的，值得做的<br>记 组合词：worth(值得)+while(一段时间)→值得花费时间的<br>搭 be worthwhile to do sth./doing sth. 值得做… |
| **clamp** | [klæmp] *v.* (用夹具等)夹紧，夹住 *n.* 夹具，夹钳 |
| **convenience** | [kən'viːniəns] *n.* 方便，便利；便利设施<br>记 词根记忆：con(共同)+ven(来)+ience(表状态)→共同行动来维护便民设施→便利设施<br>搭 convenience food/store便利食品/商店；at one's convenience 在某人方便时<br>派 inconvenience (*n.* 麻烦，不方便) |
| **migrant** | ['maɪɡrənt] *n.* 移居者，移民；迁移动物，候鸟<br>记 词根记忆：migr(迁移)+ant(表人)→移居者 |
| **specify** | ['spesɪfaɪ] *v.* 明确指出，详细说明<br>记 词根记忆：spec(看)+ify(使…)→让人看清楚→详细说明 |
| **deviance\*** | ['diːviəns] *n.* 异常；偏差行为<br>记 词根记忆：de(离开)+vi(路)+ance(表名词)→偏离正路→偏差行为<br>派 deviant (*adj.* 不正常的；偏离常规的) |

音频

# *Word List 39*

**estimate*** ['estɪmeɪt] *v.* 估计，估量；估价；评价
['estɪmət] *n.* 估计，估量；估价；评价
🔑 联想记忆：评估(estimate)地产(estate)
🔍 conservative estimate 保守估计

**livelihood*** ['laɪvlihʊd] *n.* 生活，生计

**manufacture** [ˌmænjuˈfæktʃə(r)] *vt.* 大量制造，成批生产 *n.* 大量制造；工业品
🔑 词根记忆：manu(手)+fact(制作)+ure(表名词)→用手制作→大量制造

**censure*** ['senʃə(r)] *vt./n.* 指责，谴责，责难
🔑 词根记忆：cens(判断)+ure(表名词)→判断是非→指责，谴责

**voltage** ['vəʊltɪdʒ] *n.* 电压

**logic** ['lɒdʒɪk] *n.* 逻辑；逻辑学
🔑 词根记忆：log(说话)+ic(…学)→说话的学问→逻辑

**enroll*** [ɪnˈrəʊl] *v.* 入学，登记；加入；招收
🔑 联想记忆：en(进入)+roll(名单)→上了名单→登记
🔍 enroll on 加入，参加；注册；入学

**civilization** [ˌsɪvəlaɪˈzeɪʃn] *n.* 文明；文明社会
🔑 来自civilize (*v.* 使文明)

**compendium*** [kəmˈpendiəm] *n.* 简要，概略
🔑 词根记忆：com(共同)+pend(悬挂)+ium(表名词)→把重要的部分抽出来挂在一起→概略

**embark** [ɪmˈbɑːk] *v.* (使)上船或飞机；(使)从事
🔍 embark on/upon 从事，着手，开始工作
🔄 disembark〔*v.* 下车(或船、飞机等)〕

**deserve*** [dɪˈzɜːv] *v.* 应得；值得
🔑 词根记忆：de(表加强)+serv(服务)+e→花钱享受应得的服务→应得

| **eject** | [ɪ'dʒekt] *v.* 弹出；喷出；驱逐，逐出 |
| --- | --- |
| | 记 词根记忆：e(出)+ject(扔)→扔出来→驱逐，逐出 |
| | 搭 eject from 从…逐出 |
| | 派 ejection (*n.* 喷出；喷出物) |
| | 同 expel (*vt.* 驱逐；开除)；remove (*vt.* 开除；移交)；evict (*vt.* 驱逐，逐出) |
| **verification** | [ˌverɪfɪ'keɪʃn] *n.* 确认，证实，核实 |
| **autoimmune** | [ˌɔːtəʊɪ'mjuːn] *adj.* 自身免疫的 |
| | 记 联想记忆：auto(自身)+immune(免疫的)→自身免疫的 |
| **inheritance** | [ɪn'herɪtəns] *n.* 遗传；继承，继承物；遗产，遗赠 |
| | 搭 historic inheritance 历史遗产 |
| **relentless** | [rɪ'lentləs] *adj.* 无情的，残酷的；坚韧的，不屈不挠的；不停的 |
| | 记 联想记忆：relent(变温和)+less(无…的)→缺少温和→无情的，残酷的 |
| **requisite** | ['rekwɪzɪt] *adj.* 必需的；必备的；必不可少的 *n.* 必需品；要素 |
| | 记 词根记忆：re(一再)+quis(寻求)+ite(表物)→一再寻求的事物→要素 |
| **dizziness** | ['dɪzinəs] *n.* 头昏眼花，眩晕 |
| **periphery** | [pə'rɪfəri] *n.* 不重要的部分；外围 |
| | 记 词根记忆：peri(周围)+pher(带来)+y(表名词)→带到周围→外围 |
| **credential** | [krə'denʃl] *n.* 证明书；(学历、资历)资格证书；证件 |
| | 记 词根记忆：cred(相信)+ential→让人相信的东西→证明书 |
| **facsimile** | [fæk'sɪməli] *n.* 复制品；副本 |
| | 记 词根记忆：fac(做)+simil(一样)+e→做出一样的东西→复制品；副本 |
| **reel** | [riːl] *n.* 卷轴，卷筒，线轴 *v.* 摇摇晃晃地移动，蹒跚；眩晕，发昏；卷，绕 |

記 联想记忆：喝醉酒步履蹒跚(reel)，感觉(feel)眩晕

同 shamble (vi. 蹒跚)；stagger (v. 踉跄，蹒跚)

| | |
|---|---|
| **churn** | [tʃɜːn] n. (制作黄油用的)搅乳器 v. 剧烈搅动；(使)猛烈翻滚；反胃，恶心 |
| **nocturnal** | [nɒkˈtɜːnl] adj. 夜晚的；夜晚发生的；夜晚活动的 |
| | 記 词根记忆：noct(夜晚)+urnal(…的)→夜晚的 |
| | 搭 nocturnal vision 夜视能力；nocturnal animal 夜行性动物 |
| **obstruct** | [əbˈstrʌkt] v. 妨碍，阻止；阻塞；截断 |
| | 記 词根记忆：ob(逆)+struct(建造)→反着建造→妨碍 |
| | 搭 obstruct the investigation 阻碍调查 |
| **prohibitive** | [prəˈhɪbətɪv] adj. 禁止的，抑制的；令人望而却步的 |
| | 記 词根记忆：pro(在前)+hibit(拿)+ive(…的)→提前拿住→抑制的 |
| **navigation** | [ˌnævɪˈgeɪʃn] n. 航海，航行；导航，领航 |
| | 記 词根记忆：nav(船)+ig(开，驱动)+ation(表状态)→开动船只→航行 |
| **entwine** | [ɪnˈtwaɪn] vt. 使缠住，使盘绕；与…密切相关 |
| | 記 词根记忆：en(使…)+twin(编织)+e→使编织到一起→使缠住，使盘绕 |
| **monumental** | [ˌmɒnjuˈmentl] adj. 纪念碑的，纪念物的；不朽的，有重大意义的 |
| | 記 联想记忆：monument(纪念碑)+al(…的)→纪念碑的；不朽的 |
| **reiterate** | [riˈɪtəreɪt] vt. 重复，反复；反复地说，重申 |
| | 記 联想记忆：re(一再)+iterate(重复说)→反复地说 |
| **peripheral** | [pəˈrɪfərəl] adj. 外围的；次要的，附带的 n. 外围设备 |
| | 記 词根记忆：peri(周围)+pher(带来)+al(…的)→带到周围的→外围的 |
| **jeopardise** | [ˈdʒepədaɪz] vt. 危害，使受危困 |
| **elusive** | [ɪˈluːsɪv] adj. 难懂的，难捉摸的；易忘的 |
| | 記 词根记忆：e(出)+lus(玩)+ive→把人玩出局的→难懂的，难捉摸的 |

| | |
|---|---|
| **distinctive*** | [dɪ'stɪŋktɪv] *adj.* 出众的；有特色的 |
| | 记 来自distinct (*adj.* 明显的；有区别的) |
| | 同 characteristic (*adj.* 特别的，特殊的) |
| **board*** | [bɔːd] *n.* 板；委员会；(旅馆提供的)伙食，膳食 |
| | 搭 board of education 教育委员会 |
| **decompression** | [ˌdiːkəm'preʃn] *n.* 减压；卸压 |
| | 记 联想记忆：de(减)+compress(压缩)+ion→减压 |
| **prevalent** | ['prevələnt] *adj.* 流行的，普遍的 |
| | 记 词根记忆：pre(前)+val(强壮的)+ent(具有…性质的)→有走在前面的强壮的→流行的 |
| | 同 widespread (*adj.* 分布广的，普遍的) |
| | 反 rare (*adj.* 稀有的，罕见的) |
| **twist*** | [twɪst] *v.* 缠绕；使扭曲，使弯曲；拧 *n.* 扭动，转动；转折，转变 |
| | 记 联想记忆：tw(看作two，两个)+ist(表人)→两个人扭打在一起→缠绕 |
| **rent*** | [rent] *v.* 租借；出租 *n.* 租金 |
| | 派 rental (*adj.* 租用的 *n.* 租金) |
| **eminent*** | ['emɪnənt] *adj.* 杰出的，显赫的 |
| | 记 词根记忆：e(出)+min(突出)+ent(具有…性质的)→杰出的 |
| **crescent*** | ['kresnt] *n.* 新月，月牙；新月形(物) *adj.* 新月形的 |
| | 记 联想记忆：cre+scent(香味)→新月长到满月，月饼飘香→新月 |
| **calm** | [kɑːm] *adj.* 镇静的；平静的 *v.* (使)平静；(使)镇静 |
| | 记 联想记忆：她手掌(palm)心出汗，内心很不平静(calm) |
| **scope*** | [skəʊp] *n.* 眼界，见识；(活动、影响等的)范围；(发挥能力等的)余地，机会 |
| | 记 联想记忆：s+cope(对付，处理)→人处理的事情多了，眼界自然就会开阔→眼界 |
| **cooperate** | [kəʊ'ɒpəreɪt] *vi.* 合作，协作 |
| | 记 词根记忆：co(共同)+oper(工作)+ate(表动词)→一起工作→合作 |

派 cooperation (*n.* 合作，协作)；cooperative (*adj.* 合作的)

**applaud** [ə'plɔːd] *v.* (向…)鼓掌，喝彩；称赞

记 词根记忆：ap(表加强)+plaud(鼓掌)→鼓掌

**appraisal** [ə'preɪzl] *n.* 评估，评价

记 词根记忆：ap(表加强)+prais(价格)+al(表行为)→给定价→评价

**allowance** [ə'laʊəns] *n.* 津贴；允许，容忍

记 联想记忆：allow(允许)+ance→允许，容忍

搭 make allowance(s) for 体谅，原谅，为…留余地；at no allowance 无限制，尽情地

**heir** [eə(r)] *n.* 继承人

搭 heir apparent 法定继承人

**exploit\*** [ɪk'splɔɪt] *vt.* 剥削，压榨；开发，开拓；利用

['eksplɔɪt] *n.* 英勇行为；功绩

记 词根记忆：ex(表加强)+ploit(用)→利用

派 exploitation (*n.* 利用；开发)

**domestic** [də'mestɪk] *adj.* 本国的；家庭的；驯养的，家养的

记 词根记忆：dom(驯服)+estic(…的)→驯养的

搭 domestic appliances 家用器具；gross domestic product (GDP) 国内生产总值；domestic market 国内市场

派 domesticate (*vt.* 驯养，教化)

**unexpected** [ˌʌnɪk'spektɪd] *adj.* 想不到的，意外的

**counsel** ['kaʊnsl] *n.* 律师，法律顾问；建议，忠告 *v.* 提供建议，劝告

**sticky** ['stɪki] *adj.* 黏性的；(天气)湿热的

记 联想记忆：stick(黏贴)+y→黏性的

**competition\*** [ˌkɒmpə'tɪʃn] *n.* 竞争；比赛

**responsible\*** [rɪ'spɒnsəbl] *adj.* 负有责任的；有责任感的；可靠的

记 词根记忆：re(一再)+spons(承诺)+ible(能…的)→能一再遵守承诺的→有责任感的

搭 be responsible for 承担…的责任，有责任…

派 responsibility (*n.* 责任，职责)

| | |
|---|---|
| **critic** | ['krɪtɪk] *n.* 批评家；爱挑剔的人 |
| | 记 词根记忆：crit(判断)+ic(表人)→判断是非的人→批评家 |
| | 搭 music critic 乐评人 |
| **extensive** | [ɪk'stensɪv] *adj.* 广大的，广阔的；广泛的 |
| | 搭 make extensive use of... 广泛应用；extensive knowledge 广博的知识；extensive reading 泛读 |
| **corridor** | ['kɒrɪdɔː(r)] *n.* 过道，走廊；狭长地带 |
| | 搭 in the corridor 在走廊里 |
| **imagine*** | [ɪ'mædʒɪn] *v.* 想象；猜想 |
| | 派 imagination (*n.* 想象，空想)；imaginable (*adj.* 可想象的，想象得到的)；imaginative (*adj.* 想象的) |
| **interact** | [ˌɪntər'ækt] *vi.* 相互作用；相互影响 |
| | 记 词根记忆：inter(在…之间)+act(行动)→相互之间有行动→相互作用 |
| | 搭 interact with 和…相互作用 |
| **starchy*** | ['stɑːtʃi] *adj.* 含淀粉的 |
| | 记 联想记忆：starch(淀粉)+y→含淀粉的 |
| **trivial*** | ['trɪviəl] *adj.* 无关紧要的，琐屑的；平庸的，普通的 |
| | 同 trifling (*adj.* 不重要的)；petty (*adj.* 小的，不重要的) |
| | 反 important (*adj.* 重要的，重大的)；main (*adj.* 主要的，重要的) |
| **exorbitant** | [ɪg'zɔːbɪtənt] *adj.* (价格、费用)过高的；过分的，不合理的 |
| | 记 词根记忆：ex(出)+orbit(轨道，常规)+ant→走出常规→过分的，不合理的 |
| **large-scale*** | [ˌlɑːdʒ 'skeɪl] *adj.* 大规模的，大范围的 |
| **region*** | ['riːdʒən] *n.* 地区；范围 |
| | 记 词根记忆：reg(国王)+ion(表名词)→国王统治的区域→地区 |
| | 派 regional (*adj.* 地区的) |

| | |
|---|---|
| **alternate** | [ˈɔːltəneɪt] v. (使)轮流，(使)交替 |
| | [ɔːlˈtɜːnət] adj. 轮流的；间隔的；交替的 |
| | 记 词根记忆：altern(改变状态)+ate(表动词)→换着做事→轮流的；交替的 |
| **steer** | [stɪə(r)] v. 驾驶，行驶；引导 |
| | 记 联想记忆：当你驾驶(steer)车辆的时候，眼睛一定要盯住(stare)前方 |
| **bargain** | [ˈbɑːgən] vi. 讨价还价 n. 协议；交易；便宜货 |
| **infection** | [ɪnˈfekʃn] n. 传染，感染，传播；传染病 |
| | 搭 respiratory infection 呼吸道感染 |
| **conservative** | [kənˈsɜːvətɪv] adj. 保守的，传统的，守旧的 n. 保守的人 |
| | 搭 Conservative Party (英国的)保守党 |
| **spin*** | [spɪn] v. (使)旋转 n. 旋转 |
| **personnel** | [ˌpɜːsəˈnel] n. 全体人员，员工 |
| | 记 联想记忆：员工(personnel)需要个人(personal)时间 |
| **liver** | [ˈlɪvə(r)] n. 肝脏；生活者，居住者 |
| | 记 联想记忆：没有肝脏(liver)，人类便无法生存(live) |
| | 搭 liver cell 肝细胞 |
| **swear** | [sweə(r)] v. 宣誓，郑重承诺；诅咒 |
| **inflammable*** | [ɪnˈflæməbl] adj. 易燃的；易怒的 |
| | 记 词根记忆：in(使…)+flamm(燃烧)+able(能…的)→容易着火的→易燃的 |
| | 搭 inflammable temper 易怒的脾气 |
| **disfigure*** | [dɪsˈfɪgə(r)] vt. 使毁容，使变丑；损毁…的外形 |
| | 记 联想记忆：dis(离开，分离)+figure(形体)→正常的形体消失了→使毁容 |
| **surf** | [sɜːf] v. 冲浪 |
| | 记 发音记忆："舒服"→冲浪很舒服→冲浪 |

# Word List 40

音 频

| | |
|---|---|
| **create*** | [kri'eɪt] *vt.* 创造，创作；产生 |
| **mime*** | [maɪm] *v.* 模拟，模仿 *n.* 哑剧表演；哑剧演员 |
| | 🔠 联想记忆：模仿(mimic)哑剧演员(mime) |
| **impose** | [ɪm'pəʊz] *v.* 把…强加于；强制实行；征(税等)；处以 (罚款、监禁等) |
| | 🔠 词根记忆：im(使…)+pos(放置)+e→强行放置→ 把…强加于 |
| **likelihood** | ['laɪklihʊd] *n.* 可能；可能性 |
| | 🔠 联想记忆：likeli(看作likely，很可能)+hood(名词后 缀，表性质)→可能性 |
| **explode** | [ɪk'spləʊd] *v.* (使)爆炸；爆发；激增 |
| | 🔠 词根记忆：ex(出)+plod(爆裂)+e→爆炸 |
| | 📵 explosion (*n.* 爆炸) |
| **spectacular** | [spek'tækjələ(r)] *adj.* 壮观的；令人惊叹的 *n.* 壮观的 场面；精彩的表演 |
| | 📭 spectacular success 巨大的成功 |
| **enormous*** | [ɪ'nɔːməs] *adj.* 巨大的，庞大的，极大的 |
| | 🔠 词根记忆：e(出)+norm(规范)+ous(…的)→超出规范 的→巨大的 |
| | 📭 enormous expenditure 巨额开支；an enormous amount of 大量的 |
| | 📵 enormously (*adv.* 非常，极其) |
| **counterproductive** | [ˌkaʊntəprə'dʌktɪv] *adj.* 产生相反效果的 |
| | 🔠 联想记忆：counter(相反)+productive(有成效的)→ 产生相反效果的 |
| **variant** | ['veəriənt] *adj.* 不同的 *n.* 变量；变体 |
| **healing** | ['hiːlɪŋ] *n.* 康复，复原 *adj.* 有治疗作用的 |
| | 📭 来自heal (*v.* 治疗，治愈) |

| | |
|---|---|
| **autocratic** | [ˌɔːtəˈkrætɪk] *adj.* 独裁的，专制的 |
| | 记 词根记忆：auto(自己)+crat(统治者)+ic(…的)→独自统治的→独裁的 |
| **emulate** | [ˈemjuleɪt] *vt.* 与…竞争，赶上；仿真，模仿 |
| | 记 词根记忆：emul(平等)+ate(表动词)→通过模仿达到平等→模仿 |
| | 派 emulation (*n.* 竞争；仿效) |
| **disastrous** | [dɪˈzɑːstrəs] *adj.* 损失惨重的，灾难性的；极坏的 |
| | 记 词根记忆：dis(分离)+astr(星星)+ous(…的)→古人认为星位发生偏离就预示有灾难发生→灾难性的 |
| **topple** | [ˈtɒpl] *v.* 倒塌，倒下；打倒，推翻 |
| | 记 联想记忆：top(顶)+ple→使顶向下→打倒，推翻 |
| **resilience** | [rɪˈzɪliəns] *n.* 弹性，弹力；复原力；适应性；乐观的性情 |
| | 记 来自resilient (*adj.* 有弹性的；适应力强的) |
| **collateral** | [kəˈlætərəl] *adj.* 并行的；间接的，附带的 |
| | 记 词根记忆：col(共同)+later(边)+al(…的)→边挨着边的→并行的 |
| **colossal** | [kəˈlɒsl] *adj.* 巨大的，庞大的 |
| **tackle** | [ˈtækl] *v.* 对付，处理；向某人提起(问题或困难情况)；(足球等比赛中)抢断，抢球 *n.* 用具，器具；滑轮(组)，滑车；(足球等比赛中)抢断 |
| | 记 联想记忆：tack(钉)+le→除去眼中钉→对付，处理 |
| **coordinate** | [kəʊˈɔːdɪneɪt] *v.* 调整，协调 [kəʊˈɔːdɪnət] *n.* 同等者，同等物 *adj.* 同等的，并列的 |
| | 记 词根记忆：co(共同)+ordin(顺序)+ate(使…)→使…顺序一致→协调 |
| **cognition** | [kɒɡˈnɪʃn] *n.* 感知，认知；认识力 |
| | 记 词根记忆：cogn(知道)+ition(表名词)→认知 |
| **supplementary** | [ˌsʌplɪˈmentri] *adj.* 增补的，补充的 |
| | 记 词根记忆：sup(下)+ple(填满)+ment(表名词)+ary(…的)→在下面填满的→补充的 |
| | 同 additional (*adj.* 另外的，附加的) |

278

| | |
|---|---|
| **scrutiny** | ['skruːtəni] *n.* 详细检查，细看；监视 |
| | 记 联想记忆：scru(音似：四顾)+tiny(微小的)→连微小的都要顾到→详细检查，细看 |
| | 同 inquiry (*n.* 调查，审查); inspection (*n.* 检查，审查) |
| | 反 neglect (*n.* 疏忽，忽视) |
| **repel** | [rɪ'pel] *vt.* 击退，驱逐；抵制，拒绝；使反感，使厌恶 |
| | 记 词根记忆：re(向后)+pel(推)→向后推→击退 |
| | 派 repellent (*adj.* 令人反感的) |
| | 同 disgust (*vt.* 使作呕); repulse (*vt.* 击退，驱逐) |
| | 反 attract (*v.* 吸引); allure (*v.* 吸引，诱惑) |
| **domesticate** | [də'mestɪkeɪt] *vt.* 驯养，教化；使喜爱家居生活 |
| | 记 联想记忆：domestic(家里的)+ate(使…)→使成为家养的→驯养 |
| **exhaustive** | [ɪg'zɔːstɪv] *adj.* 全面的，彻底的，详尽的 |
| **calibrate** | ['kælɪbreɪt] *vt.* 标定，划分；校准刻度 |
| **descend** | [dɪ'send] *v.* 下来，下降；降临；遗传 |
| | 记 词根记忆：de(向下)+scend(爬)→往下爬→下降 |
| | 搭 descend on/upon (结伙)袭击；突然来访 |
| **frontier** | ['frʌntɪə(r)] *n.* 边境，边界；开发地区的边缘地带；[常 pl.] 前沿，新领域 |
| | 记 联想记忆：front(前方)+ier→一国最前方的地域→边境，边界 |
| **fascinating** | ['fæsɪneɪtɪŋ] *adj.* 迷人的 |
| | 搭 find sth. fascinating 发现…吸引人 |
| **stroke** | [strəʊk] *n.* 击，打；(病)突然发作，中风；(体育中的)击球；笔触，一笔；(游泳或划船的)划，划法；一击；报时的钟声；抚摸 *vt.* 轻抚，抚摸 |
| | 记 联想记忆：与strike (*v.* 打击)一起记 |
| **solar** | ['səʊlə(r)] *adj.* 太阳的；(利用)太阳能的 |
| | 记 词根记忆：sol(太阳)+ar(…的)→太阳的 |
| **sympathise** | ['sɪmpəθaɪz] *vi.* 同情；赞同 |
| **fusion\*** | ['fjuːʒn] *n.* 熔化，熔合；聚变 |
| | 记 词根记忆：fus(流)+ion(表名词)→流到一起→熔合 |

| | |
|---|---|
| **slash** | [slæʃ] *n.* 砍痕，伤痕；斜线号 *v.* 砍；大幅度削减 |
| | 记 联想记忆：一条斜线(slash)在他脑海里闪闪发光 (flash) |
| **diversity\*** | [daɪ'vɜːsəti] *n.* 多样性；差异 |
| | 记 词根记忆：di(分开)+vers(转)+ity(表名词)→分开转 →多样性 |
| | 搭 cultural diversity 文化的多样性；diversity of 各种各样的 |
| **decline\*** | [dɪ'klaɪn] *n./v.* 下降，减少；衰退，衰落 |
| | 记 词根记忆：de(向下)+clin(倾斜)+e→下降 |
| | 搭 in decline 正在下降 |
| **crisis\*** | ['kraɪsɪs] *n.* 危机；紧要关头，关键阶段 |
| | 记 联想记忆：cri(看作cry，哭)+sis(看作sos，求救信号)→哭喊着求救→危机 |
| **edible** | ['edəbl] *adj.* 可食用的 |
| | 记 词根记忆：ed(吃)+ible(可…的)→可食用的 |
| | 派 inedible (*adj.* 不可食用的) |
| | 同 eatable (*adj.* 可以吃的) |
| **collaboration** | [kə,læbə'reɪʃn] *n.* 合作，协作；勾结，通敌 |
| | 记 词根记忆：col(共同)+labor(工作)+ation(表状态)→合作 |
| | 搭 in collaboration with 与…合作；与…勾结 |
| **decouple\*** | [diː'kʌpl] *v.* (使两事物)分离，隔断 |
| **participant\*** | [pɑː'tɪsɪpənt] *n.* 参加者，参与者 |
| | 记 联想记忆：parti(看作party，聚会)+cip+ant→参加聚会的人→参与者 |
| **weaken\*** | ['wiːkən] *v.* (使)变弱，(使)减弱 |
| **distract** | [dɪ'strækt] *vt.* 转移(注意力)；使分心 |
| | 记 词根记忆：dis(分开)+tract(拉)→(注意力)被拉开→使分心 |
| | 搭 distract attention from 从…转移注意力 |
| | 同 divert (*v.* 转移) |
| | 反 attract (*v.* 吸引，引起注意) |

| **frown*** | [fraʊn] *vi.* (表示愤怒或烦心而)皱眉 |
| | 记 联想记忆：f(音似：翻)+row(看作brow，眉毛)+n→翻眉毛→皱眉 |
| | 搭 frown on/upon 反对，不赞成 |
| **skew*** | [skjuː] *vt.* 偏离，歪斜；曲解，歪曲 *adj.* 歪斜的 |
| **beehive*** | ['biːhaɪv] *n.* 蜂窝；蜂箱 |
| | 记 组合词：bee(蜜蜂)+hive(蜂房，蜂箱)→蜂窝；蜂箱 |
| **astray** | [ə'streɪ] *adv.* 迷路地；误入歧途地 |
| | 记 联想记忆：as(像)+tray(盘子)→像在盘子里转圈圈→迷路地；误入歧途地 |
| **theory*** | ['θɪəri] *n.* 理论，原理；学说；意见，看法 |
| | 派 theoretical (*adj.* 理论的) |
| **weakness*** | ['wiːknəs] *n.* 虚弱；缺点；偏好，嗜好 |
| **portion** | ['pɔːʃn] *n.* 部分；一份 *vt.* 划分，分配 |
| | 记 联想记忆：port(看作part，部分)+ion→部分 |
| **compound*** | [kəm'paʊnd] *vt.* 使恶化，加重；使化合，使合成 |
| | ['kɒmpaʊnd] *n.* 化合物，复合物；(有围墙或篱笆等的)楼群，大院 *adj.* 复合的，化合的；综合的 |
| | 记 词根记忆：com(共同)+pound(放置)→放到一起使合成→化合物 |
| **span** | [spæn] *n.* 跨距；一段时间 *v.* 横跨；持续 |
| **vacancy** | ['veɪkənsi] *n.* (酒店等的)空房间；(职位的)空缺，空职 |
| | 记 来自vacant (*adj.* 空的，未被占用的) |
| **locality** | [ləʊ'kæləti] *n.* 位置；地区 |
| | 记 来自local (*adj.* 地方的) |
| **circle*** | ['sɜːkl] *n.* 圆圈，环状物；圈子，阶层；周期，循环 |
| | *v.* 圈出；盘旋，环绕…移动 |
| | 派 circular (*adj.* 圆形的；循环的) |
| **accuracy** | ['ækjərəsi] *n.* 准确(性)，精确(性) |
| | 记 词根记忆：ac(表加强)+cur(关心)+acy(表名词)→一再关心，使其精确→准确(性) |
| **tolerate** | ['tɒləreɪt] *vt.* 容忍，宽容；容许，承认 |
| **afford*** | [ə'fɔːd] *v.* 负担得起；买得起 |

搭 afford to do sth. 负担得起做…; afford to 买得起

派 affordable (*adj.* 能负担的, 承担得起的)

**excellent\*** ['eksələnt] *adj.* 极好的; 杰出的

记 联想记忆: excel(优于, 超过)+lent→杰出的

**connect\*** [kə'nekt] *v.* 连接, 衔接; 联合, 关联; 由…联想到; 给…接通电话

记 词根记忆: con(共同)+nect(连结)→连接

搭 connect with/to 与…连接

**cylinder** ['sɪlɪndə(r)] *n.* 圆柱体; 圆筒; 汽缸

搭 gas cylinder 煤气罐

**disadvantage** [ˌdɪsəd'vɑːntɪdʒ] *n.* 缺点, 不利

记 联想记忆: dis(不)+advantage(优点)→不是优点→缺点

**participate\*** [pɑː'tɪsɪpeɪt] *vi.* 参加, 参与

记 词根记忆: parti(部分)+cip(拿)+ate(表动词)→拿住部分→参加

搭 participate in 参加

**principle** ['prɪnsəpl] *n.* 原则, 原理; 规范, 准则; 基本信念, 信条

记 词根记忆: prin(第一)+cip(拿)+le(表名词)→须第一位选取的东西→原则

**refreshment** [rɪ'freʃmənt] *n.* (精力的)恢复; [pl.] 茶点, 饮料

记 联想记忆: refresh(使精神振作)+ment→(精力的)恢复

同 beverage (*n.* 饮料)

**deteriorate\*** [dɪ'tɪəriəreɪt] *v.* 变坏, 恶化; 退化

记 词根记忆: deterior(更坏)+ate(表动词)→变坏

反 improve (*v.* 改善, 改进); ameliorate (*v.* 改善)

**scorching** ['skɔːtʃɪŋ] *adj.* 酷热的; 激烈的

记 联想记忆: scorch(烧焦)+ing→能烧焦的→酷热的

**meantime** ['miːntaɪm] *n.* 眼下, 暂时 *adv.* 同时, 当时

搭 in the meantime 与此同时

**upper\*** ['ʌpə(r)] *adj.* 上面的; 地位较高的

**innocent** ['ɪnəsnt] *adj.* 天真的；清白的；无害的

记 词根记忆：in(不)+noc(伤害)+ent(具有…性质的)→没受过伤害的→天真的

搭 an innocent child 一个天真无邪的孩子

**emphasis** ['emfəsɪs] *n.* 强调；重要性

搭 place emphasis on 把重点放在…上面，强调…

**approach\*** [ə'prəʊtʃ] *v.* 靠近，接近；来临 *n.* 靠近，接近；方法，途径

搭 approach to 接近；近似

派 approachable (*adj.* 易亲近的；友善的)

**duration** [dju'reɪʃn] *n.* 持续；持续的时间；期间

记 词根记忆：dur(持久)+ation(表状态)→持续的时间

**primarily** [praɪ'merəli] *adv.* 首先；主要地，首要地

**due\*** [djuː] *adj.* 到期的，预期的；应有的，应得的；正当的；适当的；合适的

记 发音记忆："丢"→应有的东西丢了→应有的，应得的

搭 due to 由于；in due course 及时地，在适当的时候

音频

# *Word List 41*

**keen** [kiːn] *adj.* 热衷的，热心的，渴望的；敏锐的，敏捷的；激烈的，紧张的；锋利的

搭 be keen on 渴望，对…喜爱，热衷于；a man of keen perception 一个知觉敏锐的人

**worm** [wɜːm] *n.* 虫，蠕虫；蜗杆，螺纹

**stiff\*** [stɪf] *adj.* 硬的，僵硬的 *adv.* 极其，非常

记 联想记忆：可与still (*adj.* 静止的)一起记

**timber** ['tɪmbə(r)] *n.* 木材，木料；栋木，大梁

搭 timber industry 木材业

**profound** [prə'faʊnd] *adj.* 深切的，深远的；知识渊博的，见解深刻的；深奥的

记 词根记忆：pro(前面)+found(基础)→有基础在前面→深远的；深奥的

搭 profound sleep 酣睡；profound idea 深刻的理念

同 abstruse (*adj.* 深奥的)；recondite (*adj.* 深奥的，难以理解的)

反 shallow (*adj.* 肤浅的，浅薄的)

**unconcerned** [ˌʌnkən'sɜːnd] *adj.* 漠不关心的；无忧虑的；不烦恼的

**permission\*** [pə'mɪʃn] *n.* 允许，准许

记 词根记忆：per(自始至终)+miss(送)+ion(表名词)→始终送出→允许

搭 without permission 未经许可；special permission 特许；planning permission 规划许可

**labour\*** ['leɪbə(r)] *n.* 劳动；劳动力，工人 *v.* 艰苦劳动；努力

记 发音记忆："累伯"→农民伯伯劳动很辛苦，很累→艰苦劳动

搭 labour costs 劳动力成本；labour economics 劳动经济学

派 laboured (*adj.* 费力的)

**quota** ['kwəʊtə] *n.*定额，限额，配额

🔢 发音记忆："阔的"→出手阔绰，没有限额→限额

🔀 a quota system for …的配额制度

🟰 allotment (*n.* 分配；份额)

**suspect\*** [sə'spekt] *v.*猜想，怀疑

🔢 词根记忆：su(s)(在…下面)+spect(看)→在下面看一看→怀疑

🔀 suspect of sth./doing sth. 怀疑…

📑 suspicious (*adj.* 疑心的；可疑的)

**deterioration** [dɪˌtɪəriə'reɪʃn] *n.*恶化；堕落；退化

**triple** ['trɪpl] *adj.*三部分的；三倍的 *v.*(使)增至三倍

🔢 词根记忆：tri(三)+ple→三部分的，三倍的

**condemn** [kən'dem] *vt.*谴责；责备；给…判刑

🔢 词根记忆：con(共同)+demn(惩罚)→共同惩罚→谴责；责备

🔀 condemn sb. to death 判某人死刑

📑 condemnation (*n.* 谴责；定罪)

**transcend** [træn'send] *vt.*超越，胜过，优于

🔢 词根记忆：trans(越过)+(s)cend(爬)→超越

**cumulative** ['kjuːmjələtɪv] *adj.*累积的，渐增的

🔢 词根记忆：cumul(堆积)+ative(…的)→累积的，渐增的

🔀 cumulative process 积累过程

**horizontal** [ˌhɒrɪ'zɒntl] *adj.*地平线的，水平的 *n.*水平位置；水平线

🔢 来自horizon (*n.* 地平线)

**certify** ['sɜːtɪfaɪ] *vt.*证明，证实；给…颁发合格证书

🔢 词根记忆：cert(搞清)+ify(使…)→使清楚→证明

**arousal** [ə'raʊzl] *n.*唤起，激起；唤醒

**addiction\*** [ə'dɪkʃn] *n.*瘾；沉溺

🔀 television addiction 看电视上瘾

**allege\*** [ə'ledʒ] *vt.*断言；宣称

🔢 词根记忆：al(表加强)+leg(读)+e→大声读→宣称

| | |
|---|---|
| **amphibious*** | [æm'fɪbiəs] *adj.* 两栖的；水陆两用的 |
| **ascend*** | [ə'send] *v.* 攀登；上升，升高 |
| | 📝 词根记忆：a(表加强)+scend(爬)→不断地向上爬→攀登 |
| | 📑 ascend to 追溯到 |
| **assert*** | [ə'sɜːt] *v.* 断言，声称；坚持 |
| | 📝 词根记忆：as(表加强)+sert(插入)→强行插入观点→断言 |
| | 📑 assert oneself 坚持自己的权利，表现自己的权威；assert one's rights 维护自己的权利；assert national independence 维护国家独立 |
| | 📎 assertive (*adj.* 坚定自信的；果断的)；assertion (*n.* 断言；主张) |
| | 📕 declare (*v.* 断言，宣称)；protest (*v.* 断言) |
| **assure*** | [ə'ʃʊə(r)] *vt.* 使确信，使确保；保证，向…保证 |
| | 📝 词根记忆：as(表加强)+sure(肯定，安全)→一再肯定→使确信，使确保 |
| **baffle*** | ['bæfl] *vt.* 使困惑；难倒 *n.* 挡板，隔板 |
| | 📝 联想记忆：战役(battle)开始，一向忠诚的tt反戈，令人费解(baffle)→使困惑 |
| | 📎 bafflement (*n.* 迷惑不解) |
| | 📕 disconcert (*vt.* 使感到困惑) |
| **bewilder*** | [bɪ'wɪldə(r)] *vt.* 使迷惑，使昏乱 |
| | 📝 联想记忆：be+wild(荒野的)+er→迷失在荒野中→使迷惑 |
| | 📎 bewilderment (*n.* 困惑，迷惑)；bewildering (*adj.* 令人困惑的) |
| | 📕 puzzle (*vt.* 使迷惑)；confuse (*vt.* 使糊涂) |
| **biodiversity*** | [ˌbaɪəʊdaɪ'vɜːsəti] *n.* 生物多样性 |
| | 📑 loss of biodiversity 生物多样性的丧失 |
| **bud*** | [bʌd] *n.* 花蕾；叶芽 *v.* 发芽，萌芽 |
| | 📝 联想记忆：泥土(mud)中发出的芽(bud) |
| | 📑 taste bud 味蕾 |

**celestial\*** [sə'lestiəl] *adj.* 天体的，天上的

记 词根记忆：cel(天空)+est+ial(…的)→天体的

**combination\*** [ˌkɒmbɪ'neɪʃn] *n.* 结合(体)，联合(体)；化合

记 来自combine (*v.* 结合)

**impact\*** ['ɪmpækt] *n.* 影响，作用；冲击 *v.* 影响

**renew\*** [rɪ'njuː] *v.* 重新开始；恢复；更换，更新；续借

记 联想记忆：re(再，又)+new(新的)→重新开始

**bow\*** [baʊ] *v.* 低下(头)；弯腰；鞠躬，点头 [bəʊ] *n.* 弓；鞠躬，点头；船头

记 联想记忆：彩虹(rainbow)没有了雨(rain)就变成了弓(bow)

**defeat\*** [dɪ'fiːt] *n./vt.* 击败；挫败；战败

记 联想记忆：击败(defeat)敌人，战绩(feat)累累

**evoke** [ɪ'vəʊk] *vt.* 引起，唤起(记忆、感情、反应等)

记 词根记忆：e(出)+vok(叫喊)+e→喊出声来→唤起

**flutter** ['flʌtə(r)] *v.* 振(翅)，拍打(翅膀)；飘动，晃动；(快速而不规则地)跳动

记 联想记忆：fl(看作fly，飞)+utter(看作butter)→蝴蝶(butterfly)振翅而飞→振(翅)

**front-line\*** [ˌfrʌnt 'laɪn] *adj.* 前线的；第一线的

**desperate\*** ['despərət] *adj.* 绝望的；拼命的，不顾一切的；孤注一掷的；极度渴望的；危急的

记 词根记忆：de(否定)+sper(希望)+ate(…的)→没有希望的→绝望的

**gear** [gɪə(r)] *n.* 齿轮，传动装置，(排)挡；(从事某项活动所需的)用具、设备、衣服等 *vt.* 调节，调整，使适应

搭 gear to/towards 调整，使适合

**band\*** [bænd] *n.* 乐队；群，伙；带，箍；条纹；波段，频带 *vt.* 用带绑扎

记 联想记忆：乐队(band)的成员需要用手(hand)来弹吉他和键盘

**breed** [briːd] *v.* 饲养，养殖，繁殖；养育，培育；酿成，招致 *n.* 种，品种

搭 breed fish 养鱼

287

**intelligible** [ɪn'telɪdʒəbl] *adj.* 可理解的，明白易懂的，清楚的

记 词根记忆：intel(在…中间)+lig(选择)+ible(能…的)→能在众多选择中做出选择的→可理解的

搭 intelligible speech 清楚的讲话

同 clear (*adj.* 清楚的，明白的)；distinct (*adj.* 清楚的，明显的)

反 incomprehensible (*adj.* 不能理解的，难于领悟的)

**essence** ['esns] *n.* 本质；精髓

记 词根记忆：ess(存在)+ence(表名词)→存在即是本质→本质

**predispose\*** [ˌpriːdɪ'spəʊz] *v.* 使倾向于；使受…的影响；(使)易受感染(或患病)

记 联想记忆：pre(预先)+dispose(处理)→预先处理，不然容易感染→易受感染

派 predisposition (*n.* 倾向，癖好)

**display\*** [dɪ'spleɪ] *vt./n.* 陈列，展览；显示，表现；表演

记 联想记忆：dis(分开)+play(播放，表演)→分开播放→陈列，展览

搭 on display 展示，陈列

**retire\*** [rɪ'taɪə(r)] *v.* 退休；引退，退隐，撤退

记 联想记忆：re(再，又)+tire(劳累)→不再劳累→退休

**enlarge** [ɪn'lɑːdʒ] *v.* 扩大，放大，扩充

记 联想记忆：en(使…)+large(大的)→使…变大→扩大，放大

**occur** [ə'kɜː(r)] *vi.* 发生；存在

记 词根记忆：oc(表加强)+cur(发生)→发生

搭 occur to 被想到；(主意)浮现于脑中

派 occurrence (*n.* 事故；发生的事件)

**relate** [rɪ'leɪt] *v.* 有关联；讲述，叙述

记 词根记忆：re(重新)+lat(拿出)+e→再次拿出来→有关联

派 relative (*adj.* 有关系的；相对的 *n.* 亲属)；relation (*n.* 关系；叙述)

| | |
|---|---|
| **stark\*** | [stɑːk] *adj.* 光秃秃的；赤裸的；荒凉的；完全的<br>🔑 联想记忆：star(星球)+k→许多星球没有大气，没有生命→荒凉的 |
| **inform\*** | [ɪnˈfɔːm] *v.* 通知；向…报告<br>🔑 联想记忆：in(使)+form(形式)→使知道形式→通知 |
| **halt\*** | [hɔːlt] *v.* 暂停；踌躇；停住 *n.* 暂停<br>🔑 联想记忆：h+alt(高)→高处不胜寒，该停下来了→停住 |
| **nerve** | [nɜːv] *n.* 神经；勇气，胆量<br>🔑 词根记忆：nerv(神经)+e→神经 |
| **deadline\*** | [ˈdedlaɪn] *n.* 最后期限<br>🔑 组合词：dead(死)+line(线)→死期→最后期限 |
| **limb** | [lɪm] *n.* 肢，臂；树枝<br>🔑 联想记忆：多喝点维C饮料，手臂(limb)有力就能爬(climb)上高山了 |
| **sphere\*** | [sfɪə(r)] *n.* 球(体)；范围，领域<br>🔑 词根记忆：spher(球)+e→球(体) |
| **evolution** | [ˌiːvəˈluːʃn] *n.* 进展；进化<br>🔑 词根记忆：e(出)+volu(转)+tion(表名词)→人类的进化就是不停向前转变的过程→进化<br>🔍 the evolution of man 人类的进化；Darwin's theory of evolution 达尔文的进化论<br>🔸 evolutionary (*adj.* 进化的) |
| **suitable** | [ˈsuːtəbl] *adj.* 适当的，相配的；合适的，适宜的<br>🔑 组合词：suit(合适)+able(能…的)→合适的→适当的<br>🔍 suitable for 适合于…；suitable time to do sth. 做…的适当时间<br>🔸 suitability (*n.* 合适；适宜性) |
| **criminal** | [ˈkrɪmɪnl] *adj.* 犯罪的；刑事的 *n.* 罪犯<br>🔍 criminal acts 犯罪行为 |
| **undoubtedly** | [ʌnˈdaʊtɪdli] *adv.* 毋庸置疑地，确凿地 |
| **avalanche** | [ˈævəlɑːnʃ] *n./v.* 雪崩 |

**alienation\*** [ˌeɪliəˈneɪʃn] n. 疏远；离间

搭 sense of alienation 疏离感

派 alienate (v. 使疏远；使格格不入)

**accumulate** [əˈkjuːmjəleɪt] v. 积累；堆积

记 词根记忆：ac(表加强)+cumul(堆积)+ate(表动词)→
不断堆积→积累

搭 accumulate funds 积累资金

派 accumulation (n. 积累；堆积物)

**transmit\*** [trænzˈmɪt] v. 传送；发射；传染

记 词根记忆：trans(越过)+mit(送)→越过去输送→传送

**identification** [aɪˌdentɪfɪˈkeɪʃn] n. 身份证明；识别，鉴定

记 词根记忆：ident(相同)+ification(表抽象名词)→查看
是否相同→鉴定

搭 identification card 身份证

**wander** [ˈwɒndə(r)] v. 徘徊，闲逛，漫步；偏离正道；走神，
(神情)恍惚

记 联想记忆：站在十字路口徘徊(wander)，想知道
(wonder)下一步该怎么走

搭 wander from/off 偏离…，游离…

**classical\*** [ˈklæsɪkl] adj. 古典的；传统的；经典的

搭 classical music 古典音乐

**abuse\*** [əˈbjuːs] n. 滥用，妄用；虐待，伤害；辱骂，毁谤
[əˈbjuːz] v. 滥用，妄用；虐待，伤害；辱骂，毁谤

记 词根记忆：ab(相反)+us(使用)+e→使用不当→滥用

搭 drug abuse 滥用药物，吸毒

**fake** [feɪk] adj. 假的 n. 假货；骗子 v. 伪装

记 联想记忆：打击造(make)假(fake)

# *Word List 42*

音频

| | |
|---|---|
| **incorporate** | [ɪnˈkɔːpəreɪt] *vt.* 把…合并，纳入；包含，吸收 |
| | 记 词根记忆：in(进入)+corpor(团体)+ate(使…)→使进入团体成为一部分→把…合并 |
| | 同 comprehend (*v.* 包括；理解)；embody (*vt.* 包括，包含) |
| **trace** | [treɪs] *vt.* 追踪，追查；追溯；描摹，标出 *n.* 痕迹，踪迹；微量 |
| | 记 联想记忆：描绘(trace)车轮的痕迹(track) |
| | 搭 without (a) trace 无影无踪 |
| | 派 traceable (*adj.* 可追踪的) |
| **convey\*** | [kənˈveɪ] *vt.* 传送，运送；表达，传递 |
| | 记 词根记忆：con(共同)+vey(路)→用同一条路运送→运送 |
| | 搭 convey a message 传递信息 |
| **boundary** | [ˈbaʊndri] *n.* 分界线；边界 |
| | 记 联想记忆：bound(bind的过去分词，束缚)+ary(名词后缀，表场所)→分界线；边界 |
| | 搭 push back the boundary of 扩大…的范围 |
| **frank\*** | [fræŋk] *adj.* 坦白的，直率的 |
| | 搭 to be frank 坦白说 |
| **bonus** | [ˈbəʊnəs] *n.* 奖金，红利；好处 |
| | 记 联想记忆：bon(好的)+us(我们)→一发奖金，我们大家都说好!→奖金，红利 |
| **militant\*** | [ˈmɪlɪtənt] *adj.* 好战的，好斗的；激进的 *n.* 好斗的人，激进分子 |
| | 记 词根记忆：milit(战斗)+ant(…的)→好战的 |
| | 同 combative (*adj.* 好斗的) |
| | 反 dove (*n.* 主和派人物)；pacifist (*n.* 和平主义者，反战主义者) |

| | |
|---|---|
| **starve*** | [stɑːv] v. (使)挨饿；(使)饿死 |
| | 📝 联想记忆：star(明星)+ve→和一些明星养尊处优的生活正相反→挨饿 |
| **refresh** | [rɪ'freʃ] v. 刷新，更新；使精神振作，使精力恢复 |
| | 📝 联想记忆：re(再，又)+fresh(新鲜的)→更新 |
| | 🔍 refresh one's memory 恢复某人的记忆 |
| **dystrophy*** | ['dɪstrəfi] n. 营养障碍；营养不良 |
| | 📝 词根记忆：dys(不良)+troph(营养)+y(表名词)→营养不良 |
| | 🔍 muscular dystrophy 肌肉萎缩症 |
| **conduce*** | [kən'djuːs] v. 有益于，有助于；导致 |
| | 🔍 conduce to 导致；有助于 |
| **consulate*** | ['kɒnsjələt] n. 领事馆；领事职位，领事任期 |
| **contaminant*** | [kən'tæmɪnənt] n. 致污物，污染物 |
| | 🔍 biological contaminant 生物污染物 |
| **demerit*** | [diː'merɪt] n. 过失；缺点，短处 |
| **denomination** | [dɪˌnɒmɪ'neɪʃn] n. 命名；(货币的)面额，面值；宗教派别 |
| | 📝 来自denominate (vt. 命名，取名) |
| **disturbance*** | [dɪ'stɜːbəns] n. 扰乱，打扰；骚乱，混乱；心神不安，烦恼；障碍 |
| | 📝 词根记忆：dis(表加强)+turb(搅动)+ance(表名词)→扰乱 |
| **enjoyable*** | [ɪn'dʒɔɪəbl] adj. 令人愉快的，使人快乐的 |
| **expiry*** | [ɪk'spaɪəri] n. 满期，终结 |
| | 🔍 date of expiry 有效期限 |
| **fluctuation*** | [ˌflʌktʃu'eɪʃn] n. 波动，起伏；动摇 |
| | 📝 来自fluctuate (v. 波动) |
| | 🔍 display a fluctuation 显示波动 |
| **frequency*** | ['friːkwənsi] n. 频繁；频率 |
| **hence*** | [hens] adv. 因此，所以；今后，从此 |
| | 📝 发音记忆："恨死"→"恨死"某人，从此不再联系→从此 |

292

| | |
|---|---|
| **inadequate*** | [ɪn'ædɪkwət] *adj.* 不充分的；不适当的 |
| | 记 联想记忆：in(不)+adequate(适当的，足够的)→不充分的；不适当的 |
| **keystone*** | ['kiːstəʊn] *n.* (计划、论据等的)基础，主旨；拱顶石 |
| **manifest*** | ['mænɪfest] *adj.* 明显的 *vt.* 表明，显示 *n.* 货物清单；乘客名单 |
| | 记 词根记忆：mani(手)+fest(打)→用手打人，怒意很明显→明显的 |
| **marginally*** | ['mɑːdʒɪnəli] *adv.* 稍微，些微 |
| **moderately*** | ['mɒdərətli] *adv.* 适度地，不过分地，有节制地 |
| **noticeable*** | ['nəʊtɪsəbl] *adj.* 显而易见的；明显的 |
| **optic*** | ['ɒptɪk] *adj.* 眼睛的；视觉的 *n.* (光学仪器的)镜头，光学部件 |
| | 搭 fiber optic cable 光缆 |
| **outweigh*** | [ˌaʊt'weɪ] *vt.* 比…重；(在重要性、影响上)比…更重要；胜过，强于 |
| | 记 组合词：out(超过)+weigh(称重)→比…更重要 |
| **adverse** | ['ædvɜːs] *adj.* 不利的，有害的 |
| | 记 词根记忆：ad(表加强)+vers(转)+e→转向不希望的一方→不利的 |
| | 搭 adverse circumstances 逆境 |
| | 同 unfavorable (*adj.* 不利的)；harmful (*adj.* 有害的) |
| **finale*** | [fɪ'nɑːli] *n.* (音乐的)终曲；终场 |
| | 记 联想记忆：final(最后的)+e→终场 |
| **astonish** | [ə'stɒnɪʃ] *vt.* 使惊讶，使吃惊 |
| | 记 联想记忆：a(一个)+ston(看作stone，石头)+ish→一石激起千层浪，怎不叫人惊讶→使惊讶 |
| **charge*** | [tʃɑːdʒ] *n.* 价钱，费用；管理，照管，掌管；控告，指控；电荷，电量 *v.* 索取(金额)，要价；控告，指控；委以；指示；(使)充电 |
| | 搭 take charge of 担任，负责；in charge (of) 负责，主管；no charge/free of charge 免费；extra charge 额外费用 |

**corps\*** [kɔːz] *n.* 特种部队；兵团

記 联想记忆：和cops(警察)一起记，两者都是国家的防卫力量

**module** ['mɒdjuːl] *n.* 模块；模式；(航空器的)舱；组件；单元

記 联想记忆：和model (*n.* 模型)一起记

**petroleum** [pə'trəʊliəm] *n.* 石油，原油

記 词根记忆：petr(岩石)+ole(油)+um→石油

**stylish\*** ['staɪlɪʃ] *adj.* 时髦的；漂亮的

搭 stylish hairstyle 时髦的发型

**dump\*** [dʌmp] *vt.* 倾卸，倾倒 *n.* 垃圾场

記 发音记忆："当铺"→到当铺去倾销→倾卸，倾倒

搭 dump on 把…倾倒在…上

**debris** ['debriː] *n.* 碎屑，残骸；【地质】岩屑

記 发音记忆："堆玻璃"→一堆碎玻璃→碎屑，残骸

搭 clear the debris 清理残骸(或废弃物)

**irony\*** ['aɪrəni] *n.* 反话，讽刺；出人意料的事情

記 联想记忆：iron(铁)+y→像铁一样冷冰冰的话→反话，讽刺

派 ironically (*adv.* 讽刺地；嘲讽地)

**component\*** [kəm'pəʊnənt] *n.* 成分；零部件 *adj.* 构成的，组成的

記 词根记忆：com(共同)+pon(放)+ent(具有…性质的)→构成的，组成的

搭 key component 主要成分；component parts 部件

同 ingredient (*n.* 成分)；element (*n.* 要素，元件)；constituent (*adj.* 组成的)

**fieldwork\*** ['fiːldwɜːk] *n.* 实地调查，野外考察

記 组合词：field(场地)+work(工作)→实地调查

**contaminate** [kən'tæmɪneɪt] *vt.* 污染

搭 a contaminated river 一条被污染的河流

同 taint (*vt.* 污染，玷污)；pollute (*vt.* 弄脏，污染)；defile (*vt.* 弄脏，污损)

**applicant** ['æplɪkənt] *n.* 申请人

294

| | |
|---|---|
| **strap\*** | [stræp] *n.* 带子 *vt.* 捆扎；(用绷带)包扎 |
| | 记 联想记忆：和strip (*n.* 条，带)一起记 |
| | 派 strapless (*adj.* 无吊带的，无肩带的)；strapped (*adj.* 缺钱的，手头紧的) |
| **fundamental** | [ˌfʌndəˈmentl] *adj.* 基础的，基本的 *n.* [pl.] 基本原理 |
| | 记 词根记忆：funda(=fund，基础)+ment(表名词)+al(…的)→基础的 |
| | 搭 fundamental innovation 基础性的创新；fundamental process 基本过程；fundamental elements 基本元素；fundamental differences 根本差异 |
| **conclusion\*** | [kənˈkluːʒn] *n.* 结论，推论；结束，结尾；【法】缔结，议定 |
| | 搭 in conclusion 最后，总之；draw a conclusion 得出结论；at the conclusion of 当…结束时 |
| **intensity** | [ɪnˈtensəti] *n.* 强烈，剧烈；强度 |
| **notable\*** | [ˈnəʊtəbl] *adj.* 值得注意的；显著的，杰出的，显赫的 *n.* 名人；重要人物 |
| | 记 词根记忆：not(知道)+able(可…的)→可知道的→值得注意的 |
| | 搭 a notable person 一位重要人物 |
| | 派 notably (*adv.* 显著地，特别地) |
| | 同 eminent (*adj.* 杰出的，显赫的)；noteworthy (*adj.* 显著的，值得注目的)；remarkable (*adj.* 显著的，值得注意的) |
| **implement** | [ˈɪmplɪment] *vt.* 使生效，实施；贯彻，执行 |
| | [ˈɪmplɪmənt] *n.* 工具 |
| | 记 词根记忆：im(使…)+ple(填满)+ment→把…填满→实施；执行 |
| | 派 implementation (*n.* 实施；执行) |
| | 同 perform (*v.* 做，履行)；execute (*vt.* 执行，履行，实行)；utensil (*n.* 用具)；instrument (*n.* 仪器，器械，工具) |

| | |
|---|---|
| **cervical\*** | ['sɜːvɪkl] *adj.* 子宫颈的；颈部的 |
| **plot** | [plɒt] *n.* 情节；阴谋；小块土地 |
| **acquaint** | [ə'kweɪnt] *vt.* 使认识；使熟悉 |
| | 同 inform (*v.* 通知，告知) |
| **violence** | ['vaɪələns] *n.* 暴力行为；激烈，猛烈 |
| **revolve** | [rɪ'vɒlv] *v.* (使)旋转 |
| | 记 词根记忆：re(一再)+volv(转)+e→不断地转动→(使)旋转 |
| | 搭 revolve about/round 围绕…旋转 |
| **vegetarian** | [ˌvedʒə'teəriən] *n.* 素食者 *adj.* 素食者的；素食的 |
| | 搭 vegetarian restaurant 素食餐厅 |
| **ratio** | ['reɪʃiəʊ] *n.* 比，比率 |
| | 记 词根记忆：rat(计算)+io→比，比率 |
| **scream\*** | [skriːm] *v.* 尖叫 *n.* 尖叫声 |
| | 记 联想记忆：孩子们见到冰淇淋(ice-cream)，立刻尖叫(scream)起来 |
| **steep\*** | [stiːp] *adj.* 陡峭的；(价格等)过高的；急剧的 |
| | 记 联想记忆：step(阶梯)中又加一个e→更高了→陡峭的；过高的 |
| **interior\*** | [ɪn'tɪəriə(r)] *adj.* 内部的，里面的 *n.* 内部；内地 |
| | 搭 interior decoration 室内装潢；interior design 室内设计；interior structure 内部结构；in the interior of... 在…内部 |
| **analogous\*** | [ə'næləgəs] *adj.* 类似的 |
| | 记 来自analogy (*n.* 类似，相似) |
| | 搭 be analogous to 与…类似 |
| **high-tech\*** | [ˌhaɪ 'tek] *adj.* 高科技的 *n.* 高科技 |
| | 记 组合词：high(高的)+tech(科技)→高科技 |
| **aggressive\*** | [ə'gresɪv] *adj.* 侵犯的，侵略的，挑衅的；有进取心的，有冲劲的 |
| | 记 词根记忆：ag(表加强)+gress(行走)+ive(…的)→不断行走，四处闯荡→有进取心的 |
| | 搭 aggressive behaviour 挑衅行为 |

296

派 aggressively (*adv.* 放肆地)

同 enterprising (*adj.* 有进取心的)

**process\*** ['prəʊses] *n.* 过程；步骤，程序；工艺流程 *vt.* 加工；处理；办理

记 词根记忆：pro(向前)+cess(行走)→向前走→过程

搭 peaceful process 平静的过程；in the process of doing sth. 在做某事的过程中

**hum** [hʌm] *n.* 嗡嗡声，嘈杂声 *vi.* 哼(曲子)；发出嗡嗡声

记 发音记忆："哼"→蚊子、苍蝇的哼哼声

**sinister\*** ['sɪnɪstə(r)] *adj.* 不吉祥的，凶兆的；险恶的，邪恶的

**refinement** [rɪ'faɪnmənt] *n.* (精细的)改善，改进；精制的改良品；精炼；文雅

音频

# *Word List 43*

| | |
|---|---|
| **solidarity** | [ˌsɒlɪ'dærəti] *n.* 团结，一致 |
| | 记 词根记忆：solid(坚实的)+arity(表名词)→坚实的状态→团结 |
| | 同 unity (*n.* 团结；一致)；concord (*n.* 一致；和谐) |
| | 反 split (*n.* 分裂) |
| **outline** | ['aʊtlaɪn] *n.* 提纲，梗概；轮廓；草图 *v.* 概述；列提纲 |
| | 记 组合词：out(外部的)+line(线条)→外部线条→轮廓；草图 |
| | 搭 an outline of a speech 讲话提纲 |
| **blank\*** | [blæŋk] *adj.* 空白的 *n.* (纸张上的)空白处 |
| | 记 联想记忆：b(看作be，是)+lank(看作lack，缺乏)→缺乏"是什么"→缺乏内容→空白的 |
| **photocopy\*** | ['fəʊtəʊkɒpi] *v.* 影印，复印 *n.* 影印本，复印件 |
| | 记 组合词：photo(照片，图片)+copy(复制)→复制照片、图片→影印，复印 |
| **accessory\*** | [ək'sesəri] *n.* 附件，零件；[常pl.] (尤指女性的)服装搭配物，装饰品；【法律】同谋，帮凶 |
| | 搭 accessory to …的附件 |
| **dean** | [diːn] *n.* (基督教的)教长；(大学的)院长、系主任 |
| | 记 发音记忆："盯"→院长狠狠地盯着作弊的学生→院长 |
| **compensate** | ['kɒmpenseɪt] *v.* 补偿；赔偿；弥补 |
| | 记 词根记忆：com(表加强)+pens(花费)+ate(使…)→花费的钱全部(拿回来)→赔偿 |
| | 搭 compensate (sb.) for sth. 给(某人)赔偿某物 |
| | 同 indemnify (*vt.* 赔偿；补偿) |
| **chest\*** | [tʃest] *n.* 胸部，胸膛；储物箱；金库，资金 |
| | 搭 treasure chest 财宝箱；community chest 社区福利基金 |

| | |
|---|---|
| **tanker** | ['tæŋkə(r)] *n.* 油轮；油罐车；加油飞机 |
| | 记 词根记忆：tank(贮放液体的罐)+er(表物)→油罐车 |
| | 搭 oil tanker 油轮；运油车 |
| **capture\*** | ['kæptʃə(r)] *vt.* 捕获，俘获；夺取或赢得，获得 *n.* 捕获；战利品 |
| | 记 词根记忆：capt(抓住)+ure(表行为)→捕获 |
| **overestimate\*** | [ˌəʊvər'estɪmeɪt] *vt.* 对…估计过高 |
| | [ˌəʊvər'estɪmət] *n.* 过高的估计 |
| **overview\*** | ['əʊvəvjuː] *n.* 综览；概述 |
| **pathway\*** | ['pɑːθweɪ] *n.* 路径；途径 |
| | 记 组合词：path(小路)+way(道路)→路径，途径 |
| **perplex\*** | [pə'pleks] *vt.* 使困惑；使复杂化 |
| | 记 词根记忆：per(自始至终)+plex(重叠)→始终重叠→使复杂化 |
| | 派 perplexity (*n.* 困惑)；perplexing (*adj.* 复杂的) |
| | 同 baffle (*vt.* 使困惑)；mystify (*vt.* 使迷惑)；puzzle〔*v.* (使)迷惑〕 |
| **recognition\*** | [ˌrekəg'nɪʃn] *n.* 识别；认出；承认；认可；赏识 |
| | 记 来自recognize (*vt.* 认出；承认) |
| **reconstruction\*** | [ˌriːkən'strʌkʃn] *n.* 重建；再现 |
| | 搭 economic reconstruction 经济重建 |
| **render\*** | ['rendə(r)] *vt.* 使得，致使；给予，以…回报；提供；呈报，递交；表达；表演；翻译 |
| | 记 词根记忆：rend(给)+er(表动词，反复动作)→给予 |
| | 派 rendering (*n.* 表演；翻译) |
| **renewal\*** | [rɪ'njuːəl] *n.* 更新，恢复；重新开始；重建；复兴；续期；重申 |
| **requisition\*** | [ˌrekwɪ'zɪʃn] *n./vt.* 正式要求；征用 |
| **reserved\*** | [rɪ'zɜːvd] *adj.* 说话不多的，内向的；有所保留的，预订的 |
| | 搭 closed reserved 只读不借；非外借图书处 |
| **resolve\*** | [rɪ'zɒlv] *v.* 解决，解答；决定，决意；分解，分析 *n.* 决心，决意 |

记 词根记忆：re(重新)+solv(松开)+e→重新松解(困难)→解决

搭 resolve to do sth. 决定做某事

派 unresolved〔adj. (问题或困难)未解决的〕

**sack\***　[sæk] n. 麻袋，粗布袋；解雇；劫掠 vt. 解雇；劫掠

记 联想记忆：因为缺少(lack)竞争力，公司解雇(sack)员工

搭 get the sack 被解雇，被开除；give sb. the sack 开除 / 解雇某人

**slide\***　[slaɪd] v. 滑动，下滑；(使)悄悄地移动 n. 滑动，下滑；滑坡，滑道，滑面；幻灯片；(土、泥等)突然崩落

记 联想记忆：s+lid(盖子)+e→盖子太滑，从桌子上滑了下去→滑动，下滑

搭 slide into 不知不觉地陷入

派 sliding (adj. 滑行的)

**slump\***　[slʌmp] vi. 大幅度下降，暴跌；突然倒下，猛然落下 n. 萧条期；低潮状态

记 联想记忆：sl+ump(看作jump，跳下)→突然跳下→暴跌

**surface\***　['sɜːfɪs] n. 表面；外表，外观 v. 浮出水面；浮现，显露 adj. 陆上的，水上的

记 词根记忆：sur(上)+fac(脸面)+e→脸的上面→表面

**tickle\***　['tɪkl] v. (使)发痒；使高兴，逗乐 n. 痒

记 联想记忆：买张电影票(ticket)逗她高兴(tickle)

**transportation**　[ˌtrænspɔː'teɪʃn] n. 运输；运输系统；运输工具，交通车辆

搭 preservation and transportation of samples 样品的保存和运输

**unanimous\***　[juˈnænɪməs] adj. 一致同意的；一致通过的

记 词根记忆：un(=uni，一个)+anim(精神)+ous(…的)→大家都秉持一种精神→一致同意的

派 unanimously (adv. 全体一致地，一致同意地)

**underestimate\*** [ˌʌndər'estɪmeɪt] vt. 低估 [ˌʌndər'estɪmət] n. 低估

记 组合词：under(不足)+estimate(估计)→估计不足→低估

**understandable\*** [ˌʌndə'stændəbl] adj. 可以理解的；可同情的

**transcribe\*** [træn'skraɪb] vt. 抄写，誊写；打印；转录

记 词根记忆：trans(转移)+(s)crib(写)+e→转写→抄写

**differ** ['dɪfə(r)] vi. 不同，相异；(在意见方面)发生分歧

**undertake** [ˌʌndə'teɪk] v. 承担(某事物)，负起(某事物的)责任；同意或答应做某事

搭 undertake responsibility 承担责任

**plus** [plʌs] prep. 加上；和，以及 n. 加号；正号 adj. 略多一些的；正的，零上的

记 联想记忆：pl(看作play，玩)+us(我们)→加上我们，大家一起玩儿→加上

**recycle\*** [ˌriː'saɪkl] v. 回收利用

记 联想记忆：re(重新)+cycle(循环)→循环利用→回收利用

同 reclaim (vt. 回收)

**captive\*** ['kæptɪv] adj. 被抓住的，被捕获的；受控制的；受垄断的 n. 被抓住的人或动物

记 词根记忆：capt(抓住)+ive(…的)→被抓住的

搭 captive breeding 圈养繁殖

**unconquerable** [ʌn'kɒŋkərəbl] adj. 不可征服的

**respect\*** [rɪ'spekt] vt. 尊敬 n. 尊敬；方面

记 词根记忆：re(一再)+spect(看)→一再注视，以示尊敬→尊敬

派 respectable (adj. 值得尊敬的)

**neutral** ['njuːtrəl] adj. 中立的；无明显特性的

**presentation\*** [ˌprezn'teɪʃn] n. 赠送；赠品，礼物；授予，提供；显示；引荐，介绍；报告；表演，上演

记 联想记忆：present(展现，表达)+ation(表行为)→介绍

搭 make/give a presentation 做报告

| | |
|---|---|
| **residence** | ['rezɪdəns] *n.* 住宅，住处；居住 |
| | 记 来自resident (*adj.* 居住的) |
| **mission** | ['mɪʃn] *n.* 使命，任务；代表团，使团；传教，布道 |
| | 记 电影《碟中谍》Mission Impossible，可直译为"不可能完成的任务" |
| **assurance** | [ə'ʃʊərəns] *n.* 信心；保证；保险 |
| | 记 联想记忆：assur(e)(确信，保证)+ance→保证 |
| | 搭 quality assurance system 质量保证体系 |
| **content\*** | ['kɒntent] *n.* 内容；满意 [kən'tent] *vt.* 使满意 *adj.* 满意的 |
| | 记 词根记忆：con(表加强)+ten(拿住)+t→拿住时的量→容量，引申为满意的 |
| | 搭 be content with 对…感到满意 |
| **emit\*** | [i'mɪt] *vt.* 发出(光、热、声音等)；射出，散发，排放 |
| | 记 词根记忆：e(向外)+mit(送)→发出 |
| | 搭 emit light 发光 |
| **pamphlet** | ['pæmflət] *n.* 小册子 |
| **equipment** | [ɪ'kwɪpmənt] *n.* 设备，装备 |
| **sensible\*** | ['sensəbl] *adj.* 明智的；合情理的；能觉察到的 |
| | 记 词根记忆：sens(感觉)+ible(可…的)→可感觉到的→能觉察到的 |
| | 搭 a sensible idea 一个合乎情理的想法 |
| **spacecraft** | ['speɪskrɑːft] *n.* 航天器，宇宙飞船 |
| | 记 组合词：space(太空)+craft(技术)→太空技术→航天器，宇宙飞船 |
| **consequence** | ['kɒnsɪkwəns] *n.* [常pl.] 结果，后果；影响；重要意义 |
| | 记 词根记忆：con(表加强)+sequ(跟随)+ence(表名词)→跟随其后→结果 |
| | 搭 as a consequence 因而，结果 |
| **efficient\*** | [ɪ'fɪʃnt] *adj.* 有效的，效率高的；有能力的，能胜任的 |
| | 记 词根记忆：ef(=e，表加强)+fici(做)+ent(…的)→能做出来的→有能力的 |
| | 搭 energy efficient 节能的 |
| | 派 efficiently (*adv.* 有效率地；有效地) |

**current\*** ['kʌrənt] *adj.* 流通的；流动的；现行的，当前的
*n.* (水、气等的)流动；电流；潮流

🔍 current situation 当前形势；current affair 时事

**inversion\*** [ɪn'vɜːʃn] *n.* 倒置，颠倒

📝 词根记忆：in(进入)+vers(转)+ion(表名词) →转进去
→颠倒

🔍 an inversion of word order 词序颠倒

**elevate** ['elɪveɪt] *vt.* 提升…的职位；举起；使更有修养

📝 词根记忆：e(出)+lev(举起)+ate(使…)→举起

**loan\*** [ləʊn] *n.* 贷款，借款 *v.* 借出，借给

📝 发音记忆："漏"→账本有漏洞，因为把钱借出去
了→贷款，借款

**capable** ['keɪpəbl] *adj.* 有能力的；能够的

📝 词根记忆：cap(抓住)+able(能…的)→能抓得住的→
有能力的

**performance\*** [pə'fɔːməns] *n.* 演出，表演；履行，执行；功能，性
能表现

🔍 live performance 现场表演

**handicapped** ['hændikæpt] *adj.* 残废的，有生理缺陷的

📝 联想记忆：hand(手)+i+cap(帽子)+ped→没法用手
来戴帽子→残废的，有生理缺陷的

🔍 mentally handicapped 心理缺陷

**insulate** ['ɪnsjuleɪt] *vt.* 使绝缘；使隔热；使隔音；隔离；使隔
绝(以免受到影响)

📝 词根记忆：insul(岛)+ate(使…)→使成为孤岛→使隔绝
🔍 insulate sb. from/against sth. 使某人与(不良影响)隔
绝；insulating tape 绝缘胶带

🔄 isolate (*vt.* 使孤立；使隔离)

**household** ['haʊshəʊld] *n.* 家庭；户；全家人 *adj.* 家庭的，家用
的；家喻户晓的

📝 组合词：house(房屋)+hold(拥有)→有房屋才像个家
→家庭

🔍 single-parent households 单亲家庭

| | |
|---|---|
| **detrimental\*** | [ˌdetrɪ'mentl] *adj.* 不利的，有害的<br>📖 联想记忆：detriment(损害，伤害)+al(…的)→不利的，有害的<br>📼 be detrimental to 对…有害；detrimental effect 不良影响 |
| **decorate\*** | ['dekəreɪt] *v.* 装饰，装潢，布置；授勋<br>📖 词根记忆：decor(装饰)+ate(表动词)→装饰<br>📼 decorate sb. for 因…授予某人奖章等；decorate sth. with sth. 用某物装饰…<br>📑 decoration (*n.* 装饰，装潢) |
| **nationality** | [ˌnæʃə'næləti] *n.* 国籍；民族<br>📖 联想记忆：nation(国家)+ality(表名词，状态)→属于哪个国家→国籍 |
| **fleet\*** | [fliːt] *n.* 舰队，船队 *adj.* 快速的，敏捷的 *v.* 疾驰，飞逝，掠过<br>📖 联想记忆：舰队(fleet)遇到问题不能立刻逃跑(flee) |
| **interfere\*** | [ˌɪntə'fɪə(r)] *vi.* 干涉，干扰；妨碍<br>📖 词根记忆：inter(在…之间)+fer(带来)+e→带到中间→干涉<br>📼 interfere with 干涉… |
| **signal** | ['sɪgnəl] *n.* 信号；暗号；标志 *v.* 发信号；标志着<br>📖 联想记忆：sign(签名)+al→用签名作为自己的标志→标志 |
| **rescue\*** | ['reskjuː] *n./vt.* 营救，救援<br>📼 rescue sb. from danger 营救某人脱险；rescue work 营救工作 |
| **proof\*** | [pruːf] *n.* 证据，证明；校样，样张 *adj.* 能防…的，耐…的<br>📖 联想记忆：屋顶(roof)有了p(棚)就能防雨→能防…的 |
| **afflict\*** | [ə'flɪkt] *vt.* 使苦恼；折磨<br>📖 词根记忆：af(表加强)+flict(打击)→一再打击别人→折磨 |

搭 be afflicted with/by 被…折磨

同 torment (*vt.* 折磨); torture (*vt.* 拷问，折磨)

| | |
|---|---|
| **log** | [lɒg] *n.* 原木；航海或飞行日志 *vt.* 把…载入正式记录 |
| **maritime** | ['mærɪtaɪm] *adj.* 海上的，海事的；海运的 |

记 词根记忆：mari(海)+time(时间)→海上的时间→海上的，海事的

| | |
|---|---|
| **formula\*** | ['fɔːmjələ] *n.* 公式；配方；准则 |

记 联想记忆：form(形式，形态)+ula→使具备形式、形态的方式、过程→公式；配方

搭 mathematical formula 数学公式

| | |
|---|---|
| **therapy** | ['θerəpi] *n.* 治疗；疗法 |

搭 radiation therapy 放射治疗

| | |
|---|---|
| **concession** | [kən'seʃn] *n.* 让步，妥协；特许权；优惠(价)；承认，认可 |

记 词根记忆：con(共同)+cess(前进)+ion(表名词)→要想大家共同进步，必须都做出让步→让步

音频

# *Word List 44*

**whisper**　['wɪspə(r)] *n./v.* 低语

🔑 联想记忆：whi(看作who)+sper(看作speaker)→谁在小声说话→低语

**grant\***　[grɑːnt] *n.* 授予物；补助金，助学金，津贴；授权
*v.* 同意，承认；给予，授予

🔑 联想记忆：授予(grant)显赫的(grand)贵族爵位

🔎 take...for granted 想当然，认为…理所当然

**relevant\***　['reləvənt] *adj.* 有关的，相应的；适当的，中肯的；有重大意义的

🔑 词根记忆：re(一再)+lev(提高)+ant(…的)→一再想提高的→(态度)中肯的

🔎 relevant details 相关细节

📎 irrelevant (*adj.* 不相关的；不切题的)

**unrealistic\***　[ˌʌnrɪə'lɪstɪk] *adj.* 不现实的，不切实际的

🔑 联想记忆：un(不)+realistic(现实的)→不现实的，不切实际的

🔎 unrealistic ideas 不切实际的想法

**enfranchise\***　[ɪn'fræntʃaɪz] *vt.* 给予…政治权利(尤指选举权)；解放(奴隶)

🔑 联想记忆：en(使…)+franchise(选举权)→使…有选举权→给予…权利

📎 enfranchisement (*n.* 给予权利；解放)

**disregard**　[ˌdɪsrɪ'gɑːd] *vt.* 不理会，漠视 *n.* 忽视，漠视

🔑 联想记忆：dis(不)+regard(关心)→不关心→不理会，漠视

**convert**　[kən'vɜːt] *v.* (使)改变信仰，皈依；(使)转变，(使)转化；改装

🔑 词根记忆：con(表加强)+vert(转)→(使)转变

🔎 convert to/into 把…转化为…

| | |
|---|---|
| **grasp** | [ɡrɑːsp] *vt.* 抓紧；掌握，理解 *n.* 抓住；支配；理解 |
| | 记 联想记忆：他见到她宛如抓住(grasp)一根救命稻草 (grass) |
| **wealthy\*** | ['welθi] *adj.* 富的，富裕的；充裕的 |
| **object\*** | ['ɒbdʒɪkt] *n.* 物体；对象；目标；宾语 |
| | [əb'dʒekt] *v.* 反对，不赞成 |
| | 记 词根记忆：ob(逆)+ject(扔)→反着扔→反对 |
| **tariff** | ['tærɪf] *n.* 关税，税率；(旅馆、饭店等的)价目表 |
| **defendant** | [dɪ'fendənt] *n.* 被告 *adj.* 处于被告地位的；为自己辩护的 |
| | 记 联想记忆：defend(辩护)+ant→需要为自己辩护的一方→被告 |
| **bankruptcy** | ['bæŋkrʌptsi] *n.* 破产；彻底失败 |
| | 记 联想记忆：bank(柜台)+rupt(看作rupture，破裂)+cy→柜台被打破，无法继续经营→破产 |
| **connection** | [kə'nekʃn] *n.* 连接；关系 |
| | 搭 in connection with 与…有关，与…相关 |
| **airtight\*** | ['eətaɪt] *adj.* 密闭的；无懈可击的 |
| | 记 组合词：air(空气)+tight(紧密的)→密不透气的→密闭的 |
| **unprejudiced\*** | [ʌn'predʒədɪst] *adj.* 无偏见的；公正的 |
| **unregistered\*** | [ˌʌn'redʒɪstəd] *adj.* 未注册的 |
| **versus\*** | ['vɜːsəs] *prep.* 与…相对，对抗 |
| | 记 联想记忆：vers(转)+us(我们)→转向我们→与…相对，对抗 |
| | 同 against (*prep.* 与…相反；对) |
| **wretch\*** | [retʃ] *n.* 不幸的人 |
| **acceptable\*** | [ək'septəbl] *adj.* 可接受的 |
| **antique\*** | [æn'tiːk] *adj.* 古时的，古老的 *n.* 古物，古董 |
| | 记 词根记忆：antiq(古老)+ue→古老的 |
| | 搭 antique shop 古玩店 |
| **autobiography** | [ˌɔːtəbaɪ'ɒɡrəfi] *n.* 自传 |
| | 记 词根记忆：auto(自己)+biography(传记)→自传 |

| | |
|---|---|
| **browse*** | [braʊz] v. 吃嫩叶或草；浏览 n. 嫩叶，嫩芽；吃草；浏览 |
| | 记 联想记忆：brow(眉毛)+se→像眉毛一样纤细的嫩叶→嫩叶 |
| | 同 skim (v. 浏览，略读)；graze (v. 放牧，吃草) |
| **dot*** | [dɒt] n. 点，小圆点 v. 用圆点标记；散布于，点缀 |
| | 记 联想记忆：和pot (n. 壶)一起记；pot(壶)上有许多可爱的dot(小圆点) |
| **emotional*** | [ɪˈməʊʃənl] adj. 感情(上)的，情绪(上)的；引起情感的，表示情感的；情绪激动的，易动感情的 |
| | 记 联想记忆：emotion(感情)+al(…的)→感情(上)的 |
| | 派 emotionally (adv. 在情绪上) |
| **extrovert*** | [ˈekstrəvɜːt] n. 性格外向的人；爱交际的人 |
| | 记 词根记忆：extro(外)+vert(转)→向外转的人→性格外向的人 |
| **favourite*** | [ˈfeɪvərɪt] adj. 特别喜欢的，宠爱的 n. 特别喜欢的人或物；亲信 |
| **hang*** | [hæŋ] v. 悬挂，吊，垂下；吊死，绞死 |
| | 搭 hang out with 与…闲逛 |
| **harmony*** | [ˈhɑːməni] n. 相符，一致；和谐，融洽；【音】和声 |
| | 搭 live in harmony 生活和谐；in harmony (with) (与…)和睦相处，(与…)协调一致 |
| | 派 harmonize (v. 彼此协调；和声演唱)；harmonious (adj. 和睦的；协调的) |
| **hospitable*** | [hɒˈspɪtəbl] adj. 好客的，殷勤的，热情友好的；(气候、环境)宜人的；(对新思想等)易接受的，开通的 |
| **inflate*** | [ɪnˈfleɪt] v. 使充气，使膨胀；使得意，使骄傲；抬高(物价)，使(通货)膨胀 |
| | 记 词根记忆：in(进入)+flat(吹)+e→往里面吹气→使充气，使膨胀 |
| **influential*** | [ˌɪnfluˈenʃl] adj. 有影响力的；有权势的 |
| | 记 来自influence (n./vt. 影响) |
| **advantage*** | [ədˈvɑːntɪdʒ] n. 优点，优势 |

**insane***    [ɪn'seɪn] *adj.* 蠢极的；精神失常的；疯狂的

🔑 词根记忆：in(不)+san(健康的)+e→精神不健康的→精神失常的

**inscribe***    [ɪn'skraɪb] *v.* (在某物上)题写，铭刻；牢记，铭记

🔑 词根记忆：in(进入)+scrib(写)+e→写进去→铭刻

**hostel***    ['hɒstl] *n.* (青年)招待所；学生宿舍

🔑 联想记忆：host(主人)+el→房间临时的主人→招待所；学生宿舍

🔍 student hostel 学生宿舍；youth hostel 青年旅舍

**substance***    ['sʌbstəns] *n.* 物质；实质

🔑 词根记忆：sub(下)+st(站)+ance(表名词)→站立的根本→实质

**fuse**    [fjuːz] *n.* 保险丝 *v.* 因保险丝烧断而断电；熔合；熔化

🟰 smelt (*v.* 熔解，熔炼)

↔ divide (*v.* 分开，分隔)；separate〔*v.* (使)分离〕

**contemporary**    [kən'temprəri] *adj.* 当代的；现代的；同时代的 *n.* 同代人

🔑 词根记忆：con(共同)+tempor(时间)+ary(…的)→同时代的

🟰 modern (*adj.* 近代的，现代的)；current (*adj.* 当前的；现在的)

**continuity**    [ˌkɒntɪ'njuːəti] *n.* 连续(性)；持续(性)

🔑 联想记忆：continu(e)(连续)+ity→连续(性)

📎 continuum (*n.* 连续统一体)

**tube***    [tjuːb] *n.* 管道，试管；〈英〉地铁

🔑 联想记忆：立方形(cube)的管道(tube)

**damage***    ['dæmɪdʒ] *n.* 损害；[pl.] 损害赔偿(金) *vt.* 损害

**beneficial**    [ˌbenɪ'fɪʃl] *adj.* 有利的，有益的

🔑 词根记忆：bene(好)+fic(做)+ial(…的)→做好事的→有益的

🔍 mutually beneficial 互惠的

🟰 advantageous (*adj.* 有利的)

↔ harmful (*adj.* 有害的)

| | |
|---|---|
| **inhibit** | [ɪn'hɪbɪt] v. 抑制，约束；起抑制作用 |
| | 记 词根记忆：in(不)+hibit(拿)→不让拿→抑制，约束 |
| | 同 hinder (v. 阻碍，妨碍)；obstruct (vt. 妨碍，阻止) |
| | 反 encourage (vt. 激励，促进) |
| **vibrate** | [vaɪ'breɪt] v. (使)颤动 |
| | 派 vibrant (adj. 充满活力的)；vibration (n. 颤动，振动) |
| **inspire*** | [ɪn'spaɪə(r)] vt. 鼓舞，激起；给…以灵感 |
| | 记 词根记忆：in(向内)+spir(呼吸)+e→吸气→鼓气→鼓舞，激起 |
| **introvert*** | ['ɪntrəvɜːt] n. 性格内向的人 |
| **pedestrian*** | [pə'destriən] n. 行人 adj. 徒步的；缺乏想象力的 |
| | 记 词根记忆：ped(脚)+estrian→用脚走的人→行人 |
| **punch*** | [pʌntʃ] v. 穿孔，打孔；重击，猛击 n. 猛击；冲床，穿孔机 |
| | 记 发音记忆："乓嗏"(重击的声音)→重击 |
| **rectangle*** | ['rektæŋgl] n. 长方形，矩形 |
| | 记 词根记忆：rect(直的)+angl(角)+e→长方形的每个角均为直角→长方形，矩形 |
| **repay** | [rɪ'peɪ] v. 归还(款项)；报答 |
| **sociable*** | ['səʊʃəbl] adj. 友善的，友好的；好交际的；合群的 |
| | 记 词根记忆：soci(社会)+able(能…的)→善社交的→好交际的 |
| **relative*** | ['relətɪv] adj. 相对的；比较的；有关的，相关的 n. 亲属，亲戚 |
| | 搭 close/distant relatives 近/远亲 |
| | 派 relatively (adv. 相当地；相对地) |
| **spacious*** | ['speɪʃəs] adj. 宽广的，宽敞的 |
| | 记 联想记忆：spac(看作space，空间)+ious(多…的)→空间很多的→宽广的，宽敞的 |
| **religion** | [rɪ'lɪdʒən] n. 宗教；宗教信仰 |
| | 记 词根记忆：re(一再)+lig(绑)+ion(表名词)→反复用某种思想约束→宗教 |
| | 派 religious (adj. 宗教上的) |

**demographic** [ˌdeməˈgræfɪk] *adj.* 人口统计学的；人口的

记 来自demography (*n.* 人口统计；人口学)

**random** [ˈrændəm] *adj.* 任意的，随机的 *n.* 随机，随意

记 联想记忆：ran(跑)+dom(领域)→可以在各种领域跑的→任意的

搭 at random 随机地，任意地

同 irregular (*adj.* 不规则的，无规律的)；arbitrary (*adj.* 任意的)

反 designed (*adj.* 有计划的)

**vacuum** [ˈvækjuːm] *n.* 真空；[pl.] 真空吸尘器 *v.* 用吸尘器清扫

记 词根记忆：vacu(空)+um→真空

**digital** [ˈdɪdʒɪtl] *adj.* 数码的；数字的

记 词根记忆：digit(数字)+al(…的)→数字的

**global\*** [ˈgləʊbl] *adj.* 全球的，全世界的；整体的，全面的

记 词根记忆：glob (球体)+al(…的)→全球的

搭 global warming 全球变暖；global village 地球村

**cluster\*** [ˈklʌstə(r)] *n.* 串，束，群 *v.* 成群；群集

记 联想记忆：clu(看作clue，线索)+ster→由一条线索贯穿的→串，群

搭 a cluster of 一束…

**handout** [ˈhændaʊt] *n.* 传单，分发的印刷品；救济品

记 组合词：hand(手)+out(向外)→从手里发出去→传单；救济品

**endure** [ɪnˈdjʊə(r)] *v.* 忍受；持久，持续

记 词根记忆：en(使)+dur(持久)+e→持久

**helicopter\*** [ˈhelɪkɒptə(r)] *n.* 直升飞机

记 词根记忆：helic(螺旋)+opter→带螺旋翼的飞机→直升飞机

**sprawl\*** [sprɔːl] *n.* 四肢伸开的姿势或动作；(城市的)无计划发展 *v.* 伸开四肢坐、卧或倒下；杂乱无序地延伸

记 联想记忆：伸展手脚趴在地上(sprawl)潦草地写(scrawl)

| | |
|---|---|
| **crowded*** | [ˈkraʊdɪd] *adj.* 拥挤的；塞满的 |
| | 记 联想记忆：crowd(人群)+ed→拥挤的人群→拥挤的 |
| **knob** | [nɒb] *n.* 球形把手；(机器等的)旋钮 |
| | 记 联想记忆：没有门把手(knob)，只能敲门(knock) |
| **ideal** | [aɪˈdiːəl] *adj.* 理想的；完美的；理想主义的；空想的，不切实际的 *n.* 理想；理想的东西(或人) |
| | 记 联想记忆：idea(思想)+l→心里想看到的→理想的 |
| | 派 idealistic (*adj.* 唯心论的，空想主义的) |
| **midst** | [mɪdst] *n.* 中间 |
| | 记 词根记忆：mid(中间)+st→中间 |
| **fluctuate** | [ˈflʌktʃueɪt] *v.* (使)涨落，(使)起伏；(使)变化 |
| | 记 词根记忆：fluctu(波浪)+ate(使⋯)→使像波浪一样→(使)涨落 |
| | 同 waver (*vi.* 摇摆，摆动)；vary (*v.* 变化) |
| **neglect** | [nɪˈglekt] *n./vt.* 忽视；疏忽；遗漏 |
| | 记 词根记忆：neg(拒绝)+lect(选择)→选择不去做某事→忽视 |
| | 搭 neglect one's duty 玩忽职守 |
| | 同 ignore (*vt.* 忽视)；overlook (*vt.* 忽略，未注意到) |
| **drought*** | [draʊt] *n.* 干旱，旱灾 |
| | 记 联想记忆：dr(看作 dry，干燥的)+ought(应该)→干旱时到处都应该很干燥→干旱 |
| **hug** | [hʌg] *n./v.* 拥抱，紧抱 |
| **variability*** | [ˌveərɪəˈbɪləti] *n.* 可变性；易变性 |
| | 记 词根记忆：vari(变化)+ability(可⋯性，易⋯性)→可变性，易变性 |
| **indication** | [ˌɪndɪˈkeɪʃn] *n.* 指示；象征 |
| **insert** | [ɪnˈsɜːt] *v.* 插入，嵌入 |
| | 记 词根记忆：in(进入)+sert(插入)→插入 |

# *Word List 45*

音频

**certificate\*** [sə'tɪfɪkət] *n.* 证书，执照

记 词根记忆：cert(搞清)+ific(产生…的)+ate(表名词)→搞清某人做某事的资格→证书

搭 birth certificate 出生证明

**severe\*** [sɪ'vɪə(r)] *adj.* 严重的；严厉的；剧烈的

搭 severe consequence 严重后果；severe storm 剧烈的暴风雨

派 severely (*adv.* 严重地；严格地；激烈地)

**diameter** [daɪ'æmɪtə(r)] *n.* 直径

记 词根记忆：dia(穿过)+meter(测量)→穿过圆的中心进行测量→直径

**gesture\*** ['dʒestʃə(r)] *n.* 姿势，姿态；手势 *v.* 做手势

**disclose** [dɪs'kləʊz] *vt.* 揭露；透露；公开

记 词根记忆：dis(不)+clos(关闭)+e→不关闭→公开

同 reveal (*vt.* 展现，揭示)；uncover (*vt.* 揭开，揭露)

反 conceal (*vt.* 隐藏，隐瞒)；hide (*v.* 隐藏，掩藏)

**sheer\*** [ʃɪə(r)] *adj.* 十足的；纯粹的；陡峭的

记 联想记忆：she(她)+er(表人)→她是个十足的聪明人→十足的

**successive** [sək'sesɪv] *adj.* 连续的

**balance\*** ['bæləns] *n.* 平衡；余额 *vt.* 平衡

记 联想记忆：bal(看作ball，球)+ance→球操选手需要很好的平衡能力→平衡

搭 lose balance 失去平衡；keep balance 保持平衡；balance of payments 国际收支差额

**adjust\*** [ə'dʒʌst] *v.* 校准；调节；使…适应

记 词根记忆：ad(表加强)+just(正确)→使正确→校准

搭 adjust a policy 调整政策；adjust expenses to income 量入为出

**require***  [rɪˈkwaɪə(r)] *vt.* 需要；命令；规定，要求

记 词根记忆：re(一再)+quir(寻求)+e→一再寻求自己需要的→需要

派 requirement (*n.* 需要；要求)

**fairly***  [ˈfeəli] *adv.* 相当地；公平地；简直，完全地

**precise**  [prɪˈsaɪs] *adj.* 精确的，准确的；严谨的

搭 to be precise 准确地说

派 precisely (*adv.* 精确地；正好)

**colour-blind***  [ˈkʌlə blaɪnd] *adj.* 色盲的

**trustworthy**  [ˈtrʌstwɜːði] *adj.* 值得信赖的，可靠的

**vomit**  [ˈvɒmɪt] *n.* 呕吐，呕吐物 *v.* 呕吐，恶心；喷出

记 联想记忆：v+o(形似嘴)+mit(词根mit指"发送")→张嘴发送→呕吐

搭 vomit up 呕吐

**wrestle**  [ˈresl] *v.* 摔跤；全力对付；用力移动

搭 wrestle with 与…摔跤；与…斗争

**adolescence**  [ˌædəˈlesns] *n.* 青春，青春期

记 联想记忆：ado(看作adult，成人)+lescence(看作licence，许可证)→青少年即将拿到成年的许可证→青春，青春期

**captivity**  [kæpˈtɪvəti] *n.* 囚禁，拘留

记 词根记忆：capt(抓住)+ivity(表名词)→被抓住→拘留

**commerce**  [ˈkɒmɜːs] *n.* 贸易，商业；交往，交流

记 词根记忆：com(共同)+merc(交易)+e→贸易

**condensation**  [ˌkɒndenˈseɪʃn] *n.* 浓缩，凝结

记 来自condense (*v.* 浓缩；凝结；简缩)

**facial**  [ˈfeɪʃl] *adj.* 面部的；面部用的

记 词根记忆：fac(面)+ial(…的)→面部的

搭 facial expressions 面部表情

**imprecise**  [ˌɪmprɪˈsaɪs] *adj.* 不精确的，不严密的

记 联想记忆：im(不)+precise(精确的，严密的)→不精确的，不严密的

**inactive**  [ɪnˈæktɪv] *adj.* 不活动的；不活跃的；懒散的

| | |
|---|---|
| **herbal** | ['hɜːbl] *adj.* 草本植物的；药草(制)的 *n.* 草本植物志；药草书 |
| | 摺 herbal medicine 草药 |
| **hover** | ['hɒvə(r)] *v.* (鸟等)翱翔，盘旋；逗留在近旁，徘徊；彷徨，犹豫 |
| | 记 联想记忆：爱人(lover)在自己身边徘徊(hover) |
| | 同 linger〔*vi.* (因不愿离开而)继续逗留，徘徊〕；flutter〔*v.* (鸟等)振翼，翩然而飞〕 |
| **initiate** | [ɪ'nɪʃieɪt] *vt.* 开始，创造，发起；接纳(新成员)，让…加入 [ɪ'nɪʃiət] *n.* (新)加入组织者 |
| | 记 词根记忆：init(开始)+iate(表动词)→开始 |
| **longitude** | ['lɒŋɡɪtjuːd] *n.* 经度，经线 |
| | 记 联想记忆：long(长)+itude(表名词)→连接南北两极的长线叫经线→经线 |
| **procrastinate** | [prə'kræstɪneɪt] *v.* 耽搁，拖延 |
| | 记 词根记忆：pro(向前)+crastin(来自拉丁语crastinus，明天)+ate(表动词)→拖到明天再干→拖延 |
| **rarity** | ['reərəti] *n.* 稀有；稀有的事物 |
| **seclude** | [sɪ'kluːd] *vt.* 使隔离，使孤立 |
| | 记 词根记忆：se(分离)+clud(关闭)+e→分开过着封闭的生活→使隔离 |
| | 派 secluded (*adj.* 与世隔绝的；僻静的) |
| **ongoing\*** | ['ɒnɡəʊɪŋ] *adj.* 进行中的 *n.* 前进，发展 |
| | 记 组合词：on(在…中)+going(进行，进展)→进行中的 |
| **feed** | [fiːd] *v.* 喂养，为…提供食物；吃，以…为食；提供 *n.* 饲料 |
| | 摺 feed into 向…提供；feed on 以…为食 |
| **scenery\*** | ['siːnəri] *n.* 舞台布景；风景，景色 |
| | 记 联想记忆：scene(景色)+ry(表名词)→景色 |
| | 摺 natural scenery 自然风景 |
| **stagnate\*** | [stæɡ'neɪt] *v.* (使)停滞；不发展 |
| **tap** | [tæp] *v.* 轻拍；利用，开发 |
| **owe\*** | [əʊ] *vt.* 欠；把…归功于 |

| | |
|---|---|
| **ministry** | ['mɪnɪstri] *n.* (政府的)部 |
| **individual** | [ˌɪndɪ'vɪdʒuəl] *adj.* 个别的，单独的；独特的 *n.* 个人，个体 |
| | 记 联想记忆：in+divid(e)(分开)+ual→分开的→个别的，单独的 |
| | 搭 individual interest 个人利益 |
| | 派 individually (*adv.* 各自地；独特地)；individualistic (*adj.* 个人主义的) |
| **association\*** | [əˌsəusi'eɪʃn] *n.* 协会；联合；交往 |
| **tempt\*** | [tempt] *vt.* 引诱；吸引 |
| | 记 本身为词根，意为"尝试"→受到诱惑而尝试→吸引；引诱 |
| | 同 appeal (*vi.* 有吸引力)；entice (*vt.* 诱惑，怂恿) |
| **beneath\*** | [bɪ'niːθ] *prep./adv.* 在下方，在…之下 |
| | 记 联想记忆：be(构成介词)+neath(在…之下)→在下方 |
| **naturally\*** | ['nætʃrəli] *adv.* 自然地；天生地；当然地 |
| **estate** | [ɪ'steɪt] *n.* 个人财产，(尤指)遗产；土地，地产，(尤指)庄园 |
| | 搭 real estate 房地产；房地产所有权 |
| **discourage** | [dɪs'kʌrɪdʒ] *vt.* 使泄气，使灰心；阻止，劝阻 |
| | 记 联想记忆：dis(剥夺)+courage(勇气)→使失去勇气→使泄气 |
| **candidate\*** | ['kændɪdət] *n.* 候选人，候补者；申请求职者；报考者 |
| | 记 联想记忆：can(能)+did(做)+ate→踏实能干才能当候选人→候选人 |
| | 搭 a candidate for …的候选人 |
| **melt** | [melt] *v.* (使)融化；(使)消散 |
| | 派 melting (*adj.* 熔化的；融化的) |
| **shrug** | [ʃrʌg] *n./v.* 耸肩 |
| **frightened\*** | ['fraɪtnd] *adj.* 受惊的；受恐吓的 |
| **relax\*** | [rɪ'læks] *v.* (使)放松 |
| | 记 词根记忆：re(一再)+lax(松开)→一再放开→(使)放松 |
| | 派 relaxation (*n.* 放松；休息) |

| | |
|---|---|
| **aerospace** | [ˈeərəʊspeɪs] *n.* 宇宙空间；航空航天技术 |
| | 记 联想记忆：aero(空气)+space(太空)→宇宙空间 |
| **suppose\*** | [səˈpəʊz] *v.* 假想，假定，猜想，推测；[用于祈使句] 假定，让；[常用于被动语态]期望做(某事)，认为应该 做(某事) |
| | 记 词根记忆：sup(下面)+pos(放置)+e→私下将某种猜 测放在心中→猜想 |
| | 搭 be supposed to do sth. 应该做… |
| **tenable\*** | [ˈtenəbl] *adj.* 站得住脚的；可防守的 |
| | 记 词根记忆：ten(拿住)+able(能…的)→能拿住的→可 防守的 |
| **sustain\*** | [səˈsteɪn] *v.* 支撑，撑住，承受住；维持，保持；经 受，遭受，忍耐 |
| | 记 词根记忆：sus(下)+tain(拿住)→拿住下面→撑住 |
| | 搭 sustain growth 维持增长 |
| | 派 sustainable (*adj.* 可持续的) |
| **straw\*** | [strɔː] *n.* 稻草；吸管 |
| **border\*** | [ˈbɔːdə(r)] *n.* 边缘；边界 *v.* 与…接壤；接近，毗邻 |
| | 记 联想记忆：b+order(命令)→听从命令不许出边界→ 边缘；边界 |
| **dispenser\*** | [dɪˈspensə(r)] *n.* 药剂师，配药师；分配者，施予者； 自动售货机 |
| | 记 词根记忆：dis(分开)+pens(称重)+er(表人)→分开称 重的人→分配者 |
| **receiver** | [rɪˈsiːvə(r)] *n.* (电话)听筒；接收器 |
| **monopoly** | [məˈnɒpəli] *n.* 垄断，专卖；垄断商品，专卖商品 |
| | 记 词根记忆：mono(单个)+poly(多)→独占某商品绝大 多数的市场份额→垄断 |
| | 搭 capital monopoly 资本垄断 |
| **bureaucracy** | [bjʊəˈrɒkrəsi] *n.* 官僚主义；官僚机构 |
| | 记 词根记忆：bureau(桌子，引申为"政府的局")+ cracy(统治)→官僚机构 |
| **construction** | [kənˈstrʌkʃn] *n.* 建造；建筑物；构造 |

| | |
|---|---|
| **endorse*** | [ɪn'dɔːs] *vt.* 支持，赞同 |
| | 搭 endorse a candidate 支持候选人 |
| **membership** | ['membəʃɪp] *n.* 会员身份；全体会员 |
| **embryo*** | ['embriəʊ] *n.* 胚，胚胎；事物的萌芽期 |
| | 记 词根记忆：em(使…)+bry(发芽)+o(表抽象名词)→事物的萌芽期 |
| | 搭 in embryo 在胚胎阶段，在萌芽时期 |
| | 派 embryonic (*adj.* 胚胎期的；萌芽期的) |
| **intelligence*** | [ɪn'telɪdʒəns] *n.* 智力，理解力；情报 |
| | 记 词根记忆：intel(在…之间)+lig(选择)+ence(表名词)→在事物间做出明智的选择→智力 |
| **mature** | [mə'tʃʊə(r)] *adj.* 成熟的；深思熟虑的 *v.* (使)成熟 |
| | 记 联想记忆：自然(nature)中的n更换成m就是成熟的(mature) |
| | 搭 on mature consideration/reflection 经过审慎考虑，经过深思熟虑 |
| **discard*** | [dɪ'skɑːd] *vt.* 丢弃，遗弃 |
| | 记 联想记忆：dis(离开)+card(纸牌)→出牌，把牌扔出去→丢弃，遗弃 |
| **roast** | [rəʊst] *adj.* 烘烤的，烤制的 *n.* 烤肉，烧烤 *v.* 烤，炙 |
| | 记 联想记忆：在海岸(coast)边烤(roast)肉 |
| **assault** | [ə'sɔːlt] *n.* (武力或口头上的)攻击，袭击；侵犯人身罪；冲击；抨击 *vt.* 攻击，袭击；使难受 |
| | 记 词根记忆：as(表加强)+sault(=sult，跳)→跳向某人→袭击 |
| | 同 attack (*n./v.* 攻击，抨击) |
| **predator** | ['predətə(r)] *n.* 捕食性动物；剥削者，掠夺者 |
| | 记 词根记忆：pred(掠夺)+ator(表人)→掠夺者 |

# *Word List 46*

音频

**computerize** [kəm'pjuːtəraɪz] *vt.* 使计算机化；用计算机做；用计算机储存(信息)

记 来自computer (*n.* 计算机)

**popularize** ['pɒpjələraɪz] *vt.* 宣扬，宣传，推广；使普及，使通俗化

记 词根记忆：popul(人民)+ar(…的)+ize(使…)→使广为人民所知→使普及

派 popularization (*n.* 普及)

**devalue** [ˌdiː'væljuː] *v.* 使(货币)贬值；贬低

记 词根记忆：de(去掉)+val(价值)+ue→去掉价值→使贬值

派 devaluation (*n.* 贬值)

**ferry** ['feri] *n.* 渡船；摆渡 *v.* 渡运，摆渡

记 词根记忆：fer(带来)+ry(表地点)→把人从河这边带到河那边→摆渡

**iron\*** ['aɪən] *n.* 铁；烙铁，熨斗 *v.* (用熨斗)熨，烫平

搭 iron sth. out 熨平(衣服等的皱褶)

**bully** ['bʊli] *n.* 恃强凌弱者 *vt.* 恐吓；胁迫，欺负

记 联想记忆：他仗着自己力大如公牛(bull)欺负(bully)别人

同 intimidate (*vt.* 恐吓，威胁)

**storyline** ['stɔːrilaɪn] *n.* 故事情节

记 组合词：story(故事)+line(线条)→故事情节

**orbit** ['ɔːbɪt] *n.* 轨道；影响范围，势力范围 *v.* 沿轨道运行；围绕…运动

记 本身为词根，表示"圆周"，引申为"轨道"

**combat** ['kɒmbæt] *n.* 战斗，搏斗 *vt.* 战斗，与…搏斗；防止

记 词根记忆：com(表加强)+bat(打)→战斗

派 combative (*adj.* 好斗的)

319

| | |
|---|---|
| **slothful** | ['sləʊθfl] *adj.* 怠惰的，懒惰的；迟钝的 |
| **catastrophic** | [ˌkætə'strɒfɪk] *adj.* 悲惨的；灾难性的 |
| **abide** | [ə'baɪd] *v.* 停留，逗留；容忍，忍受 |
| | 记 词根记忆：a(表加强)+bide(停留)→停留 |
| | 搭 abide by 遵守，遵循 |
| **allure** | [ə'lʊə(r)] *n./v.* 诱惑，吸引 |
| | 派 alluring (*adj.* 有吸引力的，迷人的) |
| | 同 charm (*n.* 魅力)；attract (*vt.* 吸引) |
| **oxygen\*** | ['ɒksɪdʒən] *n.* 氧，氧气 |
| | 记 词根记忆：oxy(酸)+gen(产生)→产生酸的→氧气 |
| **pervasive** | [pə'veɪsɪv] *adj.* 遍布的，弥漫的 |
| | 记 词根记忆：per(贯穿)+vas(走)+ive(…的)→走遍的→遍布的 |
| **encroach** | [ɪn'krəʊtʃ] *vi.* 侵入，侵占，侵犯；侵蚀，蚕食(土地) |
| | 记 词根记忆：en(进入)+croach(=croch，钩子)→使钩子进入→侵入 |
| **fantastic** | [fæn'tæstɪk] *adj.* 极好的；荒诞的，奇异的；不切实际的 |
| | 派 fantastically (*adv.* 极其) |
| | 同 marvelous (*adj.* 惊人的，奇迹般的)；super (*adj.* 极好的，上等的) |
| | 反 awful (*adj.* 极坏的，可怕的)；ordinary (*adj.* 普通的，平常的) |
| **abhorrent** | [əb'hɒrənt] *adj.* 可恶的，可恨的 |
| | 记 词根记忆：ab(表加强)+horr(颤抖)+ent(具有…性质的)→让人发抖的→可恶的 |
| **inflict** | [ɪn'flɪkt] *vt.* 把…强加给，使遭受，使承受 |
| | 记 词根记忆：in(使…)+flict(打击)→使受打击→使遭受 |
| | 搭 inflict oneself on sb. 打搅，搅扰 |
| | 派 infliction〔*n.* (强加于人身的)痛苦，刑罚〕 |
| | 同 impose (*v.* 把…强加于) |
| **tilt** | [tɪlt] *v.* (使)倾斜，倾侧；(使)倾向于，偏向 *n.* 倾斜，倾侧 |

| | |
|---|---|
| **offensive** | [əˈfensɪv] *adj.* 冒犯的；使人不快的；无礼的；攻击性的，进攻性的 *n.* 进攻，攻击；攻势 |
| | 记 词根记忆：of(表加强)+fens(打击)+ive(…的)→打击别人的→冒犯的 |
| | 派 offensively (*adv.* 冒犯地); offensiveness (*n.* 冒犯；无礼) |
| | 反 inoffensive (*adj.* 无害的) |
| **jargon** | [ˈdʒɑːgən] *n.* 行话，行业术语；黑话 |
| | 搭 legal jargon 法律术语 |
| **extravagant** | [ɪkˈstrævəgənt] *adj.* 奢侈的，铺张的；(言行等)无节制的，过分的，放肆的 |
| | 搭 extravagant price 过高的价格 |
| | 派 extravagantly (*adv.* 挥霍无度地); extravagance (*n.* 奢侈，铺张) |
| | 同 excessive (*adj.* 过分的，过多的); lavish (*adj.* 过分慷慨的，奢侈的) |
| **begrimed** | [bɪˈgraɪmd] *adj.* 污秽的 |
| **ruthless** | [ˈruːθləs] *adj.* 无情的，冷酷的，残忍的 |
| | 记 联想记忆：ruth(怜悯)+less(无)→没有怜悯的→无情的，冷酷的，残忍的 |
| | 派 ruthlessly (*adv.* 残忍地) |
| | 同 cruel (*adj.* 残酷的) |
| **diverse** | [daɪˈvɜːs] *adj.* 不同的，多样的 |
| | 记 词根记忆：di(分开)+vers(转)+e→转开了→不同的 |
| | 搭 diverse cultures 不同的文化 |
| | 派 diversity〔*n.* 差异(性)，多样(性)〕 |
| **extinguish\*** | [ɪkˈstɪŋgwɪʃ] *vt.* 熄灭，扑灭；消灭，使破灭 |
| | 记 词根记忆：ex(出)+ting(刺)+uish→把刺拔出→把火苗熄灭→熄灭 |
| **estrange** | [ɪˈstreɪndʒ] *vt.* 使疏远，使分离 |
| **neoclassical** | [ˌniːəʊˈklæsɪkl] *adj.* 新古典主义的 |
| **biased** | [ˈbaɪəst] *adj.* 有偏见的；片面的 |
| **grimy** | [ˈgraɪmi] *adj.* 积满污垢的，肮脏的 |

| | |
|---|---|
| **enhancer** | [ɪnˈhɑːnsə(r)] *n.* 增强剂；放大器<br>**搭** flavour enhancers 增味剂 |
| **ulterior** | [ʌlˈtɪəriə(r)] *adj.* 较远的；不可告人的，隐秘的，秘密的<br>**记** 词根记忆：ulter(超出)+ior(较…的)→较远的 |
| **corrupt** | [kəˈrʌpt] *v.* 腐化，腐蚀；使堕落；破坏，损坏；(计算机文件等)出错 *adj.* 堕落的，腐化的；腐败的，贪污的<br>**记** 词根记忆：cor(表加强)+rupt(断)→彻底断裂→腐化 |
| **stringent** | [ˈstrɪndʒənt] *adj.* (法律、规则等)严格的，苛刻的；(财政状况)紧缩的，短缺的；迫切的<br>**记** 词根记忆：string(拉紧)+ent(具有…性质的)→不断拉紧的→苛刻的 |
| **novice** | [ˈnɒvɪs] *n.* 生手，新手；初学者；新信徒，初学修士(或修女)<br>**记** 词根记忆：nov(新)+ice(表人)→新手 |
| **hinder** | [ˈhɪndə(r)] *vt.* 阻碍，妨碍<br>**记** 联想记忆：阻碍(hinder)发展，落在后面(behind)<br>**搭** hinder from 阻碍，妨碍<br>**派** hindrance (*n.* 阻碍)<br>**同** impede (*vt.* 阻碍，妨碍，阻止)；encumber (*vt.* 阻碍，妨碍)；hamper (*vt.* 妨碍，阻碍) |
| **tortoise** | [ˈtɔːtəs] *n.* 龟，陆龟；行动迟缓的人 |
| **impoverished** | [ɪmˈpɒvərɪʃt] *adj.* 穷困的，赤贫的；贫乏的，贫瘠的；枯竭的<br>**记** 词根记忆：im(在…里面)+pover(贫困)+ish(使…)+ed(…的)→使处于贫困中的→穷困的 |
| **shallow** | [ˈʃæləʊ] *adj.* 浅的；肤浅的，浅薄的<br>**记** 联想记忆：顾影(shadow)自怜，浅薄(shallow)也 |
| **inundate** | [ˈɪnʌndeɪt] *vt.* 淹没，泛滥；使不胜负荷，使应接不暇<br>**记** 词根记忆：in(进入)+und(溢出)+ate(使…)→溢出去→淹没 |
| **erode** | [ɪˈrəʊd] *v.* 侵蚀，腐蚀；削弱，损害<br>**记** 词根记忆：e(去掉)+rod(咬)+e→咬掉→侵蚀<br>**同** corrode (*v.* 腐蚀，侵蚀) |

| | |
|---|---|
| **doom** | [duːm] *vt.* 注定…失败(或遭殃、死亡等)，使…在劫难逃 *n.* 毁灭；厄运，劫数 |
| **alienate** | ['eɪliəneɪt] *vt.* 使疏远，使不友好；转让(财产等) |
| | 🔢 词根记忆：alien(陌生的)+ate(使…)→使变得陌生→使疏远 |
| | 派 alienated (*adj.* 疏远的，被隔开的)；alienation (*n.* 疏远，离间) |
| | 同 estrange (*vt.* 使疏远) |
| **commiserate** | [kə'mɪzəreɪt] *vi.* 同情，怜悯 |
| | 🔢 词根记忆：com(表加强)+miser(可怜的)+ate(表动词)→觉得可怜→同情 |
| **outlaw** | ['aʊtlɔː] *n.* 亡命之徒，逃犯，被剥夺法律权益者 *vt.* 宣布…为非法，使…成为非法 |
| | 🔢 组合词：out(出)+law(法律)→超出法律范围→宣布…为非法，使…成为非法 |
| **pavement** | ['peɪvmənt] *n.* 人行道；地面，路面 |
| **antiquated** | ['æntɪkweɪtɪd] *adj.* 陈旧的，过时的；废弃的 |
| **coral** | ['kɒrəl] *n.* 珊瑚；珊瑚虫 *adj.* 珊瑚色的，红色的 |
| | 搭 coral reefs 珊瑚礁 |
| **incinerate** | [ɪn'sɪnəreɪt] *vt.* 焚化，焚毁，把…烧成灰烬 |
| | 🔢 词根记忆：in(使…)+ciner(灰)+ate(使…)→使成灰→焚化，焚毁 |
| **renewable** | [rɪ'njuːəbl] *adj.* 可更新的，可再生的，可恢复的；可延长有效期的，可续期的 |
| | 搭 renewable raw materials 可再生原材料 |
| **shin** | [ʃɪn] *n.* 胫，胫部，胫骨 *v.* (手脚并用沿某物)爬 |
| | 搭 shin up/down sth. 爬上/爬下 |
| **enslave** | [ɪn'sleɪv] *vt.* 奴役，征服，使受控制 |
| | 🔢 联想记忆：en(使)+slave(奴隶)→使成为奴隶→奴役，征服，使受控制 |
| | 派 enslavement (*n.* 奴役，征服) |
| **timid** | ['tɪmɪd] *adj.* 胆小的；羞怯的 |
| | 🔢 词根记忆：tim(害怕)+id(…的)→胆小的 |

派 timidity (*n.* 胆小，羞怯)；timidly (*adv.* 胆小地，羞怯地)

同 cowardly (*adj.* 胆小的，怯懦的)；shy (*adj.* 害羞的)

反 bold (*adj.* 大胆的)

| **vile** | [vaɪl] *adj.* 糟糕透顶的，可恶的；恶劣的，卑鄙的 |
| --- | --- |
| | 记 词根记忆：vil(卑劣)+e→恶劣的，卑鄙的 |
| | 派 vileness (*n.* 讨厌；卑劣) |

| **diesel** | ['diːzl] *n.* 柴油；柴油机；柴油车 |
| --- | --- |
| | 搭 diesel engine 柴油机 |

| **guzzle** | ['gʌzl] *v.* 狂饮，暴饮；大量消耗 |
| --- | --- |
| | 派 guzzler (*n.* 耗油量大的汽车；暴饮暴食者) |

| **torment** | ['tɔːment] *n.* 痛苦，折磨；令人痛苦的东西 |
| --- | --- |
| | [tɔː'ment] *vt.* 折磨，使痛苦，烦扰；纠缠；戏弄，捉弄 |
| | 记 词根记忆：tor(=tort，扭曲)+ment(表行为)→扭曲的状态→痛苦 |
| | 搭 be in torment 在痛苦中 |

| **revive** | [rɪ'vaɪv] *v.* (使)苏醒，复活；复兴；重新使用 |
| --- | --- |
| | 记 词根记忆：re(重新)+viv(生命)+e→重新获得生命→复活 |
| | 派 revival〔*n.* 复活，复兴；(健康或知觉的)恢复〕 |
| | 同 restore (*vt.* 恢复)；revitalize (*vt.* 使恢复生机) |
| | 反 languish (*vi.* 憔悴，枯萎；变得衰弱) |

| **inhumane** | [ˌɪnhjuː'meɪn] *adj.* 不近人情的，残忍的，不人道的 |
| --- | --- |
| | 派 inhumanity (*n.* 残酷的行为，无人性，不人道) |

| **imperil** | [ɪm'perəl] *vt.* 使陷于危险，危及 |
| --- | --- |
| | 记 词根记忆：im(进入)+peril(危险)→使陷于危险 |

| **diverge** | [daɪ'vɜːdʒ] *vi.* (道路、线条等)分开，岔开；(意见、观点等)分歧，相异；偏离，违背 |
| --- | --- |
| | 记 词根记忆：di(分开)+verg(转)+e→分别转换方向→分开 |
| | 搭 diverge from the norm 与常态不符 |
| | 派 divergence (*n.* 分歧；偏离)；divergent (*adj.* 分叉的；分歧的) |

**irrational** [ɪˈræʃnl] *adj.* 不合理的，不合逻辑的，荒谬的 *n.* 无理数

记 联想记忆：ir(不)+rational(合理的)→不合理的

搭 irrational fear 无端的恐惧

**verbal** [ˈvɜːbl] *adj.* 口头的；言辞的，文字的；动词的

记 词根记忆：verb(词语)+al(…的)→言辞的

派 verbalise (*v.* 用言辞表达)

**saline** [ˈseɪlaɪn] *adj.* 含盐的，咸的 *n.* 【医】盐水

记 词根记忆：sal(盐)+ine(…的)→含盐的

派 salinity (*n.* 含盐量，咸度)

**disable*** [dɪsˈeɪbl] *vt.* 使丧失能力，使伤残；使不能正常运转，使无效

记 词根记忆：dis(剥夺)+able(有能力的)→剥夺能力→使丧失能力，使伤残

**seduce** [sɪˈdjuːs] *vt.* 勾引，引诱；诱使，唆使

记 词根记忆：se(分开)+duc(引导)+e→引开→引诱

**relocate** [ˌriːləʊˈkeɪt] *v.* 重新安置；(使)搬迁，迁移

记 联想记忆：re(重新)+locate(安置)→重新安置

**angle** [ˈæŋgl] *n.* 角；角度；观点，立场 *v.* 移向；使成角度移动；从(某角度)报道

记 词根记忆：angl(来自拉丁语angulus，角)+e→角

派 angular (*adj.* 有角的；尖角的)

**legitimate** [lɪˈdʒɪtɪmət] *adj.* 合法的，法定的；正当的，合理的
[lɪˈdʒɪtɪˌmeɪt] *vt.* 使合法

记 词根记忆：legitim(法律)+ate(使…)→使合法

派 legitimately (*adv.* 合情合理地)；legitimacy (*n.* 合法；正当)

同 legal (*adj.* 法定的，合法的)；lawful (*adj.* 合法的，法定的)

**sedentary** [ˈsedntri] *adj.* (工作、活动等)需要久坐的；(人)惯于久坐不动的；(人或动物)定居的，不迁徙的；沉积的

记 词根记忆：sed(坐)+ent(…的)+ary(…的)→与坐着的状态相关联的→需要久坐的

搭 a sedentary lifestyle 长期伏案的生活方式

| | |
|---|---|
| **water-borne** | [ˈwɔːtə bɔːn] *adj.* 水运的；水传播的；饮水传染的 |
| | 记 组合词：water(水)+borne(bear的过去分词，携带)→由水带来的→水运的；水传播的 |
| **molten** | [ˈməʊltən] *adj.* 熔化的 |
| | 搭 molten lava 熔岩 |
| **processor** | [ˈprəʊsesə(r)] *n.* 加工机；加工工人；处理器 |
| | 记 来自process (*vt.* 处理) |
| **saturate** | [ˈsætʃəreɪt] *vt.* 使湿透，浸透；使充满，使饱和 |
| | 记 词根记忆：satur(饱足)+ate(使…)→使饱和 |
| | 搭 saturate...with... 用…使…浸透/饱和 |
| | 同 drench (*vt.* 使湿透，使浸透)；soak (*v.* 浸透，湿透) |
| **trivialize** | [ˈtrɪviəlaɪz] *vt.* 使显得不重要，轻视，淡化 |

# *Word List 47*

音频

| | |
|---|---|
| **obscene** | [əb'siːn] *adj.* 淫秽的，下流的；可憎的，可恶的；(数量)大得惊人的，骇人听闻的 |
| | 派 obscenely (*adv.* 猥亵地，污秽地)；obscenity (*n.* 淫秽的语言；下流的行为) |
| **authentic** | [ɔː'θentɪk] *adj.* 真品的，真迹的；真正的，真实的，逼真的 |
| | 派 authenticity (*n.* 真实性，可靠性)；authenticate (*vt.* 证明…是真实的) |
| | 同 real (*adj.* 真的)；genuine (*adj.* 真实的) |
| | 反 artificial (*adj.* 人造的，假的)；fake (*adj.* 假的) |
| **righteous** | ['raɪtʃəs] *adj.* 正义的，正直的；公正的；正当的 |
| | 记 联想记忆：right(正确)+eous(有…性质的)→正直的 |
| **purify** | ['pjʊərɪfaɪ] *vt.* 使洁净，使纯洁，净化；提纯，精炼 |
| | 记 词根记忆：pur(变干净)+ify(使…)→使洁净 |
| | 派 purification (*n.* 净化，提纯)；purist (*n.* 纯粹主义者) |
| | 同 cleanse (*vt.* 清洗；净化)；refine (*vt.* 提纯，提炼；改善) |
| | 反 contaminate (*vt.* 污染，玷污) |
| **gregarious** | [grɪ'geəriəs] *adj.* 群居的；合群的；爱交际的 |
| | 记 词根记忆：greg(组，群)+arious(…的)→群体的→群居的 |
| **heartless** | ['hɑːtləs] *adj.* 无情的，狠心的；没精打采的 |
| **instill** | [ɪn'stɪl] *vt.* 滴注；逐渐灌输；逐步培养(感受、思想等) |
| | 记 词根记忆：in(进入)+still(小水滴)→滴进去→滴注 |
| **infringe** | [ɪn'frɪndʒ] *v.* 侵犯，侵害；违背，触犯(法规)；干涉，干扰 |
| | 搭 infringe a rule 违反规章；infringe a law 违法 |
| **comic*** | ['kɒmɪk] *adj.* 可笑的，滑稽的；喜剧的 *n.* 喜剧演员 |
| | 搭 comic strip (常登载于报纸的)连环漫画 |

**transplant** [træns'plɑːnt] vt. 移栽，移种(植物等)；移植(器官等)；使迁移，使移居 ['trænsplɑːnt] n. (器官等的)移植

記 词根记忆：trans(转移)+plant(种植)→移植

派 transplantation (n. 移植；迁移)；transplantable (adj. 可移植的)

同 graft (v. 移植；嫁接)；transfer (v. 转移，调动)

**spur** [spɜː(r)] n. 刺激(物)；激励；靴刺，马刺 vt. 刺激，激励，鞭策；(用马刺)策马加速

記 联想记忆：NBA的马刺队就是Spur

**barbaric** [bɑː'bærɪk] adj. 野蛮的，粗鲁的；残暴的，残忍的；原始部落的

**delinquent** [dɪ'lɪŋkwənt] adj. 失职的；违法的；拖欠债务的 n. 违法者，罪犯(尤指少年犯)

記 词根记忆：de(表加强)+linqu(离开)+ent(具有…性质的)→一再离开(正道)的→失职的

**sluttish** ['slʌtɪʃ] adj. 懒惰的，邋遢的；放荡的

記 来自slut (n. 邋遢女人，懒婆娘)

搭 sluttish behaviour 放荡的行为

**retaliate** [rɪ'tælieɪt] vi. 报复，反击；复仇

搭 retaliate against the persecutor 报复迫害者；retaliate against an attack 对攻击展开报复

**perpetrate** ['pɜːpətreɪt] vt. 做(坏事)，犯(罪)

**prosper** ['prɒspə(r)] vi. 繁荣，兴旺；成功

記 词根记忆：pro(在前)+sper(希望)→希望在前→繁荣

**anchor** ['æŋkə(r)] n. 锚；给人安全感的人(或物)；精神支柱；顶梁柱 v. 抛锚；使固定，系牢；使基于；主持(电视节目等)

記 发音记忆："安客"→船抛锚，客安心→抛锚

**despoil** [dɪ'spɔɪl] vt. 抢夺，掠夺；蹂躏，破坏

**discourteous** [dɪs'kɜːtiəs] adj. 无礼的，粗鲁的

記 联想记忆：dis(无)+courteous(有礼貌的)→无礼的

**lax** [læks] adj. 懒散的；松弛的，不严格的，马虎的

**boost** [buːst] *vt.* 使增长，提高；使兴旺；鼓励，促进 *n.* 增加，提高；帮助，激励

记 联想记忆：自吹(boast)自擂，宣扬(boost)自我

派 booster (*n.* 升降压器；支持者)

**smear** [smɪə(r)] *v.* 胡乱涂抹；弄脏，弄污；诽谤，诋毁；变得模糊不清，把(图画等)弄得模糊不清 *n.* 污迹，污渍；(显微镜的)涂片；诽谤，诋毁

记 联想记忆：遭到诽谤(smear)，发誓(swear)报复

**lenient** ['liːniənt] *adj.* (执法时)宽大的，宽容的；厚道的，仁慈的

派 leniency (*n.* 宽大；仁慈)

**synthetic** [sɪn'θetɪk] *adj.* 人造的；合成的，综合的 *n.* 合成物；合成纤维(织物)

记 词根记忆：syn(共同)+thet(放)+ic(…的)→放到一起的→合成的

搭 synthetic material 合成材料

派 synthetically (*adv.* 综合地，合成地)

**enact** [ɪ'nækt] *v.* 通过(法律)；扮演(角色)

记 联想记忆：en(使)+act(法令)→使成为法令→通过(法律)

**resent** [rɪ'zent] *v.* 愤恨，对…表示愤恨，感到气愤

记 词根记忆：re(反)+sent(感觉)→反感→愤恨

**affluent** ['æfluənt] *adj.* 丰富的，富裕的

记 词根记忆：af(表加强)+flu(流动)+ent(具有…性质的)→不断流出的→富得流油→富裕的

搭 an affluent fountain 丰富的源泉

**trunk** [trʌŋk] *n.* 树干，躯干；大箱子；象鼻

记 联想记忆：卡车(truck)撞向树干(trunk)

**coexist** [ˌkəʊɪɡ'zɪst] *vi.* 共存，并存

记 联想记忆：co(共同)+exist(存在)→共存

**aviation** [ˌeɪvi'eɪʃn] *n.* 航空；飞行；航空制造业

记 词根记忆：avi(鸟)+ation(表名词)→像鸟一样飞→飞行

| | |
|---|---|
| **rampant** | ['ræmpənt] *adj.* (犯罪、疾病等)猖獗的，肆虐的，泛滥的；(植物)蔓生的，疯长的 |
| **prolonged** | [prə'lɒŋd] *adj.* 持久的，长期的 |
| | 记 词根记忆：pro(向前)+long(长)+ed(…的)→向前拉长的→长期的 |
| | 派 prolongation (*n.* 延长，延伸) |
| | 同 elongate (*v.* 伸长，拉长)；extend (*v.* 延展，延长) |
| | 反 shorten〔*v.* (使)缩短，变短〕 |
| **crushing** | ['krʌʃɪŋ] *adj.* 惨重的，毁灭性的；压倒的，决定性的 |
| **futile** | ['fjuːtaɪl] *adj.* 无效的，无用的，无意义的；(人)没出息的；琐细的 |
| | 记 词根记忆：fut(=fus，流)+ile→流走的→无用的 |
| **edify** | ['edɪfaɪ] *v.* 陶冶，教化；启发，启迪 |
| | 记 词根记忆：ed(吃)+ify(使…)→使吃下去→陶冶 |
| **vulgar** | ['vʌlgə(r)] *adj.* 庸俗的，粗俗的；粗鲁的，缺乏教养的 |
| | 记 词根记忆：vulg(人群)+ar(…的)→庸俗的 |
| | 搭 vulgar tastes 低级趣味；vulgar jokes 粗俗的笑话 |
| | 派 vulgarity (*n.* 庸俗，粗俗)；vulgarly (*adv.* 粗野地；庸俗地) |
| | 同 coarse (*adj.* 粗鄙的) |
| | 反 exquisite (*adj.* 优美的，高雅的，精致的)；elegant (*adj.* 雅致的，高雅的) |
| **core** | [kɔː(r)] *n.* 果心，果核；(物体的)中心部分；核心，要点，精髓 *vt.* 去掉核 |
| | 记 词根记忆：cor(=cord，心)+e→核心 |
| | 搭 to the core 十足，彻底地 |
| **inborn** | [ˌɪn'bɔːn] *adj.* 天生的，先天的，天赋的 |
| | 记 联想记忆：in+born(出生)→天生的，先天的 |
| **habitable** | ['hæbɪtəbl] *adj.* 适于居住的，可居住的 |
| | 记 词根记忆：habit(居住)+able(能…的)→适于居住的 |
| **ecological** | [ˌiːkə'lɒdʒɪkl] *adj.* 生态学的，生态的 |
| **stipulate** | ['stɪpjuleɪt] *v.* 规定，明确要求 |
| | 记 词根记忆：stip(压)+ulate(使…)→使一起按压→规定 |

| | |
|---|---|
| **legitimize** | [lɪˈdʒɪtəmaɪz] *vt.* 使合法；赋予合法权利 |
| | 📖 词根记忆：legitim(法律)+ize(使⋯)→使被法律认可 →使合法 |
| **crystallize** | [ˈkrɪstəlaɪz] *v.* (使)结晶；(使)变明确 |
| **solar-powered** | [ˈsəʊlə ˌpaʊəd] *adj.* 由太阳能驱动的 |
| **cosy** | [ˈkəʊzi] *adj.* 舒适的，安逸的 |
| **roller** | [ˈrəʊlə(r)] *n.* 滚筒；滚轴 |
| | 📖 来自roll (*v.* 滚动) |
| **unsanitary** | [ʌnˈsænətri] *adj.* 不卫生的 (=insanitary) |
| **condone** | [kənˈdəʊn] *v.* 宽恕，赦免；纵容，容忍 |
| | 📖 词根记忆：con(表加强)+don(给予)+e→完全给予→ 纵容 |
| **bereave** | [bɪˈriːv] *vt.* 使丧失，剥夺 |
| | 📖 词根记忆：be(使⋯)+reave(抢夺)→剥夺 |
| **faulty** | [ˈfɔːlti] *adj.* 有错误的，有缺点的；不完美的 |
| | 📖 来自fault (*n.* 过错) |
| **enigma** | [ɪˈnɪgmə] *n.* 谜；谜一样的人或事 |
| **spare\*** | [speə(r)] *adj.* 闲置的；备用的，外加的；空闲的 *v.* 省 出，抽出(时间等)；饶恕，赦免；免去；不吝惜(时间、 金钱等) *n.* 备用品；[pl.] 配件 |
| | 📱 spare part 备件，配件；spare time 闲暇时光 |
| **nursery\*** | [ˈnɜːsəri] *adj.* 幼儿教育的 *n.* 托儿所；苗圃 |
| | 📖 来自nurse (*v.* 看护) |
| **semantic** | [sɪˈmæntɪk] *adj.* 语义的 |
| | 📖 词根记忆：sem(符号)+ant+ic(⋯的)→有关符号的→ 语义的 |
| **barren** | [ˈbærən] *adj.* (土地等)贫瘠的，荒芜的；不结果实的， 不育的；无益的，无效的 |
| | 📖 联想记忆：bar(=bare，光秃秃的)+ren→荒芜的； 不结果实的 |
| | 📱 barren land 不毛之地；barren effort 无用之功 |
| | 📗 fruitless (*adj.* 不结果实的；徒劳的)；devoid (*adj.* 全无的，缺乏的)；lacking (*adj.* 缺乏的) |

**反** fertile (*adj.* 肥沃的，富饶的；多产的)；fecund (*adj.* 多产的，丰饶的)

| | |
|---|---|
| **conductive** | [kən'dʌktɪv] *adj.* 能传导电(或热)的，导电(或热)的 |
| **eccentric** | [ɪk'sentrɪk] *adj.* 古怪的，反常的 *n.* 古怪的人 |

**记** 词根记忆：ec(=e，出)+centr(中心)+ic(…的)→偏离中心的→古怪的

**派** eccentrically (*adv.* 古怪地)；eccentricity (*n.* 古怪；古怪行为)

**同** abnormal (*adj.* 反常的，变态的)；peculiar (*adj.* 奇特的)

**反** ordinary (*adj.* 平常的，普通的)；normal (*adj.* 正常的；标准的)

| | |
|---|---|
| **inferior** | [ɪn'fɪəriə(r)] *adj.* 较差的，次的，低劣的；级别低的，较低的 *n.* 下级；下属，晚辈 |

**搭** inferior goods 劣质商品；an inferior officer 一位下级军官

**派** inferiority (*n.* 低等，劣等)

| | |
|---|---|
| **slacken** | ['slækən] *v.* (使)松弛，放松；放慢；萧条 |
| **mentor** | ['mentɔː(r)] *n.* 导师；顾问，指导者 |

**记** 词根记忆：ment(头脑)+or(表人)→在头脑上影响他人的人→导师

| | |
|---|---|
| **pad** | [pæd] *n.* 软垫；便笺本 *v.* (用软材料)填塞；蹑手蹑脚地走 |
| **unblemished** | [ʌn'blemɪʃt] *adj.* 无瑕疵的，完好的 |
| **lounge\*** | [laʊndʒ] *vi.* 懒洋洋地站(或坐、躺) *n.* 等候室；休息室 |
| **dietary** | ['daɪətəri] *adj.* 饮食的 |

**搭** dietary expert 饮食专家；dietary habit 饮食习惯

| | |
|---|---|
| **hamper** | ['hæmpə(r)] *vt.* 妨碍，阻挠 *n.* 有盖的篮子；盒装食物 |

**记** 联想记忆：篮子(hamper)在左手，锤子(hammer)在右手

| | |
|---|---|
| **disparage** | [dɪ'spærɪdʒ] *vt.* 贬低，贬抑；轻蔑，轻视 |

**记** 词根记忆：dis(不)+par(相等)+age(表行为)→使不相等→贬抑

| **corporal** | [ˈkɔːpərəl] *adj.* 肉体的，身体的 *n.* (陆军或空军)下士 |
| --- | --- |
| | 🔢 词根记忆：corpor(身体)+al(…的)→身体的 |
| **libel** | [ˈlaɪbl] *n.* (文字)诽谤，中伤；诽谤性文字 *vt.* 诽谤，中伤，诬蔑 |
| **criterion** | [kraɪˈtɪəriən] *n.* 标准，准则 |
| | 🔢 词根记忆：crit(判断)+er(表名词)+ion(表名词)→判断的准则→标准 |
| **eco-friendly** | [ˌiːkəʊ ˈfrendli] *adj.* 环保的 |

音频

# *Word List 48*

**telegraph** ['telɪɡrɑːf] *n.* 电报机；电报 *v.* 打电报，发电报；(无意中)泄露，流露

🔑 词根记忆：tele(远的)+graph(写)→以书写的方式带来远处的东西→电报

**episodic** [,epɪ'sɒdɪk] *adj.* 偶然发生的，不定期的；由许多片段组成的，松散的

🔑 来自episode (*n.* 片段；插曲)

**trespass** ['trespəs] *vi.* 侵犯(某人的财产)；擅闯(某人的领地)；利用(某物)；冒犯，触犯

🔑 词根记忆：tres(=trans，越过)+pass(走)→越过边界随意走动→侵犯

**millennium** [mɪ'leniəm] *n.* 一千年，千禧年；(未来的)太平盛世

🔑 词根记忆：mill(千)+enn(年)+ium→一千年

**susceptible** [sə'septəbl] *adj.* 易受影响的，易受伤害的；易受感染的；(人)敏感的，易动感情的；能经受…的，容许…的

🔑 词根记忆：sus(表加强)+cept(抓)+ible(能…的)→容易被抓住的→易受影响的

🔍 be susceptible to 易受…影响，对…过敏

🔖 susceptibility (*n.* 易感性)

🔗 allergic (*adj.* 过敏的)；vulnerable (*adj.* 易受攻击的；易受影响的)

⚖ immune (*adj.* 免疫的，不受影响的)

**antiseptic** [,ænti'septɪk] *adj.* 防腐的，抗菌的 *n.* 防腐剂，抗菌剂

🔑 词根记忆：anti(抗)+sept(腐烂)+ic(某种药)→防腐剂

**indolent** ['ɪndələnt] *adj.* 懒惰的，倦怠的；不活跃的

🔑 词根记忆：in(不)+dol(悲痛)+ent(具有…性质的)→不悲不喜的→倦怠的

**thrifty** ['θrɪfti] *adj.* 节俭的，节约的

🔑 来自thrift (*n.* 节约，节俭)

| | |
|---|---|
| **nutritious** | [njuˈtrɪʃəs] *adj.* 有营养的，营养丰富的 |
| | 记 词根记忆：nutri(滋养)+tious(…的)→有营养的 |
| **dupe** | [djuːp] *n.* 上当者，受骗者 *vt.* 欺骗，愚弄 |
| **overfill\*** | [ˌəʊvəˈfɪl] *v.* 装得太多，装到满溢 |
| | 记 组合词：over(过度)+fill(装满)→装得太多 |
| **inviolable** | [ɪnˈvaɪələbl] *adj.* 不可侵犯的，不容亵渎的 |
| | 记 联想记忆：in(不)+violable(易受侵犯的)→不可侵犯的，不容亵渎的 |
| | 派 inviolability (*n.* 不可侵犯；神圣) |
| **penalize** | [ˈpiːnəlaɪz] *vt.* 惩罚，处罚；判罚；使处于不利地位 |
| | 记 词根记忆：penal(=pen，惩罚)+ize(使…)→惩罚 |
| **slander** | [ˈslɑːndə(r)] *n.* 诋毁，中伤，诽谤(罪) *vt.* 诋毁，诽谤 |
| **restore** | [rɪˈstɔː(r)] *vt.* 恢复，使复位；修复，整修，重建；归还，交还 |
| | 记 联想记忆：灾后重建(restore)，包括商店(store) |
| | 派 restoration (*n.* 恢复；修复) |
| **virtuous** | [ˈvɜːtʃuəs] *adj.* 有道德的，品性好的，品德高的；自命清高的；贞洁的 |
| | 记 来自virtue (*n.* 德行；美德) |
| **superstitious** | [ˌsuːpəˈstɪʃəs] *adj.* 迷信的；由迷信引起的；受迷信思想支配的 |
| | 搭 superstitious beliefs 迷信思想 |
| **bead** | [biːd] *n.* 珠子；(水、血、汗的)小滴 |
| | 记 联想记忆：做面包(bread)的工人汗滴(bead)如雨下 |
| **malt** | [mɔːlt] *n.* 麦芽；麦芽酒 *v.* 把…制成麦芽；(谷物)变成麦芽 |
| **augment** | [ɔːgˈment] *vt.* 增加；提高；扩大 |
| | 记 词根记忆：aug(增加)+ment(表名词)→增加 |
| | 派 augmentation (*n.* 增加) |
| **agile** | [ˈædʒaɪl] *adj.* 敏捷的，灵活的，机敏的 |
| | 记 词根记忆：ag(做)+ile(…的)→做得快的→敏捷的 |
| **tribal** | [ˈtraɪbl] *adj.* 部落的，部族的 |
| | 记 来自tribe (*n.* 部落) |

| **precede** | [prɪˈsiːd] v. 领先，先于 |
| | 记 词根记忆：pre(前)+ced(行走)+e→向前走→先于 |
| **alleviate** | [əˈliːvieɪt] vt. 减轻，缓解，缓和 |
| | 记 词根记忆：al(表加强)+levi(变轻)+ate→减轻 |
| **antibiotic** | [ˌæntibaɪˈɒtɪk] n. 抗生素；抗菌素 adj. 抗菌的；抗生素的 |
| | 记 词根记忆：anti(抗)+bio(生命)+tic(…的)→抗菌的 |
| | 搭 antibiotic medicine 抗菌药 |
| **overexploit** | [ˌəʊvərɪksˈplɔɪt] vt. 过度开采 |
| **grill\*** | [grɪl] vt. 烧烤；拷问，盘问 n. 烤架 |
| **inculcate** | [ˈɪnkʌlkeɪt] vt. 谆谆教诲，反复灌输 |
| | 记 词根记忆：in(进入)+culc(踩踏)+ate(表动词)→为进入某人内心而踩踏→反复灌输 |
| | 搭 inculcate sb. with a sense of responsibility 谆谆教导某人要有责任感 |
| **brutal** | [ˈbruːtl] adj. 野兽般的，残忍的；无情的，冷酷的 |
| | 记 来自brute (adj. 残忍的) |
| | 搭 brutal attack 残忍的攻击 |
| | 派 brutality (n. 残酷，兽行) |
| | 同 cruel (adj. 残忍的；兽性的) |
| **avenge** | [əˈvendʒ] vt. 报仇，复仇 |
| | 记 词根记忆：a(表加强)+venge(报仇)→报仇 |
| | 同 revenge (v. 复仇) |
| **invasive** | [ɪnˈveɪsɪv] adj. 侵略的，入侵的；(疾病等)侵袭的，扩散的；切入的，开刀的 |
| | 记 词根记忆：in(入内)+vas(走)+ive(…的)→未经许可就进入的→入侵的 |
| | 搭 invasive cancer 扩散性肿瘤；invasive surgery 开刀手术 |
| **upgrade** | [ˌʌpˈgreɪd] vt. 使(机器等)升级，提高，改进；提拔，提升；改善 [ˈʌpgreɪd] n. 向上的斜坡；增加，改善 |
| | 记 组合词：up(向上)+grade(等级)→使升级，提高；提拔，提升；改善 |
| | 同 improve (v. 改善，改进) |

| | |
|---|---|
| **commute** | [kə'mjuːt] *v.* (乘公共汽车等)上下班往返，经常往返；交换，抵偿；减刑 *n.* 上下班路程 |
| | 记 词根记忆：com(共同)+mut(改变)+e→以一物改变另一物→交换 |
| | 派 commuter (*n.* 上下班往返的人；通勤者) |
| | 同 compensate (*v.* 偿还，补偿) |
| **legislative** | ['ledʒɪslətɪv] *adj.* 立法的，有立法权的；根据法规执行的；立法机关的 *n.* 立法机关 |
| | 搭 legislative power 立法权 |
| **differentiate** | [ˌdɪfə'renʃieɪt] *v.* 区分，区别；差别对待，区别对待 |
| | 记 词根记忆：dif(分开)+fer(搬运)+ent(…的)+iate(表动词)→分开搬运→差别对待 |
| | 派 differentiation (*n.* 区别，差别) |
| | 同 discriminate (*v.* 区别；歧视) |
| **sentient** | ['sentiənt] *adj.* 有感觉能力的，有知觉力的；知悉的 |
| | 记 词根记忆：senti(=sent, 感觉)+ent(…的)→有感觉能力的 |
| **pour\*** | [pɔː(r)] *v.* 灌，倒；倾泻；喷发；不断涌向(或涌现) |
| | 记 联想记忆：穷(poor)困潦倒(pour) |
| **hook\*** | [hʊk] *n.* 钩，吊钩，钩状物 *v.* (使)钩住，挂住；钓(鱼) |
| | 记 联想记忆：书(book)在手，月如钩(hook) |
| | 搭 hook up with sb. 与某人来往 |
| **tighten** | ['taɪtn] *v.* (使)变紧；使更加严格，加强 |
| | 记 联想记忆：tight(紧的)+en(使…)→(使)变紧 |
| | 搭 tighten up 变得更加严格 |
| **humane** | [hjuː'meɪn] *adj.* 善良的，人道的，仁慈的，慈悲的；(指学科)促进文明或教化的，人文的 |
| | 记 词根记忆：hum(人)+ane(…的)→有人性的→仁慈的 |
| **infiltrate** | ['ɪnfɪltreɪt] *v.* (使)悄悄进入，潜入；渗入，渗透 |
| | 记 词根记忆：in(使…)+filtr(=filter, 过滤)+ate→使过滤→渗透 |
| | 派 infiltration (*n.* 潜入；渗透) |
| **violate** | ['vaɪəleɪt] *vt.* 违反，违犯，违背；亵渎；侵犯，干扰 |
| | 派 violation (*n.* 违反) |

| | |
|---|---|
| **glacier** | ['glæsiə(r)] *n.* 冰川，冰河 |
| | 记 词根记忆：glac(冰)+ier(表物)→冰川 |
| **hereditary** | [hə'redɪtri] *adj.* (尤指疾病)遗传的，遗传性的；可继承，世袭的 |
| | 记 词根记忆：heredit(=hered，继承)+ary(…的)→遗传的；可继承的 |
| | 搭 hereditary title 世袭的头衔 |
| **insidious** | [ɪn'sɪdiəs] *adj.* 潜伏的，隐伏的 |
| | 记 词根记忆：in(进入)+sid(坐)+ious(…的)→坐在里面的→潜伏的 |
| **discharge** | ['dɪstʃɑːdʒ] *n.* 排出(物)；获准离开，免职；履行，执行；(债务的)清偿 [dɪs'tʃɑːdʒ] *v.* 解雇；释放；排出，放出；放(电)；完成，履行 |
| | 记 联想记忆：dis(分离)+charge(职责；电荷)→解雇；放(电) |
| | 搭 discharge one's responsibility 履行责任 |
| **refrain** | [rɪ'freɪn] *v.* 抑制，克制 *n.* (诗歌的)叠句；(歌曲的)副歌；经常重复的评价 |
| | 记 词根记忆：re(向后)+frain(笼头)→笼头往后→抑制 |
| | 同 restrain (*vt.* 抑制，控制)；abstain (*vi.* 戒除) |
| | 反 indulge (*v.* 纵容，放纵) |
| **supportive\*** | [sə'pɔːtɪv] *adj.* 支持的，支援的；赞助的；鼓励的；同情的 |
| | 记 来自support (*vt.* 支持，拥护；赞助) |
| **accustom** | [ə'kʌstəm] *vt.* 使习惯于 |
| | 记 联想记忆：ac(表加强)+custom(风俗，习惯)→使成为习惯→使习惯于 |
| **inalienable** | [ɪn'eɪliənəbl] *adj.* 不可剥夺的，不可分割的 |
| | 记 词根记忆：in(不)+alienable(可转让的)→不可转让的→不可剥夺的 |
| **savour** | ['seɪvə(r)] *vt.* 品尝，品味；欣赏；体会，体味 *n.* 味道，风味；情趣，吸引力 |
| | 记 联想记忆：品尝(savour)喜欢的味道(flavour) |

| | |
|---|---|
| **pump** | [pʌmp] *v.* 用泵抽(水)；涌出，奔流 *n.* 泵，抽水机 |
| | 搭 pump sth. into sb. 强行向某人灌输 |
| **astronomy** | [ə'strɒnəmi] *n.* 天文学 |
| | 记 词根记忆：astro(星星)+nomy(法则；学科)→研究星星的学科→天文学 |
| | 派 astronomical (*adj.* 天文学的；天文的)；astronomer (*n.* 天文学家) |
| **hazardous** | ['hæzədəs] *adj.* 危险的，冒险的；有害的 |
| | 记 联想记忆：hazard(危险)+ous(…的)→危险的 |
| | 搭 hazardous waste 有害废物 |
| **segregate** | ['segrɪgeɪt] *vt.* 隔离，使分开 |
| | 记 词根记忆：se(分开)+greg(组，群)+ate(使…)→使和群体分开→隔离 |
| | 搭 segregate from 与…隔离 |
| | 派 segregated (*adj.* 隔离的)；segregation (*n.* 隔离) |
| | 同 isolate (*vt.* 使隔离，孤立) |
| | 反 unite (*v.* 联合) |
| **tillable** | ['tɪləbl] *adj.* 适宜耕种的，可耕种的 |
| | 记 联想记忆：till(耕作，犁地)+able(能…的)→适宜耕种的，可耕种的 |
| **overgraze** | [ˌəʊvə'greɪz] *v.* 过度放牧 |
| | 记 组合词：over(过度)+graze(放牧)→过度放牧 |
| **embody** | [ɪm'bɒdi] *vt.* (作品等)表达，体现；具体表现，使具体化；包括，包含 |
| | 记 联想记忆：em(使…)+body(身体)→使身体显现出来→使具体化 |
| | 同 contain (*vt.* 包含，容纳)；incarnate (*vt.* 使具体化) |
| **reciprocate** | [rɪ'sɪprəkeɪt] *v.* 回报，回应；报答 |
| **moribund** | ['mɒrɪbʌnd] *adj.* 垂死的，即将灭亡的；即将结束的 |
| | 记 词根记忆：mori(死)+bund(=bound，边界)→在死亡边缘的→垂死的 |
| **isolated** | ['aɪsəleɪtɪd] *adj.* 隔离的，分离的；与世隔绝的，偏僻的；孤立的，孤独的；个别的 |

| | |
|---|---|
| | 记 来自isolate (*vt.* 使分离) |
| | 同 remote (*adj.* 偏远的) |
| **modish** | ['məʊdɪʃ] *adj.* 流行的，时髦的 |
| | 记 词根记忆：mod(模式)+ish(有…性质的)→最新模式的→流行的 |
| **maltreat** | [ˌmæl'triːt] *vt.* 虐待 |
| | 记 词根记忆：mal(坏)+treat(对待)→虐待 |
| **disobey** | [ˌdɪsə'beɪ] *v.* 不服从，违抗 |
| | 记 联想记忆：dis(不)+obey(服从)→不服从，违抗 |
| **versatile** | ['vɜːsətaɪl] *adj.* 多才多艺的，多面手的；多用途的，通用的 |
| | 记 词根记忆：vers(转)+atile→玩得转的→多才多艺的 |
| | 派 versatility (*n.* 多才多艺；多功能性)；versatilely (*adv.* 多才多艺地；多功能地) |
| | 同 all-round (*adj.* 多方面的，多才多艺的) |
| **grudge** | [ɡrʌdʒ] *n.* 不满，积怨，怀恨 *v.* 勉强做；不情愿地给，吝惜 |
| | 搭 hold grudges 心存怨恨 |
| **pretentious** | [prɪ'tenʃəs] *adj.* 自命不凡的；炫耀的；做作的 |
| | 记 词根记忆：pre(前)+tent(伸展)+ious(…的)→向前伸展的→炫耀的 |
| **enlist** | [ɪn'lɪst] *v.* 征募；从军，参军；谋取(帮助、支持等) |
| | 记 联想记忆：en(进入…之中)+list(名单)→进入(军队)名单→征募；参军 |
| **curb** | [kɜːb] *vt.* 控制，抑制，约束 *n.* 路缘，(街道的)镶边石；马勒；起限制作用的事物 |
| **elaboration** | [ɪˌlæbə'reɪʃn] *n.* 精心之作；详尽阐述 |
| | 记 词根记忆：e(表加强)+labor(工作)+ation(表状态)→精细化工作→精心之作 |
| **snobbish** | ['snɒbɪʃ] *adj.* 势利的；自命不凡的 |
| | 记 来自snob (*n.* 势利小人；自命不凡的人) |
| **magnet** | ['mæɡnət] *n.* 磁铁，磁石；磁体；有吸引力的人或物 |

**prevalence** ['prevələns] *n.* 普及，流行，盛行

记 词根记忆：pre(前)+val(强壮的)+ence(表名词)→在前面发展得很强壮→普及

**bleak** [bliːk] *adj.* 寒冷的，阴沉的；阴郁的，暗淡；没有希望的；荒凉的

记 联想记忆：寒(bleak)风呼啸而过，打破(break)黑夜的沉寂

搭 bleak wind 寒风；bleak prospect 前景暗淡

同 cold (*adj.* 冷淡的)；dismal (*adj.* 阴沉的，凄凉的)

**ecliptic** [ɪˈklɪptɪk] *n.*【天】黄道 *adj.* 黄道的；日(或月)食的

记 来自eclipse (*n.* 日食，月食)

**vicious** [ˈvɪʃəs] *adj.* 罪恶的，邪恶的；残酷的，残忍的；凶猛的；恶性的

记 来自vice (*n.* 罪行；堕落，邪恶)

搭 vicious circle 恶性循环

同 savage (*adj.* 野蛮的；凶猛的；残忍的)；malicious (*adj.* 恶意的，恶毒的)；spiteful (*adj.* 怀恨的，恶意的)

**begrudge** [bɪˈɡrʌdʒ] *vt.* 对…感到不满；嫉妒；勉强做

**diffuse** [dɪˈfjuːz] *v.* 散布，传播；(光等)漫射；(使气体或液体)扩散，弥漫 [dɪˈfjuːs] *adj.* 扩散的，漫射的；(文章等)冗长的，难解的

记 词根记忆：dif(分开)+fus(流)+e→分开流走→扩散

派 diffusion (*n.* 扩散；传播)；diffused (*adj.* 普及的)

同 wordy (*adj.* 冗长的)

音频

# *Word List 49*

**compartment** [kəm'pɑːtmənt] *n.*隔间，分隔间

搭 smoking compartment (火车内的)吸烟室

**apprenticeship** [ə'prentɪʃɪp] *n.*学徒期；学徒身份

记 联想记忆：apprentice(学徒)+ship(表示身份)→学徒身份

**statutory** ['stætʃətri] *adj.*法定的，依照法令的

记 词根记忆：stat(立)+ut+ory(有…性质的)→设立后不动的→法定的

搭 statutory public holiday 法定假日

**hygienic** [haɪ'dʒiːnɪk] *adj.*卫生的，保健的

搭 hygienic circumstances 卫生情况

**standstill** ['stændstɪl] *n.*停顿，停滞

记 组合词：stand(站立)+still(静止的，不动的)→站着不动→停滞

**erratic** [ɪ'rætɪk] *adj.*飘忽不定的，反复无常的；不规则的

记 词根记忆：err(漫游，走)+atic(属于…的)→在某地徘徊的→反复无常的

**wicked** ['wɪkɪd] *adj.*邪恶的

**repercussion** [ˌriːpə'kʌʃn] *n.*(尤指不好的)持续影响，后果

记 联想记忆：re(回)+percussion(震动)→震动回来的余震→后果

**geometrical** [ˌdʒiːə'metrɪkl] *adj.*几何的

记 来自geometry (*n.* 几何)

搭 geometrical construction 几何结构

**conspicuous** [kən'spɪkjuəs] *adj.*显著的，显眼的，引人注意的

记 词根记忆：con(表加强)+spic(看)+uous(…的)→(被人)看了又看的→显眼的

**pivotal** ['pɪvətl] *adj.*关键性的，核心的

搭 be pivotal to... …的核心；pivotal figure 关键人物

**recurring** [rɪˌkɜːrɪŋ] *adj.* 重复出现的；再次发生的

记 词根记忆：re(重新)+curr(=cur，发生)+ing(…的)→重新发生的→再次发生的

搭 a recurring problem 一个反复出现的问题

**morale** [məˈrɑːl] *n.* 士气，斗志；精神面貌

记 联想记忆：和moral (*n.* 道德)一起记

搭 raise morale 提高士气

**retention** [rɪˈtenʃn] *n.* 保留，保持

记 词根记忆：re(重新)+ten(拿住)+tion(表名词)→重新拿住→保留

**allergy** [ˈælədʒi] *n.* 过敏性反应，过敏症

派 allergic (*adj.* 过敏的；对…十分反感的)

**conservatory** [kənˈsɜːvətri] *n.* 温室，玻璃暖房

记 联想记忆：conserv(e)(保存)+atory(表场所，地点)→用来保存的地方→温室，玻璃暖房

**sway** [sweɪ] *n.* 支配，统治，影响力；摇摆，摆动 *v.* 摇摆，摇晃；影响

搭 under the sway of 深受…的影响

**animated** [ˈænɪmeɪtɪd] *adj.* 动画的；活跃的，生气勃勃的

记 词根记忆：anim(生命)+ated→有生命的→活跃的，生气勃勃的

搭 an animated dog 一只活泼的小狗

同 lively (*adj.* 活泼的)

**overrun** [ˌəʊvəˈrʌn] *v.* 超过；泛滥 [ˈəʊvərʌn] *n.* 泛滥成灾，超出限度

记 联想记忆：over(过度)+run(跑)→跑过了头→超过

**whim** [wɪm] *n.* 一时的兴致；怪念头，奇想

搭 be seized by a whim 心血来潮

**rectify** [ˈrektɪfaɪ] *vt.* 纠正，改正，矫正

记 词根记忆：rect(直)+ify(使…)→使变直→纠正，矫正

**outskirts** [ˈaʊtskɜːts] *n.* 远离城市中心的位置，市郊

记 联想记忆：out(出，外)+skirt(位于…的边缘)+s→城市周边→市郊

| **squander** | ['skwɒndə(r)] *vt.* 浪费，挥霍(时间、金钱等) |
| | 🔢 联想记忆：squand(看作squad，军队)+er→军队杜绝浪费→浪费 |
| **sweeping** | ['swiːpɪŋ] *adj.* 彻底的，范围广的 |
| | 🔍 a sweeping reinvention 一场彻底的重塑 |
| **contend** | [kən'tend] *v.* 主张，声称 |
| | 🔢 词根记忆：con(共同)+tend(伸展)→一起伸展(个人观点)→主张 |
| **liability** | [ˌlaɪə'bɪləti] *n.* 麻烦的人(或事物)，累赘 |
| | 🔢 联想记忆：li(音似：离)+ability(能力)→离开能力，很麻烦→麻烦的人(或事物) |
| **aliment** | ['ælɪmənt] *n.* 滋养品；食物 *v.* 向…提供营养物 |
| **countless** | ['kaʊntləs] *adj.* 数不清的 |
| | 🔢 词根记忆：count(计数)+less(不…的)→数不清的 |
| **rhetoric** | ['retərɪk] *n.* 修辞；华而不实的言语 |
| | 🔍 empty rhetoric 空洞的花言巧语 |
| **venerate** | ['venəreɪt] *vt.* 崇敬，尊敬 |
| **rehearse** | [rɪ'hɜːs] *v.* 预演，排练 |
| | 🔢 联想记忆：re(再，又)+hear(听)+se→导演在一旁一遍遍听、看她们排练→排练 |
| | 📌 rehearsal (*n.* 排练，排演) |
| **implicit** | [ɪm'plɪsɪt] *adj.* 含蓄的，未言明的 |
| | 🔢 词根记忆：im(使…)+plic(重叠)+it→使(意义)重叠→含蓄的 |
| **underlie** | [ˌʌndə'laɪ] *vt.* 成为…的基础；位于…之下 |
| **prompt** | [prɒmpt] *vt.* 促进，推动 *adj.* 敏捷的；迅速的 |
| | 🔢 词根记忆：pro(向前)+mpt(=empt，拿)→向前拿→促进，推动 |
| | 📌 promptly (*adv.* 迅速地) |
| **explicit** | [ɪk'splɪsɪt] *adj.* 清楚的；直言的 |
| | 🔢 词根记忆：ex(出)+plic(重叠)+it→把重叠在一起的都展示出来→清楚的 |

| molecular | [mə'lekjələ(r)] *adj.* 分子的，由分子组成的 |
| | 记 联想记忆：molecul(e)(分子)+ar→分子的 |
| | 搭 molecular structure 分子结构 |
| **looming** | ['luːmɪŋ] *adj.* 隐隐约约的；正在逼近的 |
| | 搭 the looming crisis 迫在眉睫的危机 |
| **secrete** | [sɪ'kriːt] *v.* 分泌；藏匿，躲藏 |
| | 记 联想记忆：他把那封秘密(secret)信件藏(secrete)在角落里 |
| | 派 secretion (*n.* 分泌，分泌物) |
| **elude** | [ɪ'luːd] *v.* 避开，逃避 |
| | 记 词根记忆：e(出)+lud(玩)+e→想出去玩→避开 |
| **stroll** | [strəʊl] *vi.* 闲逛 |
| | 同 saunter (*vi.* 闲逛)；wander (*vi.* 漫步) |
| **refurbishment** | [ˌriː'fɜːbɪʃmənt] *n.* 重新装修 |
| | 记 联想记忆：re(一再)+furbish(磨光)+ment(表名词)→一再磨光→重新装修 |
| | 搭 closed for refurbishment 停业装修 |
| **observatory** | [əb'zɜːvətri] *n.* 天文台，气象台 |
| | 记 联想记忆：observ(e)(观察)+atory(表地点)→可以观察的地点→天文台 |
| **stunning** | ['stʌnɪŋ] *adj.* 极漂亮的 |
| **ceremonial** | [ˌserɪ'məʊniəl] *n.* 仪式，典礼 *adj.* 仪式的 |
| **immortal** | [ɪ'mɔːtl] *adj.* 不朽的，长生的；流芳百世的 |
| | 记 词根记忆：im(不)+mort(死)+al(…的)→长生的，不朽的 |
| **neural** | ['njʊərəl] *adj.* 神经的；神经系统的 |
| | 记 词根记忆：neur(神经)+al(…的)→神经的 |
| | 搭 neural processes 神经系统的作用 |
| **bullying** | ['bʊliɪŋ] *n.* 恃强欺弱的行为 |
| | 搭 school bullying 校园霸凌 |
| **ingest** | [ɪn'dʒest] *vt.* 咽下；吸收 |
| | 记 词根记忆：in(向内)+gest(带来)→带进去→咽下 |

| **bothersome** | [ˈbʊðəsəm] *adj.* 麻烦的；令人讨厌的 |
| | 记 联想记忆：bother(麻烦)+some(令…的)→麻烦的 |
| **entangle** | [ɪnˈtæŋgl] *vt.* 使纠缠；使卷入 |
| | 搭 entangle in 卷入… |
| **cosmetics** | [kɒzˈmetɪks] *n.* 化妆品；装饰品 |
| | 搭 cosmetics bag 化妆包 |
| **remnant** | [ˈremnənt] *n.* 剩余物；遗迹 *adj.* 剩余的 |
| | 记 词根记忆：remn(留下)+ant(…物)→剩余物 |
| **stranding** | [ˈstrændɪŋ] *n.* 搁浅 |
| | 搭 lead to stranding and death 导致搁浅和死亡 |
| **virtual** | [ˈvɜːtʃuəl] *adj.* (通过计算机软件)模拟的，虚拟的；实际上的，事实上的 |
| | 搭 virtual reality 虚拟现实 |
| | 派 virtually (*adv.* 实际上，事实上) |
| **abject** | [ˈæbdʒekt] *adj.* 悲惨绝望的；凄惨的 |
| | 搭 abject failure 惨败 |
| **aboriginal** | [ˌæbəˈrɪdʒənl] *adj.* (人、生物等)原始的；土著的，土生土长的 *n.* 土著 |
| | 记 联想记忆：ab(表加强)+original(最初的)→原始的；土著的 |
| | 搭 aboriginal culture 土著文化 |
| **acclimatize** | [əˈklaɪmətaɪz] *v.* (使)习惯(新地方、新气候等)；(使)服水土 |
| | 搭 acclimatize oneself to 使适应/习惯… |
| **veteran** | [ˈvetərən] *n.* 经验丰富的人；老手 *adj.* 经验丰富的 |
| | 搭 veteran employee 经验丰富的员工 |
| **capability** | [ˌkeɪpəˈbɪləti] *n.* 能力；性能；容量；潜质 |
| | 记 词根记忆：cap(拿住)+abil(=able，能…的)+ity(表名词)→有能力拿住→能力 |
| | 搭 research capability 研究能力 |
| **uptake** | [ˈʌpteɪk] *n.* 吸收；摄取量；使用，利用 |
| | 搭 oxygen uptake 耗氧量，摄氧量 |

| | |
|---|---|
| **variable** | ['veəriəbl] *adj.* 易变的；可变的 *n.* 变数，变量<br>🔢 词根记忆：vari(改变)+able(能…的)→能改变的→可变的<br>🔍 a number of variables 许多变数 |
| **awareness** | [ə'weənəs] *n.* 知道，意识，察觉<br>🔢 来自aware (*adj.* 知道的，意识到的)<br>🔍 self awareness 自知 |
| **auditory** | ['ɔːdətri] *adj.* 听觉的<br>🔢 词根记忆：audit(听)+ory(…的)→听觉的<br>🔍 auditory channel 听觉途径；auditory problem 听觉问题 |
| **case** | [keɪs] *n.* 具体情况；事例<br>🔍 in all cases 在所有情况下；in case of 万一，如果 |
| **dissonant** | ['dɪsənənt] *adj.* 刺耳的；不和谐的<br>🔢 词根记忆：dis(不)+son(声音)+ant(…的)→不同声音的→不和谐的<br>🔍 dissonant music 刺耳的音乐 |
| **entrench** | [ɪn'trentʃ] *vt.* 使(观念等)根深蒂固，牢固确立<br>🔍 be entrenched in 使处于牢固地位 |
| **artistic** | [ɑː'tɪstɪk] *adj.* 富有艺术性的，精美的；艺术(家)的；有艺术天赋的<br>🔢 词根记忆：art(艺术)+istic(…的)→富有艺术性的<br>🔍 artistic genres 艺术流派；artistic style 艺术风格 |
| **championship** | ['tʃæmpiənʃɪp] *n.* [常pl.] 锦标赛；冠军地位<br>🔢 联想记忆：champion(冠军)+ship→冠军地位<br>🔍 national championship 全国锦标赛 |
| **financial** | [faɪ'nænʃl] *adj.* 财政的，财务的，金融<br>🔢 来自finance (*n.* 财政，金融)<br>🔍 financial support 财政支持 |
| **historical** | [hɪ'stɒrɪkl] *adj.* (有关)历史的；历史学的<br>🔍 historical relics 历史遗迹 |
| **idyllic** | [ɪ'dɪlɪk] *adj.* 闲适恬静的，田园风光的<br>🔍 idyllic blue ocean 平和美丽的蓝色大海 |

| | |
|---|---|
| **agricultural** | [ˌægrɪˈkʌltʃərəl] *adj.* 农业的；农用的<br>记 来自agriculture (*n.* 农业)<br>搭 agricultural crop 农作物；agricultural vehicle 农用车辆 |
| **chronological** | [ˌkrɒnəˈlɒdʒɪkl] *adj.* 按时间顺序排列的<br>记 词根记忆：chron(时间)+olog(y)(…学)+ical(…的)→按时间顺序排列的<br>搭 in chronological order 按时间顺序 |
| **immediate** | [ɪˈmiːdiət] *adj.* 立刻的；当前的；最接近的；紧接的，紧靠的<br>记 词根记忆：im(无)+medi(中间)+ate(…的)→省去中间过程的→立刻的<br>搭 in the immediate future 在不远的将来<br>派 immediately (*adv.* 立即，马上；直接地) |
| **martial** | [ˈmɑːʃl] *adj.* 战争的；军事的<br>搭 martial music 军乐 |
| **immerse** | [ɪˈmɜːs] *vt.* 使浸没于；使沉浸于，使陷入<br>记 词根记忆：im(向内)+mers(没)+e→向内浸→使浸没于；使陷入<br>搭 immerse in 潜心于某事，专心于某事 |
| **adept** | [əˈdept] *adj.* 熟练的，精通的，内行的<br>[ˈædept] *n.* 行家，熟手<br>记 词根记忆：ad(表加强)+ept(能力)→能力很强的→精通的<br>搭 be adept at 擅长… |
| **cognitive** | [ˈkɒɡnətɪv] *adj.* 认识的；认知的，感知的<br>记 词根记忆：cogn(知道)+itive(…的)→认识的<br>搭 cognitive and neurological systems 认知和神经系统；cognitive behaviour 认知行为 |

# *Word List 50*

**logical** ['lɒdʒɪkl] *adj.* 逻辑的；符合逻辑的，合理的；有逻辑
头脑的

記 来自logic (*n.* 逻辑；逻辑学)

搭 logical consistency 逻辑连贯性；logical thinking 逻
辑思维

**unpredictable** [ˌʌnprɪ'dɪktəbl] *adj.* 不可预知的；无法预言的

記 联想记忆：un(不)+predict(预言)+able(能…的)→无
法预言的

**marvel** ['mɑːvl] *v.* 对…感到惊异 *n.* 令人惊异的人(或事)，奇
迹；不凡的成果

記 联想记忆：mar(毁坏)+vel(音似：well，好)→遭到彻
底的毁坏再重建好→奇迹

搭 architectural marvels 建筑奇迹

**rational** ['ræʃnəl] *adj.* 合理的；理性的；明智的

搭 rational determination 理性判断

派 rationale (*n.* 根本原因；基本原理)

**religious** [rɪ'lɪdʒəs] *adj.* 宗教的；虔诚的

搭 religious chant 圣歌；religious matter 宗教问题

**accustomed** [ə'kʌstəmd] *adj.* 习惯的；惯常的，通常的

記 词根记忆：ac(表加强)+custom(习惯)+ed(…的)→
惯常的

搭 get accustomed to 习惯于

**collaborate** [kə'læbəreɪt] *v.* 协作，合作；勾结，通敌

記 词根记忆：col(共同)+labor(工作)+ate(表动词)→协
作，合作

搭 collaborate with... 与…合作

**expenditure** [ɪk'spendɪtʃə(r)] *n.* 花费，支出

記 联想记忆：expend(花费)+iture(表名词)→花费

搭 overall tourism expenditure 旅游总支出

| | |
|---|---|
| **impartial** | [ɪmˈpɑːʃl] *adj.* 公正的；不偏不倚的；中立的<br><br>记 联想记忆：im(不)+partial(偏爱的)→不偏爱哪一边的→中立的<br><br>搭 impartial view 公正的看法 |
| **satisfaction** | [ˌsætɪsˈfækʃn] *n.* 满足；满意；欣慰；令人满意的事<br><br>记 词根记忆：satis(饱足)+faction(表状态)→满足<br><br>搭 visitor satisfaction 游客满意度 |
| **operation** | [ˌɒpəˈreɪʃn] *n.* 活动，行动；业务；运行；手术<br><br>记 词根记忆：oper(工作)+ation(表名词)→工作的状态→运行<br><br>搭 salvage operation 救助行动 |
| **executive** | [ɪɡˈzekjətɪv] *n.* 执行者；管理人员；行政负责人<br>*adj.* 执行的；行政的<br><br>搭 marketing executive 市场总监 |
| **increase** | [ɪnˈkriːs] *v.* (使)增长，增多；增加<br><br>记 词根记忆：in(使…)+creas(增长)+e→(使)增长 |
| **package** | [ˈpækɪdʒ] *n.* 一套东西；一揽子交易；包裹<br><br>记 词根记忆：pack(包装)+age(表名词)→包裹 |
| **interweave** | [ˌɪntəˈwiːv] *v.* (使)交织，编结；(使)混杂<br><br>记 联想记忆：inter(相互)+weave(编织)→编织在一起→交织<br><br>搭 interweave with 与…交织/混杂 |
| **mimic** | [ˈmɪmɪk] *vt.* 模仿；像 *n.* 模仿者；小丑 *adj.* 模仿的，模拟的<br><br>搭 mimic human abilities 模仿人类的能力；mimic one's actions 模仿某人的行为 |
| **collective** | [kəˈlektɪv] *adj.* 集体的，共同的 *n.* 集体，共同体<br><br>记 词根记忆：col(共同)+lect(收集)+ive(…的)→为生活而一起去收集食物→集体的<br><br>搭 collective accomplishment 集体成就；collective agreement 集体协议 |

| | |
|---|---|
| **relationship** | [rɪ'leɪʃnʃɪp] *n.* 关系，联系 |
| | 记 联想记忆：relation(关系)+ship(表名词，某种关系)→关系 |
| | 搭 interpersonal relationship 人际关系 |
| **scientific** | [ˌsaɪən'tɪfɪk] *adj.* 科学的；细致严谨的 |
| | 记 词根记忆：sci(知道)+ent(…的)+ific(…的)→知道很多的→科学的 |
| | 搭 scientific progress 科学的进步 |
| **mutate** | [mjuː'teɪt] *v.* 变异；转变 |
| | 记 词根记忆：mut(改变)+ate(表动词)→转变 |
| | 搭 mutate into 转化成 |
| **perceptual** | [pə'septʃuəl] *adj.* 感知的，知觉的 |
| | 搭 perceptual decision 感知判断 |
| **terms** | [tɜːmz] *n.* 条件，条款；措辞 |
| | 搭 in broad terms 宽泛地说，广义上讲；in terms of 就…而言；在…方面 |
| **regard** | [rɪ'gɑːd] *v.* 认为；把…视为；看待 *n.* 关心；注意 |
| | 搭 in this regard 在这方面，在这一点上；with regard to 关于，至于；regard...as... 把…认作…，把…当作… |
| **motor** | ['məʊtə(r)] *n.* 发动机，马达 *adj.* 机动的；肌肉运动的 |
| | 记 词根记忆：mot(动)+or(表名词，物)→发动机 |
| | 搭 motor circuits 发动机电路；motor vehicle 汽车 |
| **prevent** | [prɪ'vent] *v.* 阻止，阻碍，阻挠 |
| | 记 词根记忆：pre(预先)+vent(来)→预先来阻止别人→阻止 |
| | 搭 prevent sb. from doing sth. 阻止某人做某事 |
| **master** | ['mɑːstə(r)] *n.* 大师；能手；主人；硕士 |
| | 搭 master craftsman 工艺大师；master's degree 硕士学位 |
| **convict** | [kən'vɪkt] *vt.* 定罪，宣告…有罪 |
| | ['kɒnvɪkt] *n.* 服刑囚犯 |
| | 记 词根记忆：con(表加强)+vict(征服)→完全征服→定罪，宣告…有罪 |
| | 搭 convict of... 证明(判定)有…罪 |

| eradicate | [ɪ'rædɪkeɪt] vt. 根除，灭绝 |
|---|---|
| | 记 词根记忆：e(出)+radic(根)+ate(使…)→使连根拔出→根除 |
| | 搭 eradicate famine 消除饥荒 |
| ingenious | [ɪn'dʒiːniəs] adj. (方法等)巧妙的；聪明的，机敏的；善于创造发明的 |
| | 记 词根记忆：in(使…)+gen(产生)+ious(…的)→有产生能力的→善于创造发明的 |
| | 搭 a truly ingenious invention 一项的确新颖的发明 |
| department | [dɪ'pɑːtmənt] n. 部；司；局；处；系；(医院的)科；部门 |
| | 记 词根记忆：de(向下)+part(分开)+ment(表组织、机构)→向下分成各个部分→部门 |
| | 搭 education department 教育部；教育系 |
| programme | ['prəʊɡræm] n. 节目；计划；方案 |
| | 搭 television programmes 电视节目 |
| instruction | [ɪn'strʌkʃn] n. 教导；[常pl.] 用法说明；指示，命令 adj. 说明用法的 |
| | 记 联想记忆：instruct(指示)+ion(表名词)→指示 |
| | 搭 obey instructions 服从命令 |
| communal | [kə'mjuːnl] adj. 公共的，共享的；社区的 |
| | 记 词根记忆：com(共同)+mun(公共的)+al(…的)→公共的 |
| | 搭 communal activity 公共活动；communal decision-making 公共决策 |
| narrative | ['nærətɪv] n. 叙述；记叙体，叙述技巧 adj. 叙述性的 |
| | 记 来自narrate (v. 叙述) |
| | 搭 narrative history 叙述史 |
| dependent | [dɪ'pendənt] adj. 依靠的；依赖的；取决于…的 |
| | 记 联想记忆：depend(依靠)+ent(…的)→依靠的 |
| | 搭 be dependent on/upon 依赖，依靠；取决于 |
| spectacle | ['spektəkl] n. 精彩的表演；壮观的场面；奇观；壮丽的景象；[pl.] 眼镜 |

记 词根记忆：spect(看)+acle(表名词)→引人驻足观看
→奇观

搭 astronomical spectacle 天文奇观

| **psychological** | [ˌsaɪkə'lɒdʒɪkl] *adj.* 心理的，精神上的；心理学的 |

记 词根记忆：psycho(心理)+logical(…学的)→心理学的

搭 psychological factor 心理因素；psychological illness 心理疾病；psychological principle 心理学原理；psychological test 心理测试

| **communicate** | [kə'mjuːnɪkeɪt] *v.* 交流，沟通；传达，传播；通信 |

记 词根记忆：com(共同)+mun(公共的)+icate(表动词)→大家公开交谈→交流

搭 communicate with... 与…联系，与…交流

| **motif** | [məʊ'tiːf] *n.* 主题，主旨；装饰图案 |

搭 animal motif 动物图案；salient motif 重要主题

| **outrage** | ['aʊtreɪdʒ] *vt.* 激怒 *n.* 暴行；愤慨 |

记 词根记忆：out(过分)+rage(疯狂)→过分疯狂→愤慨

| **competitive** | [kəm'petətɪv] *adj.* 好竞争的；竞争性的 |

记 词根记忆：com(共同)+pet(力争)+itive(…的)→大家力争的→竞争性的

搭 competitive global market 竞争激烈的全球市场

| **protect** | [prə'tekt] *v.* 保护；防护 |

记 词根记忆：pro(在前)+tect(盖上)→从前面盖上→保护；防护

搭 protect sb. from sth. 保护某人不受某事物的伤害

| **stray** | [streɪ] *vi.* 迷路；偏离；走神；离题 *adj.* 迷路的 |

搭 stray away 偏离

| **spontaneous** | [spɒn'teɪniəs] *adj.* 自发的，自然产生的；自然的，无雕饰的 |

记 词根记忆：spont(承诺)+aneous(有…特征的)→发自(内心)的承诺→自发的

搭 spontaneous criticism 自发批评

| | |
|---|---|
| **symbolic** | [sɪm'bɒlɪk] *adj.* 作为象征的；象征性的<br>搭 symbolic meaning 象征意义 |
| **means** | [miːnz] *n.* 方式；方法；途径<br>搭 by means of 借助…手段，依靠…方法；by no means 绝不，一点也不；by any means 无论如何 |
| **temptation** | [temp'teɪʃn] *n.* 引诱，诱惑<br>记 词根记忆：tempt(尝试)+ation(表名词)→受到诱惑想要尝试→诱惑<br>搭 overwhelming temptation 无法抗拒的诱惑力 |
| **struggle** | ['strʌɡl] *vi.* 斗争；奋斗；努力<br>搭 struggle with... 与…斗争 |
| **devoid** | [dɪ'vɔɪd] *adj.* 全无的；缺乏的<br>记 词根记忆：de(表加强)+void(空)→全无的<br>搭 devoid of 缺乏，没有 |
| **prospect** | ['prɒspekt] *n.* 前景；可能性；景象；期望<br>[prə'spekt] *v.* 勘探，勘察<br>记 词根记忆：pro(向前)+spect(看)→向前看→前景<br>搭 job prospect 就业前景 |
| **intricate** | ['ɪntrɪkət] *adj.* 错综复杂的<br>记 联想记忆：in(在…里面)+tric(妨碍)+ate→里面有障碍的→错综复杂的 |
| **radical** | ['rædɪkl] *adj.* 根本的；激进的，极端的 *n.* 激进分子<br>记 词根记忆：radic(根)+al(…的)→根本的<br>搭 radical changes 根本变革 |
| **prone** | [prəʊn] *adj.* 易于做…的，倾向于…的；俯卧的<br>搭 be prone to 倾向于…；易于…的 |
| **strive** | [straɪv] *vi.* 奋斗，努力；力求<br>搭 strive for 争取 |
| **dictate** | [dɪk'teɪt] *v.* 规定；决定；口述；支配<br>['dɪkteɪt] *n.* 命令，规定<br>记 词根记忆：dict(断言)+ate(表动词)→决定<br>搭 dictate price 定价<br>派 dictation (*n.* 口述；听写) |

**prosecute** ['prɒsɪkjuːt] v. 起诉，控告，检举；继续从事

记 词根记忆：pro(在前)+secut(跟随)+e→跟随法官在他面前告状→控告

搭 prosecute criminal activity 控告犯罪活动

**reflect** [rɪ'flekt] v. 仔细考虑，深思；反射；显示，表明

记 词根记忆：re(向后)+flect(弯曲)→光线向后弯曲→反射

搭 reflect on 认真思考；沉思

**triumph** ['traɪʌmf] n. 狂喜；胜利，成功 v. 获胜，成功

记 联想记忆：胜利(triumph)之后吹喇叭(trump)

搭 a sense of triumph 成就感

**regulation** [,regju'leɪʃn] n. 规章，规则；管理，控制

搭 full-scale regulation 全面管制；traffic regulation 交通规则

**liable** ['laɪəbl] adj. 有责任的，有义务的；易于…的

记 词根记忆：li(=lig，捆绑)+able(能…的)→能被捆绑的→有责任的

搭 be liable to... 易于…的；有…倾向的

**sort** [sɔːt] v. 整理；安排妥当 n. 种类；类别

搭 sort out 把…分门别类；sort through 整理

**proposition** [,prɒpə'zɪʃn] n. 见解；主张；提议

搭 value proposition 价值主张

**stubborn** ['stʌbən] adj. 顽固的，倔强的；难对付的

搭 stubborn question 顽固的问题

**treasure** ['treʒə(r)] n. 金银财宝；财富；宝物

搭 treasure trove 无主财宝；宝藏

**confidential** [,kɒnfɪ'denʃl] adj. 机密的；保密的；秘密的

搭 confidential matters 保密事项

**contingent** [kən'tɪndʒənt] adj. 依情况而定的

记 词根记忆：con(共同)+ting(接触)+ent(…的)→(根据)大家接触到的情况而定→依情况而定的

搭 be contingent on... 依…而定

| statistical | [stə'tɪstɪkl] *adj.* 统计的；统计学的 |
|---|---|
| | 搭 statistical measurement 统计计量 |
| | 派 statistically (*adv.* 统计上地) |
| surrender | [sə'rendə(r)] *v.* 投降；(被迫)放弃，交出 *n.* 投降；屈服，屈从；放弃 |
| | 记 词根记忆：sur(下)+render(递交)→把放在下面的东西交上去→交出 |
| | 搭 surrender individual properties 上交个人财产 |
| disabled | [dɪs'eɪbld] *adj.* 有残疾的；丧失能力的 |
| | 记 来自disable (*v.* 使丧失能力) |
| | 搭 disabled driver 伤残驾驶者 |
| masterpiece | ['mɑːstəpiːs] *n.* 代表作；杰作；名著 |
| | 记 组合词：master(大师)+piece(一件作品)→杰作 |
| | 搭 acclaimed masterpiece 受赞誉的杰作 |
| solitary | ['sɒlətri] *adj.* 孤独的；单独的，独自的；单个的；唯一的，仅有的 |
| | 记 词根记忆：sol(单独)+it(走)+ary(…的)→自己单独走的→孤独的 |
| | 搭 solitary confinement 单独监禁 |

# 索 引

abandon / 59
abate / 268
abhorrent / 320
abide / 320
ability / 56
abject / 346
abode / 20
abolish / 180
aboriginal / 346
abound / 262
absent / 71
absenteeism / 242
absolute / 16
absorb / 229
abstract / 163
abstraction / 159
absurd / 161
abundance / 75
abuse / 290
academic / 213
accelerate / 250
acceptable / 307
access / 166
accessible / 90
accessory / 298
acclaim / 50
acclimatise / 138
acclimatize / 346
accommodation / 127
accompany / 81
accomplish / 215
account / 105
accountancy / 195
accountant / 180

accredit / 252
accreditation / 107
accumulate / 290
accuracy / 281
accurate / 13
accustom / 338
accustomed / 349
achievement / 174
acid / 58
acknowledge / 139
acoustic / 201
acquaint / 296
acquaintance / 184
acquire / 99
acquisition / 230
acrobat / 66
acrobatic / 130
activate / 45
acumen / 162
acupuncture / 164
acute / 55
adapt / 132
adaptation / 183
addict / 184
addiction / 285
addition / 114
additional / 130
address / 51
adept / 348
adequate / 214
adhere / 128
adjacent / 153
adjunct / 170
adjust / 313

administer / 220
administration / 44
administrative / 53
administrator / 24
admission / 194
admit / 217
adolescence / 314
adolescent / 167
adopt / 192
advance / 253
advanced / 93
advantage / 308
advantageous / 176
advent / 227
adventure / 212
adventurous / 176
adverse / 293
advertise / 232
advice / 123
advisable / 103
advocate / 140
aeration / 221
aerobics / 83
aeronautics / 192
aerospace / 317
aesthetic / 71
affect / 123
afflict / 304
afflicting / 224
affluent / 329
afford / 281
afield / 211
agency / 123
agenda / 52

aggravate / 96
aggravation / 142
aggressive / 296
aggressiveness / 227
agile / 335
agricultural / 348
agriculture / 114
ailment / 127
airtight / 307
aisle / 254
alarm / 213
albeit / 223
alert / 172
alienate / 323
alienation / 290
alight / 34
alignment / 57
aliment / 344
allege / 285
allergic / 210
allergy / 343
alleviate / 336
alley / 187
allocate / 32
allocation / 84
allowance / 274
allure / 320
alluvial / 38
alter / 220
alternate / 276
alternative / 166
altitude / 188
altruistic / 244
amass / 112
amateur / 264
amaze / 76
ambiguity / 182

ambiguous / 21
ambition / 26
ambitious / 28
ambulance / 99
amend / 46
amorphous / 200
amount / 93
amphibious / 286
amplify / 164
analogous / 296
analogy / 236
analyse / 200
analysis / 53
anatomy / 266
ancestral / 164
anchor / 328
ancient / 165
anecdotal / 82
anecdote / 257
angle / 325
animate / 195
animated / 343
announce / 159
annoy / 200
annual / 40
anthropologist / 31
antibiotic / 336
anticipate / 179
anticipation / 258
antidote / 45
antiquated / 323
antique / 307
antiquity / 253
antiseptic / 334
anxious / 87
apace / 7
apart / 224

ape / 259
apparatus / 154
apparent / 242
apparently / 49
appeal / 207
appear / 122
appearance / 261
appetite / 111
applaud / 274
appliance / 134
applicant / 294
application / 184
apply / 194
appoint / 188
appointment / 104
apportion / 189
appraisal / 274
appreciate / 68
apprenticeship / 342
approach / 283
appropriate / 40
approval / 211
approve / 54
approximate / 218
approximately / 43
apt / 62
aptitude / 194
aquarium / 79
arable / 175
arboreal / 198
arcade / 136
architect / 148
architecture / 61
archive / 82
argue / 1
argument / 129
aridity / 246

arousal / 285
arrange / 230
arrangement / 73
array / 249
arrogance / 60
artefact / 184
artery / 131
arthritis / 75
artificial / 117
artistic / 347
ascend / 286
ascertain / 237
ascribe / 163
ash / 220
aspect / 120
aspiration / 156
aspire / 264
assault / 318
assemble / 67
assert / 286
assess / 235
assessment / 105
asset / 77
assign / 137
assignment / 137
assimilate / 177
assimilation / 203
assist / 116
assistance / 159
assistant / 64
assistantship / 74
associate / 167
association / 316
assume / 73
assumption / 135
assurance / 302
assure / 286

asthma / 89
astonish / 293
astound / 229
astray / 281
astrology / 26
astronaut / 197
astronomy / 339
asymmetry / 234
athlete / 77
atmosphere / 188
atmospheric / 44
atomic / 19
attach / 108
attack / 178
attain / 26
attainable / 190
attempt / 194
attend / 147
attendance / 6
attention / 50
attentive / 102
attest / 28
attitude / 123
attract / 122
attraction / 87
attractive / 98
attribute / 90
audacious / 91
audio / 255
audit / 196
audition / 159
auditorium / 57
auditory / 347
augment / 335
authentic / 327
authenticate / 266
authorise / 172

authority / 160
autobiography / 307
autocratic / 278
autoimmune / 271
automatically / 77
autonomy / 223
avail / 53
availability / 195
available / 205
avalanche / 289
avenge / 336
avenue / 67
average / 207
aviation / 329
avoid / 242
award / 183
aware / 121
awareness / 347
awful / 37
bachelor / 104
backbone / 90
background / 105
bacterial / 217
badge / 97
baffle / 286
balance / 313
balcony / 130
band / 287
bankrupt / 103
bankruptcy / 307
banner / 197
bar / 262
barbaric / 328
barbecue / 132
bare / 22
barely / 1
bargain / 276

barge / 83
bark / 233
baron / 150
barren / 331
barrier / 75
basis / 51
batch / 255
bead / 335
beam / 213
beehive / 281
beforehand / 120
begrimed / 321
begrudge / 341
behalf / 143
behave / 208
belief / 65
belt / 144
beneath / 316
beneficial / 309
benefit / 42
benevolent / 237
bent / 113
bereave / 331
besides / 126
bet / 3
betray / 143
beware / 152
bewilder / 286
biased / 321
bibliography / 233
bid / 34
bilateral / 185
bilingual / 182
bind / 55
binoculars / 149
biodiversity / 286
biography / 255

biological / 16
biometrics / 213
bistro / 133
bit / 193
bizarre / 161
blade / 200
blame / 162
blank / 298
blanket / 60
blast / 139
blaze / 54
bleak / 341
blend / 123
block / 53
blonde / 207
bloom / 212
blueprint / 102
blunt / 198
board / 273
boast / 70
bold / 183
bolster / 36
bonus / 291
booming / 58
boost / 329
boot / 58
booth / 229
border / 317
bore / 143
bother / 24
bothersome / 346
boulder / 255
bounce / 187
bouncing / 209
bound / 90
boundary / 291
bow / 287

branch / 127
brand / 80
brass / 26
breakdown / 181
breakthrough / 201
breed / 287
breeze / 67
brew / 155
brief / 28
briefly / 228
brilliant / 268
brittle / 177
brochure / 129
bronchitis / 83
brood / 267
browse / 308
brunt / 250
brutal / 336
bubble / 180
buckle / 2
bud / 286
budget / 269
bulge / 257
bulk / 77
bullet / 215
bulletin / 200
bully / 319
bullying / 345
bump / 66
bunch / 93
bureau / 267
bureaucracy / 317
burgeon / 1
burglar / 113
burrow / 233
burst / 208
bury / 183

bypass / 179
cable / 168
cafeteria / 221
calcium / 227
calculate / 40
calendar / 136
calibrate / 279
calibre / 77
calm / 273
camouflage / 252
campaign / 95
cancel / 84
candidate / 316
cap / 161
capability / 346
capable / 303
capacity / 160
capsize / 217
capsule / 192
captive / 301
captivity / 314
capture / 299
cardiovascular / 25
career / 233
carry / 51
carve / 226
cascade / 146
case / 347
cash / 250
cast / 169
casual / 56
casualty / 65
catalogue / 105
catastrophe / 115
catastrophic / 320
category / 227
cater / 192

caustic / 265
caution / 207
cautious / 96
cavort / 170
cease / 175
celebrate / 5
celebrity / 59
celestial / 287
cell / 79
censor / 33
censure / 270
centennial / 239
centigrade / 212
ceramic / 230
cereal / 193
ceremonial / 345
ceremony / 12
certificate / 313
certify / 285
cervical / 296
chain / 246
challenge / 184
chamber / 3
championship / 347
chancellor / 127
channel / 179
chaos / 125
chapel / 200
character / 230
characteristic / 188
charge / 293
charity / 154
chart / 89
charter / 144
chase / 129
cheat / 80
check / 122

chemical / 266
chest / 298
chew / 257
chief / 250
chill / 132
chink / 12
chip / 101
cholesterol / 227
chorus / 214
chronic / 2
chronological / 348
chunk / 123
churn / 272
cinematography / 83
circle / 281
circulation / 42
circumscribe / 236
circumstance / 260
circus / 160
cite / 218
civil / 185
civilization / 270
claim / 166
clamour / 28
clamp / 269
clarify / 114
clarity / 77
clash / 228
classical / 290
classification / 263
classify / 220
clench / 213
client / 54
clientele / 169
climate / 138
climatic / 244
clinical / 266

361

clip / 7
cloakroom / 101
clockwise / 247
clot / 202
clue / 109
clumsy / 156
cluster / 311
clutch / 89
coach / 91
coarse / 95
code / 8
coexist / 329
cognition / 278
cognitive / 348
coherent / 189
cohesion / 229
coincide / 151
collaborate / 349
collaboration / 280
collapse / 159
collate / 56
collateral / 278
collect / 122
collection / 254
collective / 350
collision / 177
colony / 234
colossal / 278
colour-blind / 314
column / 191
comb / 31
combat / 319
combination / 287
combine / 89
combustion / 243
comedy / 154
comic / 327

commence / 146
commencement / 266
comment / 108
commentary / 136
commerce / 314
commercial / 17
commiserate / 323
commission / 152
commit / 66
commitment / 118
committee / 30
commodity / 228
commonwealth / 6
communal / 352
communicate / 353
community / 218
commute / 337
compact / 88
companion / 4
comparable / 210
comparative / 29
comparatively / 254
compare / 54
comparison / 60
compartment / 342
compass / 251
compassionate / 64
compatible / 91
compatriot / 172
compel / 117
compendium / 270
compensate / 298
compensation / 152
compete / 186
competent / 205
competition / 274
competitive / 353

compile / 248
complain / 91
complaint / 209
complementary / 170
complete / 241
complex / 104
complexity / 152
complicate / 9
complicated / 238
compliment / 39
comply / 192
component / 294
compose / 187
composition / 61
compound / 281
comprehension / 249
comprehensive / 266
compress / 174
comprise / 38
compromise / 193
compulsively / 246
compulsory / 18
computerize / 319
conceal / 193
concede / 209
conceive / 123
concentrate / 45
concentration / 65
concept / 25
conception / 180
conceptual / 149
concern / 36
concession / 305
conclude / 35
conclusion / 295
concrete / 201
concur / 169

condemn / 285
condensation / 314
condense / 232
condition / 57
conditioner / 86
condone / 331
conduce / 292
conduct / 178
conductive / 332
conference / 227
confidence / 266
confidential / 355
configuration / 251
confine / 246
confirm / 222
confirmation / 130
conflict / 45
conform / 69
conformity / 135
confront / 129
confuse / 84
confusion / 227
congested / 175
congestion / 209
congratulate / 4
congregate / 86
congress / 119
conjunction / 213
connect / 282
connection / 307
conquer / 85
conquest / 98
conscious / 165
consecutive / 110
consensus / 57
consequence / 302
consequent / 240

consequential / 204
consequently / 31
conservation / 230
conservative / 276
conservatory / 343
conserve / 62
considerable / 156
consideration / 112
consignment / 24
consist / 155
consistent / 151
consolation / 134
consolidation / 111
consortium / 2
conspicuous / 342
constant / 41
constantly / 127
constituent / 244
constitute / 133
constitution / 140
constrain / 235
construct / 227
construction / 317
consulate / 292
consult / 254
consultant / 171
consumer / 3
consumption / 207
contact / 171
contain / 115
contaminant / 292
contaminate / 294
contemplate / 268
contemporary / 309
contempt / 97
contend / 344
content / 302

context / 176
continent / 45
continental / 131
contingency / 178
contingent / 355
continually / 214
continuity / 309
continuous / 99
contract / 76
contradict / 191
contradiction / 188
contrary / 172
contrast / 120
contribute / 83
contrive / 258
contrived / 256
controversial / 225
controversy / 86
convection / 176
convenience / 269
convenient / 102
convention / 25
conventional / 267
conversation / 74
converse / 176
conversely / 258
conversion / 222
convert / 306
convey / 291
convict / 351
conviction / 162
convince / 129
cooperate / 273
cooperation / 11
cooperative / 44
coordinate / 278
coordinator / 47

cope / 42

coral / 323

cord / 150

core / 330

cork / 84

corporal / 333

corporate / 206

corps / 294

corpus / 213

correlation / 224

correspond / 153

correspondence / 84

corridor / 275

corrode / 44

corrupt / 322

cosmetics / 346

cosmic / 75

cosmopolitan / 260

cosset / 19

costume / 93

cosy / 331

council / 238

counsel / 274

counsellor / 27

counter / 25

counteract / 5

counterpart / 21

counterproductive / 277

countless / 344

couple / 17

coupon / 101

courageous / 212

course / 124

courtship / 157

cover / 201

coverage / 79

crack / 100

craft / 82

crank / 93

crash / 133

crater / 85

crawl / 147

create / 277

creation / 206

creative / 171

credential / 271

credibility / 223

credible / 253

credit / 34

creep / 56

crescent / 273

crew / 151

cricket / 206

crime / 133

criminal / 289

crisis / 280

crisp / 47

criterion / 333

critic / 275

critical / 90

criticise / 63

crockery / 144

crowded / 312

crucial / 221

crude / 186

cruel / 176

cruise / 23

crusade / 231

crush / 145

crushing / 330

crust / 177

crystallize / 331

cue / 204

cuisine / 190

culminate / 142

cultivate / 95

cultivation / 113

cultural / 118

cumulative / 285

curative / 88

curb / 340

curiosity / 156

curious / 118

curly / 152

currency / 91

current / 303

currently / 204

curriculum / 106

curry / 2

curtail / 223

cylinder / 282

dairy / 222

damage / 309

damp / 61

dash / 95

data / 84

daunt / 138

dazzle / 186

deadline / 289

dealer / 172

dean / 298

dearth / 176

debate / 260

debris / 294

decade / 157

decapitate / 207

decay / 43

deceive / 133

decent / 38

deception / 96

decibel / 178

decipher / 167

decisive / 14

declaration / 86

declare / 79

decline / 280

decompose / 165

decompression / 273

decorate / 304

decoration / 85

decouple / 280

decrease / 229

decrepit / 28

dedicate / 26

deduce / 16

deem / 58

defeat / 287

defect / 43

defence / 110

defendant / 307

deficiency / 112

deficit / 236

define / 211

definite / 58

definition / 268

deflect / 265

degenerate / 155

degrade / 124

delay / 119

delegate / 240

deliberate / 13

delicate / 106

delinquency / 13

delinquent / 328

deliver / 124

delivery / 220

delta / 39

delve / 1

demand / 225

demerit / 292

democratic / 160

demographic / 311

demolish / 42

demolition / 145

demonstrate / 52

demonstration / 46

denomination / 292

denote / 12

dense / 81

density / 4

deny / 68

depart / 260

department / 352

departure / 196

depend / 61

dependent / 352

depict / 40

deplete / 103

depletion / 266

deploy / 126

deposit / 257

depress / 125

depression / 50

deprive / 76

deputy / 55

derelict / 145

derive / 173

descend / 279

describe / 123

desert / 35

deserve / 270

design / 151

desirable / 2

desire / 173

desperate / 287

despite / 126

despoil / 328

destination / 149

destiny / 37

destruction / 73

destructive / 160

detach / 114

detail / 248

detect / 74

detective / 11

deter / 144

detergent / 265

deteriorate / 282

deterioration / 285

determine / 179

detour / 75

detract / 125

detrimental / 304

devalue / 319

devastate / 51

devastating / 208

develop / 139

deviance / 269

deviate / 79

device / 27

devise / 233

devoid / 354

devote / 62

diagnose / 12

diagram / 212

dialect / 260

diameter / 313

dictate / 354

dictation / 171

diesel / 324

dietary / 332

differ / 301

differentiate / 337
diffuse / 341
digest / 166
digestive / 66
digital / 311
dimension / 52
dimensional / 48
diminish / 207
diploma / 75
direction / 69
directory / 226
disable / 325
disabled / 356
disadvantage / 282
disagree / 19
disappointing / 39
disapprove / 91
disastrous / 278
discard / 318
discerning / 131
discharge / 338
discipline / 239
disclose / 313
discontinue / 215
discount / 137
discourage / 316
discourteous / 328
discover / 45
discredit / 178
discrepancy / 237
discretion / 28
discriminate / 159
disdain / 244
disempower / 266
disenchantment / 164
disfigure / 276
disharmony / 19

disillusion / 169
disillusionment / 198
disintegrate / 209
dislodge / 44
dismantle / 6
dismiss / 242
disobey / 340
disorder / 95
disorientate / 252
disparage / 332
dispense / 143
dispenser / 317
dispersal / 215
dispiriting / 143
displace / 135
display / 288
disposable / 203
disposal / 96
dispute / 21
disqualify / 220
disregard / 306
disrespectful / 136
disrupt / 92
disruption / 163
disruptive / 266
dissatisfied / 135
disseminate / 231
dissemination / 191
dissertation / 162
dissolve / 126
dissonant / 347
distance / 120
distill / 38
distinct / 175
distinctive / 273
distinguish / 60
distort / 159

distortion / 243
distract / 280
distraction / 9
distribute / 49
distribution / 43
disturb / 264
disturbance / 292
diverge / 324
diverse / 321
diversify / 144
diversion / 110
diversity / 280
divert / 191
divide / 101
dividend / 76
divine / 165
division / 165
divisional / 26
dizziness / 271
dizzy / 226
dock / 129
doctorate / 16
document / 65
documentation / 89
dome / 154
domestic / 274
domesticate / 279
dominant / 253
dominate / 179
domination / 195
donate / 110
donation / 118
doom / 323
dormancy / 41
dormant / 135
dose / 174
dot / 308

download / 9
downsize / 238
draft / 144
drainage / 253
dramatic / 199
drawback / 219
dreadful / 172
dredge / 208
drill / 255
droplet / 226
drought / 312
dub / 27
dubious / 255
due / 283
dull / 51
dump / 294
dupe / 335
duplicate / 183
durable / 42
duration / 283
dusk / 175
dwell / 87
dweller / 79
dwindle / 244
dynamic / 63
dystrophy / 292
earthwork / 87
earthworm / 230
easy-going / 2
eccentric / 332
ecliptic / 341
eco-friendly / 333
ecological / 330
ecology / 208
economic / 97
economical / 38
ecosystem / 36

edible / 280
edify / 330
effect / 120
effective / 68
efficiency / 253
efficient / 302
effort / 8
eject / 271
ejection / 196
elaborate / 253
elaboration / 340
elastic / 46
elbow / 69
electrical / 2
electronic / 2
element / 240
elevate / 303
elicit / 1
elicitation / 182
eligible / 217
eliminate / 49
elite / 183
elucidate / 243
elude / 345
elusive / 272
embankment / 10
embark / 270
embassy / 119
embed / 76
embezzlement / 130
embody / 339
emboss / 111
embrace / 136
embryo / 318
emerge / 218
emergency / 20
emeritus / 182

eminent / 273
emission / 133
emit / 302
emotion / 6
emotional / 308
emphasis / 283
emphasize / 108
empire / 128
empirical / 50
employ / 124
emulate / 278
enable / 6
enact / 329
encapsulate / 252
encase / 140
enclose / 174
enclosure / 215
encode / 196
encompass / 251
encounter / 180
encourage / 59
encroach / 320
endanger / 163
endeavour / 51
endorse / 318
endure / 311
energetic / 44
enforce / 79
enfranchise / 306
engage / 171
engrave / 136
engross / 170
enhance / 46
enhancer / 322
enigma / 331
enjoyable / 292
enlarge / 288

enlighten / 105
enlist / 340
enormous / 277
enquire / 88
enquiry / 194
enrich / 250
enroll / 270
enrolment / 217
enslave / 323
ensue / 86
ensure / 13
entail / 172
entangle / 346
enterprise / 181
entertain / 31
entertainment / 84
enthusiasm / 234
enthusiastic / 220
entice / 230
entire / 12
entitle / 42
entrench / 347
entrepreneur / 91
entrepreneurial / 176
entrust / 145
entwine / 272
environment / 44
envisage / 149
epidemic / 134
episodic / 334
epitomise / 12
equal / 3
equation / 250
equator / 26
equip / 76
equipment / 302
equity / 4

equivalent / 233
era / 60
eradicate / 352
erode / 322
erosion / 22
erratic / 342
erroneous / 149
eruption / 137
escalate / 231
essay / 26
essence / 288
essential / 193
establish / 116
estate / 316
esteem / 237
estimate / 270
estrange / 321
estuary / 146
eternal / 5
ethereal / 216
ethical / 35
evacuate / 10
evaluate / 156
evaluation / 231
evaporate / 37
event / 221
evidence / 126
evoke / 287
evolution / 289
evolve / 256
exacerbate / 83
exact / 1
exaggerate / 58
examine / 60
excavate / 4
excavation / 131
exceed / 229

excellent / 282
exceptional / 82
excess / 245
excessive / 268
exchange / 19
excitement / 188
exclude / 49
exclusive / 126
exclusively / 22
excreta / 206
excursion / 225
excusable / 43
execute / 69
execution / 39
executive / 350
exemplify / 202
exhale / 206
exhaust / 191
exhaustible / 189
exhaustion / 151
exhaustive / 279
exhibit / 232
exhibition / 129
exhilaration / 166
exile / 30
exist / 261
existence / 193
exodus / 169
exorbitant / 275
exotic / 37
expand / 32
expansion / 140
expectancy / 102
expectation / 268
expedition / 140
expel / 26
expenditure / 349

expense / 18
expire / 90
expiry / 292
explicit / 344
explode / 277
exploit / 274
exploitation / 190
exploitative / 176
exploratory / 202
explore / 154
explosive / 35
export / 81
expose / 159
exposure / 132
express / 98
extend / 123
extendable / 75
extension / 154
extensive / 275
extent / 10
exterior / 54
external / 161
externally / 262
extinct / 246
extinction / 163
extinguish / 321
extinguisher / 73
extol / 223
extra / 200
extract / 262
extracurricular / 128
extraordinary / 167
extravagance / 231
extravagant / 321
extreme / 219
extremely / 99
extrovert / 308

extrusion / 177
exuberant / 170
fabrication / 9
fabulous / 215
facade / 198
facial / 314
facilitate / 162
facility / 134
facsimile / 271
factual / 50
faculty / 160
fade / 209
fair / 7
fairly / 314
faith / 221
fake / 290
fallow / 131
familiarise / 102
fancy / 168
fantastic / 320
fantasy / 103
fare / 254
farewell / 153
fascinate / 156
fascinating / 279
fashion / 119
fasten / 116
fatal / 91
fatigue / 233
fault / 227
faulty / 331
fauna / 26
favour / 110
favourite / 308
feasible / 193
feature / 47
federal / 112

federation / 10
feeble / 97
feed / 315
feedback / 238
female / 77
feminism / 268
ferry / 319
fertile / 264
fertilise / 98
fickle / 110
fiction / 56
fieldwork / 294
fierce / 132
figure / 211
filter / 120
finale / 293
finance / 30
financial / 347
fingerprint / 234
finite / 152
finitude / 189
fitness / 171
fitting / 157
flame / 108
flap / 27
flash / 81
flask / 147
flat / 127
flavour / 234
flaw / 212
flee / 269
fleet / 304
flexibility / 86
flexible / 192
flexitime / 116
flicker / 150
flip / 108

flora / 179
floral / 258
flourish / 48
fluctuate / 312
fluctuation / 292
fluency / 182
flush / 224
flutter / 287
foam / 103
focus / 220
foetus / 121
foil / 200
fold / 18
force / 256
forecast / 29
foreland / 248
foremost / 67
foresee / 108
foreseeable / 183
forfeit / 5
forgo / 73
form / 211
formal / 154
formality / 203
format / 104
former / 37
formidable / 144
formula / 305
formulate / 56
formulation / 202
forth / 73
forthcoming / 139
forum / 257
fossil / 38
foster / 163
foul / 268
foundation / 254

fraction / 171
fracture / 128
fragile / 241
fragment / 255
fragrance / 55
frame / 163
frank / 291
fraud / 55
fraught / 216
freight / 94
frequency / 292
frequent / 3
friction / 197
frightened / 316
frock / 134
frontier / 279
front-line / 287
frown / 281
fruitful / 147
frustrate / 123
frustrating / 53
frustration / 232
fuel / 49
fulfil / 240
fulfillment / 264
function / 240
fund / 72
fundamental / 295
furious / 166
furnish / 57
fuse / 309
fusion / 279
futile / 330
gadget / 20
galaxy / 112
gallery / 218
gallop / 68

gamble / 165
gang / 180
gather / 232
gauge / 260
gear / 287
gelatin / 49
gender / 110
general / 24
generalise / 201
generate / 241
generative / 182
generic / 206
generous / 95
genetic / 15
genuine / 102
geographical / 151
geological / 177
geology / 226
geometric / 258
geometrical / 342
geometry / 153
germ / 119
germinate / 252
gesture / 313
gigantic / 185
given / 93
glacial / 129
glacier / 338
glamour / 132
gland / 107
gleam / 156
glide / 65
glimpse / 200
glitter / 238
global / 311
glorious / 264
gloss / 30

glossary / 111

glossy / 231

glue / 267

goal / 145

goggles / 83

goodwill / 112

gorge / 125

gorgeous / 154

govern / 144

grab / 134

graduate / 79

grand / 162

granite / 218

grant / 306

graphic / 59

grasp / 307

grassy / 264

grateful / 214

gravel / 48

gravity / 161

greasy / 70

greatly / 140

gregarious / 327

grid / 225

grieve / 185

grill / 336

grim / 154

grimy / 321

grin / 160

grind / 261

grip / 112

groan / 207

grocery / 84

grope / 35

gross / 101

grudge / 340

grunt / 8

guarantee / 121

guidance / 2

guideline / 185

guilty / 47

gullibly / 132

guzzle / 324

habitable / 330

habitat / 59

habitual / 210

hallowed / 138

halt / 289

halve / 177

hamper / 332

handicapped / 303

handle / 238

handout / 311

handy / 69

hang / 308

haphazard / 193

harbour / 177

harmony / 308

harness / 113

harsh / 78

hassle / 184

hasty / 153

hatch / 146

haul / 133

hazard / 34

hazardous / 339

headline / 159

headquarters / 79

heal / 6

healing / 277

heap / 162

heartless / 327

height / 213

heighten / 203

heir / 274

helicopter / 311

helix / 260

hemisphere / 185

hence / 292

herbal / 315

herbivore / 127

hereditary / 338

heritage / 40

hesitate / 105

hesitation / 48

hiccup / 170

hide / 37

hierarchy / 1

highlight / 247

high-tech / 296

hike / 214

hinder / 322

hinge / 222

hinterland / 63

hire / 83

historian / 168

historic / 108

historical / 347

hitherto / 215

hive / 67

holistic / 169

holistically / 265

hollow / 233

homesick / 64

homestay / 66

homogeneous / 62

honour / 44

hook / 337

horizon / 212

horizontal / 285

horrify / 88

horror / 158
hose / 22
hospitable / 308
hospitality / 249
host / 268
hostel / 309
hostile / 65
hostility / 261
household / 303
hover / 315
however / 118
huddle / 228
hug / 312
hum / 297
humane / 337
humanistic / 189
humanity / 74
humble / 25
humid / 84
humidity / 233
hunch / 63
hurdle / 61
hurl / 183
hybrid / 178
hygienic / 342
hypnotic / 224
hypothesis / 199
hypothetical / 245
ideal / 312
identical / 87
identifiable / 99
identification / 290
identify / 188
identity / 219
idyllic / 347
ignorance / 71
ignorant / 29

ignore / 262
illegal / 116
illuminate / 52
illusion / 23
illustrate / 62
illustration / 206
image / 49
imagination / 83
imaginative / 28
imagine / 275
imitate / 140
imitation / 229
immediate / 348
immediately / 117
immense / 150
immerse / 348
immigrant / 36
immigration / 3
immortal / 345
immune / 226
impact / 287
impair / 167
impart / 5
impartial / 350
impede / 16
imperil / 324
impetus / 244
implement / 295
implication / 14
implicit / 344
impose / 277
impossible / 106
impoverish / 176
impoverished / 322
imprecise / 314
impress / 261
impression / 88

impressive / 53
improve / 180
improvement / 35
improvise / 48
impulse / 122
inactive / 314
inadequate / 293
inalienable / 338
inaugurate / 251
inborn / 330
incapacitate / 122
incendiary / 140
incentive / 214
incident / 142
incinerate / 323
inclination / 161
include / 20
inclusive / 19
incoming / 57
incompatible / 151
incongruity / 245
incongruous / 224
incorporate / 291
increase / 350
incredible / 24
inculcate / 336
incur / 245
independence / 150
independent / 38
indicate / 199
indication / 312
indifferent / 80
indigenous / 151
indispensable / 190
individual / 316
indolent / 334
induce / 19

induction / 248
inductive / 235
indulge / 267
industrialise / 128
industrious / 24
inescapable / 167
inevitable / 164
infection / 276
infer / 56
inference / 194
inferential / 204
inferior / 332
infiltrate / 337
infirmity / 231
inflammable / 276
inflate / 308
inflation / 92
inflict / 320
influence / 103
influential / 308
inform / 289
informant / 182
infrastructure / 32
infringe / 327
ingenious / 352
ingenuity / 203
ingest / 345
ingredient / 197
inhabitant / 185
inhale / 178
inherent / 35
inheritance / 271
inhibit / 310
inhumane / 324
initial / 143
initiate / 315
initiative / 146

inject / 225
inland / 166
inlet / 33
innocent / 283
innovation / 238
innovative / 209
input / 4
insane / 309
inscribe / 309
insecure / 95
insert / 312
insidious / 338
insight / 65
insignificant / 257
insist / 151
inspect / 114
inspiration / 95
inspire / 310
inspiring / 5
install / 160
installment / 162
instill / 327
instinct / 248
instinctual / 245
institute / 117
institution / 161
instruct / 86
instruction / 352
instrument / 18
instrumental / 180
insufficient / 84
insularity / 265
insulate / 303
insulation / 48
insurance / 261
intact / 74
intake / 236

integral / 139
integrate / 202
intellectual / 239
intelligence / 318
intelligent / 155
intelligible / 288
intend / 50
intense / 150
intensify / 220
intensity / 295
intensive / 139
intent / 184
intention / 52
interact / 275
intercept / 22
interdependent / 267
interest / 174
interface / 157
interfere / 304
interior / 296
intermediate / 5
intermix / 224
intern / 33
internal / 22
internationalist / 111
internist / 109
internship / 17
interplay / 102
interpret / 158
interpretation / 57
interrelationship / 121
interrupt / 46
intersection / 25
interval / 227
intervene / 66
intervention / 231
interview / 10

interweave / 350
intestine / 24
intimate / 77
intricate / 354
intrigue / 196
intrinsic / 80
introduce / 123
introduction / 88
introspection / 182
introvert / 310
intrusion / 84
inundate / 322
invade / 136
invader / 241
invalid / 141
invaluable / 89
invasion / 5
invasive / 336
inventive / 259
inventory / 221
inversion / 303
invert / 232
invest / 26
investigate / 165
inviolable / 335
invisible / 62
invoice / 200
invoke / 183
involve / 222
ion / 22
iris / 12
iron / 319
irony / 294
irrational / 325
irregularity / 67
irrelevant / 222
irresistible / 181

irrevocable / 232
irrigation / 250
irritable / 209
irritate / 146
irritation / 18
isolate / 247
isolated / 339
issue / 152
item / 8
itinerary / 138
jargon / 321
jealous / 110
jeopardise / 272
jerk / 158
joint / 256
jostle / 261
journal / 249
judgment / 31
judicious / 169
juggle / 16
jumble / 75
junction / 74
justice / 75
justify / 11
juvenile / 93
keen / 284
keystone / 293
kidney / 88
kit / 241
kneel / 97
knob / 312
label / 121
labour / 284
lack / 1
lag / 173
landfill / 169
landmark / 255

landscape / 6
landward / 153
lane / 235
large-scale / 275
larva / 85
latent / 36
lateral / 81
laterality / 138
latitude / 160
launch / 208
laundry / 49
lavatory / 18
lawsuit / 195
lax / 328
layer / 167
layout / 106
lead / 211
leadership / 4
leaflet / 146
leak / 16
leap / 165
lease / 192
lecture / 25
legacy / 21
legal / 83
legislation / 209
legislative / 337
legitimacy / 237
legitimate / 325
legitimize / 331
leisure / 21
lenient / 329
lens / 47
lethal / 234
level / 81
lever / 35
lexicographer / 93

liability / 344

liable / 355

liaise / 131

libel / 333

liberty / 64

licence / 44

likelihood / 277

limb / 289

limestone / 121

limitation / 246

limited / 69

limp / 67

linen / 95

linger / 175

linguistic / 194

link / 248

liquor / 139

literacy / 40

literal / 266

literate / 163

literature / 16

litter / 181

livelihood / 270

liver / 276

livestock / 229

load / 180

loan / 303

loath / 164

lobby / 192

locality / 281

locate / 219

location / 181

log / 305

logic / 270

logical / 349

longitude / 315

longitudinal / 169

looming / 345

loop / 194

loose / 205

lounge / 332

lower / 150

loyalty / 86

lull / 143

lunar / 238

luxuriant / 204

luxury / 41

machinery / 77

magic / 137

magnet / 340

magnetic / 59

magnificent / 72

magnify / 67

magnitude / 91

mainly / 46

mainstream / 224

maintain / 261

maintenance / 140

major / 45

majority / 126

malevolent / 237

malleable / 244

malt / 335

maltreat / 340

management / 217

managerial / 259

mandarin / 263

manifest / 293

manipulate / 93

manipulative / 230

manoeuvre / 176

manor / 181

mansion / 112

mantle / 218

manual / 113

manufacture / 270

manufacturer / 72

marble / 229

margin / 9

marginally / 293

maritime / 305

marsh / 249

martial / 348

marvel / 349

marvellous / 81

mass / 179

massive / 4

master / 351

masterpiece / 356

mastery / 29

match / 124

mate / 178

material / 132

materialistic / 114

maternal / 231

mature / 318

maturity / 9

maximise / 145

maximum / 220

meagre / 223

meaningful / 261

means / 354

meantime / 282

meanwhile / 256

mechanic / 128

mechanical / 74

mechanism / 21

medical / 80

medication / 38

medieval / 208

mediocre / 211

Mediterranean / 239
medium / 248
megacity / 210
melt / 316
membership / 318
memorable / 186
memorandum / 88
memorise / 230
menace / 115
mental / 249
mention / 81
mentor / 332
merchandising / 172
mere / 173
merely / 4
merge / 121
mess / 151
metaphor / 240
metaphorical / 158
meteorology / 172
microcosm / 114
midst / 312
migrant / 269
migrate / 166
migration / 11
migratory / 33
mild / 160
milestone / 93
militant / 291
military / 219
millennium / 334
mime / 277
mimic / 350
mingle / 144
minimal / 173
minimise / 28
minimum / 205

minister / 243
ministry / 316
minority / 213
miracle / 250
miscellaneous / 265
misconception / 149
miserable / 99
mishandle / 46
misjudge / 54
missile / 246
mission / 302
mite / 113
mitigate / 71
mixture / 235
mock / 136
moderate / 183
moderately / 293
moderation / 89
modernism / 131
modification / 149
modify / 247
modish / 340
module / 294
moist / 247
molecular / 345
molecule / 171
molten / 326
momentum / 266
monitor / 173
monopoly / 317
monotonous / 158
monster / 214
monumental / 272
moral / 230
morale / 343
morality / 118
moribund / 339

mortality / 231
motif / 353
motion / 260
motivate / 148
motivational / 231
motive / 165
motor / 351
mould / 27
mount / 159
muddle / 18
multinational / 132
multiple / 212
multiply / 256
mundane / 182
municipal / 236
murder / 267
murky / 204
muscle / 240
mushroom / 183
mutate / 351
mutual / 4
mysterious / 191
naive / 207
naked / 47
narrative / 352
narrator / 57
nasty / 213
nationality / 304
native / 86
natural / 3
naturally / 316
navigable / 268
navigation / 272
necessarily / 45
necessity / 203
negative / 235
neglect / 312

negotiate / 175
neoclassical / 321
nerve / 289
neural / 345
neutral / 301
nevertheless / 5
newsletter / 6
niche / 18
nickel / 67
niggle / 131
nightmare / 164
nocturnal / 272
nominal / 99
normal / 121
notable / 295
noticeable / 293
notify / 69
notion / 17
notoriety / 259
notorious / 250
nourish / 47
novice / 322
nuclear / 4
numerous / 130
nursery / 331
nurture / 14
nutrient / 202
nutrition / 33
nutritional / 216
nutritious / 335
object / 307
objectify / 258
objection / 120
objective / 45
obligation / 64
obscene / 327
obscurity / 237

observation / 102
observatory / 345
observe / 267
obsession / 216
obstacle / 223
obstruct / 272
obtain / 263
occasion / 89
occasional / 85
occasionally / 127
occupation / 103
occupy / 12
occur / 288
odd / 225
odour / 13
offend / 174
offensive / 321
offset / 74
offspring / 85
ongoing / 315
onslaught / 223
opaque / 259
operate / 179
operation / 350
operational / 49
opponent / 14
opportunity / 60
oppose / 43
opposite / 112
optic / 293
optical / 118
optimism / 52
optimistic / 262
optimum / 170
option / 248
optional / 6
optometrist / 124

opulence / 190
opulent / 143
orbit / 319
orchestra / 240
organ / 214
organic / 25
organism / 247
organize / 191
orientate / 65
orientation / 76
origin / 249
original / 126
originate / 18
ornament / 43
ornamental / 146
orthodox / 164
otherwise / 118
outcome / 96
outdo / 239
outlaw / 323
outline / 298
outlook / 189
outpost / 24
output / 205
outrage / 353
outsell / 257
outskirts / 343
outward / 31
outweigh / 293
overall / 218
overcome / 174
overdraft / 118
overdue / 53
overestimate / 299
overexploit / 336
overfill / 335
overgraze / 339

overhead / 104
overlap / 21
overlapping / 130
overlie / 177
overrate / 135
overrun / 343
overseas / 128
oversee / 117
overshadow / 190
overview / 299
overweight / 11
overwhelm / 97
overwork / 115
owe / 315
oxide / 67
oxygen / 320
pack / 195
package / 350
pad / 332
painstaking / 189
pamper / 145
pamphlet / 302
panic / 264
parallel / 117
paralysis / 258
paramount / 224
parental / 115
parliament / 78
partial / 259
participant / 280
participate / 282
participation / 112
particle / 124
particular / 41
particularly / 262
particulate / 210
passionate / 190

passport / 191
pasture / 202
patent / 148
pathology / 246
pathway / 299
patriotic / 203
patronage / 236
pattern / 97
pavement / 323
payable / 195
payment / 51
pedal / 124
pedestrian / 310
pedigree / 244
penalize / 335
penalty / 192
penetration / 236
pension / 137
pepper / 207
perceive / 72
percentage / 109
perception / 163
perceptual / 351
perform / 13
performance / 303
perimeter / 158
periodical / 6
peripheral / 272
periphery / 271
permanent / 76
permeate / 265
permission / 284
perpetrate / 328
perpetual / 191
perpetuate / 251
perplex / 299
perquisite / 203

persist / 204
personal / 102
personality / 268
personalize / 151
personnel / 276
perspective / 158
persuade / 11
pervasive / 320
pesticide / 64
petroleum / 294
phenomenon / 94
philosophy / 2
photocopy / 298
physical / 11
physician / 3
picturesque / 211
pierce / 24
pilot / 253
pinpoint / 32
pirate / 28
pitch / 41
pivotal / 342
plagiarise / 236
plagiarism / 68
plateau / 177
platform / 187
plausible / 243
pledge / 68
pliable / 96
plot / 296
plough / 202
plummet / 129
plus / 301
plush / 143
point / 8
poisonous / 190
polish / 101

poll / 64
pollinate / 258
pollutant / 210
pollution / 263
populace / 210
popularity / 164
popularize / 319
populate / 172
population / 104
portable / 259
portion / 281
position / 116
positive / 64
possess / 188
possession / 118
postgraduate / 130
post-mortem / 198
postpone / 142
posture / 128
potential / 27
poultry / 130
pour / 337
poverty / 247
practical / 96
practically / 66
pragmatic / 244
precarious / 223
precede / 336
precedent / 237
precipitation / 223
precise / 314
precision / 29
predator / 318
predatory / 176
predict / 79
predictable / 177
prediction / 163

predispose / 288
predominant / 138
predominantly / 89
predominate / 152
prefabricate / 258
preface / 142
preferable / 213
preference / 76
pregnancy / 130
pregnant / 54
preliminary / 157
premier / 194
premise / 131
premium / 131
preparation / 31
prepare / 125
prerequisite / 104
prescribe / 195
prescription / 186
presence / 139
presentation / 301
preserve / 8
president / 109
pressure / 162
presumably / 94
presuppose / 258
pretend / 253
pretension / 113
pretentious / 340
prevail / 111
prevalence / 341
prevalent / 273
prevent / 351
preventative / 170
previous / 143
prey / 104
primarily / 283

primary / 150
prime / 130
primitive / 82
principal / 254
principle / 282
prior / 202
priority / 59
privacy / 253
private / 69
privilege / 32
probability / 161
probable / 234
probation / 50
probe / 264
procedure / 67
proceed / 65
process / 297
procession / 133
processor / 326
proclaim / 210
procrastinate / 315
productive / 211
productivity / 267
profession / 208
professional / 257
profile / 142
profit / 28
profitable / 221
profound / 284
programme / 352
prohibit / 136
prohibitive / 272
project / 217
proliferate / 115
prolonged / 330
prominence / 251
prominent / 267

promise / 106
promising / 145
promote / 66
promotion / 71
prompt / 344
prone / 354
pronounceable / 22
proof / 304
propagate / 252
propel / 128
propellant / 196
property / 47
proportion / 73
proposal / 91
propose / 43
proposition / 355
prosecute / 355
prospect / 354
prospective / 109
prospectus / 131
prosper / 328
prosperous / 3
protect / 353
prototype / 216
protrude / 259
provenance / 258
provided / 59
provision / 108
prowess / 170
proximity / 50
psychiatric / 36
psychological / 353
publicity / 61
pulley / 32
pulverise / 98
pumice / 177
pump / 339

punch / 310
punctual / 236
purchase / 41
purify / 327
purpose / 3
pursuit / 189
qualification / 32
qualitative / 180
quantity / 139
questionnaire / 14
quiver / 263
quota / 285
quote / 29
radiate / 241
radical / 354
radius / 38
rampant / 330
random / 311
range / 26
rank / 52
rarity / 315
ratio / 296
ration / 98
rational / 349
realistic / 80
realm / 197
rear / 34
reasonable / 20
recalcitrant / 231
recapture / 258
receipt / 196
receiver / 317
reception / 109
receptionist / 6
recession / 264
recipe / 232
recipient / 87

reciprocate / 339
reckon / 58
reclaim / 265
recognition / 299
recognize / 97
recommend / 154
recommendation / 74
reconstruction / 299
recourse / 182
recover / 89
recreate / 136
recreation / 71
recreational / 125
recruit / 29
rectangle / 310
rectangular / 88
rectify / 343
recurring / 343
recycle / 301
redevelopment / 57
redress / 152
reduce / 86
redundant / 46
reel / 271
refer / 10
referee / 73
reference / 58
refinement / 297
reflect / 355
refrain / 338
refresh / 292
refresher / 54
refreshment / 282
refund / 111
refundable / 64
refurbishment / 345
refusal / 101

regard / 351
regarding / 171
regardless / 111
regent / 1
region / 275
regional / 8
register / 99
registration / 125
regularity / 138
regulate / 27
regulation / 355
regurgitate / 196
rehabilitate / 210
rehearse / 344
reign / 40
reinforce / 118
reinforcement / 231
reinstate / 93
reinvigorate / 252
reiterate / 272
reject / 8
rekindle / 164
relate / 288
relation / 84
relationship / 351
relative / 310
relax / 316
relay / 144
release / 126
relentless / 271
relevance / 138
relevant / 306
reliable / 159
reliance / 164
relief / 112
relieve / 178
religion / 310

religious / 349
relocate / 325
reluctant / 138
rely / 214
remain / 249
remark / 119
remarkable / 202
remedy / 250
remind / 78
remnant / 346
remote / 241
removal / 117
remove / 90
remuneration / 224
renaissance / 244
render / 299
rendition / 158
renew / 287
renewable / 323
renewal / 299
rent / 273
rental / 216
reorient / 58
repack / 266
repaint / 33
repatriate / 252
repay / 310
repel / 279
repercussion / 342
repertoire / 158
replace / 75
replenish / 251
replicate / 216
represent / 21
representative / 29
reproduce / 184
reptile / 236

reputable / 190
reputation / 225
request / 94
require / 314
requirement / 103
requisite / 271
requisition / 299
rescue / 304
resemble / 158
resent / 329
reservation / 20
reserve / 48
reserved / 299
residence / 302
resident / 124
residential / 157
resign / 30
resilience / 278
resist / 65
resistance / 190
resistant / 53
resit / 115
resolve / 299
resonate / 101
resort / 3
resource / 12
respect / 301
respond / 211
respondent / 17
response / 51
responsibility / 69
responsible / 274
restore / 335
restrain / 184
restrict / 78
restriction / 58
resume / 82

retail / 118
retailer / 80
retailing / 216
retain / 142
retaliate / 328
retention / 343
retire / 288
retrenchment / 230
reunion / 66
reunite / 213
reveal / 227
revegetate / 215
revelation / 189
revenue / 67
reverse / 30
review / 9
revise / 257
revival / 164
revive / 324
revolution / 204
revolve / 296
reward / 85
rhetoric / 344
ridiculous / 101
rig / 4
righteous / 327
rigid / 257
rigorous / 254
rim / 147
ripe / 100
ritual / 157
rival / 87
roam / 60
roast / 318
robotic / 142
robust / 150
roller / 331

romance / 204
rot / 99
rotate / 147
route / 112
routine / 14
rude / 82
rudimentary / 157
rumour / 51
rural / 215
ruthless / 321
sack / 300
sacrifice / 155
saline / 325
salinity / 142
sample / 180
sanction / 232
sanctuary / 94
sanitary / 82
sanitation / 243
satisfaction / 350
saturate / 326
savour / 338
scale / 127
scamper / 196
scan / 254
scandal / 36
scarce / 126
scare / 93
scatter / 111
scenery / 315
scent / 215
sceptical / 150
schedule / 72
scheme / 113
scholar / 186
scholarship / 102
scientific / 351

scope / 273
scorching / 282
score / 11
scour / 204
scout / 196
scrap / 87
scrape / 71
scratch / 116
scream / 296
screen / 71
screw / 105
scrub / 203
scrupulous / 182
scrutiny / 279
scuffle / 245
sculpture / 254
seal / 125
seam / 114
seasonal / 204
seclude / 315
secondary / 171
secrete / 345
section / 127
sector / 56
secure / 8
security / 7
sedentary / 325
sediment / 115
seduce / 325
seek / 8
seep / 13
segment / 240
segregate / 339
select / 205
self-esteem / 163
semantic / 331
seminar / 268

senior / 247
sensation / 87
sensational / 112
sensible / 302
sensitive / 180
sensory / 114
sentient / 337
separate / 161
sequence / 36
serial / 117
series / 9
service / 87
session / 235
setting / 246
settle / 130
severe / 313
shade / 38
shaft / 179
shallow / 322
shareholder / 34
shark / 239
sharpen / 96
shatter / 137
shave / 23
sheer / 313
shell / 255
shelter / 233
shift / 173
shin / 323
shipment / 136
shortage / 107
shorthand / 82
shrewd / 34
shrink / 106
shrub / 83
shrug / 316
shutter / 42

shuttle / 172
siesta / 74
sift / 132
signal / 304
signature / 89
significance / 59
significant / 86
signpost / 184
silt / 19
silver / 264
similarly / 15
simplicity / 203
simplify / 18
simplistic / 170
simulate / 116
simulation / 224
simultaneous / 135
simultaneously / 101
sincere / 121
sinew / 117
sinister / 297
sip / 246
situated / 241
sketch / 173
skew / 281
skim / 142
skip / 219
skull / 195
skyscraper / 144
slacken / 332
slander / 335
slash / 280
slat / 83
sledge / 58
sleek / 145
slender / 17
slice / 206

slide / 300
slight / 14
slim / 52
slip / 137
slippery / 59
slogan / 248
slope / 104
slothful / 320
slouch / 212
slum / 38
slumber / 252
slump / 300
sluttish / 328
smart / 63
smear / 329
smell / 212
smooth / 245
smother / 245
smuggle / 48
snack / 81
snap / 98
snobbish / 340
soak / 70
sociable / 310
socialise / 170
sociology / 134
solar / 279
solar-powered / 331
sole / 157
solemn / 257
solicitor / 195
solidarity / 298
solidify / 252
solitary / 356
soluble / 44
solution / 118
solve / 200

sophisticate / 98
sophisticated / 77
sore / 37
sorrow / 198
sort / 355
source / 191
spacecraft / 302
spacious / 310
span / 281
spare / 331
spark / 132
spasm / 62
spasmodic / 72
specialise / 71
specialist / 33
specialty / 80
species / 205
specific / 45
specification / 72
specify / 269
specimen / 165
spectacle / 352
spectacular / 277
spectator / 172
spectrum / 218
speculate / 257
speculation / 158
sphere / 289
spice / 143
spill / 211
spin / 276
spine / 245
spiral / 196
spiritual / 201
spit / 67
spite / 191
splash / 119

splendid / 69
splint / 103
split / 175
spoil / 147
spoilage / 149
sponge / 159
sponsor / 14
spontaneous / 353
sporadically / 140
spot / 95
spouse / 140
sprawl / 311
spray / 256
spring / 16
spur / 328
squander / 344
squash / 10
squeeze / 198
stab / 234
stabilise / 57
stable / 39
stack / 197
staff / 61
stage / 221
stagnant / 108
stagnate / 315
stain / 222
stainless / 138
stake / 83
stale / 167
stall / 201
stammer / 109
stamp / 11
stance / 178
standard / 21
standpoint / 88
standstill / 342

starchy / 275
stare / 234
stark / 289
starve / 292
stash / 205
statement / 93
static / 127
stationary / 147
stationery / 121
statistic / 233
statistical / 356
statistically / 198
statistics / 43
status / 65
statutory / 342
steady / 199
steam / 94
steep / 296
steer / 276
stem / 120
stereo / 70
stereoscopic / 157
stick / 80
sticky / 274
stiff / 284
stimulate / 49
stimulus / 60
stint / 10
stipulate / 330
stir / 225
stitch / 113
stock / 233
stockpile / 199
storey / 180
storyline / 319
stout / 70
strain / 239

strand / 165
stranding / 346
strap / 295
strategist / 267
strategy / 217
straw / 317
stray / 353
stream / 145
strengthen / 22
stress / 245
stretch / 242
strike / 21
striking / 28
string / 181
stringent / 322
strip / 190
stripe / 74
strive / 354
stroke / 279
stroll / 345
structure / 139
struggle / 354
stubborn / 355
studio / 185
studious / 259
stuff / 153
stuffy / 43
stunning / 345
stylish / 294
subject / 198
subjective / 262
subliminal / 2
submarine / 17
submerge / 218
submit / 82
subordinate / 153
subscribe / 200

subscription / 41
subsequent / 239
subsidiary / 97
subsidise / 222
subsidy / 255
substance / 309
substantial / 14
substitute / 28
substitution / 182
subtle / 205
subtract / 194
subtropical / 125
suburb / 98
succeed / 110
succession / 132
successive / 313
succumb / 242
suffer / 16
suffice / 224
sufficient / 252
suggest / 105
suicidal / 185
suitable / 289
suitably / 31
summarise / 121
summary / 90
summit / 13
sundial / 135
superb / 52
superficial / 147
superior / 13
supersede / 190
superstitious / 335
supervise / 156
supervision / 210
supervisor / 75
supplement / 173

supplementary / 278
supply / 174
supportive / 338
suppose / 317
suppress / 251
suppression / 46
surf / 276
surface / 300
surge / 10
surgeon / 106
surgery / 115
surpass / 133
surrender / 356
surround / 88
surroundings / 17
surveillance / 247
survey / 157
survive / 154
susceptible / 334
suspect / 285
suspend / 109
sustain / 317
sustainable / 215
swallow / 152
swamp / 110
swap / 77
sway / 343
swear / 276
sweeping / 344
swell / 206
swift / 70
swing / 218
switch / 198
swivel / 216
symbol / 62
symbolic / 354
symbolism / 163

sympathetic / 151
sympathise / 279
sympathy / 132
symphony / 219
symptom / 148
synchronise / 146
synthesis / 206
synthetic / 329
systematic / 125
tackle / 278
tag / 225
tan / 167
tangibly / 37
tanker / 299
tap / 315
target / 38
tariff / 307
taunt / 231
teamwork / 61
tease / 170
technical / 214
technician / 224
technique / 198
tedious / 246
teem / 129
telegraph / 334
temper / 261
temporary / 211
tempt / 316
temptation / 354
tenable / 317
tenant / 36
tend / 117
tendency / 235
tender / 13
tense / 262
tensile / 252

terminal / 138
terminology / 239
terms / 351
terrace / 63
terrain / 97
terrestrial / 152
terrify / 59
territory / 136
textile / 105
texture / 135
theoretical / 17
theory / 281
therapy / 305
thereby / 83
therefore / 262
thermal / 204
thirsty / 114
thorny / 217
thoughtful / 250
threaten / 247
threshold / 144
thrifty / 334
thrill / 222
thrive / 31
throughout / 63
thunder / 106
tickle / 300
tighten / 337
tillable / 339
tilt / 320
timber / 284
timid / 323
tolerate / 281
tome / 101
topple / 278
topsoil / 105
torment / 324

torrent / 114
tortoise / 322
tough / 137
toxic / 135
toxin / 101
trace / 291
track / 146
tradition / 42
traditional / 1
tragic / 103
tram / 9
tramp / 91
tranquility / 162
transaction / 119
transcend / 285
transcribe / 301
transcript / 20
transcription / 182
transfer / 37
transform / 267
transient / 243
transit / 208
transition / 197
translate / 247
transmit / 290
transmute / 200
transparent / 55
transplant / 328
transport / 125
transportation / 300
trap / 32
trapeze / 25
traverse / 64
treadmill / 234
treasure / 355
treatise / 245
treatment / 95

trek / 138
tremendous / 148
trench / 265
trend / 219
trespass / 334
trial / 223
tribal / 335
tribute / 81
trick / 212
trigger / 173
trim / 199
trimester / 57
trinket / 90
triple / 285
triumph / 355
triumphant / 236
trivial / 275
trivialize / 326
tropical / 51
tropospheric / 87
troupe / 131
truant / 36
truce / 137
trunk / 329
trustworthy / 314
tube / 309
tug / 65
tune / 21
tunnel / 120
turbid / 158
turbine / 90
turnover / 80
turret / 45
tutor / 105
tutorial / 58
twist / 273
twofold / 119

typical / 22
ubiquitous / 56
ulterior / 322
ultimate / 27
ultimately / 117
ultraclean / 199
unanimous / 300
unaware / 22
unbeatable / 252
unbiased / 141
unblemished / 332
uncertainty / 199
unconcerned / 284
unconquerable / 301
underestimate / 301
undergraduate / 220
underground / 186
underlie / 344
underline / 45
underling / 248
underlying / 143
undermine / 48
underneath / 165
underpin / 216
understandable / 301
understanding / 260
undertake / 301
undetected / 179
undisguised / 264
undoubtedly / 289
uneasy / 77
unemployment / 248
unexpected / 274
unfortunately / 232
uniform / 169
union / 68
unique / 19

universe / 195
unload / 222
unobtrusive / 216
unparalleled / 190
unpredictable / 349
unprejudiced / 307
unquote / 130
unravel / 135
unrealistic / 306
unregistered / 307
unsanitary / 331
unsatisfactory / 225
untrustworthy / 109
unveil / 216
unwrap / 235
unyielding / 54
upgrade / 336
uphill / 110
upper / 282
upset / 207
uptake / 346
up-to-date / 183
urban / 39
urbanization / 265
urge / 193
urgent / 145
utilise / 135
utility / 232
utilization / 265
utterance / 182
vacancy / 281
vacant / 35
vacation / 144
vacuum / 311
vague / 247
valid / 250
valuable / 94

vanish / 21
variability / 312
variable / 347
variant / 277
variation / 9
variety / 3
various / 115
vary / 187
vast / 186
vegetarian / 296
vegetation / 149
veil / 117
velocity / 216
venerate / 344
venomous / 239
ventilation / 5
venture / 106
venue / 185
verbal / 325
verdict / 53
verification / 271
verify / 181
vernacular / 54
versatile / 340
version / 261
versus / 307
vertebrate / 24
vertical / 127
vessel / 69
vested / 219
vet / 100
veteran / 346
veterinarian / 145
veterinary / 243
viable / 185
vibrant / 259
vibrate / 310

vicious / 341
victim / 254
victimise / 231
viewpoint / 14
vigorous / 153
vile / 324
violate / 337
violence / 296
violent / 134
virtual / 346
virtually / 37
virtue / 97
virtuous / 335
viscous / 267
visible / 227
vision / 246
visual / 158
vital / 226
vitality / 103
vivid / 174
vocational / 90
voltage / 270
volume / 111
voluntary / 17
volunteer / 137
vomit / 314
voyage / 178
vulgar / 330
vulnerable / 94
wage / 6
wagon / 225
wander / 290
warrant / 52
wastage / 27
water-borne / 326
waterfront / 206
waterproof / 126

wax / 122
weaken / 280
weakness / 281
wealthy / 307
wean / 38
wedge / 168
weigh / 230
welfare / 149
well-being / 130
whereas / 130
whim / 343
whisper / 306
whistle / 11
wicked / 342
widespread / 33
willing / 13
windscreen / 38
withdraw / 150
withstand / 31
witness / 69
womb / 176
wonder / 102
workaholic / 22
workforce / 133
world-wide / 35
worm / 284
worthwhile / 269
worthy / 250
wrap / 246
wrestle / 314
wretch / 307
wrinkle / 228
yield / 7
zone / 212

# 附 录

## 雅思阅读词汇分类

### 环 境 类

accumulation 堆积物
alluvial 冲积的
avalanche 雪崩
boulder 大石头，漂石
carbon 碳
cascade 喷流
catastrophe 大灾难
Celsius (温度)摄氏的
circulation 流通，循环
climatic 气候上的
combustion 燃烧
conservation 保护，保存
contaminate 弄脏；污染
counterbalance 使平衡
crater 火山口
cropland 农田
debris 残骸
decompression 泻压
deforestation 采伐森林
delta 三角洲
demographic 人口统计学的
demolish 毁坏
deteriorate (使)恶化
deterioration 恶化
disaster 灾难
disintegrate (使)碎裂
disrupt 破坏
drought 干旱

dump 倾倒，倾销
ecological 生态学的
ecosystem 生态系统
embankment 筑堤
eruption 爆发
evacuate 排泄
extinction 灭绝
Fahrenheit 华氏温度计
gas emission 气体排放
glacier 冰川
granite 花岗岩
greenhouse 温室
habitat 居住地，栖息地
humid 湿润的
irreversible 不可撤销的
log 原木
luxuriant 肥沃的
magma 岩浆
mechanism 机理，机制
meteorology 气象学
ozone 臭氧
petroleum 石油
phenomenon 现象
prioritize 优先考虑
pulverised rock 碎石
radiation 辐射
reclaim 开垦，改造
recurrent 反复发生的
recycle 回收利用
resource depletion 能源耗尽

sediment 沉积(物)
slope 斜坡
solar 太阳的
sulphuric acid 硫酸
the Earth's mantle 地幔
thrive 兴旺，繁荣
timber 木材
tropical 热带的
ultraviolet light 紫外光
vegetation 植被
viability 生存能力
viscous lava 粘性熔岩
volcano 火山
volcanologist 火山学家
water consumption 水资源消耗

## 科 技 类

aperture 光圈
box camera 箱式照相机
cartridge 胶卷
cinecamera 电影摄影机
diaphragm 光圈
eyepiece 目镜
film 胶片
filter 滤光镜
flash / flashlight 闪光灯
folding camera 风箱式照相机
gelatine 白明胶
guide number 闪光指数
holder 固定器，支架
latitude 曝光宽容度
lens 镜头
magazine 胶卷盒，底片盒
mask 遮光黑纸
photoelectric cell 光电管

photometer 曝光表
plate 感光片
plateholder 胶片夹
sensitivity 灵敏度
shutter release 快门线
shutter 快门
spool 片轴
spotlight / floodlight 聚光灯
still camera 静物照相机
strain 压力
sunshade 遮光罩
telemeter 测距器
tripod 三脚架
viewfinder 取景器
wide-angle lens 广角镜头
zoom lens 变焦镜头
versatile 通用的
alchemy 炼金术
metallurgy 冶金
alloy 合金
electrode 电极
distill 蒸馏
quartz 石英
phosphorus 磷
inflammable 易燃的
ceramic 陶瓷的
insulate 隔离，绝缘
fiber 纤维
optics 光学
retina 视网膜
iris 虹膜
opaque 不透明的
microprocessor 微处理器
binary 二进制的
buffer 缓冲区

browser 浏览器
hypertext 超文本
reticular 网状的
Ethernet 以太网
domain 域
patent 专利
artificial 人造的
dome 圆顶
sewage 污水；下水道
hydraulic 水力的
landfill 垃圾掩埋(地)
ventilation 通风
polytechnic 各种工艺的
geometric 几何(学)的
asymmetry 不对称
bilateral 双边的

## 医 学 类

pediatrician 儿科医师
gynecologist 妇科医师
neurologist 神经专家
psychiatrist 精神病学专家
dentist 牙医师
surgeon 外科医师
anesthetist 麻醉师
clinic 诊所
sanatorium 疗养院
wholesome 有益于健康的
vaccinate 接种
complaint 疾病
affection 疾病
ulcer 溃疡
lesion 损害
injury 损伤
eruption 疹

spot 斑
pimple 丘疹；小疮
blackhead 黑头粉刺
blister 水疱
boil 疖
scar 疤痕
wart 疣
corn 鸡眼
bruise 挫伤
bump 肿
swelling 肿胀
twist 扭伤
symptom 症状
diagnosis 诊断
case 病例
epidemic 流行病
attack 发作
sneeze 打喷嚏
faint 晕厥
dizziness 眩晕
lose consciousness 失去知觉
diet 饮食
treatment 治疗
cure 治愈
anemia 贫血
arthritis 关节炎
bronchitis 支气管炎
cancer 癌
indigestion 消化不良
influenza 流感
leukemia 白血病
measles 麻疹
paralysis 瘫痪；麻痹
pneumonia 肺炎
poliomyelitis 脊髓灰质炎

rabies 狂犬病

scarlet fever 猩红热

smallpox 天花

swamp fever 疟疾

tumour 瘤

surgery 外科

anesthesia 麻醉

blood transfusion 输血

transplant 移植

stitches 缝线

operating theatre 手术室

instruments 手术器械

bandage 绷带

gauze 纱布

compress 敷布

sticking plaster 橡皮膏，胶布

plaster 石膏

## 职 业 类

labour exchange 职业介绍所

full employment 全职就业

piecework 计件工作

timework 计时工作

assembly line work 组装线工作

occupation 职务

vacancy 空缺

work permit 工作许可证

application 求职

engage 雇用

work contract 劳务合同

industrial accident 劳动事故

vocational guidance 职业指导

vocational training 职业训练

labour costs 劳力成本

permanent worker 长期工，固定工

staff 人员

skilled worker 技术工人

specialized worker 熟练工人

collaborator 合作者

foreman 工头

craftsman 工匠

specialist 专家

night shift 夜班

proletarian 无产者

trade union 工会

guild 行会

association 协会

emigration 移民；移居

representative 代表

works council 劳资联合委员会

labour law 劳工法

remuneration 报酬

wage index 工资指数

basic wage 基础工资

gross wages 全部收入

hourly wages 计时工资

bonus 奖励

payday 发工资日，付薪日

pay slip 工资单

payroll 薪水册

unemployment benefit 失业救济

old-age pension 养老金

retirement 退休

claim 要求；索赔

go-slow 怠工

strike pay 罢工津贴(由工会给的)

demonstration 示威

sanction 制裁

unemployment 失业

discharge 辞退

dismissal 开除，解雇
negotiation 谈判

## 生 活 类

accommodation (膳宿)供应
lodging 寄宿(处)
lease 出租
tenant 房客；佃户
landlord 房东
dormmate 室友
dormitory 寝室
real estate 房地产
vicinity 近邻
flat 公寓
deposit 押金
linen 亚麻的
stationery 文具
laundry 洗衣；洗衣店
cafeteria 自助餐厅
cater 满足(需要)
aerobics 有氧健身操
badminton 羽毛球(运动)
baseball 棒球
squash 壁球
amateur 业余爱好者
gathering 聚会
excursion 远足
illiterate 文盲
discipline 学科，纪律
terminology 术语学；〈总称〉术语
dean (大学)教务长
curriculum 课程
syllabus 课程提纲
calendar 日历；日程
compulsory 必修的

recruit 招生
prestige 声望，威信
esteem 尊敬
aptitude 智力
matriculation 录取入学
vocation 职业
transferable (学分等)可转换的
scholarship 奖学金
tutorial 辅导(课)
assignment 任务；(课外)作业
dissertation 论文
credential 证明；文凭

## 生 物 类

molecule 分子
amino acids 氨基酸
protein 蛋白质
enzyme 酶
botany 植物学
flora 植物群
fauna 动物群
bacteria [pl.] 细菌
fungi [pl.] 真菌
algae 海藻
fade 凋谢；褪色
organism 生物体，有机体
reptile 爬行动物
amphibian 两栖动物
mammal 哺乳动物
primate 灵长目动物
evolution 进化
gene 基因
genetics 遗传学
helix 螺旋，螺旋状物
mutation 突变

predator 捕食者
embryo 胚胎
grasshopper 蚱蜢
cricket 蟋蟀
pollen 花粉
hive 蜂房
larva 幼虫
pupation (化)蛹
hemisphere (脑)半球
somatic 躯体的
limb 肢
anatomy 解剖学
paralyze 使瘫痪
artery 动脉
gland 腺体
pancreas 胰
hormone 荷尔蒙，激素
cholesterol 胆固醇

## 学 科 类

Chinese 语文
English 英语
Japanese 日语
mathematics 数学
science 理科
gymnastics 体育
history 历史
algebra 代数
geometry 几何
geography 地理
biology 生物
chemistry 化学
physics 物理
physical geography 自然物理
literature 文学

sociology 社会学
psychology 心理学
philosophy 哲学
engineering 工程学
mechanical engineering 机械工程学
electronic engineering 电子工程学
medicine 医学
social science 社会科学
agriculture 农学
astronomy 天文学
economics 经济学
politics 政治学
commercial science 商学
biochemistry 生物化学
anthropology 人类学
linguistics 语言学
accounting 会计学
law / jurisprudence 法学
banking 银行学
metallurgy 冶金学
finance 财政学
mass-communication 大众传播学
journalism 新闻学
atomic energy 原子能学
civil engineering 土木工程
architecture 建筑学
chemical engineering 化学工程
accounting and statistics 会计统计
business administration 工商管理
library 图书馆学
diplomacy 外交
foreign language 外文
major 主修
minor 辅修